L'AVENTURE DES MOTS FRANÇAIS VENUS D'AILLEURS

Henriette Walter est professeur émérite à l'université de Haute-Bretagne, directrice du Laboratoire de phonologie à l'École pratique des hautes études et présidente de la Société internationale de linguistique fonctionnelle. Coauteur avec André Martinet du *Dictionnaire de la prononciation française dans son usage réel*, elle a dirigé de nombreuses enquêtes linguistiques, dont celle qui a abouti à l'élaboration du lexique des *Mouvements de mode expliqués aux parents*, de H. Obalk, A. Soral et A. Pasche (Robert Laffont, 1984).
Elle a publié, chez le même éditeur, *Le Français dans tous les sens*, 1988 (Grand Prix de l'Académie française), *Des mots sans-culottes*, 1989, *L'Aventure des langues en Occident*, 1994 (prix spécial du comité de la société des Gens de Lettres et Grand Prix les lectrices de *Elle* 1995). Chez J. C. Lattès, elle a publié *Le français d'ici, de là, de là-bas*, 1998.

Paru dans Le Livre de Poche :

L'AVENTURE DES LANGUES EN OCCIDENT
LE FRANÇAIS DANS TOUS LES SENS

HENRIETTE WALTER

L'Aventure des mots français venus d'ailleurs

LAFFONT

Au « CHEF D'ARMÉE à la lance forte »,
mon compagnon indispensable
dans cette périlleuse aventure.

Sommaire

Préambule
Des emprunts par milliers
Le cas particulier de l'argot
Des incertitudes inévitables
Vestiges du gaulois
Une langue deux fois latine
Permanence du grec classique
Du nom propre au nom commun
L'héritage germanique
Le temps des foires
Les langues de l'Orient et de la Méditerranée
Les apports des sœurs latines
Les autres apports européens
L'anglais
L'autre bout du monde
On a souvent besoin d'un étranger chez soi

Notes et références
Index et lexique

(Voir la table des matières détaillée en fin de volume)

PRÉAMBULE

Nous sommes tous des polyglottes...

... ou presque, ou nous pouvons du moins le devenir, même si, comme les Français, on a la réputation de ne pas avoir le don des langues. Car c'est dans la langue française elle-même que nous pouvons trouver des points de départ commodes pour aller vers les autres langues. On sait bien que le français est une langue issue du latin, mais on oublie souvent qu'il s'est enrichi au cours de sa longue histoire d'apports venus des quatre coins du monde : apports celtiques, germaniques et grecs, mais aussi arabes, néerlandais ou italiens, et encore espagnols, anglais, amérindiens, africains, persans, turcs, japonais... Car les mots ont souvent fait des voyages au long cours avant de s'implanter en français.

Le lexique ne connaît pas les frontières

Tous ces apports venus de plus ou moins loin, on peut tenter de les identifier, à la manière du notaire qui cherche à reconstituer l'origine de propriété d'une vieille demeure.

On comprend fort bien que, du latin au français, les mots aient pu changer d'allure, comme par exemple SETA(M), qui est devenu *soie*, ou AQUA(M), qui s'est réduit à sa plus simple expression : *eau*. Il nous faut en outre bien admettre que les mots ont aussi changé de sens : par exemple DOMUS, qui, en latin, désignait la maison, non seulement a évolué phonétiquement en *dôme*, mais se réfère aujourd'hui en français à une partie très particulière d'un édifice, la coupole. Mais ce que l'on oublie très souvent, c'est que le latin n'est pas l'unique source de la langue française, où l'on trouve par milliers des mots venus d'ailleurs[1].

Toutefois, seuls certains d'entre eux portent la marque de leur origine.

Des mots comme *boomerang*, *ersatz*, *karaoké*, *bungalow*, *geyser*, *zakouski*, *football*, *handball* ou le plus récent *panini*, sont immédiatement reconnus comme de provenance étrangère, même si l'on ne peut pas toujours deviner que *boomerang* vient d'une langue d'Australie, *ersatz* de l'allemand, *karaoké* du japonais (de *kara* « vide » et de *oké* « orchestration »), *bungalow* du hindi (par l'intermédiaire de l'anglais), *geyser* de l'islandais, *zakouski* du russe, *football* de l'anglais, *handball* de l'allemand et *panini* de l'italien.

Mais comment imaginer, sous leur allure vraiment française, que des quantités de mots sont des étrangers bien acclimatés dans notre langue ? Des recherches sont nécessaires pour apprendre par exemple que *chérubin* vient de l'hébreu, ou *pyjama*, du persan, *coche*, du hongrois, *vanille*, de l'espagnol, ou encore *tomate* et *chocolat* du nahuatl, cette langue des populations aztèques qui peuplaient le Mexique au moment de la conquête espagnole.

Pourquoi se plaindre des emprunts ?

Pour désigner tous ces mots que les langues du monde apportent à l'une d'entre elles, les linguistes ont un euphémisme plaisant : ils parlent pudiquement d'« emprunts » chaque fois qu'une langue prend des mots à sa voisine, tout en n'ayant pas la moindre intention de les lui rendre un jour. Et, chose curieuse, au lieu de voir les usagers de la langue emprunteuse se réjouir de l'adoption d'un mot étranger qui lui faisait défaut, et ceux de la langue donneuse marris du larcin dont elle a été victime, c'est exactement l'inverse qui se produit.

Les Français, en particulier, sont à la fois amusés et ravis lorsqu'ils apprennent qu'en espagnol le bidet (de la salle de bains) s'appelle aussi *bidé* et que les papiers d'identité y sont désignés par le mot français *carné (sic)* ; ils se réjouissent à l'idée que *carte blanche* et *dessert* s'emploient très naturellement en allemand, cette langue étonnante où le *Baiser* est une meringue et le *Krokant*, de la nougatine ; ils sont aux anges quand ils voient des mots comme *beige*, *bâton* (« rouge à lèvres ») ou *passe-vite* (« presse-purée ») dans un texte portugais, et ils se sentent un peu consolés quand ils se rendent compte qu'en anglais on dit couramment *déjà vu*, *vis-à-vis* ou encore *fait accompli* et que *cul-de-sac* désigne sans fausse pudeur dans cette langue ce que nous préférons appeler une *impasse*. En danois, on dit *avis* (« journal »), *citron-fromage* (« mousse au citron »), ou *brunette* (« petite femme brune »), et en néerlandais on parle de *coupon* pour « ticket », de *perron* pour « quai », de *taart* pour « gâteau ». Enfin, en roumain, on n'a que l'embarras du choix, entre *butic (sic)* qui est un petit commerce où l'on vend de tout, *fular*, *apartament*, *portmoneu* ou encore *jurfix* « fête organisée par des jeunes chez l'un d'entre eux » et *galanterie*, qui, en plus du sens qu'il a en français, désigne la lingerie et les sous-vêtements. Et ce ne sont que quelques exemples parmi des milliers d'autres.

En revanche, quel tollé quand on apprend que tel chanteur vient de publier en *CD* le *best of* de ses chansons *live*, ou que tel *show de rap* passera en *prime time* à la télévision !

La morale de cette histoire, c'est que, lorsqu'une langue distribue son patrimoine, contre toute logique ses usagers s'en réjouissent, alors que, si elle bénéficie de mots venus de l'étranger, ils s'en désolent.

Des trésors venus d'ailleurs

Ce livre voudrait montrer au contraire que, lorsqu'une langue « emprunte » des mots, elle s'enrichit de mille façons (ch. 1, DES EMPRUNTS PAR MILLIERS, p. 15, et ch. 2, LE CAS PARTICULIER DE L'ARGOT, p. 23).

On découvrira au cours des pages qui suivent que le lexique français ne s'est pas contenté de développer son héritage latin de toutes les façons possibles, mais qu'il a parfaitement su tirer parti de ses contacts avec les usages linguistiques de ses voisins en les adaptant et en les intégrant à ses propres structures. Après une brève incursion à la recherche des langues de ceux qui ont peuplé le pays avant l'arrivée des premiers Celtes – nos Gaulois – (ch. 3, DES INCERTITUDES INÉVITABLES, p. 33), on abordera les apports du gaulois lui-même. On s'apercevra que le latin parlé par les populations de l'ancienne Gaule s'était teinté de gaulois, et que le français a gardé quelques traces de cette vieille langue celtique jusqu'à nos jours (ch. 4, VESTIGES DU GAULOIS, p. 43). Avec les invasions germaniques, c'est un autre vaste pan du tissu lexical qui s'enrichira de nouveautés (ch. 8, L'HÉRITAGE GERMANIQUE, p. 99), avant que n'interviennent les mots des diverses langues régionales qui, sur l'ensemble du territoire, étaient nées du latin en même temps que le français. Le Moyen Âge devait apporter en plus son contingent de mots arabes, souvent par l'intermédiaire de l'espagnol, du catalan, du provençal ou de l'italien. Et c'est à la même époque que des mots néerlandais allaient pénétrer dans la langue française (ch. 9, LE TEMPS DES FOIRES, p. 119, et ch. 10, LES LANGUES DE L'ORIENT ET DE LA MÉDITERRANÉE, p. 137).

Mais cela n'était rien auprès de tout ce qui allait arriver d'Italie sous le règne de François Ier (ch. 11, LES APPORTS DES SŒURS LATINES. L'ITALIEN, p. 165). Le goût pour l'italien deviendra vraiment irrésistible à la cour de Catherine de Médicis : la France va alors s'enthousiasmer pour tout ce qui vient d'Italie, qu'il s'agisse des arts martiaux ou des arts tout court, de la mode vestimentaire, des manières de table ou des façons de parler. Il y a, à cette époque, un tel engouement pour l'Italie qu'on parlera d'italomanie et que le roi Henri III demandera au grammairien et lexicographe Henri Estienne de rédiger des ouvrages dans le but de prouver la supériorité de la langue française sur la langue italienne.

On peut voir dans cette intervention royale au XVIe siècle l'un des nombreux signes montrant que la question de la langue française a toujours été un souci majeur de nos gouvernants, au Moyen Âge et sous l'Ancien Régime comme sous la République : cette requête venue de haut se manifestait 700 ans après l'intervention de Charlemagne en faveur de la re-latinisation du dialecte roman qui était en passe de devenir la langue française et 400 ans avant que le général de Gaulle ne demandât à Étiemble d'écrire un pamphlet pour lutter contre l'anglais envahissant[2]. En France, la langue a toujours été considérée comme une affaire de l'État, qui a souvent légiféré pour la protéger des influences étrangères.

Or les langues qui ont contribué à faire du français ce qu'il est aujourd'hui se comptent par dizaines : depuis des langues voisines comme l'italien (ch. 11, p. 165), l'espagnol (ch. 12, p. 185), le néerlandais (ch. 9, p. 122) ou l'anglais (ch. 14, p. 215), dont la générosité est même parfois considérée comme gênante, jusqu'aux langues venues du bout du monde (ch. 15, p. 239), comme le japonais, le nahuatl, l'algonquin ou le tupi, comme le bantou ou le hottentot, qui lui ont apporté la pointe d'exotisme coloré qui lui manquait.

À toutes ces langues, plus ou moins éloignées dans l'espace ou dans le temps, il faut ajouter, en leur faisant une place de choix, deux langues tout à fait privilégiées, parce qu'elles n'ont jamais cessé d'enrichir le français et que leur influence n'est pas près de disparaître : le latin classique (ch. 5, UNE LANGUE DEUX FOIS LATINE, p. 59) et le grec ancien (ch. 6, PERMANENCE DU GREC CLASSIQUE, p. 77). Nous savons tous combien nous devons aux Grecs et à la langue grecque : le vocabulaire savant en est totalement imprégné. Mais le latin ? Il ne faudrait pas oublier que le français n'est pas simplement une langue issue du latin ; il lui a aussi beaucoup emprunté. Au fond, le français est une langue deux fois latine : à la fois par ses origines et par ses constants retours aux sources tout au long de son histoire.

On voyagera aussi, mais d'une autre façon, avec tous ces mots formés sur un nom de lieu étranger, comme *mousseline* (à partir de Mossoul) ou *berline* (à partir de Berlin), sur le nom propre d'une personnalité étrangère, comme *dahlia* (à partir de Dahl, nom d'un botaniste suédois, élève de Linné), ou encore avec les créations néologiques nées de l'imagination d'un étranger, comme *gaz* inventé par un Hollandais, ou *album* par un Allemand (ch. 7, DU NOM PROPRE AU NOM COMMUN, p. 89).

Grâce à toutes ces langues qui ont contribué à divers titres à forger la personnalité de la langue française, cet ouvrage permettra de voyager autour du monde. On prendra parfois le temps de s'arrêter sur des sites particulièrement mis à contribution, comme le germanique ancien, l'italien ou l'anglais. On se déplacera aussi d'une langue à l'autre, à la recherche d'un vocabulaire particulier, celui des arbres, par exemple, celui de la botanique ou de la médecine. Et on se divertira çà et là grâce à des « à la manière de » quelque peu iconoclastes : le lecteur sera invité à tenter d'y retrouver à la fois les textes littéraires transfigurés et l'origine étrangère des mots de substitution.

QUELQUES POINTS DE REPÈRE À TRAVERS LES ÂGES

	langue *(exemples)*
ANTIQUITÉ	**ligure** *(avalanche...)* **ibère** *(baraque...)* **gaulois** *(braguette, galet...)*
MOYEN ÂGE	**francique** *(hangar...)* **latin classique** *(fragile...)* **néerlandais** *(boulevard...)* **langues régionales** *(rescapé, cigale, échantillon)* **arabe** *(sirop, jupe...)*
XVIe-XVIIe	**italien** *(caresser, réussir, à l'improviste...)* **espagnol** *(camarade...)* **nahuatl** *(chocolat...)* **portugais** *(pintade...)* **tupi** *(palétuvier...)* **grec ancien** *(typographie...)*
XVIIIe	**italien** *(caleçon...)* **anglais** *(bol...)* **algonquin** *(mocassin...)* **allemand** *(nouille...)* **polonais** *(mazurka...)* **tchèque** *(robot...)* **russe** *(cosaque...)* **langues scandinaves** *(rutabaga...)*
XIXe-XXe	**anglais** *(rail, silicone, formater...)* **bantou** *(okoumé...)* **tahitien** *(paréo...)* **malgache** *(raphia...)* **japonais** *(mousmé...)*

1

DES EMPRUNTS PAR MILLIERS

Le poids de la dette

Combien compte-t-on de mots d'origine étrangère en français ?

Il est toujours hasardeux de donner des chiffres, même approximatifs, en matière de lexique, car le nombre des mots d'une langue change tous les jours : certains d'entre eux tombent lentement et imperceptiblement dans l'oubli, tandis que des créations indigènes ou des emprunts aux autres langues pénètrent sans discontinuer dans l'usage, au gré des besoins et des rencontres. De plus, l'origine exacte d'un mot reste souvent conjecturale. On peut néanmoins, en restreignant le champ d'investigation au français de la fin du XXe siècle et au seul domaine de l'usage courant, tenter de se faire une idée globale de la masse d'emprunts aux langues étrangères par rapport au fonds lexical autochtone.

Une étude effectuée en 1991 [3] avait établi l'existence, en français, d'un peu plus de 8 600 mots d'origine étrangère, sur un corpus représenté par un dictionnaire usuel d'environ 60 000 entrées, ce qui correspond à un peu plus de 14 % du vocabulaire total. Les mots trop archaïques ou trop régionaux, trop spécialisés ou trop savants avaient ensuite été séparés pour n'étudier dans le détail que ceux qui étaient présents parmi les 35 000 mots du *Petit Dictionnaire de la langue française Larousse* ou du *Micro-Robert Plus*. On aboutissait alors à environ 4 200 mots courants d'origine étrangère (soit un peu moins de 13 %). Il faut ajouter que dans ce résultat ne figuraient ni les créations à partir du grec ancien (comme *photographie* ou *biologie*), ni les emprunts tardifs au latin (comme *sacrement*, face à *serment*, ou *fragile*, face à *frêle*). Ces deux apports importants font l'objet de deux chapitres particuliers dans le présent ouvrage (cf. ch. 5, UNE LANGUE DEUX FOIS LATINE, p. 59, et ch. 6, PERMANENCE DU GREC CLASSIQUE, p. 77).

Récréation

DES MOTS GAULOIS TOMBÉS DANS L'OUBLI

Si le français moderne a conservé vivants quelques éléments de la langue gauloise comme *alouette, char, chemin, cloche* ou *sapin,* de nombreux mots gaulois, encore présents dans les dictionnaires, ne sont plus en fait que des « mots-souvenirs ». En voici quelques-uns, qu'il serait divertissant d'introduire, sans crier gare, dans une conversation entre amis, juste pour tester leur degré d'attention. Essayez d'abord de deviner leur signification entre les trois solutions proposées ci-dessous :

1. un bièvre
- a. portion de cours d'eau
- b. tige entre deux pièces mobiles
- c. castor

2. une drille
- a. chiffon
- b. excroissance végétale s'enroulant en hélice
- c. personne extravagante

3. des landiers
- a. habitants des Landes
- b. chenets
- c. cornes de cerf

4. la mègue*
- a. petit-lait
- b. mie de pain
- c. terme argotique, féminin de *mec*

5. un tacon
- a. talon d'une chaussure au Moyen Âge
- b. jeune saumon
- c. vieil imbécile

6. la vergne**
- a. hêtre
- b. chêne
- c. aulne

* *Mègue* a donné naissance à un dérivé inattendu : *mégot.*
** Le nom de cet arbre est présent dans un grand nombre de toponymes. Il est parfois masculin.

Réponses : 1c – 2a – 3b – 4a – 5b – 6c.

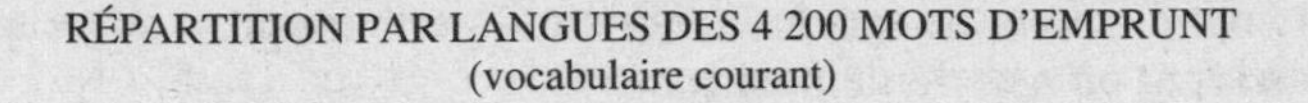

RÉPARTITION PAR LANGUES DES 4 200 MOTS D'EMPRUNT
(vocabulaire courant)

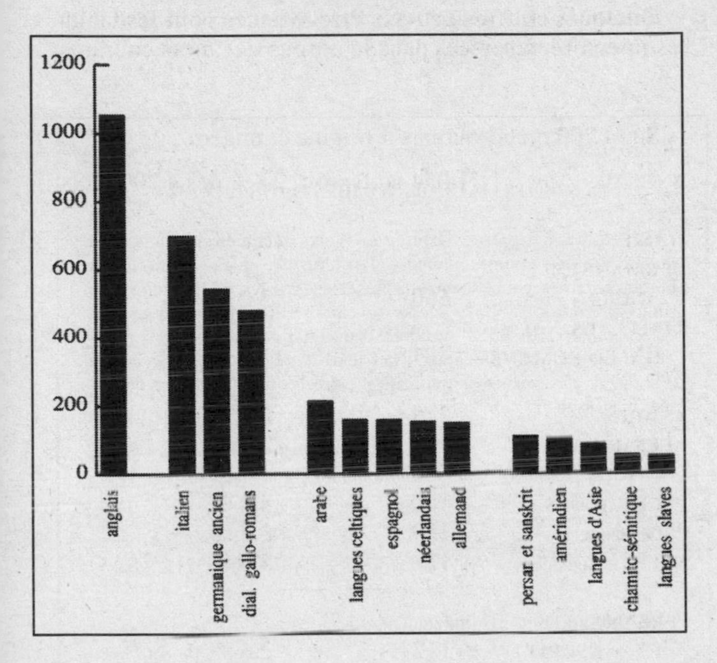

Les « grosses » dettes

Malgré les incertitudes où l'on se trouve pour proposer des estimations chiffrées, on peut prendre le risque de dresser un palmarès approximatif des langues les plus « prêteuses ».

À la place d'honneur, se trouve l'anglais, mais cette situation est assez récente, car jusqu'au milieu du XXe siècle c'était l'italien qui venait en tête[4]. Il est aujourd'hui au deuxième rang, suivi de près par le germanique ancien – surtout la langue des Francs, le francique – et par les autres idiomes gallo-romans, qui ont eux-mêmes souvent été les véhicules du gaulois (cf. ch. 4, VESTIGES DU GAULOIS, p. 43). Viennent ensuite l'arabe et les langues celtiques, qui précèdent l'espagnol et le néerlandais. L'allemand moderne et les dialectes germaniques actuels arrivent en neuvième position.

Quelques chiffres peuvent être avancés pour les langues les mieux représentées dans le corpus des mots courants.

Sur 4 200 mots courants d'origine étrangère :

ANGLAIS	1 054 mots, soit	25 % des 4 200 mots
ITALIEN	707	16,8 %
GERMANIQUE ANCIEN	550	13,0 %
DIALECTES GALLO-ROMANS	481	11,5 %
ARABE	215	5,1 %
ALLEMAND	164	3,9 %
LANGUES CELTIQUES	160	3,8 %
ESPAGNOL	159	3,7 %
NÉERLANDAIS	153	3,6 %
PERSAN ET SANSKRIT	112	2,6 %
LANGUES AMÉRINDIENNES	101	2,4 %
LANGUES D'ASIE	89	2,0 %
LANGUES CHAMITO-SÉMITIQUES	56	1,3 %
LANGUES SLAVES ET BALTES	55	1,2 %
AUTRES LANGUES	144 mots, soit	3,4 % des 4 200 mots.

Le nombre des mots empruntés à une autre langue que celles de la liste ci-dessus (AUTRES LANGUES) est toujours inférieur à 35 et plusieurs d'entre elles n'atteignent pas 10.

Il est en outre significatif de remarquer que les 1 054 mots empruntés à l'anglais, s'ils représentent le quart de tous les emprunts, tiennent une place très modeste en regard des 35 000 mots considérés comme représentatifs du français courant : environ 3 %.

Les « petites » dettes

En dehors des langues citées ci-dessus, si on fait le compte de toutes les langues représentées dans la langue française, on en dénombre une bonne centaine, parmi lesquelles :

LES LANGUES PRÉ-INDO-EUROPÉENNES (ibère, ligure...)

L'HÉBREU

LES LANGUES SLAVES (russe, tchèque, polonais...)

LES LANGUES AUTOUR DE L'OCÉAN INDIEN (tamoul, hindi, malais, malgache...)

LE PORTUGAIS

LE TURC

LES LANGUES SCANDINAVES MODERNES (suédois, danois, norvégien...)

LES LANGUES AFRICAINES (bantou, malinké, wolof...)

AUTRES LANGUES (hongrois, finnois, basque, arménien, créoles, dalmate, osque...)

Les prochains chapitres présenteront quelques commentaires sur chacun des apports de ces langues à la langue française dans son ensemble, après un exposé sur les emprunts aux langues étrangères dans le vocabulaire de l'argot.

Récréation

LE BONHEUR DE PASTICHER

Tout le monde connaît le début du poème de Verlaine intitulé *Green* :

Voici des fruits, des fleurs, des feuilles et des branches
Et puis voici mon cœur qui ne bat que pour vous.
Ne le déchirez pas avec vos deux mains blanches
Et qu'à vos yeux si beaux l'humble présent soit doux.

Il a été pastiché trois fois avec des mots d'origine étrangère (en ***gras***) et correspondant pour chaque pastiche à une même langue.

Quelle est la langue d'origine pour A, pour B et pour C ?

A. Voici de l'***ambre*** ancien, du ***talc*** et du ***benjoin***
Et puis un ***élixir*** dans sa ***carafe*** pour vous ;
Écoutez ma ***guitare***, acceptez ce ***camée*** ;
Venez sur ce ***divan***, quittez votre ***jaquette*** :
Vous serez ma ***gazelle***, et moi votre ***laquais***.

B. Voici un ***slip***, un ***short***, des ***boots*** et des ***socquettes***
Et puis voici en ***prime*** mon ***cardigan*** pour vous.
Ne me renvoyez pas de votre ***kitchenette***
Et qu'à vos yeux d'***esthète*** tous ces ***items*** soient doux.

C. Voici un ***canari***, du ***jade*** et des ***jonquilles*** ;
Et puis voici mon ***casque*** plein de ***vanille*** pour vous.
Ne l'***escamotez*** pas, prenez cette ***pacotille*** :
Elle charme les ***moustiques*** et rend les ***gitans*** fous.

Réponses : A : arabe – B : anglais – C : espagnol.

2

LE CAS PARTICULIER DE L'ARGOT

Le vocabulaire argotique

Les chiffres avancés pour la langue française dans son ensemble ne permettent pas de faire la part de ce qui revient à l'argot, c'est-à-dire à toutes ces formes lexicales que l'on considère comme déviantes par rapport à la langue française officielle, celle qu'on enseigne. Le vocabulaire de l'argot traditionnel, tel que le décrit le dictionnaire de Richelet en 1680, était alors le langage « des gueux et coupeurs de bourse qui s'expliquent d'une manière qui n'est intelligible qu'à ceux de leur cabale ». Cette définition est aujourd'hui bien dépassée, et une controverse oppose ceux qui estiment que l'argot n'existe plus à ceux qui soutiennent qu'il a seulement assumé une nouvelle fonction : langue emblématique, signe d'appartenance à un groupe, ou simple clin d'œil linguistique.

Sans entrer dans cette polémique, qui pose un vrai problème difficile à résoudre parce que la situation reste sujette à fluctuations, on peut remarquer que ces productions lexicales spontanées n'ont pas cessé de proliférer selon les mêmes procédés depuis plus d'un siècle et demi, et cela malgré leur propagation, au siècle dernier, hors des milieux de la pègre, ce qui lui avait fait perdre sa caractéristique la plus centrale : celle de langage secret[5].

Ce qui reste en effet remarquable dans l'histoire de ce vocabulaire argotique toujours en mouvement, c'est la constance de ses modes de renouvellement favoris : l'abondance de la dérivation et surtout le goût de la suffixation parasite, la troncation des mots et les déformations voulues, mais aussi la métaphore et la métonymie, souvent teintées d'ironie, et enfin l'emprunt aux langues étrangères.

Les emprunts en argot ancien

On imagine aisément que le recours à l'emprunt ait pu être de tout temps une des sources de la création argotique. Et pourtant, la place réelle des emprunts dans l'ensemble des procédés de renouvellement de ce vocabulaire particulier reste encore à définir.

Victor Hugo estimait déjà que, « selon qu'on y creuse plus ou moins avant, on trouve dans l'argot, au-dessous du vieux français populaire, le provençal, l'espagnol, de l'italien, du levantin, cette langue des ports de la Méditerranée, de l'anglais et de l'allemand, du roman dans ses trois variétés : roman français, roman italien, roman roman, du latin, enfin du basque et du celte[6] ». La réalité actuelle est au moins aussi variée.

À l'origine, quelques mots étaient communs aux argots français, italien (appelé *furbesco*), et espagnol (appelé *germania*) : *ance* « eau », *lime* « chemise », *arton* « pain », *marque* « fille », *crie* « viande », *ruffle* « feu ».

En fait, le *furbesco*, venu d'Italie, avait fourni au français les mots :

gonze « un niais »
casquer, mais à l'origine avec le sens de « tomber »
lazagne « lettre » ;

et l'argot espagnol y avait ajouté les mots :

godin « homme riche »
luque « faux certificat »
taquin « tricheur ».

Mais c'est au tsigane que l'argot français doit :

berge « année »
grès « cheval »
maravédis « pièce d'or »[7].
chourin « couteau »
manouche « bohémien »

Dans le lexique argotique actuel

Une étude récente a été entreprise pour estimer le volume des emprunts présents dans le lexique argotique contemporain[8].

Les résultats de ce travail montrent que, sur un total de 1 105 emprunts à d'autres langues (sur un corpus d'environ

6 500 mots argotiques), ce sont les parlers régionaux qui viennent en première place (397 mots) et qu'ils ne sont suivis que de très loin par l'italien (159), l'anglais (157) et les langues germaniques autres que l'anglais (125). Viennent ensuite l'arabe (89), l'espagnol (57) et le tsigane (54). Enfin les langues celtiques ont fourni 18 mots, et toutes les autres, moins de 10 mots chacune.

Si l'on compare ces chiffres à ceux obtenus pour les emprunts faits par la langue commune (cf. ch. 1, DES EMPRUNTS PAR MILLIERS, p. 15), à savoir, pour les trois groupes les plus importants :

1° anglais, avec 1 054 mots,
2° italien, avec 707 mots,
3° parlers gallo-romans, avec 481 mots,

on constate que l'ordre d'importance est inversé pour le vocabulaire argotique, où l'anglais et l'italien sont presque à égalité et où ce sont les parlers gallo-romans, c'est-à-dire les langues régionales de France, qui l'emportent :

1° parlers gallo-romans, avec 397 mots,
2° italien, avec 159 mots,
3° anglais, avec 157 mots.

Les langues régionales en tête

Lorsqu'on examine de plus près la liste des emprunts de l'argot aux langues régionales, on se rend compte en outre

qu'une grande partie de ce vocabulaire appartient aujourd'hui à la langue familière connue de tous, et n'a plus rien d'un code secret. Ainsi :

des *verbes* comme :

turbiner	(dialecte du Nord)	*mégoter*	(oïl de l'Ouest)
arnaquer	(picard)	*dégoter*	(angevin)
cafouiller	(picard)	*zigouiller*	(poitevin)
pioncer	(picard)	*bicher*	(lyonnais)
roupiller	(picard)	*resquiller*	(provençal)
baguenauder	(languedocien) ;		

des *noms* comme :

gambette	(picard)	*pognon*	(lyonnais)
tiffes	(dauphinois)	*mouise*	(franc-comtois)
grolles	(lyonnais)	*moutard*	(francoprovençal)
pagaye	(provençal) ;		

des *adjectifs* comme :

ringard	(oïl du Nord)	*maous(se)*	(angevin)
morfal	(rouchi)	*sinoque*	(savoyard).

Dans cette dernière rubrique, si *ringard* est resté très vivant, *morfal, maous(se)* et *sinoque* paraissent aujourd'hui un peu... ringards.

Historique des emprunts dans le domaine de l'argot

Un deuxième classement général des emprunts en argot, par ordre chronologique cette fois, permet de constater que les attestations des emprunts avant le XVe siècle sont très rares. On sait en effet que c'est seulement grâce au procès des Coquillards dijonnais au XVe siècle qu'ont été dévoilées les premières réelles informations sur le langage secret de la bande de ces malandrins.

Parmi les attestations les plus anciennes, on trouve *mitan* « milieu » venu vers 1200 du franc-comtois ; *pine* « pénis » (1265), *maquereau* « proxénète » (1270) du néerlandais ; *maravédis* « sou » (1203), probablement du tsigane (cf. ch. 12, *carte* LES GENS DU VOYAGE, p. 189) par l'intermédiaire de l'espagnol, et le verbe *pier* « boire » (1292) du grec.

LES COQUILLARDS ET LEUR ARGOT

On les appelait ainsi parce qu'ils portaient une coquille pour se faire passer pour des pèlerins de Saint-Jacques-de-Compostelle. Ces bandes de voleurs organisées, qui représentaient au XVe siècle l'une des séquelles de la guerre de Cent Ans, réunissaient des aventuriers des grands chemins auxquels se mêlaient des groupes d'Italiens et d'Espagnols. Leur façon de parler a fourni l'essentiel des premiers recueils d'argot.

Les emprunts au grec sont souvent passés dans l'argot français par le truchement de l'italien.

Le verbe *gourer* « tromper », que l'on trouve chez Villon, avait été précédé au XIIe siècle par *goure* « boisson falsifiée », que l'on rapproche de l'arabe *gurûr* « tromperie »[9].

Les attestations des emprunts en argot restent tout de même rares au XVe siècle, mais on peut signaler *dalle* « gorge, gosier » (1450) venu du normand, et *argousin* « policier » (1450) venu du catalan.

Aux XVIe et XVIIe siècles, d'autres emprunts peuvent être identifiés et certains d'entre eux sont aujourd'hui passés dans la langue familière commune. Tel est le cas, par exemple, de *loustic* « mauvais plaisant » (1557) venu de l'allemand *lustig* « joyeux », de *gonze* « individu » (1628), venu de l'italien *gonzo* « lourdaud », et qui a donné naissance à *gonzesse*, forme féminine plus généralisée, tandis que *salamalecs* « ronds de jambe, politesses exagérées » (1659) vient de l'arabe *salam alayk* « paix sur toi » et que *pinard* « vin » (1616) est issu d'un parler régional roman non spécifié.

La langue des galériens

Dès la fin du XVIe siècle, on trouve un nombre important de formes argotiques d'origine méridionale, et on peut les expliquer par l'afflux des malfaiteurs attendant d'être embarqués sur les galères des ports de la Méditerranée. François Ier avait en effet créé la peine des galères, qui avait eu Marseille pour port d'attache, puis Toulon sous Henri IV. Plus tard, le bagne de Marseille et celui de Toulon, au milieu du XVIIIe siècle, joueront le même rôle[10].

Voici quelques exemples de formes d'origine méridionale qui sont encore bien vivantes : *cabot* « chien » (1821), *costaud* « souteneur, gaillard » (1884), *esquinter* « éreinter » (1861), *pègre* « voleur », et en particulier « voleur de quai », réputé pour avoir de la poix (*pego* en provençal) aux doigts. On peut encore citer, parmi beaucoup d'autres emprunts aux langues régionales, *limace* « chemise » (1835, de l'argot marseillais), *se baguenauder* « se promener » (1750, du languedocien), *au rancart* (1470, du normand), *décaniller*

« s'enfuir » (1792, du lyonnais), *moutard* (1827, du franco-provençal).

Récréation

À LA MANIÈRE DE LA FONTAINE

À quelle langue sont empruntés tous les mots écrits en gras qui travestissent cette fable de La Fontaine ?

La ***cigale*** ayant ***rôdé***
Tout l'été
Capota dans la ***panade***
Quand la ***brume*** fut venue.
Pas la moindre ***bartavelle***
À ***tarabuster***
Jusqu'à la saison nouvelle...
Elle alla crier sa ***dèche***
Chez la ***soubrette***, à l'***auberge*** :
« Cessez vos ***balivernes,***
Railla cette ***donzelle***,
Vous ***gambadiez***, au temps chaud ?
J'en suis fort aise...
Eh bien, ***bisquez*** maintenant.

Réponse : provençal.

Les autres langues

L'italien de son côté a constamment fourni du vocabulaire à l'argot à partir du XIVe siècle : *chiourme* « ensemble des bagnards » dès 1350, *bisbille* « dispute » en 1550, *dab* ou *dabe* « père » en 1725, *patraque* « en mauvaise forme physique » en 1743, *à la manque* « mal fait » en 1836, *scoumoune* « malchance », attesté en 1955, mais probablement beaucoup plus ancien.

C'est essentiellement du XVIIIe siècle que datent les premiers emprunts à l'allemand : par exemple *schnaps* « eau-de-vie », *capout* (dont la graphie est variable) « détruit, mort », *estourbi* « assommé », *nix* « non » affirmé avec force (aujourd'hui, on dirait plutôt *niet*), *fifrelin* « menue monnaie, sans valeur ».

En ce qui concerne l'arabe, en dehors de *salamalecs*, qui est attesté dès 1659, les emprunts de l'argot à cette langue commencent au XIXe siècle avec *maboul* « fou » (1860), *toubib* « médecin » (1863), *clebs* « chien » (1895), *flouze* ou *flousse* « argent » (1895), *béni-oui-oui* « qui approuve tout, sans esprit critique » (1959), *souk*, d'abord avec le seul sens de « magasin » (1959), puis celui de « désordre » (1960).

Les emprunts au tsigane se multiplient également au XIXe siècle, par exemple : *surin* (anciennement *chourin*) « couteau » (1827), *gadjo* « non-gitan », ou « homme naïf » (1899), *choucard* « beau, bon » (1947), *chouraveur* « voleur » (1962).

Quant à l'anglais, il n'offre qu'une dizaine d'attestations d'apports à l'argot au XIXe siècle, dont *job* « travail » en 1831, et *bifteck* en 1833. Ce dernier mot a d'abord pris le sens de « partie postérieure charnue du corps humain », avant de désigner de façon mi-humoristique, mi-ironique « les Anglais », et enfin « la prostituée » (considérée comme source de revenus).

Lexique argotique et lexique tout court

Mais c'est surtout dans la seconde partie du XXe siècle que l'anglais devient l'une des principales sources des emprunts. On constate dans le lexique argotique d'origine anglaise un glissement d'un argot traditionnel propre au « milieu » (*paddock* « lit » dès 1939, *racket* « extorsion de fonds par la violence » en 1961) vers un usage plus général : par exemple, plus récemment, *gay* « homosexuel jeune et militant », *groupie* « jeune admiratrice d'un musicien » en 1970, *cool* « détendu, sympa » dès 1977, *loser* « un perdant » en 1983 et *tagger* ou *tagueur* « jeune marginal traçant des graffitis » en 1988.

Le vocabulaire argotique rejoint ainsi, à la fin du XXe siècle, les tendances les plus évidentes du vocabulaire général, en puisant dans l'anglais la plus grande partie de ses emprunts.

3

DES INCERTITUDES INÉVITABLES

Des mots sans date de naissance

Il faut se rendre à l'évidence : sauf exception, on ne peut pas vraiment savoir à quel moment un mot étranger a été adopté. Seule la plus ancienne attestation écrite connue pourrait réduire l'incertitude, mais on n'est jamais sûr qu'elle corresponde à sa première apparition dans la langue. En effet, un mot peut fort bien avoir circulé pendant des années, des décennies, voire des siècles avant de se manifester dans un texte écrit. Un cas extrême est représenté par le mot *frimas*, dont on sait qu'il est issu du germanique (au IVe siècle) et attesté en ancien français sous la forme *frime* (1050), mais *frimas* n'apparaît pour la première fois dans un texte écrit que chez Villon en 1456, c'est-à-dire avec un retard de plus de mille ans.

La question de la date d'emprunt reste encore plus mystérieuse lorsque la langue d'origine a disparu sans laisser de descendants. Tel est le cas pour un certain nombre de mots dont on sait seulement qu'ils ne sont ni latins ni même gaulois, mais qu'ils appartiennent à des langues ayant précédé ces idiomes sur le territoire.

Avant le gaulois et avant le latin

Nous connaissons bien les noms de certains habitants qui peuplaient la Gaule avant l'arrivée des Gaulois : Aquitains, Ibères, Ligures, mais leurs langues restent pratiquement inconnues.

Les Ibères, qui occupaient à l'origine la péninsule Ibérique, s'étaient aussi installés dans le sud de la Gaule, et ils s'étaient probablement implantés jusque dans le Cantal et dans la région de Nîmes, pour être ensuite repoussés vers le Roussillon. De leur côté, les Ligures semblent avoir occupé le sud-est et l'est de la Gaule, ainsi que l'Italie du Nord. Mais dans ces deux cas, seuls les toponymes gardent le souvenir de ces langues qui n'ont pas eu de rejetons.

Le basque, langue vivante

En revanche, on a de bonnes raisons de penser que les Aquitains sont probablement les lointains ancêtres des Basques, dont la langue, contre vents et marées, a survécu à toutes les invasions, à commencer par celles des Gaulois au cours du premier millénaire avant J.-C. Malheureusement, la plus ancienne attestation en langue basque ne date que du Xe siècle après J.-C. et le premier livre seulement de 1545[11]. Dans ces conditions, on a bien du mal à se faire une idée du basque à date ancienne. Mais, par bonheur, le basque est une langue encore bien vivante.

Grâce au basque moderne, on peut aisément comprendre le sens d'un bon nombre de toponymes de cette région sur le territoire français : la *Bidassoa*, c'est « le fleuve, la rivière », *Mendigorri* signifie « montagne rouge », *Baigorri* « rivière rouge » et *Iriberri* « village neuf ». Mais le lexique français d'origine basque se résume à bien peu de chose : à deux termes concernant le jeu de pelote basque (*pelotari* « joueur de pelote basque » et *chistera* « sorte de gant d'osier servant à renvoyer la balle », ce dernier ayant été emprunté au latin CISTELLA), à l'adjectif *bizarre*, au substantif *bagarre* « dispute violente et désordonnée » et au nom de l'*orignal*, cervidé du Canada dont le nom, donné par des immigrants basques, a ensuite fait le voyage inverse.

Des mots venus de la nuit des temps

Quelques mots français comme *baraque, caillou, caparaçon, carapace* et *chalet* sont certainement prélatins, mais viennent-ils du gaulois, de l'ibère, du ligure ou d'une autre langue méditerranéenne aujourd'hui disparue ?

Le mot *baraque*, qui a été introduit en français par l'intermédiaire de l'espagnol, pourrait se rattacher à une racine ibère à l'origine, *bar* « boue », la baraque étant d'abord une maison en torchis.

Pour *caillou*, on pourrait opter pour la racine *cal* « pierre, gravier de rivière », que l'on trouve aussi en gaulois[12].

Quant au ligure, il semble avoir laissé à la langue française *avalanche, marron* « châtaigne » et *tomme* (qui désigne le fromage en savoyard).

Les mots *gave, gaver, gavotte, gouailler, jabot* et *joue* dérivent tous de la même racine prélatine *gaba* « gorge, gosier ». Ils ont pénétré en français par l'intermédiaire du normand ou du picard pour les premiers, par l'auvergnat, le limousin et le francoprovençal pour les derniers.

Enfin, voici encore d'autres mots d'origine aussi lointaine, mais qu'on ne peut attribuer à aucune langue précise : *calanque, clapier, garrigue, givre, marelle, mélèze, motte, patte* « chiffon », *pic, pot.*

D'OÙ VIENT LE NOM DE LA ROSE ?

Il vient, bien sûr, du latin ROSA, mais le mot latin lui-même ? Vient-il d'une langue sémitique ? Peut-être est-il ensuite passé par l'étrusque ? L'hypothèse est plausible[13].

En fait, le nom de la fleur la plus connue reste d'origine inconnue.

Le nom du lapin

Le nom du lapin, qui a peut-être été emprunté à une ancienne langue méditerranéenne, a causé bien des soucis aux Français soucieux de bonnes manières. En effet, le nom de ce petit rongeur était CUNICULUS en latin, devenu *conil* et *conin* en ancien français. On voit tout de suite les jeux de mots un peu lestes que ces formes pouvaient susciter, et on comprend pourquoi ils ont été abandonnés au XVe siècle et remplacés par *lapin*, mot formé à partir de LEPUS, qui désignait pourtant en latin un autre animal, le *lièvre*. En faisant une entorse au sens, on pensait avoir préservé la bienséance, mais on n'avait pas mesuré toutes les conséquences de ce nouveau choix : avec le nom de la femelle du lapin, le problème restait entier.

Récréation

LES CHIENS

1. Tous les mots en **gras** sont des emprunts à une même langue. Laquelle ?
2. Ces quatre lignes reprennent la structure de la première strophe d'un poème intitulé « Les chats ». Qui en est l'auteur ?

Les ***ermites athées*** et les ***prêtres austères***
Aiment également, pour leur ***zèle magique***,
Les chiens ***myopes*** et ***glauques***, à l'***iris écliptique***,
Qui comme eux sont ***ascètes*** et comme eux sans ***colère***.

Réponses : 1. Le grec. 2. Baudelaire.
Les amoureux fervents et les savants austères
Aiment également, dans leur mûre saison,
Les chats puissants et doux, orgueil de la maison,
Qui comme eux sont frileux et comme eux sédentaires.

Le recours aux toponymes

Grâce aux noms de lieux, on peut retrouver certains éléments des langues aujourd'hui disparues, et c'est surtout avec les noms décrivant la configuration du terrain que l'on peut remonter le plus loin dans l'histoire d'une langue. Ces formes fossilisées se trouvent en abondance en France, où la très grande majorité des noms de montagnes, de fleuves et de rivières – qu'on nomme des *oronymes* et des *hydronymes*, si on veut à la fois faire plus court et plus savant – datent d'avant l'arrivée des Celtes, dont la présence effective en Gaule est attestée vers le milieu du premier millénaire avant J.-C.

Or, si on connaît les noms de certaines populations qui avaient précédé les Celtes en Gaule, on ne connaît pas grand-chose des langues qu'elles parlaient, car seule la langue basque a survécu au déferlement des invasions successives.

Et pourtant, les linguistes s'accordent pour avancer que les noms de la *Loire*, de la *Sarthe*, du *Rhône*, de la *Gironde* et même de la *Garonne* sont préceltiques (mais le suffixe *-onne* dans *Garonne* est aussi une forme celtique désignant une étendue d'eau), comme le sont ceux du *Couesnon*, qui se jette dans la baie du Mont-Saint-Michel, de l'*Adour*, qui se jette dans l'Atlantique, et de l'*Hérault*, qui se jette dans la Méditerranée, ou encore ceux de la *Meuse*, de l'*Ain* ou de l'*Oise*, de la *Vienne* et de l'*Aveyron*, du *Var*, du *Gard* et du *Verdon*. Et ils affirment en revanche que les noms du *Rhin*, de la *Marne*, de l'*Orne*, de la *Mayenne*, du *Doubs* ou du *Lot* sont celtiques[14].

Mais comment peut-on prétendre que cela est vrai, puisque nous ne savons presque rien des langues qui ont précédé le gaulois sur le territoire qui deviendra la France ? En fait, il faut, pour arriver à des résultats en toponymie, réunir une vaste documentation, qui fait appel à des disciplines aussi diverses que la phonétique historique (ou histoire des prononciations), l'archéologie et la préhistoire, la géologie[15], la botanique, l'étude des mouvements des populations, de l'évolution de la société, des techniques, de la naissance des villes,

LES DIVERSES SORTES DE NOMS PROPRES

Beaucoup de noms propres sont le plus souvent d'anciens noms communs, qui se sont figés pour désigner une divinité, un peuple, une famille, une personne, un lieu, etc.

On peut ainsi distinguer entre divers noms propres :

théonyme	nom de divinité
ethnonyme	nom de peuple
patronyme	nom de famille
anthroponyme	nom de personne
hagionyme	nom de saint
hagiotoponyme	nom de lieu, formé sur un nom de saint
toponyme	nom de lieu
hydronyme	nom de cours d'eau
odonyme	nom de chemin, de voie ou de rue
oronyme	nom de montagne

etc. C'est seulement grâce à l'établissement de faits concordants que l'on parvient alors à formuler des hypothèses sur l'origine de ces noms de lieux.

Cuq et Cucuron

Il y a en France une bonne centaine de toponymes comportant un élément *Cuq*, pour lesquels on peut faire l'hypothèse d'une origine préceltique[16]. Il y en a, par exemple, en Charente, en Dordogne et dans le Lot-et-Garonne *(Cuq)*, dans le Gers *(Le Cuq)*, dans l'Isère *(Cucuron)*, dans le Pas-de-Calais *(Cucq)*, dans les Pyrénées-Atlantiques *(Cuqueron)*, mais aussi en Corse *(Cucco)* et en Calabre *(Monte Cucco)*[17]. Ce qui frappe lorsqu'on visite ces lieux, c'est qu'ils sont tous situés sur une hauteur arrondie. Cela permet de faire l'hypothèse que le mot *cuq* signifiait « hauteur, colline », et cette hypothèse se vérifie lorsqu'on retrouve cette même racine dans des formes qui ont survécu régionalement, avec le même sens ou un sens voisin : dans la région lyonnaise, par exemple, le *cuchon* (où l'on reconnaît *cuq*, avec un suffixe diminutif) désigne un petit tas, ou un amoncellement plus ou moins important ou encore une meule.

Mais ce qui est décisif pour reconnaître qu'il s'agit bien d'un mot qui n'est pas celtique, c'est qu'on trouve aussi *kukkuru* « pointe, hauteur » en sarde, et *cucca* « tête » en sicilien. En effet, on sait que les Celtes, qui occupaient les deux tiers de l'Europe au moment de leur plus grande expansion, n'ont jamais poussé jusqu'au sud de l'Italie et n'ont jamais résidé dans les grandes îles de la Méditerranée (Corse, Sardaigne, Sicile)[18].

Moralité : ne jamais se laisser prendre aux apparences des noms de lieux. Malgré la consonance évocatrice du mot, un *cuq*, c'est un monticule ou une montagne, et *Montcuq* (Lot) exprime donc deux fois la même chose, une fois avec la forme latine (*montem* « montagne ») et une deuxième fois avec la forme préceltique *(cuq)*. On trouve la même tautologie dans *Puy-de-Serre*, en Vendée (du latin *podium* « lieu élevé » et prélatin *serra* « montagne », par un dialecte vendéen)[19] ou, en Sicile, dans *Montegibello* (latin *montem* et arabe *djebel* « montagne ») ou encore, en Grande-Bretagne, dans *Cheetwood* (celtique *chet* « forêt » et anglais *wood* « forêt)[20] ».

D'autres hauteurs cachées

C'est également un sommet arrondi que désignait à l'origine le nom de *Le Truc*, petite localité de la commune de Saint-Colomban-des-Villars, en Savoie. Et mentions-nous aussi de *Menton* (Alpes-Maritimes), qui ne doit pas faire penser au bas du visage, mais dont la première syllabe porte témoignage d'une racine évoquant également une idée de relief. On pourrait relier cette forme au basque *mendi* « montagne », qu'on retrouve dans deux noms de villes des Pyrénées-Atlantiques comme *Mendibels* « montagne noire » ou *Mendigorri* « montagne rouge ». *Auteuil* aussi est trompeur, car ce toponyme, qui semble une forme vide de sens pour les Parisiens contemporains, devrait pourtant leur faire penser à une localité sur une hauteur : sous sa forme actuelle, on ne sent plus qu'il est effectivement formé de l'adjectif latin ALTUS « haut » et du celtique *ialo* « clairière ».

Mais la toponymie n'aboutit pas toujours à des certitudes, et il faut bien avouer que dans les cas de *Béziers, Bordeaux, Angoulême, Cimiez, Collioure* ou *Toulouse*, dont on pense seulement qu'ils sont sans doute aussi d'origine préceltique, le sens de ces mots reste, et restera peut-être encore longtemps, mystérieux.

4

VESTIGES DU GAULOIS

Du gaulois, malgré tout

Heureusement, il y a des mots qui circulent d'une langue à l'autre, faute de quoi les langues mortes seraient à tout jamais perdues. Pour le gaulois, nous n'avons que peu de traces écrites parce que les druides, qui détenaient la science, la religion et la justice, ne diffusaient leur savoir que par voie orale. Mais leur langue, nous la connaissons un peu grâce à deux sources très inégales : d'une part, les quelques dizaines de formes lexicales passées dans le latin populaire des premiers siècles de notre ère et qui ont continué à vivre en français, souvent en passant par les patois ; d'autre part, les milliers de toponymes qui perpétuent le souvenir de « nos ancêtres les Gaulois » sur tout le territoire.

Il existe aussi un petit glossaire gaulois-latin, qui date probablement du Ve siècle après J.-C., mais qui ne compte que dix-huit mots, glosés en latin tardif (cf. p. suivante, *encadré* LE GLOSSAIRE D'ENDLICHER)[21].

Parmi les mots glosés, on trouve *onno* « fleuve, cours d'eau », qui apparaît, par exemple, dans *Garonne*, ce qui se comprend dans le cas d'un fleuve, mais aussi dans *Divonne*, qui est le nom d'une divinité des eaux. Il y a la forme gauloise *aballo* « pommier », qu'on reconnaît dans *Avallon* (Yonne) et aussi dans *Avalogile* (Cantal) « clairière de pommiers »[22], ainsi que *brio* « pont », qui est à l'origine de *Brive*, et *nanto* « vallée », qui apparaît encore dans *Nantua* ou *Dinan*.

Les mots venus du gaulois

S'il est clair que les Gaulois ont fini par adopter la langue latine, ils ont aussi donné au latin une partie de leur vocabulaire, en particulier dans le domaine des véhicules à roues : témoins les noms du *char*, de la *carriole*, du *carrosse*, de la *charrue*, qui existent encore en français, mais c'est au moins une quinzaine de noms de véhicules que le latin avait empruntés à ces Gaulois qui étaient des charrons hors pair[23].

LE GLOSSAIRE D'ENDLICHER : 18 MOTS EXPLIQUÉS

Voici quelques extraits du seul glossaire gaulois-latin qui nous soit parvenu de l'Antiquité, le glossaire d'Endlicher, du nom du savant qui l'a fait connaître en 1836.

aremorici : *antemarini*, quia* *are* « ante », *more* « mare », *morici* « marini » = **Armoricains** « ceux qui sont devant la mer »
onno : *flumen* « cours d'eau »
cambiare : *rem pro re dare* « donner une chose contre une autre, échanger »
aballo : *poma* « pommier »
brio : *ponte* « pont »
nanto : *valle* « vallée »
anam : *paludem* « marais »
doro : *osteo* « entrée, porte »

* quia : « parce que ».

L'ensemble des mots français sûrement venus du gaulois pourrait composer une petite liste de plusieurs dizaines d'unités, parmi lesquelles : *alouette, ambassade, braguette* ou *cervoise.*

Le vieux mot *bouge*, qui désignait à l'origine un sac, a connu une longue histoire. Quand le sac était petit, on disait une *bougette*, et c'est sous cette forme que le mot est parti en Angleterre au moment de la conquête normande au milieu du XIe siècle. Il s'y est fixé, sans cesser de désigner une petite bourse, mais sa prononciation a suivi les habitudes articulatoires du pays. Lorsqu'il est revenu en France sous la forme *budget* à l'époque de la Révolution, il était méconnaissable et il ne désignait plus une petite bourse, mais n'importe quel financement annuel, et en particulier l'énorme budget de l'État[24].

C'est surtout dans le domaine de la vie rurale et des produits artisanaux que l'on trouve des mots d'origine gauloise : *cervoise, crème, lie, benne, tonneau, ruche, soc.*

Les arbres et les arbustes sont particulièrement bien représentés, avec *bouleau, bruyère, chêne, coudrier, if, verne* « aulne ».

MERDE À CÉSAR !

La cohabitation avec les envahisseurs romains, après les premiers affrontements, semble bien avoir été pacifique, mais les Gaulois ont aussi eu leur mot de Cambronne sous l'occupation romaine, car une chronique latine rapporte qu'un Gaulois n'avait pas hésité à crier aux Romains : **Cecos ac Caesar !**, ce qui signifie, vous l'aviez deviné : « Merde à César[25] ! »

Signalons encore quelques poissons : *alose, brochet, limande, lotte, tanche*, ainsi que quelques animaux terrestres : *bièvre* « castor », *blaireau, bouc, chamois*.

Il ne faut enfin pas s'étonner si, bien souvent, c'est par l'intermédiaire des dialectes régionaux que les mots gaulois ont traversé les siècles pour venir jusqu'à nous :

galet, galette, galoche, quai, par le normand ;
chai, par le poitevin, et *guenille*, par une variété d'oïl de l'Ouest ;
boue, par une variété d'oïl du Nord ;
souche et *rabouilleuse*, par le berrichon ;
luge, par le savoyard ;
auvent, braguette, bruyère, carriole, combe et *gaspiller*, sans doute par les langues romanes d'oc.

RABOUILLEUSE : UN MOT GAULOIS SAUVÉ DE L'OUBLI

Qui se douterait qu'une **rabouilleuse** est une personne qui trouble l'eau des ruisseaux avec une branche d'arbre pour attraper les écrevisses, si Balzac[26] n'en avait pas fait le titre d'un de ses romans ?

On retrouve une partie de ce mot dans l'ancien français ***bouille*** « bourbier ».

À la manière de...

Et, pour terminer sans tristesse, voici une petite fable pour rire, dont le seul intérêt est de réunir des mots d'origine celtique sur une trame connue (et pardon aux mânes de La Fontaine !) :

Maître *mouton* par sa *luge bercé*
Tenait en son *bec* une *galoche*,
Quand un *gaillard*, gras comme une *loche*,
Jaillit de son *char* et dit, tout *renfrogné* :
« Hé ! Bonjour, Monsieur du *carrosse*,
Que vous êtes *changé*,
Que vous me semblez *cloche* !
Sans mentir, si votre *charrue*
Se rapporte à votre *carriole*,
Vous êtes le *valet* des *druides* de ces bois !

Tous les mots en italique sont d'origine celtique, sinon proprement gauloise. Cela est particulièrement vrai pour le mot *cloche*, ici pris métaphoriquement. Il a été introduit en français non pas par le gaulois, mais bien plus tard, au Moyen Âge, par les missionnaires irlandais. Pour désigner la cloche, le mot celtique avait alors remplacé le mot du latin classique SIGNUM. Le gaélique d'Irlande a aussi donné *whisky*, qui vient de la forme celtique *uisgebeatha*, mot à mot « eau-de-vie ».

LES GAULOIS ET LES AUTRES CELTES

On a coutume de nommer Gaulois les habitants de la Gaule, **cisalpine** en Italie « de ce côté des Alpes » (pour les Romains), **transalpine** en France, « de l'autre côté des Alpes ». Les Gaulois étaient en fait des Celtes, au même titre que les habitants de l'Irlande et de l'Écosse – dont la langue est le gaélique – ou du pays de Galles, où l'on parle le gallois.

L'intermédiaire breton

Les apports anciens par le gaulois se sont prolongés en France grâce à une autre langue d'origine celtique, le breton : une langue proche du gallois et du cornique, revivifiée à partir des îles Britanniques aux Ve et VIe siècles après J.-C., par des populations celtiques chassées d'Angleterre par les invasions des Angles, des Saxons, des Jutes et des Frisons.

Certains mots typiquement bretons frappent immédiatement l'imagination, comme *menhir* « pierre longue » ou *dolmen*

« table de pierre », mais leur attestation tardive (au XIXe siècle) semble indiquer qu'il s'agit de créations récentes dues aux archéologues. D'autres formes empruntées sont moins faciles à repérer, par exemple le mot *bijou*. On s'accorde d'une manière générale[27] pour y reconnaître le breton *bizou* « anneau », formé sur *biz* « doigt ». En revanche, on attribue un peu rapidement *plouc* au breton, à cause des nombreux toponymes en *plou-* (*Plougastel, Ploubalay*, etc.). Et on a tort, car il faut y reconnaître le latin *plebs* « peuple », qui, sous la forme *plou* (ou *pleu, plé*), a généralement désigné l'église paroissiale, puis la paroisse en latin médiéval. Dans les toponymes, à côté de *Plougastel*, où les deux parties sont latines « paroisse » + « château », on trouve souvent des formes hybrides latino-bretonnes comme *Pleubian*, qui se décompose en *pleu*, variante de *plou* « paroisse », et en *bihan* « petit » en breton. C'était donc la « petite paroisse », tandis que *Pleumeur* désignait la « grande paroisse ».

DU PAIN ET DU VIN

Les Grecs disaient de ceux qui ne parlaient pas grec que c'étaient des Barbares parce qu'on ne comprenait pas ce qu'ils disaient. Certains prétendent que les Français, entendant les Bretons répéter **bara gwin**, disaient qu'ils **baragouinaient** alors qu'ils demandaient simplement du pain (**bara**) et du vin (**gwin**).

Le druide sous son chêne

Une des images d'Épinal les plus répandues dans la mémoire collective lorsqu'on veut évoquer les Gaulois est peut-être celle du druide rendant la justice sous un chêne. Et cela se comprend si l'on prend en compte le fait que la Gaule était alors très largement couverte de forêts[28] et que les Gaulois vouaient aux bosquets et aux arbres une vénération profonde car ils les considéraient comme les sanctuaires de puissances invisibles[29].

Les clairières ont dû être les premiers lieux habités à la lisière de ces bois, et on retrouve le gaulois *ialo* « clairière » dans le suffixe *-euil* ou *-eil*, comme dans *Argenteuil, Créteil* ou *Creil*, et de nombreux autres toponymes ont gardé le souvenir des arbres qui les entouraient : l'if *(eburo)* a donné naissance aux noms d'*Évreux*, d'*Embrun*, d'*Ivry*, et le bouleau (BETUA, d'où le diminutif BETULLUS) à *Belloy* (Oise, Somme, Val-d'Oise), à *La Boulaye* (Saône-et-Loire), à *Le Boulois* (Doubs) ou encore à *Bouleuse* (Marne). Dans *Avallon* (Yonne) ou dans *Avalleur* (Aube), on reconnaît – si on se rappelle qu'un ancien */b/* a souvent évolué en */v/* en français, comme dans *avoir*, de HABERE – le nom du pommier, *aballo* (avec la même racine indo-européenne que dans l'anglais *apple* et l'allemand *Apfel*). Mais la place d'honneur doit être réservée aux deux arbres qui, si l'on en croit les toponymes, étaient les arbres-cultes des Gaulois : le chêne et l'aulne.

Le chêne gaulois : présent partout

Le nom du chêne était *cassanos* en gaulois, QUERCUS en latin. On retrouve la racine latine dans le nom de la forêt *hercynienne* (où le QU latin prononcé /kw/ correspond au /h/ germanique), mais le terme latin n'est représenté qu'en Corse, avec *Quercitello*.

En revanche, les toponymes issus de *cassanos* sont plus de deux cents, répartis sur l'ensemble de la France, dans 74 départements. La carte ci-contre illustre non seulement cette répartition uniforme mais aussi un phénomène de phonétique historique qui, à partir d'une forme ancienne *ca-*, divise les parlers de France en trois zones :

Que-, dans le nord du pays : *Quesnoy* (Nord), *Le Quesne* (Somme)...

Ca-, dans le sud du pays : *Cassagne* (Haute-Garonne), *Cassagnoles* (Gard), *Lacassagne* (Hautes-Pyrénées) et aussi *Cassano* en Haute-Corse...

Cha-, *Che-*, partout ailleurs : *Chassaigne* (Allier), *Chanoy* (Loiret), *Chassenaz* (Haute-Savoie), *Le Chesnay* (Eure, Yvelines)...

Cette même répartition phonétique se retrouve dans d'autres toponymes, par exemple dans les dérivés du latin CASTELLUM représentés par *Le Cateau* (Nord) et *Castelnaudary* (Aude), mais aussi par *Châteauroux* (Indre). Elle n'est qu'une illustration de l'évolution générale qui a fait, par exemple, du latin CANTARE le français *chanter*, le picard *canter* et le provençal *canta*[30].

LES NOMS GAULOIS DU CHÊNE DANS LES TOPONYMES

L'un des arbres les mieux représentés dans les toponymes de France est le chêne, très abondant sur l'ensemble du territoire et objet de culte chez les Gaulois.

Cette carte, établie à partir de 221 toponymes[31] formés à partir de *cassanos* « chêne », permet aussi d'illustrer l'évolution phonétique de la succession **ca**, différente selon les régions : la consonne initiale s'est maintenue en Normandie et en Picardie, de même que dans une grande partie du domaine d'oc et en Corse. Partout ailleurs, elle a abouti à **cha** ou **che**.

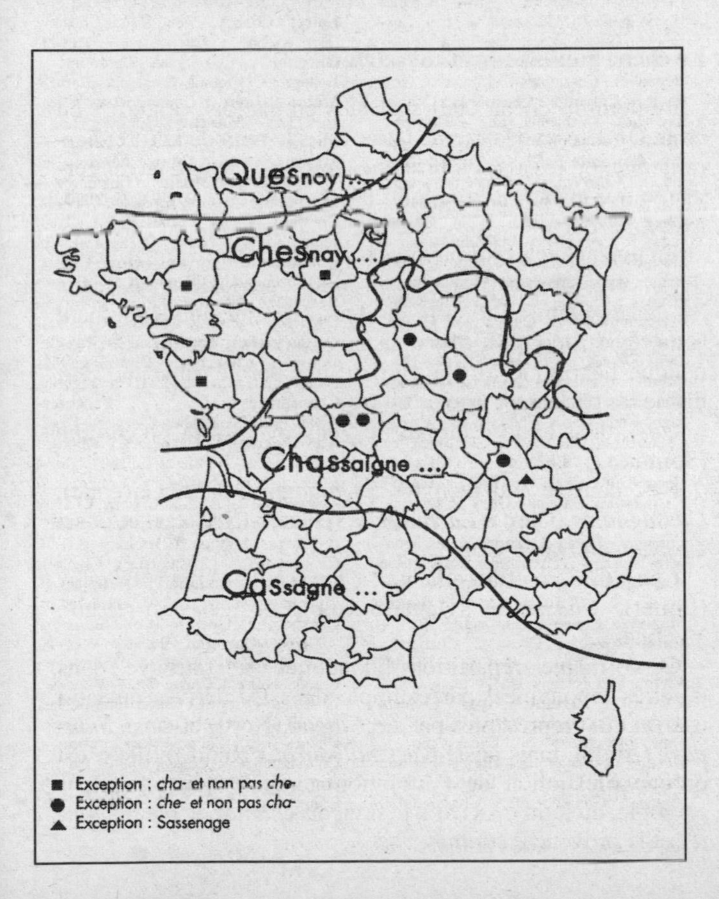

LISTE DES 221 TOPONYMES ÉVOQUANT LE CHÊNE

Les chiffres placés après certains noms indiquent le nombre de toponymes attestés sous ce nom dans le même département (ex. **Ardèche** : Chassagnes 2).

Ain : Chagne (La), Chanay, Chanay (Le), Chanes, Chaneye, Chanoz, Chasnas, Chassagne (La), Chêne – **Allier** : Chassagne (La), Chassaigne, Chassaignes, Chassaing, Chassignol, Chassignole (La), Chêne-du-Loup – **Alpes-de-Haute-Provence** : Chasse – **Ardèche** : Charnas, Chassagnes 2 – **Ardennes** : Charnois, Chesne (Le), Chesnois (Le), Chesnois-Auboncourt – **Aube** : Chanet (Le), Chêne (Le), Cassaigne (La), Cassaignes, Cassés (Les), Cassignole (La) – **Aveyron** : Cassagnes, Cassagnes-Bégonhès, Cassagnes-Comtaux, Cassagnoles – **Calvados** : Chesnée (La), Quesnay (Le), Torquesne (Le) – **Cantal** : Cassan, Cassaniouze, Chanet, Chassagne 2 – **Charente** : Chasseneuil-sur-Bonnieure – **Charente-Maritime** : Chaniers, Chêne (Le), Chênes (Les), Chepniers – **Cher** : Chêne-Fourchu (Le), Chênes (Les) – **Corrèze** : Bellechassagne – **Côte-d'Or** : Chaignay, Chaignot, Chassagne (La), Chassagne-Montrachet – **Creuse** : Chassagne (La) 5, Chassaing, Chassaing-Cheval, Chassignol, Chassignole (La), Chêne (Le), Chéniers – **Deux-Sèvres** : Chesnaie (La) – **Dordogne** : Cassagne (La), Chassaignes, Chassaing, Chasseignas – **Doubs** : Chassagne-Saint-Denis, Chêne (Le) – **Eure** : Chennebrun, Chesnay (Le), Chesne (Le), Quesnay (Le) – **Eure-et-Loir** : Chassant, Chêne-Doré, Chesnaye (La) 2 – **Gard** : Cassagnoles, Cassan – **Gers** : Cassaigne – **Gironde** : Casseuil – **Haute-Corse** : Cassano – **Haute-Garonne** : Cassagnabère-Tournas, Cassagne, Cassagnère (La) – **Haute-Loire** : Chassagne, Chassagnes 2, Chassignolles – **Haute-Marne** : Chanoy, Chassagne (La) – **Haute-Savoie** : Chainaz, Chanenaz, Chassenaz, Chêne-en-Semine – **Haute-Vienne** : Chassagna, Chassagnas, Chasseneuil (Le) – **Hautes-Alpes** : Chanets (Les), Chassagne, Chassaignes – **Hautes-Pyrénées** : Lacassagne – **Hérault** : Cassagnoles – **Ille-et-Vilaine** : Beauchesne, Chasné – **Indre** : Chasseigne, Chasseneuil, Chassignolle, Chêne-Éclat, Chénier – **Indre-et-Loire** : Chêne (Le), Chêne-Pendu, Chesnaie (La) – **Isère** : Chanas, Chanay, Chasse, Chasse-sur-Rhône, Chêne (Le), Sassenage – **Jura** : Chainée, Chanay, Chassagne (La), Chêne-Bernard, Chêne-Sec – **Landes** : Cassen – **Loir-et-Cher** : Beauchêne 2, Chesnay (Le) – **Loire** : Chassagnole, Chassenet, Chassignol, Chêne (Le) – **Loire-Atlantique** : Chêne (Le) – **Loiret** : Chanoy, Chêne-Rond, Chesnoy (Le) – **Lot** : Cassagnes – **Lot-et-Garonne** : Casseneuil, Cassignas – **Lozère** : Cassagnas, Cassagnas-Barre – **Maine-et-Loire** : Chenaie (La), Chesnaie (La) – **Manche** : Quesnay (Le) – **Marne** : Chêne-la-Reine, Chéniers – **Mayenne** : Chêne-Doux, Chênerie (La) – **Meurthe-et-Moselle** : Chenières – **Morbihan** : Cassan – **Moselle** : Chenois, Chesny – **Nièvre** : Chassagne 2, Chasseigne, Chêne – **Nord** : Chêne-au-Loup, Quesnoy, Quesnoy (Le) – **Oise** : Chesne (Le), Esquennoy, Quesnel (Le) – **Orne** : Beauchêne, Chenaie (La), Chênedouit, Chênesec – **Pas-de-Calais** : Quesnoy, Quesnoy (Le), Tortequesne – **Puy-de-Dôme** : Chassagne, Chassaignolles, Chassaing (Le), Chassenet, Chassignole, Chassignoles (Les) – **Pyrénées-Atlantiques** : Cassaber, Cassaet – **Pyrénées-Orientales** : Cassagnes – **Rhône** : Lachassagne – **Saône-et-Loire** : Chânes, Chênerie (La) – **Sarthe** : Chesnière (La) – **Savoie** : Chagne (La), Chanay, Chanay (Le), Chanaz, Chane, Chasnaz – **Seine-et-Marne** : Chanoy (Le), Charnois (Le), Charnoy (Le), Chasne (Le), Chenois, Liéchêne – **Somme** : Beauquesne, Equennes, Quesne (Le) 2, Quesnel (Le), Quesnot (Le), Quesnoy (Le), Quesnoy 2 – **Tarn-et-Garonne** : Belcasse – **Territoire de Belfort** : Eschêne – **Vaucluse** : Cassanets (Les), Chêne (Le) – **Vendée** : Chasnais – **Vienne** : Chasseignes, Chasseneuil-du-Poitou, Chêne – **Vosges** : Chênes (Les), Chénois (Le) – **Yonne** : Chassignelles, Chassignole, Chêne-Arnoult – **Yvelines** : Chesnay (Le), Longchêne ;

soit 221 toponymes dans 74 départements.

Le nom de cet arbre, on vient de le voir, figure abondamment et sous diverses formes dans les toponymes, et c'est ce même nom d'origine gauloise qui s'est maintenu dans la langue française sous la forme *chêne*.

La vergne avait précédé l'aulne

Il en va tout autrement pour un autre arbre, l'aulne, dont le nom gaulois, *verno*, a cédé sa place au latin ALNUS, lui-même emprunté au germanique, devenu *aulne* dans les usages du français général. Mais le nombre considérable de toponymes du type *Vergne, Verne* (230 toponymes), encore un peu plus élevé que celui où se manifeste le nom gaulois du chêne, montre que le mot d'origine gauloise avait alors une expansion remarquable dans le pays tout entier.

Mais pourquoi le terme gaulois *vergne* a-t-il ensuite été supplanté en français par le terme *aulne*, alors que le nom du *chêne* s'est maintenu en évoluant à partir de sa forme gauloise ?

LISTE DES 230 TOPONYMES ÉVOQUANT L'AULNE < GAULOIS *VERNO*

Les éléments de cette liste ont été réunis après consultation du *Dictionnaire national des communes de France*, Paris, Albin Michel et Berger-Levrault, 1984, et vérification dans NÈGRE, Ernest, *Toponymie générale de la France*, Genève, Droz, 1991, tome 1, p. 266-271.

Les chiffres placés après certains noms indiquent le nombre de toponymes attestés sous ce nom dans le même département (ex. **Creuse :** Vergnoux 2).

Ain : Vernay (Le), Vernoux, Vers – **Aisne :** Verneuil-sous-Coucy, Verneuil-sur-Serre – **Allier :** Vergnaud (Le), Verne, Verneix, Vernet (Le) 3, Verneuil, Verneuil-en-Bourbonnais, Vernois, Vernois (Le), Vernusse – **Alpes-de-Haute-Provence :** Vernet (Le) – **Alpes-Maritimes :** Vernea (La) – **Ardèche :** Vernade (La), Vernas, Vernet (Le), Vernon, Vernose, Vernose-lès-Annonay, Vernoux-en-Vivarais, Vert – **Ariège :** Bernède (La), Vernajoul, Vernaux, Vernet (Le), Vernet-d'Ariège, Verniolle – **Aube :** Vernon-Villiers, Vert – **Aude :** Bernède (La) – **Aveyron :** Lavergne, Lavernhe, Vergne (La), Vergnoles-le-Pouget, Vernholes – **Bouches-du-Rhône :** Vernègues – **Calvados :** Ver-sur-Mer – **Cantal :** Lavergne, Vergne (La), Vernet, Vernois, Vernuéjoul – **Charente :** Vars, Verneuil – **Charente-Maritime :** Vergne (La), Vergné, Vert-Bois (Le) – **Cher :** Vergne (La), Vergnol, Vernais, Verneuil – **Corrèze :** Lavergne, Vars-sur-Roseix, Vergnas, Vergne (La), Vergnes (Les) – **Côte-d'Or :** Levernois, Vernois (Le), Vernois-les-Vesvres, Vernon, Vernot, Vernusse – **Creuse :** Lavergne, Vergne (La), Vergnes, Vergnes (Les) 3, Vergnolas,

Vergnolle (La), Vergnoux 2, Vernades, Verneiges, Vernet, Vert – **Deux-Sèvres :** Vernoux-en-Gâtine, Vernoux-sur-Boutonne, Vert (Le) – **Dordogne :** Lavergne, Vergne (La), Vergnelibère, Vergnes (Les), Vergt, Vergt-de-Biron, Verneuil, Vernolles – **Doubs :** Lavernay, Vaire-Arcier, Vaire-le-Petit, Verne, Vernois-le-Fol, Vernois-lès-Belvoir, Vernoy (Le) – **Drôme :** Vers-sur-Méouge – **Essonne :** Vert-le-Grand, Vert-le-Petit – **Eure :** Verneuil-sur-Avre, Verneuses, Vernon, Vernonet – **Eure-et-Loir :** Ver-lès-Chartres, Vernou, Vernouillet, Vert-en-Drouais – **Gard :** Vernarède (La), Vernède (La), Vers-Pont-du-Gard – **Gers :** Bernède – **Haute-Garonne :** Lavernose-Lacasse, Vernet – **Haute-Loire :** Vernassal, Vernassal-Bourg, Verne, Vernède (La), Vernet (Le), Verneuges, Vert (Le) – **Haute-Marne :** Lavernoy – **Haute-Saône :** Belverne, Vars, Vernois-sur-Mance – **Haute-Savoie :** Vernay, Vernay (Le), Vernaz (La), Vernotte (La), Vers, Vert-le-Mant – **Haute-Vienne :** Verneuil-la-Côte, Verneuil-Moustiers, Verneuil-sur-Vienne – **Hautes-Alpes :** Vars-les-Plans, Vars-Saint-Marcellin – **Hautes-Pyrénées :** Capvern – **Hauts-de-Seine :** Vert-Buisson (Le) – **Hérault :** Vernet – **Ille-et-Vilaine :** Vern-sur-Seiche – **Indre :** Verneau, Vernelle (La), Vernet, Verneuil-en-Igneraie – **Indre-et-Loire :** Verneuil-le-Château, Verneuil-Saint-Germain, Verneuil-sur-Indre, Vernon, Vernou-sur-Brenne – **Isère :** Vernas, Vernay (Le), Vernioz, Vert (Le) – **Jura :** Ver-en-Montagne, Vernois (Le), Vers-sous-Sellières – **Landes :** Vert – **Loir-et-Cher :** Vernou-en-Sologne – **Loire :** Vergnon, Vernaud, Vernay, Vernon – **Lot :** Lavergne, Vergnoulet, Vernejoul, Vers – **Lot-et-Garonne :** Lavergne – **Lozère :** Vergnecroze – **Maine-et-Loire :** Vern-d'Anjou, Vernoil, Vert (Le) – **Manche :** Ver – **Marne :** Verneuil, Vert-Toulon – **Meuse :** Verneuil-Grand, Verneuil-Petit – **Moselle :** Verneville – **Nièvre :** Vernay (Le), Vernet, Verneuil – **Oise :** Ver-sur-Launette, Verneuil-en-Halatte – **Puy-de-Dôme :** Lavergne, Vergne (Le), Vernet, Vernet-la-Varenne, Vernet-Sainte-Marguerite, Verneuge, Verneuges 2, Verneugheol – **Pyrénées-Orientales :** Vernet (Le), Vernet-les-Bains – **Rhône :** Vernaison, Vernay, Vernay (Le), Vernaye – **Saône-et-Loire :** Beauvernois, Vernay, Vers – **Sarthe :** Lavernat, Vair, Verneil-le-Chétif, Vernie – **Savoie :** Vernay, Verneil (Le), Verneys (Les), Vers-l'Église – **Seine-et-Marne :** Vaires-sur-Marne, Vaires-Torcy, Verneuil-l'Étang, Vernou-la-Celle-sur-Seine, Vert-Saint-Denis – **Somme :** Vaire-sous-Corbie, Vers-sur-Selles – **Tarn :** Vernarie (La), Vers – **Val-de-Marne :** Vert (Le) – **Var :** Verne (La) – **Vienne :** Vergne (La), Vernon – **Yonne :** Vaire, Vernoy – **Yvelines :** Verneuil-sur-Seine, Vernouillet, Vernouillet-Verneuil, Vert ;

soit 230 toponymes dans 70 départements.

Vergne ou *verne* dans les usages régionaux

Pour répondre à cette question, il est nécessaire de ne pas confondre le français commun et les français régionaux, et indispensable de donner toute leur importance à ces derniers car un sondage dans une vingtaine de dictionnaires décrivant les différentes variétés régionales du français a montré que l'aulne reste encore de nos jours désigné sous son nom d'origine gauloise, *vergne* ou *verne*, dans de nombreux départements[32].

DANS LES USAGES RÉGIONAUX
ON PRÉFÈRE SOUVENT *VERGNE* OU *VERNE*

Alors que l'appellation de cet arbre en français général est **aulne**, continuation du latin ALNUS, la carte ci-dessous montre que le terme d'origine gauloise est loin d'avoir disparu dans les divers usages régionaux.

vergne

Maine
Berry-Bourbonnais (Cher, Indre et ouest de l'Allier)
Poitou-Charentes et Vendée
Pays aquitains

Midi toulousain et pyrénéen
Languedoc

verne

Franche-Comté
Bourgogne (très vivant partout sauf dans le nord de la Côte-d'Or)
Lyonnais (connu seulement au-dessus de 20 ans)
Beaujolais
Velay (connu seulement au-dessus de 20 ans)
Le Pilat (usuel à partir de 60 ans)
Dauphiné
Savoie (attesté partout, usuel)

vergne et **verne**

Champagne (sud de la Haute-Marne)
Languedoc (Cévennes)

La Champagne et la Bourgogne se partagent en deux : on dit *vergne* ou *verne* dans le sud de la Haute-Marne, de l'Yonne et de la Côte-d'Or, mais *aunelle*, diminutif de *aulne*, dans le nord de ces trois départements, ainsi que dans l'Aube et dans la Marne[33].

Signalons une particularité : dans les Ardennes, le mot *verne* – qui se présente aussi sous diverses autres variantes, *vergne, viarne, viène* – sert à désigner certaines parties de la charpente d'une maison[34]. Généralement féminin, le mot est masculin dans l'Allier, le Cher, l'Indre[35], le Beaujolais[36] et le département de la Loire[37].

Les toponymes du type *Aulnay*

Quant au terme français *aulne*, il est inconnu dans le Midi toulousain et pyrénéen, et d'une façon plus générale dans tout le Sud-Ouest, où cet arbre est toujours désigné sous le nom de *vergne*. Dans le Dauphiné, seule une partie de la population connaît le mot *aulne*, mais personne ne l'emploie[38].

De leur côté, les toponymes formés sur *aulne* ou *aune* sont bien représentés dans le pays, mais ils constituent un groupe infiniment plus réduit (57) que les toponymes du type *vergne* (230). Ils ont la particularité de se trouver tous, sans exception, dans la moitié nord du pays :

Aulnaie Eure-et-Loir – **Aulnaies (L')** Maine-et-Loire – **Aulnat** Puy-de-Dôme – **Aulnay** Aube, Charente-Maritime, Hauts-de-Seine, Indre-et-Loire, Vienne – **Aulnay-aux-Planches** Marne – **Aulnay-l'Aître** Marne – **Aulnay-la-Rivière** Loiret – **Aulnay-sous-Bois** Seine-Saint-Denis – **Aulnay-sur-Iton** Eure – **Aulnay-sur-Marne** Marne – **Aulnay-sur-Mauldre** Yvelines – **Aulnays (Les)** Maine-et-Loire, Mayenne, Saône-et-Loire – **Aulne (L')** Finistère 2, Mayenne – **Aulneaux (Les)** Sarthe – **Aulnizeux** Marne – **Aulnois** Vosges – **Aulnois-Bulgnéville** Vosges – **Aulnois-en-Perthois** Meuse – **Aulnois-sous-Laon** Aisne – **Aulnois-sous-Vertuzey** Meuse – **Aulnois-sur-Seille** Moselle – **Aulnoy** Aisne 2, Seine-et-Marne – **Aulnoy-lez-Valenciennes** Nord – **Aulnoy-sur-Aube** Haute-Marne – **Aulnoye-Aymeries** Nord – **Aunay-en-Bazois** Nièvre – **Aunay-les-Bois** Orne – **Aunay-Saint-Georges** Calvados – **Aunay-sous-Auneau** Eure-et-Loir – **Aunay-sous-Crécy** Eure-et-Loir – **Aunay-sur-Odon** Calvados – **Aunay-Tréon** Eure-et-Loir – **Auneau** Eure-et-Loir – **Auneuil** Oise – **Aunou-le-Faucon** Orne – **Aunou-sur-Orne** Orne – **Lannoy** Nord – **Lannoy-Cuillère** Oise – **Launay** Eure, Mayenne – **Launois-sur-Vence** Ardennes – **Launoy** Aisne – **Les Aulnois** Yvelines – **Les Petits-Aulnois** Seine-et-Marne – **Longaulnay** Ille-et-Vilaine – **Malannoy** Pas-de-Calais – **Malaunay** Seine-Maritime.

Cette partie de la France, rappelons-le, est celle qui a été la plus germanisée par les conquêtes franques. On comprend dès lors que la forme germanique y ait supplanté des formes plus anciennes.

5

UNE LANGUE DEUX FOIS LATINE

Le latin, une langue morte ?

Destin exceptionnel que celui de la langue qui s'est diffusée et qui a proliféré avec l'expansion de l'Empire romain : cette langue latine a réussi le prodige d'être à la fois une langue morte et de se survivre à elle-même sous plusieurs formes. Ayant évolué différemment dans chacun des pays dans lesquels elle s'est développée, elle a donné vie et dynamisme à de multiples langues romanes qui la perpétuent[39].

Parallèlement à cette fragmentation qui la renouvelait, elle s'est ensuite en quelque sorte dédoublée puisque, longtemps après leur naissance, chacune des langues qui l'ont prolongée

LES LANGUES ISSUES DU LATIN

Le **latin**, qui fait partie de la branche italique de la grande famille indo-européenne, s'est lui-même fragmenté en de multiples variétés à la suite des conquêtes de l'Empire romain. Ces nouvelles langues issues du latin ont pris en italien le nom de **lingue neolatine**, en français celui de **langues romanes**, parmi lesquelles l'**italien**, l'**espagnol**, le **portugais**, le **français** et le **roumain** sont des langues officielles.

Mais de multiples autres variétés se sont formées, qui ont connu des destins moins prestigieux, comme :

en Italie : le **piémontais**, le **frioulan**, le **vénitien**, le **sicilien**, le **sarde**... ;

en France, en Belgique et en Suisse : les variétés d'oc (**provençal, languedocien, gascon...**), les variétés du **francoprovençal**, les variétés d'oïl (**normand, picard, champenois, wallon...**), auxquelles il faut ajouter le **romanche**, le **catalan** et le **corse** ;

en Espagne : les variétés du **catalan**, du **valencien**, de l'**aragonais**, du **léonais**, du **galicien** ou de l'**andalou**[40].

a encore constamment puisé dans le vieux fonds lexical du latin classique.

Le français à cet égard paraît exemplaire, et les deux filons du latin – celui qui a évolué et celui qui a été repris sous sa forme primitive – peuvent se reconnaître dans la plupart des mots du français, pour peu qu'on observe attentivement leur forme.

Latin classique et latin vulgaire

Les livres d'histoire de la langue nous précisent que le français est issu du latin que parlaient les légions romaines de Jules César à leur arrivée en Gaule, au milieu du Ier siècle avant J.-C., et que cette langue était du « latin vulgaire ». Mais, s'il en est ainsi, que faire du latin classique, de celui des versions latines de Cicéron, d'Horace ou de Virgile, de ces versions latines que les lycéens ne réussissent à traduire qu'à grands coups de dictionnaire ? N'a-t-il vraiment laissé aucune trace dans notre langue ?

Pour pouvoir répondre à cette question, il faut se rappeler que l'histoire qui va du latin au français n'est pas rectiligne. À l'origine, il y avait ce latin de l'occupation romaine, qui avait été appris par des étrangers, et on ne doit pas s'étonner que les mots latins, prononcés par des populations devenues bilingues, aient tout naturellement connu des altérations. Un peu plus tard, des influences germaniques ont encore modifié cette langue déjà un peu changée.

Les mots se sont amincis au cours des siècles suivants, car les syllabes inaccentuées se sont prononcées de plus en plus faiblement, au point de finir par disparaître, comme dans le mot *hôtel*, qui ne comprend que deux syllabes en français – mais il en avait quatre dans le latin HOSPITALEM. De façon analogue, SACRAMENTUM est devenu *serment*, de même que *forge*, malgré les apparences, représente aujourd'hui la forme amincie de FABRICA.

Parfois, seule une partie du mot a été affectée ; par exemple, certaines consonnes en position faible, c'est-à-dire en fin de syllabe, ne se sont pas maintenues, comme le s de BESTIA dans le mot français *bête* ou celui de TESTA dans le mot *tête*, comme le c de LACTEM, devenu *lait*, ou comme le s initial de SCHOLA, qu'on peut seulement imaginer sous le mot français *école*.

Entre deux voyelles aussi, des consonnes qui étaient présentes en latin, et que l'on retrouve par exemple en italien, ne s'entendent plus en français : dans *croire* (du latin CREDERE), dans *vœu* (de VOTUM), dans *mûr* (de MATURUM), dans *froid* (de FRIGIDUM), dans *cailler* (de COAGULARE), etc.

Récréation

VRAI OU FAUX ?

1. ***quidam*** vient du latin QUIDAM « quelqu'un »
2. ***cancan*** est une prononciation à la française du latin QUAMQUAM
3. ***dicton*** est le latin DICTUM « ce qui est dit »
4. ***quolibet*** a pour origine l'ablatif de QUIDLIBET « n'importe quoi »
5. ***gratis*** est une forme latine évoquant le fait de gratter
6. ***ouvrable*** (dans *jour ouvrable*) et ***ouvrir*** viennent du même verbe latin

Réponses : 1. vrai – 2. vrai – 3. vrai – 4. vrai : le mot vient d'un exercice scolastique appelé *disputatio de quolibet* « discussion sur n'importe quel sujet », par opposition aux « discussions sur un sujet donné », ultérieurement employé pour désigner des propos railleurs – 5. faux : *gratis* vient de l'adverbe latin « gratuitement » – 6. faux : *ouvrable* vient du latin *operare* « travailler » (d'où *ouvrier*, un *jour ouvrable* étant un jour où l'on travaille), tandis que *ouvrir* vient du latin *operire*, qui a pris le sens de « ouvrir » en Gaule (mais qui signifiait « couvrir » en latin).

Le latin ressuscité

Toutes ces informations sont éclairantes mais, pour peu qu'on s'intéresse vraiment à cette question, un problème surgit : si, comme le disent les philologues, les lois phonétiques sont aveugles, on s'attendrait à ce que toutes les consonnes et toutes les voyelles placées dans les mêmes conditions aient évolué en français de la même façon. Or, à côté de *bête* et de *tête*, qui ont perdu leur s, on trouve *reste*, où le s du latin s'est parfaitement maintenu. De même, en face de *lait* (du latin LACTEM), on a *lacté*, où le [k] du latin s'entend encore nettement de nos jours. Plus troublant encore, on compte des centaines de mots provenant, deux par deux, du même étymon, c'est-à-dire du même mot latin. C'est ce qu'on appelle des *doublets*, et l'on peut voir, dans les exemples suivants, qu'ils ne sont généralement pas des synonymes :

claudiquer et *clocher*,	de CLAUDICARE
cumuler et *combler*,	de CUMULARE
compter et *conter*	de COMPUTARE
direct et *droit*,	de DIRECTUS
gémir et *geindre*,	de GEMERE
légal et *loyal*,	de LEGALIS
rédemption et *rançon*,	de REDEMPTIONEM

Faut-il alors, en ce qui concerne l'évolution phonétique, mettre en doute ce que disent les livres de linguistique historique ? Bien sûr que non, car toutes ces incohérences s'expliquent si l'on tient compte des interventions extérieures qui ont contrecarré l'évolution naturelle du français au cours des siècles : auprès des centaines de formes déjà évoluées, à plusieurs reprises ont été introduites des formes latines non altérées. On comprend alors pourquoi on a *mère*, forme française évoluée du latin MATER (où, conformément à la loi phonétique, le t du latin placé entre deux voyelles a été éliminé), à côté de *maternel*, forme reprise ultérieurement au latin classique (où le t du latin a été conservé). On a aussi *aveugle*, qui est une forme semi-savante, ou encore *jouer*, qui est une forme populaire, tandis que *cécité* et *ludique* sont des formes savantes, réintroduites à partir du latin classique (CAECUS « aveugle », LUDUS « jeu »).

Un peu d'histoire

La première intervention de taille avait été celle de Charlemagne, atterré par les formes très modifiées du latin qu'il entendait dans les discours des clercs dans cette partie occidentale de son empire : le français était en train de naître, mais personne ne s'en était encore rendu compte. En faisant venir d'Angleterre un moine savant, Alcuin, pour enseigner le latin dans l'abbaye de Saint-Martin-de-Tours, Charlemagne opérait ce qu'on a appelé la « Renaissance carolingienne », ce qui a eu pour effet de brouiller l'évolution de la langue française, car de nombreuses formes latines « pures » ont alors été ré-introduites auprès de celles qui avaient déjà beaucoup évolué et qui ressemblaient déjà à du français.

Récréation

LE MATELOT MAFFLU

Tous les adjectifs et tous les noms de ce petit texte sont empruntés au néerlandais, à l'exception d'un seul nom, qui est d'origine latine. Lequel ?

« Ce **matelot mafflu** était un peu **espiègle**. On le voyait souvent avec un **drôle, dégingandé** comme lui, sur un **yacht amarré** le long des **docks**. Ils faisaient parfois **ripaille** sur le **boulevard**, dans une **échoppe** où flottait une **odeur** de **bière**, parmi les **colins**, les **bars**, les **cabillauds**, les **éperlans**, les **maquereaux** et les **ramequins** de **crabe**. Curieusement, on y vendait aussi des **rubans** et de la **layette**, mais seulement pendant les **kermesses**. C'est du moins ce que j'ai appris dans un **bouquin** sur les **flibustiers interlopes**. »

Réponse : odeur est d'origine latine.

C'est la raison pour laquelle on peut dire que le français est une langue deux fois latine, tout d'abord par filiation directe : MATER est devenu *mère*, et FIDEM est devenu *foi*, et ensuite par emprunt : *maternel* et *fidélité* sont des emprunts de formes du latin d'origine.

Formes populaires et formes savantes

C'est tout naturellement que les gens qui parlent le français groupent les mots suivants deux par deux : *nier* et *négation*, *louer* et *location*, *lieu* et *local*, *ouïe* et *auditeur* ou même *cheval* et *équitation*, *côté* et *latéral* ou *aveugle* et *cécité*, sans même remarquer que les formes dérivées ne se font pas sur la base française mais à partir de la base latine.

Récréation

SAVANT OU POPULAIRE ?

Si on se rappelle qu'une consonne située entre deux voyelles ne s'est pas maintenue en français (dans **soie**, le **t** de **seta** n'existe plus), on peut reconnaître dans la liste ci-dessous les mots qui ont suivi une évolution normale et ceux qui ont été empruntés, à diverses époques, au latin d'origine :

frère - fraternel | **frigide - froid** | **lier - ligature**
doigt - digital | **oreille - auriculaire** | **cadence - chance**
foi - fidèle | **se pavaner - paon** | **mûr - maturité**
voter - vouer | **œil - oculaire** | **légume - lëum***

* *lëum* est une forme attestée en ancien français, qui ne s'est pas maintenue.

Réponse : Sont des emprunts au latin : *fraternel*, *frigide*, *ligature*, *digital*, *auriculaire*, *cadence*, *fidèle*, *se pavaner*, *maturité*, *voter*, *oculaire* et *légume*.

Toutes ces incursions hors du français pour l'enrichir en puisant chez son ancêtre latin ont commencé dès le Moyen Âge, et elles n'ont jamais cessé d'être un recours de la part des savants et des lettrés tout au long des siècles. C'est dans ce sens qu'on peut dire que le français n'est pas seulement une langue engendrée par le latin, mais aussi une langue qui lui a beaucoup emprunté ultérieurement. Et cela complique considérablement la tâche de celui qui cherche à faire l'histoire des mots du français.

Récréation

QUELLE EST LA FORME SAVANTE ?

Entre les deux formes des mots suivants, qui viennent toutes deux d'un même mot latin, quelle est la forme savante ?

verre et **vitre** | **geindre** et **gémir** | **majeur** et **maire**
croyable et **crédible** | **tibia** et **tige** | **rustique** et **rustre**
local et **lieu**

Réponse : Les formes savantes sont *vitre*, *tibia*, *crédible*, *majeur*, *local*, *rustique* et *gémir*.

Latin ou grec ?

D'autant plus que, même pour le latin, l'identification des formes autochtones n'est pas évidente car lui-même avait déjà beaucoup emprunté au grec. Dès le IIIe siècle avant J.-C., l'Empire romain s'était étendu sur les territoires grecs, et les Romains, émerveillés par le haut degré de civilisation auquel le peuple qu'ils venaient de soumettre était parvenu, lui avaient alors emprunté une quantité considérable de vocabulaire : scientifique, philosophique, rhétorique, mais aussi des mots de la vie pratique.

Des mots latins empruntés au grec

Voilà pourquoi on parle aujourd'hui de l'origine gréco-latine d'une grande partie du lexique français.

Des mots de tous les jours

boutique, du grec *apothêkê* « dépôt, entrepôt »
chaise, du grec *cathedra* « siège »
canapé, du grec *kônôpeion* « moustiquaire »
boîte, du grec *pyxis* « buis »
dragée, du grec *tragêmata* « friandises »
plage, du grec *plagios* « (terrain) en pente »
trésor, du grec *thesauros* « trésor »

Des mots de la culture littéraire

comédie : d'un terme désignant à l'origine un chant pour une fête en l'honneur de Dionysos
tragédie : l'étymologie du mot grec suggère qu'il s'agissait à l'origine d'un « chant en l'honneur du bouc sacrifié à Dionysos »
aphérèse : abréviation d'un mot en supprimant le début du mot : *bus* (pour *autobus*)
apocope : abréviation d'un mot en supprimant la fin du mot : *pro* (pour *professionnel*)
histoire, drame, poète, philosophie, grammaire, école, lycée, barbare, euphémisme, métaphore, épilogue...

Des mots de la faune et de la flore

éléphant, panthère, chameau...
jacinthe, orchidée, rhododendron, azalée, anémone...

Des mots de la religion

apôtre, évangile, évêque, paroisse, baptême, église, prêtre, parabole...

Le latin tel qu'en lui-même

Qu'il ait à l'origine été emprunté ou non au grec, le vocabulaire repris au latin est effectivement omniprésent en français, et on peut même s'étonner que tant de formules latines se soient perpétuées telles quelles dans la langue quotidienne. Il est vrai que certaines d'entre elles ne se maintiennent sous leur forme latine primitive que dans le langage du droit[41] et qu'on les retrouve uniquement dans leur traduction littérale en français. Tel est le cas, par exemple, de :

Dans le langage du droit	**Dans le langage quotidien**
pure et simpliciter	purement et simplement
ad litteram	à la lettre
cognita causa	en connaissance de cause
corpus delicti	le corps du délit
in articulo mortis	à l'article de la mort
lato sensu	au sens large

Récréation

POUVEZ-VOUS LE DIRE EN LATIN ?

à plus forte raison	au dernier moment
à égalité	dans sa totalité
C.V.	gratuitement

Réponses : a fortiori, ex aequo, curriculum vitae, in extremis, in extenso, gratis.

D'autres expressions sont presque toujours employées sous leur forme latine : *a priori, a posteriori, alibi, bis, de visu, ex aequo, ex cathedra, extra-muros, honoris causa, in vitro, in vivo, intra-muros, ipso facto, modus vivendi, persona grata, quitus, quorum, référendum, sine die, sui generis, urbi et orbi...*

Le latin des botanistes

En dehors du droit, l'un des domaines où le latin a encore aujourd'hui une place prépondérante reste la botanique, qui attribue à chaque fleur, chaque fruit, chaque arbre, en plus de ses divers noms populaires, un nom savant en latin, garant de son identité pour les spécialistes du monde entier.

Voici les noms savants de quelques végétaux familiers, dont le nom latin, lui-même parfois emprunté au grec, est souvent plus explicite et bien plus imagé que le nom français (à condition qu'on soit capable de le traduire[42]) :

ail	ALLIUM SATIVUM « ail cultivé »
avocat	PERSEA GRATISSIMA « sébestier (borraginacée) très agréable »
céleri	APIUM GRAVEOLENS « ache à odeur forte »
chou	BRASSICA OLERACEA « chou herbacé »
ciboule	ALLIUM FISTULOSUM « ail en forme de fistule »
ciboulette	ALLIUM SCHŒNOPRASUM « ail ressemblant au jonc vert »
échalote	ALLIUM ESCALONICUM « ail d'Ascalon (ville de Palestine) »
haricot	PHASEOLUS VULGARIS « haricot banal »
laitue	LACTUCA SATIVA « laitue cultivée »
mangue	MANGIFERA INDICA « mangue indienne »
noisette	CORYLUS AVELLANA « coudrier d'Abella (ville de Campanie) »
olive	OLEA EUROPAEA « olive européenne »
oseille	RUMEX ACETOSA « petite oseille acidulée »

persil	PETROSELINUM « plante qui pousse entre les pierres »
pomme de terre	SOLANUM TUBEROSUM « solanée à bosses »
tomate	SOLANUM LYCOPERSIUM « solanée du loup »
ou	SOLANUM ESCULENTUM « solanée bonne à manger »

Quand la chimie parle latin

D'autres sciences sont restées attachées à la langue latine, qui les a vues naître et grandir, et il est significatif que sur la centaine d'éléments chimiques, dont les noms ont été inventés à partir du XVIIIe siècle, il y en ait plus de la moitié (64) qui ont une consonance latine : le suffixe *-ium* est en quelque sorte devenu pour les éléments chimiques le suffixe scientifique par excellence.

On trouve le suffixe d'origine latine *-ium* accolé aussi bien à :

un vrai nom latin *(sodium)*,

un nom de lieu *(germanium* sur *Germania)*,

une institution *(berkelium* sur le nom de l'université de *Berkeley)*,

un nom de divinité *(plutonium* sur *Pluton)*,

un nom de savant *(curium* sur *Curie)*.

Les noms en *-ium* de ces éléments chimiques nous permettent d'évoquer une période importante de l'histoire des sciences.

Intermède

LE LATIN : UNE ARME DE SÉDUCTION ?

La scène se déroule au marché, entre une dame étrangère et une jeune marchande de légumes.

La dame étrangère

... et pour mon potage de *solanum tuberosum*, j'ai besoin d'un peu de *rumex acetosa* et de *petroselinum*.

La jeune marchande de légumes

Pardon, madame, je ne parle pas javanais.

La dame étrangère

Moi non plus, mais je croyais qu'en latin vous me comprendriez mieux. Depuis le temps qu'on le parle en France ! En fait, il me fallait simplement des pommes de terre, de l'oseille et du persil.

La marchande

Ah ! Comme ça, ça va mieux ! *(un silence)* Vous êtes drôlement savante, madame !... Et si j'osais...

La dame étrangère

Osez donc !

La marchande

Eh bien, voilà : ce soir, un étudiant, que j'ai bien l'intention de draguer, vient dîner chez moi. J'aimerais lui montrer que, toute petite marchande de légumes que je suis, j'ai quand même de l'instruction.

La dame étrangère

Alors, dites-lui qu'il aura, pour commencer, une salade de *solanum lycopersium* (de simples tomates). Sur la viande, vous mettrez un peu d'ail, en annonçant négligemment : *allium sativum*, et vous ajouterez – sans rougir – « purée de *cucurbita maxima* », c'est-à-dire de potiron. Comme salade, une belle romaine, mais vous direz que c'est de la *lactuca longifolia* (mot à mot, de la laitue aux feuilles allongées). Finalement, au dessert, il sera tellement sous le charme que vous n'aurez pas besoin de lui traduire *passiflora edulis*, il aura déjà compris que c'est le fruit de la passion !

PETITE HISTOIRE DES 64 ÉLÉMENTS CHIMIQUES EN *-IUM*

On connaît généralement la date de la découverte de chacun des éléments chimiques et le plus souvent le savant qui lui a donné son nom.[43]

actinium (Ac) : formé à partir du grec *aktínos* « rayonnement » en raison de ses propriétés radioactives, cet élément fut découvert par le chimiste français André Debierne dès 1899.

aluminium (Al). Ce métal a d'abord été obtenu en 1825, sous forme impure, par le savant danois Oersted, puis purifié deux ans plus tard par le savant allemand Wöhler. Le nom de cet élément, du latin *alumen* « alun », a été introduit en français par l'intermédiaire de l'anglais.

americium (Am). Pour désigner cet élément, le professeur Glenn Seaborg, directeur d'un laboratoire de recherches à l'université de Berkeley, en Californie, avait suggéré les noms d'**americium** (Am), de **berkelium** (Bk) et de **californium** (Cf) pour des éléments découverts en 1950, par analogie avec **europium**...

baryum (Ba). Cet élément a été découvert en 1808 par Humphrey Davy qui forma son nom à partir du mot français *baryte* (du grec *barus* « lourd »).

berkelium (Bk) : latinisation du toponyme *Berkeley.*

béryllium (Be) : du latin *beryllus* « aigue-marine » < grec *bêrullos* « pierre précieuse », cet élément s'est aussi appelé ***glucinium***, du grec *glukus.*

cadmium (Cd) : formé sur *cadmie* « minerai de zinc », du latin *cadmia*, du nom de la ville de Cadmée, près de Thèbes, en Grèce.

calcium (Ca) : du latin *calx, calcis* « chaux ». La chaux était connue des Anciens, mais le calcium ne fut isolé qu'en 1808 par trois savants travaillant indépendamment : l'Anglais Davy, le Suédois Berzelius et le Français Pontin.

californium (Cf) : formé sur *California.*

cérium (Ce) : isolé par l'Allemand Klaproth en 1803 qui latinisa pour cet élément le nom de l'astéroïde Cérès, découvert deux ans auparavant.

césium (Cs) : du latin *caesium* « bleu ». L'étude au spectroscope révèle des raies de couleur caractéristiques de chaque élément et dont certaines sont parfois très intenses. Celles du césium sont d'un bleu profond. (Cf. également le **rubidium**, le **rhodium** et le **thallium**.)

curium (Cm) : latinisation du nom des chimistes français Pierre et Marie Curie.

dysprosium (Dy) : du grec *dusprositos* « difficile à atteindre », cet élément a été découvert après beaucoup de recherches par le Français Lecoq de Boisbaudran en 1886.

einsteinium (Es) : latinisation du nom du physicien suisse d'origine allemande Einstein, naturalisé américain en 1940.

erbium (Er) : aphérèse (suppression du début du nom) et latinisation du toponyme *(Ytt)erby*, petite île située au nord de l'archipel de Stockholm. Pour rappeler l'origine de plusieurs éléments chimiques provenant de cette île, les savants suédois ont procédé à une sorte de découpage du mot **ytterbium** (1878) afin de pouvoir baptiser les autres enfants de la mine : **yttrium, terbium et erbium** (1878, 1843, 1843).

europium (Eu). Le nom de cet élément radioactif découvert par le Français Demarçay en 1896 repose sur la forme latine de *Europe*.

fermium (Fm) : latinisation du nom du savant italien *Fermi*.

francium (Fr) : formé sur le nom de la *France* pour honorer la physicienne française Marguerite Perey, qui découvrit cet élément en 1939.

gadolinium (Gd) : latinisation de *Gadolin*, nom d'un grand chimiste finlandais. Cet élément fut découvert par le Français Marignac en 1880.

gallium (Ga) : dérivé du latin *gallus* « coq », traduction partielle et plaisante du nom du savant français *Lecoq* de Boisbaudran (1875).

germanium (Ge). Après avoir été prévu par Mendeleïev en 1871, ce métal a été découvert par l'Allemand Winkler en 1886.

hafnium (Hf) : latinisation, après aphérèse, du toponyme (København) « Copenhague ».

hahnium (Ha) : latinisation du nom du physicien allemand Otto *Hahn*.

hélium (He) : du grec *hêlios* « soleil ». Cet élément, qui ne fut isolé par le savant anglais Ramsay qu'en 1895, avait été baptisé dès 1875 par l'astrophysicien anglais Lockyer, sur le modèle de *sélénium*.

holmium (Ho) : latinisation, après aphérèse, du toponyme (Stock)holm.

indium (In) : latinisation après apocope (suppression de la fin du nom) de l'espagnol *indi(go)* « bleu », qui rappelle la couleur des raies spectrales de cet élément.

iridium (Ir) : du latin *iris* « arc-en-ciel ». Cet élément a été découvert par le chimiste anglais Tennant (1803) et baptisé ainsi par ce dernier en raison de la variété des couleurs de ses composés.

lawrencium (Lr) : latinisation du nom du physicien américain Ernest O. *Lawrence*.

lithium (Li) : latinisation du grec *lithos* « pierre » par le Suédois Berzelius pour rappeler l'origine minérale de cet élément découvert par son compatriote Arfvedson en 1817.

lutécium (Lu) : latinisation du toponyme *Lutèce*, ancien nom de Paris, pour désigner cet élément découvert par le chimiste français Georges Urbain en 1907.

magnésium (Mg) : latinisation du grec *magnes (lithos)* « (pierre) de Magnésie (Asie Mineure) ». Les composés de cet élément étaient bien connus des Anciens, mais le métal ne fut isolé par l'Anglais Davy qu'en 1808.

mendélévium (Mv) : latinisation du nom du savant russe Mendeleïev, qui avait inventé une classification périodique permettant de prévoir les propriétés des éléments restant à découvrir. Tel fut le cas, entre autres, pour le **scandium** et le **germanium**.

neptunium (Np) : formé sur le latin *Neptunus* « Neptune », dieu de la mer dans la mythologie romaine.

nobelium (No) : latinisation du nom d'Alfred *Nobel*, inventeur et mécène suédois.

niobium (Nb) : formé sur le nom de *Niobé*, fille de Tantale, qui fut changée par Zeus en rocher.

osmium (Os) : du grec *osmê* « odeur », découvert et baptisé par l'Anglais Tennant en 1803. Chauffé à l'air, cet élément a la propriété de produire des vapeurs d'oxyde nauséabondes et toxiques.

palladium (Pd). Cet élément a été isolé en 1803 par le savant anglais Wollaston, qui lui donna le nom de l'astéroïde *Pallas* découvert l'année précédente.

plutonium (Pu) : latinisation du nom de la planète *Pluton*.

polonium (Po) : latinisation de *Pologne*, en hommage à Marie Curie, qui était d'origine polonaise et qui découvrit cet élément en 1898.

potassium (K) : latinisation de l'anglais *potash*, venu du néerlandais par l'allemand *Potasche* « cendre du pot ». C'est le chimiste anglais Davy qui isola cet élément en 1807.

prométhium (Pm). Le nom de cet élément évoque celui de Prométhée et a eu beaucoup de mal à s'imposer à la communauté scientifique.

protactinium (Pa) : du grec *protos* « premier » et *aktinos* « rayonnement ».

radium (Ra) : formé à partir du français *radio(actif)*.

rhénium (Re) : du latin *Rhenus* « Rhin », par l'allemand.

rhodium (Rh) : du grec *rhodos* « rose ».

rubidium (Rb) : du latin *rubidius* « rouge foncé ». Cet élément fut découvert en 1861 par les savants allemands Bunsen et Kirchhoff.

ruthénium (Ru) : formé à partir du latin médiéval *Ruthenia* « Russie ».

rutherfordium (Rf) : latinisation du nom du physicien anglais Ernest *Rutherford*.

samarium (Sa) : latinisation du nom du chimiste russe Samarski. Cet élément fut découvert par le Français Lecoq de Boisbaudran en 1879.

scandium (Sc) : formé à partir du latin *Scandia* « Scandinavie ». Cet élément a été découvert par le savant suédois Nilson en 1879, après avoir été prévu par Mendeleïev dès 1871 grâce à sa classification périodique.

sélénium (Se) : du grec *sélênê* « lune ». Cet élément a été découvert et baptisé par le Suédois Berzelius en 1817.

silicium (Si) : du latin *silex, silicis* « caillou », par l'anglais. La silice, comme l'alun, la chaux ou la potasse, fait partie des minéraux connus depuis l'Antiquité. La préparation en laboratoire des corps simples correspondants s'est faite au début du XIXe siècle, mais paradoxalement il a fallu attendre près d'un siècle pour pouvoir produire le silicium (ou l'aluminium) avec le degré de pureté nécessaire à l'industrie.

sodium (Na) : de l'arabe *suwwad* « soude », par le latin *soda* et l'anglais *soda*.

strontium (Sr) : latinisation du toponyme *Strontian*, village d'Écosse.

technétium (Tc) : du grec *tekhnêtos* « artificiel ».

terbium (Tb) : aphérèse et latinisation du toponyme *(Yt)terby*, île de l'archipel de Stockholm.

thallium (Tl) : du grec *thallos* « rameau vert » en raison de la raie verte de son spectre.

thorium (Th) : latinisation du suédois *thorjord* « terre du dieu scandinave Thor ». Cet élément a été découvert par le Suédois Berzelius en 1828.

thulium (Tm) : du latin *Thule* < du grec *Thoulê* « Scandinavie ».

uranium (U) : formé sur le latin *Uranus*, du grec *Ouranos*, nom d'une divinité et d'une planète.

vanadium (V) : latinisation de *Vanadis*, divinité scandinave.

ytterbium (Yb) : latinisation du toponyme *Ytterby* (Suède).

yttrium (Y) : apocope et latinisation du toponyme *Ytterby* (Suède).

zirconium (Zr) : latinisation de *zircon*, « pierre précieuse ». Cet élément, découvert dans des zircons par Klaproth en 1789, ne fut isolé par Berzelius qu'en 1824.

6

PERMANENCE DU GREC CLASSIQUE

Le grec classique, source de renouvellement

Langue deux fois latine, le français a suivi l'exemple de son ancêtre en empruntant aussi au grec classique. Ces emprunts directs au grec (quelquefois par le bas-latin) commencent à être plus fréquents au XVIe siècle, avec par exemple *enthousiasme*, *athée* ou *symptôme*.

Ils concernent la langue des sciences (*archipel*, *énergie*, *cacochyme*, *sphère*, *hygiène*, *œdème*, *trapèze*, etc.) plutôt que celle de la littérature (*théâtre*, *comédie* et *tragédie* avaient déjà pénétré en français par l'intermédiaire du latin) et ils se poursuivent jusqu'à nos jours.

L'exemple de la médecine

À Rome, les premiers traités de médecine avaient été des traductions du grec, et la terminologie médicale conserve en français une large base grecque[44].

Tout en étant familiers aux oreilles des patients, ces termes médicaux restent pleins de mystère, un mystère qui peut être levé si l'on fait l'effort de retenir les noms de quelques organes du corps humain et ceux de quelques-unes des affections qui les atteignent.

Quelques organes

céphal- « tête »	*angio-* « vaisseau »
encéphal- « cerveau »	*rachi-* « moelle épinière »
ophtalmo- « œil »	*neur-, névr-* « nerf »
oto- « oreille »	*hém(at)o-* « sang »

QUOI DE COMMUN ENTRE UN *PARASITE*
ET UN *CERCUEIL* ?

Réponse : l'idée de manger, parce que, selon l'étymologie, le ***parasite*** prend sa nourriture « à côté » (du grec ***para*** « à côté » et ***sitos*** « nourriture »). De façon plus inattendue, ***cercueil***, doublet de ***sarcophage***, du grec ***sarcophagos***, signifie textuellement « qui mange de la chair ». Un ***sarcophage*** est donc un « carnivore », de ***sarkos*** « chair » et de ***phagein*** « manger ». De là à désigner un cercueil, il n'y a qu'un pas car, à l'origine, le terme avait été appliqué à une pierre calcaire ayant effectivement la propriété de dissoudre la chair des cadavres[45].

rhino- « nez »
gloss-, glott- « langue »
stomato- « bouche »
cardio- « cœur »
gastro- « estomac »
entéro- « intestin »
histo- « tissu »
derm- « peau »
cyst- « vessie »
pod- « pied »
néphro- « rein »
chiro- « main »
(d'où *chirurgie*)

Quelques affections et leurs remèdes

-algie « douleur »
-asthénie « faiblesse »
-plégie « paralysie »
pyrét- « fièvre »
septi- « infection »
traumat- « blessure »
-phrénie « maladie mentale »
-manie « obsession, folie »
-thérapie « traitement, soin »
-tomie « action de couper »

-rrhée, -rragie « écoulement », d'où :
diarrhée « écoulement à travers »
hémorragie « écoulement de sang »
catarrhe « écoulement de haut en bas »

Le latin et le grec en concurrence

Depuis des siècles, donc, lorsqu'on veut créer de nouveaux mots en français, les deux langues auxquelles on recourt le plus volontiers sont deux langues anciennes que personne ne parle plus : le latin classique et le grec ancien.

Pour exprimer la petitesse, on a par exemple *mini-* (latin) comme dans *minijupe* ou *minibus* et *micro-* (grec) dans *micro-onde* ou *microclimat* mais, curieusement, les deux préfixes ne sont pas interchangeables.

Pour la grandeur, on a le choix entre *maxi-* (latin) et *méga-* (grec) mais, ces derniers temps, ce sont les formes en *méga-* qui l'emportent : on a eu la *minijupe* et le *maxi-manteau*, on a maintenant le *micro-ordinateur* (pour l'ordinateur personnel) et les *mégapoles* pour désigner nos « villes démesurées ».

Voici quelques autres préfixes concurrents :

signification	**< latin**	**< grec**
« demi »	semi-, demi-	hémi-
« nombreux »	multi-	poly-
« égal »	équi-	iso-
« unique »	uni-	mono-
« deux »	bi-	di-
« quatre »	quadri-	tétra-
« tout »	omni-	pan-

Les « monstres »

La concurrence entre les formes d'origine grecque et celles d'origine latine a parfois abouti à ce que les puristes appellent des « monstres », qui sont des mots à demi grecs et à demi latins, comme *automobile*, où *mobile* « qui se meut » est latin et *auto* « soi-même » est grec, ou comme *coxalgie* « douleur à la hanche », avec le latin *coxa-* « cuisse » et le grec *-algie* « douleur ».

Il arrive même que prennent forme deux mots, l'un sur des racines grecques et l'autre sur des racines latines, et ayant tous les deux le même sens. Ainsi,

héliotrope (tout grec) et *tournesol* (tout latin)
hémicycle et *demi-cercle*
monochrome et *unicolore*
panchromatique et *omnicolore*

polymorphe et *multiforme*
tétragone et *quadrangulaire*

Récréation

DU GREC OU DU LATIN ?

Repérer, dans la liste ci-dessous, les formations dont la base est entièrement grecque, celles dont la base est entièrement latine et celles de formation hybride (latin + grec ou grec + latin).

agoraphobie – agricole – bicéphale – centimètre – médiathèque – épiderme – gastronomie – hydravion – hypertension – ignifuge – microfiche – minéralogie – monocle – noctambule – nyctalope – planisphère – polycopie – pyromane – radiographie – subdiviser – supermarché – télévision – thermomètre – ultrason.

Réponses :

grec	**latin**	**grec + latin**	**latin + grec**
agoraphobie	agricole	hydravion	bicéphale
épiderme	ignifuge	hypertension	centimètre
gastronomie	noctambule	microfiche	médiathèque
nyctalope	subdiviser	monocle	minéralogie
pyromane	supermarché	polycopie	planisphère
thermomètre	ultrason	télévision	radiographie

On peut prolonger la récréation DU GREC OU DU LATIN ? en cherchant des correspondances de sens entre les diverses formes : par exemple, la nuit est présente dans le « tout grec » *nyctalope* « qui voit bien la nuit (comme le hibou ou la chouette) » et le « tout latin » *noctambule* « qui se promène la nuit ». Par ailleurs, on retrouve la notion de feu dans le « tout grec » *pyromane* « amoureux fou du feu » et dans le « tout latin » *ignifuge*, mot à mot « qui fuit le feu ».

Enfin, pour qualifier des cas extrêmes, on a *supermarché* et *ultrason* d'un côté, *hypertension* de l'autre. À signaler la distinction qui s'est instaurée récemment entre *super* (latin) et *hyper* (grec), donnant la supériorité à ce dernier : un *supermarché* a une superficie de 400 à 2 500 m², tandis qu'on ne peut parler d'*hypermarché* qu'au-dessus de 2 500 m².

La pierre au cours des siècles

Avec le *persil*, le *salpêtre* et le *pétrole*, on n'échappe pas au grec *petra* « pierre ». En effet, le *persil*, *petroselinon* en grec, c'est l'herbe aromatique qui, à l'état sauvage, pousse entre les pierres. Dans la Grèce ancienne, on en faisait des couronnes pour les vainqueurs des jeux et on en extrayait aussi un produit pour ranimer les mourants.

DU PERSIL, POUR RANIMER LES MOURANTS

Quand, dans la Grèce antique, on disait de quelqu'un : « Il a besoin de persil », cela signifiait en fait « Il va mourir », parce qu'on pensait qu'avec une décoction de persil on pouvait tenter de le sauver.

Le sel de pierre

Le *salpêtre*, ou « sel de pierre », est le nom donné par les premiers alchimistes à ce sel que nous appelons aujourd'hui, plus savamment, du *nitrate de potassium*, et qui est l'un des constituants de la poudre à canon. On a beaucoup parlé du salpêtre au moment de la Révolution car, à cause du blocus anglais, on ne pouvait plus faire venir ce produit de l'Égypte ou de l'Inde, et il a bien fallu en trouver sur place. Or, du salpêtre, il y en avait sur les murs de toutes les caves : il suffisait que chacun aille lessiver sa cave, recueille les eaux de lessivage et les transporte à un endroit où on allait pouvoir les traiter. Les chimistes Berthollet et Chaptal avaient même organisé des « Cours révolutionnaires » à l'École polytechnique, nouvellement créée, et des auditeurs de toute la France venaient y apprendre ces nouvelles techniques. Le salpêtre était alors tellement à la mode qu'on avait fait des chansons sur la récolte du salpêtre. On avait même poussé le patriotisme jusqu'à le faire figurer dans le calendrier de l'an III où, parmi les prénoms chers aux révolutionnaires, à côté de *Brutus*, *Liberté*, *Bonnet rouge*, *Sans-culotte* ou *La Montagne*, on trouve aussi *Salpêtre*[46].

L'huile de pierre

Le mot *pétrole* a été emprunté au grec par l'intermédiaire du latin médiéval *petr-oleum* (huile de pierre), et il est entré en français au XIIIe siècle.

Aux États-Unis, cette huile de pierre était déjà connue des Indiens, qui l'utilisaient seulement à des fins médicales jusqu'à ce que, vers 1830, un propriétaire du Kentucky, faisant creuser un puits pour avoir de l'eau, s'aperçoive que c'était du pétrole qui jaillissait. Le liquide se répand sur une rivière toute proche, les gens y mettent le feu et c'est alors une explosion de stupeur et de joie à la vue du miracle de l'eau qui s'enflamme. La fièvre de « l'or noir » était née, le pétrole des Indiens allait éclairer et chauffer le monde[47].

En français, on a longtemps appelé ce produit l'*huile de pétrole*, ce qui est un pléonasme puisque, dans *pétrole*, il y avait déjà le mot *huile*. On l'a appelé aussi *huile minérale*, ce qui était déjà beaucoup plus près du sens étymologique.

LA PIERRE GRÉCO-LATINE

La pierre avait deux noms en latin : **PETRA**, emprunté au grec, et **LAPIS**. C'est **pierre** qui a fini par évincer le mot latin **LAPIS** en français. Ce dernier a cependant laissé quelques traces, mais dans un registre plus élevé :

lapider « lancer des pierres sur quelqu'un »,

lapidaire (en parlant du style) « concis, bref » (comme une inscription gravée sur une pierre),

dilapider « gaspiller, lancer son argent » (comme on jetterait des pierres).

Les mots qui ont un « état civil »

Parmi les dizaines de milliers, voire les centaines de milliers de mots qui constituent une langue, et alors que chaque jour sont créés des mots répondant à de nouveaux besoins, il est rare de savoir à quel moment précis un mot est né. Cela est pourtant possible dans le domaine des sciences, où l'on a parfois la chance de connaître non seulement la date de naissance d'un terme, mais encore le nom du savant qui a créé ce terme, souvent à partir de racines grecques. Dans les exemples ci-dessous[48], une place de choix a été réservée à la chimie, comme particulièrement représentative de ce phénomène :

gaz, mot créé par un médecin flamand, van Helmont (1577-1644), qui a expliqué lui-même les raisons de son choix (en latin car le latin était la langue internationale de la science à cette époque) : *Halitum illud* **gas** *(sic) vocavi, non longe a* **chao** *veterum* : « J'ai donné à cette émanation le nom de *gaz*, [d'un mot] qui ressemble beaucoup au [mot] *chaos* des Anciens. »

oxygène, 1786, mot fabriqué par Lavoisier, dans le sens de « propre à engendrer des acides ». Lavoisier et les chimistes de l'époque avaient hésité entre *oxygine* (du latin GIGNERE « engendrer ») et *oxygène* (de la racine grecque *gen-* « engendrer »), qui l'emporta.

azote, 1787, forme dont la motivation a été expliquée par le chimiste français Guyton de Morveau : « Nous l'avons nommé *azote*, de l'*a* privatif du grec et de *zoê*, "la vie", pour exprimer que ce gaz n'entretenait pas la vie. »

hydrogène, 1787, par Guyton de Morveau, avec le sens « qui engendre l'eau ».

iode, découvert en 1811 par le chimiste français Courtois et baptisé en 1812 par Gay-Lussac : « J'ai proposé de donner ce nom d'*iode* à cause de la belle couleur violette de sa vapeur », du grec *iôdos* « de la couleur de la violette ».

chlore, 1815, du grec *khlôros* « vert ». Ce corps avait été découvert par le chimiste suédois Scheele en 1774, puis nommé *chlorine* par le chimiste anglais Davy en 1810. La forme française *chlore* est due à Gay-Lussac.

chlorophylle, 1817, mot fabriqué par Pelletier et Caventou, par ailleurs inventeurs de la quinine.

chloroforme, 1834, par le chimiste français Jean-Baptiste Dumas.

électron, mot créé en 1891 par le physicien anglais Stoney, à partir du grec *elektron* « ambre », dont la propriété d'attirer les corps légers avait déjà été remarquée dans l'Antiquité[49].

mastodonte, 1812, nom donné par Cuvier à des pachydermes fossiles, d'après le grec *mastos* « mamelle » et *odons,* *odontos* « dent » parce que ces animaux ont des molaires à surface mamelonnée[50].

polémologie, 1946, nom créé par Gaston Bouthoul, sur *polemos* « guerre[51] », qui a donné aussi *polémique*.

sémantique, 1883, mot fabriqué par Michel Bréal sur le grec *sêmantikos* « qui signifie », pour désigner la « science des significations et les lois qui président à la transformation des sens[52] ».

Un mot inventé par un médecin : microbe

À la fin du XIXe siècle, le chirurgien Charles Sédillot, devant l'abondance des termes pour désigner des êtres vivants de très petite taille (bactéries, vibrions, infusoires, ferments et autres animalcules), avait cherché à les réunir sous un terme générique. Son choix s'était tout de suite porté sur des racines grecques : *bios* « être vivant » et *micros* « petit », mais il avait longtemps balancé entre *microbe* et *microbie*. Après avoir consulté le grand lexicographe Émile Littré, c'est finalement *microbe* qu'il avait choisi[53].

L'héritage graphique et ses avatars

Il y a en français un moyen infaillible, croit-on généralement, pour reconnaître un mot d'origine grecque : ce sont, d'une part, les successions de consonnes *ph*, *th*, *ch*, comme dans *philosophie*, *théologie*, *chronologie*, d'autre part, la présence de la voyelle *y*, comme dans *système*. Mais il ne faut pas trop s'y fier car il y a des exceptions : *nénuphar*, malgré son *ph*, n'est pas d'origine grecque, mais persane, alors que *olifant* – rappelez-vous le cor d'ivoire de Roland à Roncevaux –, avec un *f*, est issu du même mot grec *elêphas* « ivoire » que *éléphant* (avec *ph*). Et *cristal* s'écrit avec un *i*, malgré son origine grecque et sa forme latine *crystallus*.

Les aléas des prononciations

Bien sûr, on peut continuer à utiliser tous ces mots venus du grec à bon escient sans connaître leur étymologie. Ce qui peut devenir un peu gênant pour la communication, c'est la méconnaissance des prononciations divergentes qui sont entrées dans l'usage du français à partir d'une même forme grecque. Contre toute logique, on a pris l'habitude de prononcer *archaïque*, *archéologie*, *archétype* avec un [k] tout comme *chaos* et *kaléidoscope*, mais *archive*, *architecte* ou *patriarche* avec un *ch* comme dans *arche*. Pourtant, dans *archive*, *architecte*, *patriarche* et *pachyderme*, il y avait en grec la même consonne χ (*khi*) que dans *archaïque*, *archéologie* ou *archétype*. On a aussi *chirurgie*, prononcé *ch*, en face de *chiromancie* et *chiroptère*, prononcés [k], et pourtant tous trois proviennent du même mot grec *khiros* « main ».

On retrouve des traces de la même hésitation, cette fois reflétée aussi dans la graphie (ce qui a mis d'ailleurs un point final aux hésitations) dans *cinéma*, *cinétique* en face de *kinésie*, *kinésithérapie*, alors que c'est la même racine grecque *kinein* « mouvoir » qui est à la base de ces quatre mots.

Récréation

COMBINAISONS COLORÉES

Les néologismes suivants, formés à partir du grec, concernent des noms de couleur, et il ne vous sera sans doute pas difficile de deviner ce qu'ils signifient, si vous pensez aux ***leucocytes***, au ***cyanure***, à la ***chlorophylle***, à la ***mélanine*** et... aux ***briseurs de grève*** :

leucophobe, cyanophile, chlorophage, mélanotrope, xantholâtre.

Réponses : ennemi du blanc, ami du bleu, mangeur du vert, tourné vers le noir, adorateur du jaune. (Ne dit on pas qu'un briseur de grève est un « jaune » ?)

7

DU NOM PROPRE AU NOM COMMUN

Quoi de commun entre un dahlia et un calepin ?

Apparemment rien, et pourtant on a de bonnes raisons linguistiques de les réunir : ils étaient tous deux, à l'origine, des noms de personnes. C'est ce que les linguistes appellent des *éponymes* : Andreas Dahl est l'éponyme de *dahlia* et Ambrogio dei Conti di Caleppio, dit Calepino, celui de *calepin*. Qui plus est, ces deux mots viennent tous deux de l'étranger.

Des éponymes français

Il y a aussi dans la langue française de nombreux noms propres nés en France et devenus des noms communs. À commencer par *poubelle*, dont on connaît même la date de naissance. En effet, c'est depuis qu'un préfet de la Seine, du nom d'Eugène Poubelle, qui avait, en 1884, pris une ordonnance obligeant les Parisiens à regrouper leurs ordures dans des récipients spécialement conçus à cet effet, que ces boîtes à ordures s'appellent des *poubelles*. Il était grand temps, car depuis des siècles on avait déjà fait des descriptions alarmantes des immondices qui encombraient les rues de Paris.

D'autres personnages français, plus ou moins importants, sont passés à la postérité grâce à leur entrée dans le dictionnaire :

• Jean Nicot, pour la *nicotine* contenue dans le tabac (l'herbe à Nicot) (XVIe s.). Ce même Jean Nicot est encore plus connu parmi les historiens de la langue française comme l'auteur du premier *Thresor de la langue française tant ancienne que moderne*, paru en 1606 ;

• l'architecte Mansart, parce que, sans les avoir vraiment inventés, il généralisa les combles aux parois en pente, dits en *mansarde* (XVIIe s.) ;

• les frères Montgolfier, directeurs d'une manufacture de papier à Annonay et inventeurs du premier ballon à air chaud, d'où le nom de leur aérostat : la *montgolfière* (XVIIIe s.) ;

• Parmentier, pour son *hachis* à la purée de pommes de terre. Cet apothicaire, qui était aussi un savant agronome, avait effectué des recherches sur les végétaux de remplacement pour l'alimentation humaine, et réussi à introduire la culture de la pomme de terre en France (cf. ch. 12, § La patate et la pomme de terre, p. 193) ;

• le maréchal de Plessis-Praslin, pour les amandes *à la praline* de son cuisinier (XVIIIe s.) ;

• le contrôleur général des finances Étienne de Silhouette, parce que, devenu impopulaire en raison de ses projets d'impôts sur les terres des nobles, on le caricaturait en *silhouette*, en reproduisant son profil en noir sur un fond blanc (XVIIIe s.) ;

• Alexis Godillot, parce qu'il avait été fournisseur de chaussures pour l'armée en 1870. Les *godillots* étaient des chaussures militaires, à tige courte, assez lourdes, ce qui explique pourquoi le terme est ensuite devenu péjoratif.

Des noms de fleurs venus de l'étranger

Parmi les noms venus de l'étranger, on trouve de nombreux noms de fleurs, dont la plupart ont été forgés sur des noms de savants : le *bromélia*, par exemple, perpétue le souvenir d'un botaniste suédois, Olaus Bromelius, compatriote de Linné, et le *butéa*, nom savant de l'arbre à laque, celui d'un Écossais, le comte de Bute. Avec le *camélia*, on retrouve Linné, qui avait baptisé ainsi cette plante originaire du Japon en hommage au botaniste tchèque Georg Joseph Kamel, dit *Camellus*.

Et c'est alors la littérature qui émerge à l'évocation de ce nom : on se prend à rêver à la romantique *Dame aux camélias* d'Alexandre Dumas fils, tout comme on aurait grande envie de relire Proust à cause des cattleyas, plutôt que de se demander qui était ce William Cattley, botaniste du XIXe siècle, qui est à l'origine du nom de cette orchidée chère à Odette (cf. l'*encadré* ci-dessous).

DU CATTLEYA À « FAIRE CATLEYA » *(sic)*

« ... et bien plus tard, quand l'arrangement (ou le simulacre d'arrangement) des catleyas *(sic)* fut depuis longtemps tombé en désuétude, la métaphore « faire catleya », devenue un simple vocable qu'ils employaient sans y penser quand ils voulaient signifier l'acte de la possession physique – où d'ailleurs l'on ne possède rien –, survécut dans leur langage, où elle le commémorait, à cet usage oublié. »

(Extrait de Marcel Proust, *À la recherche du temps perdu*[54].)

Avec le *dahlia*, c'est encore Linné que l'on doit évoquer, car le nom de cette fleur a été formé sur celui de son disciple et compatriote suédois Andreas Dahl, que le botaniste espagnol Antonio José Cavanilles avait choisi pour baptiser cette fleur venue du Mexique.

D'autres noms de fleurs encore – *fuchsia, gardénia* – perpétuent le souvenir de savants qu'on a voulu honorer : Leonard Fuchs, botaniste allemand, Alexander Garden, botaniste écossais.

La nomenclature scientifique

Plus généralement, on peut dire que la quasi-totalité des unités de mesure physique ont à leur origine des noms de grands savants : le *newton*, le *watt*, le *volt*, etc. Il en est de même pour un grand nombre d'éléments chimiques récemment découverts et auxquels on a généralement donné soit le nom du chercheur qui les a isolés pour la première fois, soit le nom d'un grand savant auquel on a voulu rendre hommage.

Les grands savants

La chronologie impose de citer d'abord Galilée, grand mathématicien, physicien et astronome italien, né à Florence il y a plus de quatre siècles, bien que le *gal* (abréviation de Galilée), unité d'accélération, ne soit pas d'un usage courant dans le grand public.

En revanche, Volta, savant italien, et Watt, savant écossais, sont évoqués quotidiennement lorsqu'on achète une ampoule de 100 *watts* fonctionnant sur du 220 *volts*. Mais sait-on toujours à quel savant se réfère le nom d'une unité de mesure ?

Récréation

ÉPONYME FRANÇAIS OU ÉTRANGER ?

En hommage aux travaux des grands savants, on a souvent choisi d'utiliser leurs noms comme unités de mesure. Ces savants sont allemands, américains, anglais, écossais, français, italiens, suédois. Retrouvez le pays d'origine de chacun d'entre eux.

UNITÉS MÉCANIQUES

newton, unité de force
joule, unité de travail, chaleur
watt, unité de puissance
pascal, unité de pression
poise, unité de viscosité dynamique
stokes, unité de viscosité cinématique
hertz, unité de fréquence

UNITÉS RADIOACTIVES

röntgen, unité d'exposition
gray, unité de dose absorbée
sievert, unité équivalente de dose

UNITÉS ÉLECTRIQUES

ampère, unité d'intensité
volt, unité de différence de potentiel
siemens, unité de conductance
coulomb, unité de quantité d'électricité
farad, unité de capacité
henry, unité d'inductance
ohm, unité de résistance
weber, unité d'induction magnétique

UNITÉS THERMOMÉTRIQUES

kelvin, unité de température
celsius, unité de température

Réponses : anglais : Faraday, Gray, Joule, Kelvin, Newton – *français :* Ampère, Coulomb, Pascal et Poiseuille – *allemands :* Hertz, Ohm, Röntgen, Siemens, Sievert et Weber – *italien :* Volta – *suédois :* Celsius – *américain :* Henry – *écossais :* Watt – *irlandais :* Stokes.

Des éponymes loin cherchés

Dans le domaine de la chimie, il est des noms d'éléments ou de composés qui sont des hommages rendus à des savants, et quelquefois par des chemins très détournés, comme pour la *fuchsine* (cf. p. 207), le *polonium*, ou le *gallium*.

Le *polonium*, élément atomique radioactif, doit son nom à Marie Curie, à qui les savants ont voulu rendre un hommage personnel en rappelant qu'elle était polonaise, tandis qu'ils attribuaient le nom de *curium* à un autre élément pour honorer le travail fait en commun par les époux Curie.

Le *gallium* est un métal du même groupe que l'aluminium et dont certains dérivés sont utilisés en électronique. Pour rendre hommage à son inventeur français Lecoq de Boisbaudran, les savants anglais proposèrent de traduire son nom en latin : Lecoq devint *gallus*, d'où *gallium*.

Comme on le voit, tous ces noms ont été créés par des savants dans un but bien précis. Mais d'autres noms de personnages étrangers sont entrés dans la langue française sans préméditation.

Un calepin venu d'Italie

C'est bien le cas du nom du moine augustin italien Ambrogio dei Conti di Caleppio, dit Calepino, qui avait publié, en 1502, un gros livre très savant. L'ouvrage, paru en latin, s'intitulait *Cornucopiae,* « Corne d'abondance », et constituait en réalité l'un des premiers dictionnaires dignes de ce nom. Ce livre a ensuite pris des proportions inattendues par l'adjonction de traductions en plusieurs langues, et il est devenu par la suite le livre-culte de toute l'Europe. Mais c'est seulement en français que le nom propre *Calepino* est passé dans la langue courante, où le *-in* de *calepin* a été pris pour un diminutif de l'objet même, alors qu'en italien c'était le diminutif d'un nom propre.

Au XVIIe siècle, le mot *calepin* désignait encore en français un volumineux dictionnaire en plusieurs langues, et il constituait une référence naturelle à une somme d'informations réunies en un énorme volume. Témoin une lettre de Racine où l'on trouve : « N'êtes-vous pas fort plaisant avec vos cinq langues ? Vous voudriez que mes lettres fussent des Calepins ? » Un peu plus tard, sans raison apparente, le *calepin* perdra ses proportions volumineuses tandis que ses pages, désormais blanches, ne renfermeront plus que des notes manuscrites.

Récréation

DU NOM PROPRE AU NOM COMMUN

1. La moitié des mots suivants vient d'Angleterre, l'autre moitié d'Italie. Rendez chacun d'eux à son pays natal.

cardigan	*pantalon*
catogan	*raglan*
faquin	*sacripant*

2. Tous ces mots ont pour origine un nom propre, à l'exception d'un seul. Lequel ?

Réponses :

1. D'Angleterre : *cardigan, catogan, raglan* ; d'Italie : *faquin, pantalon, sacripant.*

2. Seul *faquin* n'est pas un nom propre. Il vient de l'italien *facchino* « porteur », mais *pantalon* est le nom d'un personnage de la comédie italienne et *sacripant* celui d'un personnage de l'*Orlando innamorato* de Boiardo (XVe s.).

Quant aux mots venus d'outre-Manche, ce sont des noms de famille : celui du général William Cadogan (XVIIIe s.) qui aurait lancé la mode du ruban avec lequel les soldats d'infanterie nouaient leurs cheveux en un chignon bas sur la nuque ; celui de J. T. Brudenell, comte de Cardigan (XIXe s.), qui aurait popularisé le port de cette veste de laine boutonnée haut et sans col ; et celui de Lord Somerset, baron de Raglan (XIXe s.), dont le manteau de voyage à pèlerine était réputé[55].

Des noms de lieux étrangers dans la langue française

On pourrait enfin trouver des centaines de noms de lieux étrangers devenus des mots de la langue française, dont certains sont évidents, comme :

berline, de Berlin, où a été construit vers 1670 un carrosse à capote mobile ;

bougie, de Bougie, ville d'Algérie (aujourd'hui Béjaia) d'où venaient des chandelles en cire fine dès le XIVe siècle ;

bristol, de Bristol, ville d'Angleterre où se fabrique un carton de très bonne qualité depuis le XIXe siècle ;

méandre, du nom d'un fleuve d'Anatolie, dont le cours est très sinueux ;

phare, du nom de l'île Pharos à l'entrée du port d'Alexandrie.

D'autres noms de lieux sont plus difficiles à découvrir :

cordonnier : sous ce nom de métier il faut retrouver Cordoue, ville d'Andalousie d'où était importé, à partir du XIIe siècle, un cuir de chèvre à la fois souple et solide ;

Récréation

DE CORDOUE AU CORDONNIER

Tout comme **Cordoue** est à l'origine du mot **cordonnier**, les noms de lieux suivants ont tous donné naissance à des noms communs dans la langue française. Trouvez-les, mais, attention, la forme peut être trompeuse !

Pistoia (Italie)	**Faenza** (Italie)	**Port-Mahon** (Baléares)
Troie (Asie Mineure)	**Poperingen** (Flandre)	**Padoue** (Italie)
Gênes (Italie)	**Tour de Galata** (Turquie)	**Berlin** (Allemagne)

Réponses :
bistouri, truie, jeans, faïence, popeline, galetas, mayonnaise, pavane, berline.

---

cuivre : c'est également au XIIe siècle qu'apparaît le mot *cuivre*, issu de la forme latine *(aes) cyprium*, c'est-à-dire (bronze) de Chypre », île réputée depuis la plus haute Antiquité pour ses mines de cuivre ;

palais : ce nom est la forme évoluée du latin PALATINUM « le Palatin », nom d'une des sept collines de Rome, où Auguste, puis les aristocrates romains avaient fait construire de somptueuses demeures ;

jean ou *jeans* : ce tissu, porté depuis un demi-siècle par des milliers de personnes aux quatre coins du monde, était à l'origine celui des pantalons des marins du port de *Gênes*, prononcé à l'anglaise, mais sous sa forme française (la forme italienne étant *Genova* et la forme anglaise *Genoa*).

8

L'HÉRITAGE GERMANIQUE

Lorsqu'on regarde une carte des langues de France, on peut remarquer que l'adoption du latin dès les premiers siècles de notre ère n'a pas empêché la persistance de langues qui n'en sont pas les descendantes : le basque, le breton, le flamand, le francique lorrain et l'alsacien.

Ces trois dernières appartiennent au groupe des langues germaniques, dont l'influence a peut-être été aussi grande que celles du grec ancien et du latin classique, mais d'une tout autre façon.

En effet, si le latin et le grec ont constitué dès le haut Moyen Âge des sources de renouvellement pour le vocabulaire savant, c'est au contraire dans le domaine de la vie quotidienne que l'on doit chercher des traces du germanique

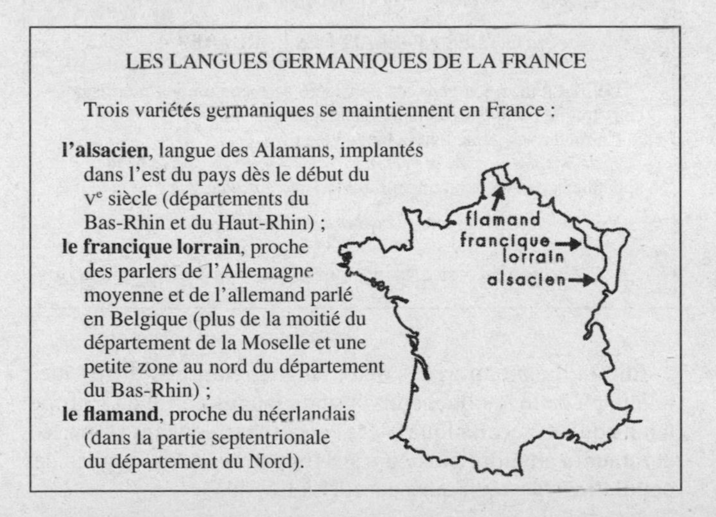

LES LANGUES GERMANIQUES DE LA FRANCE

Trois variétés germaniques se maintiennent en France :

l'alsacien, langue des Alamans, implantés dans l'est du pays dès le début du ve siècle (départements du Bas-Rhin et du Haut-Rhin) ;

le francique lorrain, proche des parlers de l'Allemagne moyenne et de l'allemand parlé en Belgique (plus de la moitié du département de la Moselle et une petite zone au nord du département du Bas-Rhin) ;

le flamand, proche du néerlandais (dans la partie septentrionale du département du Nord).

ancien. Il est par ailleurs significatif de constater que le nom même de la langue française est un nom germanique, tout comme le nom de la France, pays des Francs[56].

Une longue cohabitation

Il est vrai que les contacts entre les légions romaines et les populations germaniques avaient déjà commencé dès les premiers siècles de notre ère, grâce aux mercenaires germains engagés par les Romains pour protéger leurs frontières. C'est surtout dans le sens du latin vers le germanique que les emprunts avaient alors été importants : sous leur forme actuelle en allemand, *Strasse* « route » de STRATA, *Ziegel* « tuile » de TEGULA ou encore *Schüssel* « plat » de SCUTELLA, sont des mots très anciennement empruntés au latin[57].

Mais le latin tardif lui-même conserve aussi des traces des emprunts qu'il a faits au germanique, par exemple SAPO « savon », GANTA « oie » ou GLAESUM « ambre ».

Récréation

ON LES APPELAIT DES BARBARES

De tout temps, les gens ont considéré de façon un peu méprisante ceux qui ne parlaient pas la même langue qu'eux.

Comment les gens dont la langue était :

1. le basque ***2. le breton*** ***3. le grec*** ***4. le latin***

appelaient-ils une personne qui parlait une autre langue que la leur ?

Vous avez le choix entre : ***barbare, erdaldun, gallo** et **laïc***.

Réponses : 1. erdaldun – 2. gallo – 3. barbare – 4. laïc.

En fait, la situation des deux langues était très différente : le latin, à cette époque, était la seule langue écrite en Europe, tandis que le germanique n'était encore qu'une langue parlée, et il faudra attendre plusieurs siècles pour voir les langues des populations germaniques accéder à l'écrit[58].

Quelles populations germaniques ?

Parmi les multiples tribus germaniques qui se sont déplacées dans toute l'Europe bien avant la naissance de l'Empire romain, seuls certains groupes, les Wisigoths, les Burgondes, les Alamans et les Francs, ont été en rapport avec les populations de la langue romane qui allait devenir le français.

Les Wisigoths : partis de Scandinavie, très probablement de l'île de Gotland, ils s'étaient séparés de leurs compatriotes les Ostrogoths vers la fin du IVe siècle apr. J.-C. Leur séjour et la constitution d'un royaume wisigothique dans le midi de la France en 416, royaume traditionnellement appelé « de Toulouse », mais dont la capitale a longtemps oscillé entre Toulouse et Bordeaux[59], n'eurent pratiquement pas d'influence sur la langue française.

Les Burgondes : également originaires d'une île de la Baltique, Burgundarholm, aujourd'hui Bornholm, ils avaient obtenu, par un accord avec les Romains au début du Ve siècle, « la partie de la Gaule la plus proche du Rhin », et c'est en 443 qu'ils s'étaient installés dans la région de Genève[60]. Leur langue n'a pas laissé de descendance, et seuls quelques toponymes et le nom même de la Bourgogne rappellent leur présence dans cette région[61].

Les Alamans : issus du regroupement de plusieurs tribus germaniques, ils s'étaient finalement stabilisés entre le territoire occupé par les Francs, au nord, et les Bavarois, au sud. C'est probablement du tout début du Ve siècle que date leur première implantation en Alsace et dans le Palatinat, la colonisation totale de la Suisse actuelle ne datant que de la fin du Ve siècle. L'alsacien est un continuateur de la langue des Alamans.

Les Francs : issus eux aussi du regroupement de tribus dispersées, ils étaient porteurs d'une langue qui allait donner naissance au néerlandais et aux dialectes allemands du Nord-Ouest, le francique. C'était la langue de Clovis, qui avait finalement réussi à unifier cet ensemble germanique plus ou moins homogène, et c'est cette langue qui laissera le plus de traces dans le français.

LES LANGUES GERMANIQUES

Les langues germaniques constituent une branche de la grande famille indo-européenne[62].

On a coutume de les classer selon le point de départ de leurs migrations :

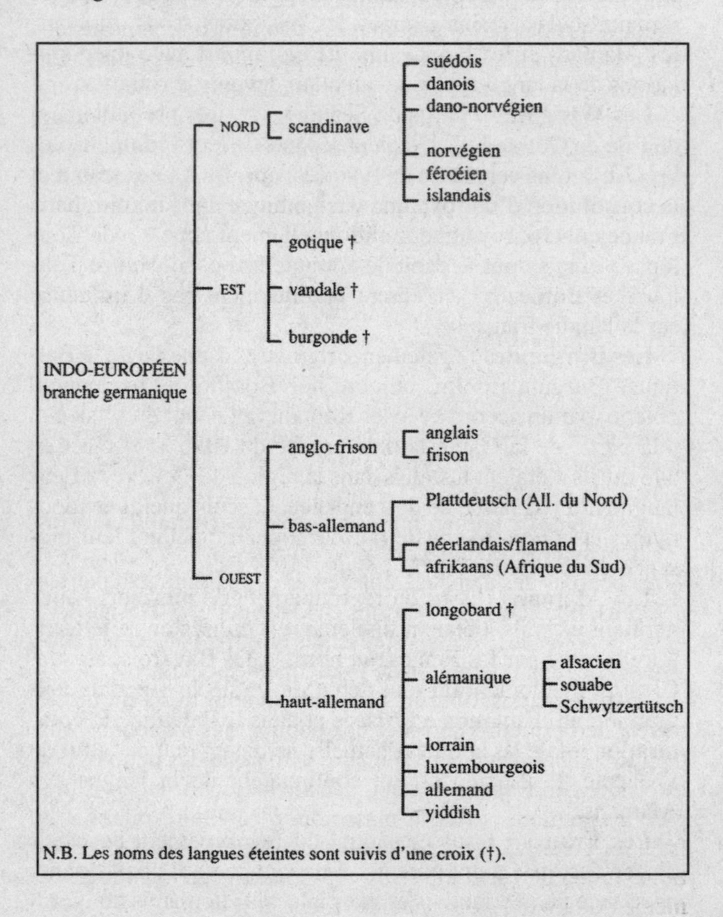

Les apports ultérieurs

Des contacts ultérieurs avec d'autres langues germaniques se sont produits, mais ils ont eu des conséquences bien moindres sur le plan linguistique. Avec les Vikings, ces Germains venus des pays scandinaves et qui finiront par s'installer en Normandie, l'apport linguistique a été assez faible. En revanche, le néerlandais a considérablement enrichi la langue française dès le XIIe siècle, à une époque où les foires de Champagne étaient un lieu de rencontre pour des populations venues de diverses contrées. Enfin, à partir du XVIe siècle, les apports ont été d'une part ceux des mercenaires, d'autre part ceux des savants.

L'importance du bois

Pour les périodes les plus reculées, on a pu distinguer, de façon à la fois schématique et imagée, parmi les divers peuples germaniques, ceux de la mer, ceux des steppes et ceux de la forêt[63] :

- les peuples de la mer, représentés par les Scandinaves, les Frisons et les Saxons ;
- les peuples des steppes, représentés essentiellement par les Goths, ultérieurement divisés en Ostrogoths et Wisigoths ;
- les peuples des forêts, représentés en gros par les populations occupant la région de l'Allemagne actuelle.

Cette caractérisation un peu superficielle a du moins le mérite de permettre de relier ces populations anciennes à la langue française et d'y reconnaître la marque des peuples des forêts. Ce qui frappe, en effet, dans le lexique français d'origine germanique, c'est la masse du vocabulaire relatif à la forêt en général, et en particulier aux arbres et aux productions qui en dérivent : le *houx* et le *gui* sont germaniques, de même que l'*osier*, le *roseau*, le *troène* et le *saule*.

Deux noms d'arbres pourraient être choisis comme symboles de la présence des Germains sur le territoire et de la persistance de leurs usages linguistiques : l'*aulne* et le *hêtre*, mais ils le sont de façons différentes.

Comme on l'a vu (cf. ch. 4, VESTIGES DU GAULOIS, p. 55), le nom d'origine germanique *(aulne)* n'a fait qu'une faible percée dans les noms de lieux en comparaison avec l'abondance des toponymes du type *vergne*, continuateur du mot gaulois *(verno)*. Mais *vergne* n'a survécu que dans les usages régionaux, et c'est finalement le mot *aulne*, d'origine germanique, qui s'est imposé en français commun.

Les résultats ont été encore plus systématiques avec le hêtre, où le nom germanique était en compétition avec le nom latin.

Le fouet : un petit « fou »

Pour désigner le hêtre, le latin avait en effet le mot FAGUS, qui avait phonétiquement évolué en *fou* en vieux français. Pourtant, on n'en retrouve la trace que dans le mot *fouet*, étymologiquement « petit fou », c'est-à-dire « petite baguette de hêtre ». Et c'est le mot d'origine francique *(hestr)* qui l'a ensuite emporté, sous la forme *hêtre*.

Le bois sous toutes ses formes

Les innombrables produits dérivés de la forêt – le *bois*, la *bille*, la *bûche*, la *latte*, la *gaule*, le *mât*, le *scion*... – portent des noms laissés par les envahisseurs germaniques. On peut y ajouter le sinistre *gibet*, terme qui désignait d'abord un bâton fourchu, avant de devenir la potence où l'on exécutait les condamnés.

Tout ce bois servait aussi à fabriquer des sièges, par exemple des *bancs* et des *fauteuils*, dont les noms germa-

LE BORDEL : UNE CABANE EN PLANCHES

D'après l'anglais ***board***, le danois ***bord*** « table » ou l'allemand ***Bord*** « étagère », on peut reconstruire l'ancienne forme germanique, celle qui a donné naissance à l'ancien français ***borde*** « bûche », d'où « cabane en planches », et aussi à son dérivé ***bordel***.

Ce dernier mot a pris dès le Moyen Âge le sens que nous lui connaissons aujourd'hui, les prostituées n'ayant alors le droit d'exercer leur activité que dans des cabanes à l'écart des lieux habités.

niques sont anciens. Si le sens du premier a peu changé – il désignait bien à l'origine un banc, mais fixé au mur – celui de *fauteuil* a fait du chemin depuis le XIe siècle : en ancien français *faldestoel*, où, sous *stoel*, on peut reconnaître l'allemand *Stuhl* « chaise », et sous *fald*, l'anglais *to fold* « plier », ce n'était encore qu'une simple chaise pliante. Il est vrai que c'était un siège somptueusement décoré, réservé aux grands seigneurs, qui pouvaient l'emporter en voyage, mais il n'avait rien du siège confortable comportant un dossier et des bras que nous connaissons depuis le XVIe siècle. Pourtant, il faut croire que l'étymologie a la vie dure puisque, avec le fauteuil pliant du metteur en scène de cinéma, c'est un retour inattendu au premier sens du mot qui reprend vie.

Récréation

LE JEU DES NOMS DE COULEURS

Parmi les 9 noms de couleurs suivants, il y en a 5 qui sont d'origine germanique, 3 d'origine latine et 1 d'origine inconnue. Classez-les selon leur langue d'origine :

1. noir	**2. blanc**	**3. gris**
4. rouge	**5. brun**	**6. rose**
7. bleu	**8. vert**	**9. fauve**

Réponses : origine germanique : 2, 3, 5, 7, 9 – latine 1, 4, 8, – inconnue 6.

Marquer son territoire

Ces « Germains des bois » avaient surtout à cœur de marquer leur territoire, comme on peut le constater par l'abondance du vocabulaire désignant les limites, même si aujourd'hui tous ces mots n'ont pas gardé leur signification première.

On retrouve bien l'idée de limite dans la *haie* faite de branchages ou d'arbustes pour servir de clôture à un champ, mais cette idée est moins évidente dans *lice, liste, hallier* ou *jardin*. Or, si aujourd'hui on n'emploie plus le mot *lice* que dans l'expression *entrer en lice* (pour une compétition sportive, par exemple), le mot désignait bien au Moyen Âge la palissade qui délimitait le terrain où se déroulaient les tournois, et la *liste* était encore une bordure, une frange en ancien français ; le *hallier* était à l'origine un lieu entouré de noisetiers (cf. l'anglais *hazel* « noisetier ») et le *jardin*, tout simplement un enclos.

DU JARDIN À LA VILLE

Le mot ***jardin*** vient d'une forme germanique, que l'on retrouve dans l'allemand ***Garten*** et l'anglais ***garden***, et qui désignait à l'origine un enclos.

La même racine indo-européenne a abouti au russe ***gorod***, avec le sens de « ville », qui apparaît dans ***Novgorod*** « la ville neuve » et, sous une forme plus évoluée, dans ***Petrograd*** « la ville de Pierre »[64].

Il est enfin significatif que le mot *marche*, dans le sens de « région frontalière », soit aussi un mot d'origine germanique, de même que le mot *marquis*, qui désignait le gouverneur d'une marche franque[65].

LES TITRES DE NOBLESSE

Alors que **roi, duc** et **comte** viennent du latin, la plupart des autres titres de noblesse sont d'origine germanique, comme :

marquis : gouverneur d'une marche franque, d'une zone frontière

baron : au Moyen Âge, ce terme désigne aussi bien le mari que le notable qui participe aux conseils[66]

sénéchal : le serviteur le plus âgé (du germanique ***skalk*** « valet » et du latin SENEX « vieux »)

maréchal : le serviteur chargé des chevaux (cf. anglais *mare* « jument »).

Les noms de personnes raccourcissent

Après les noms à rallonge, habituels sous l'Empire romain, où chacun avait au moins trois, sinon quatre noms[67] – *Cicéron* s'appelait en fait *Marcus Tullius Cicero*, et *Suétone*, *Caius Suetonius Tranquillus Silentius* – , l'habitude germanique a été prise de ne porter qu'un seul nom, généralement formé de deux mots germaniques accolés[68].

Le lien de sens n'y est pas toujours très évident : *Dagobert*, par exemple, est formé sur un premier mot signifiant « jour », suivi d'un autre mot signifiant « brillant », et *Sigisbert* signifie « victoire » + « brillant ».

On retrouve bon nombre de ces noms germaniques anciens dans les prénoms actuels, dont l'origine germanique apparaît clairement dans certaines terminaisons :

-bert « brillant », comme dans *Albert, Hubert, Robert*

-baud « audacieux », comme dans *Thibaud* « peuple » + « audacieux »

-ard « fort, puissant », comme dans *Bernard* « ours » + « puissant » ou *Gérard* « lance » + « puissant ».

LE NOM DU RENARD

On l'appelait ***goupil*** en ancien français, mais ce nom est tombé en désuétude et on lui a préféré celui d'un goupil nommé ***Renart***, héros du ***Roman de Renart***. Depuis le Moyen Âge, le nom est resté, et seule l'orthographe de ce nom a changé.

D'un adjectif germanique à un suffixe français

Ces derniers exemples sont particulièrement intéressants parce qu'ils permettent d'illustrer un phénomène qui non seulement a pris une nouvelle valeur en français, mais qui a abouti à une création grammaticale : l'adjectif germanique signifiant « puissant, dur » (représenté, par exemple, par l'anglais *hard*) a donné naissance à un suffixe français très productif, *-ard*, comme dans *chauffard, fêtard, gueulard, traînard, vantard, veinard,* mais aussi *maquisard, montagnard* et *ringard.*

Deux adverbes seulement, mais des centaines de verbes

On aura peut-être remarqué, dans les chapitres précédents, que les emprunts aux langues étrangères concernent généralement surtout le lexique, et rarement la grammaire. Ce phénomène de grammaticalisation méritait donc d'être souligné, tout comme mérite de l'être la naissance de deux noms et d'un adverbe français à partir d'un même nom germanique : les substantifs *troupe* et *troupeau* ont la même origine que l'adverbe *trop*, avec une intensification du sens pour l'adverbe. On est passé de la grande quantité (dans *troupe* et *troupeau*) à l'excès (dans *trop*).

Une autre forme grammaticale a été empruntée très anciennement : l'adverbe *guère*, également dans le sens de « beaucoup », mais qui s'emploie uniquement avec un verbe à la forme négative *(je n'en ai guère)* ou dans une forme amalgamée de *il n'y a guère : naguère.*

Enfin, on peut voir un autre signe de pénétration profonde de cette langue dans la langue française par l'existence de plusieurs dizaines de verbes d'origine germanique devenus tout à fait usuels pour exprimer des activités de la vie quotidienne :

marcher, trotter, galoper — *lorgner, guigner, guetter*
glisser, trébucher, tomber — *frapper, déchirer, griffer*
laper, lécher, téter — *blesser, soigner, guérir...*

Une revenante : la consonne *h*

Un effet inattendu des invasions germaniques a été le retour d'une consonne disparue depuis longtemps, celui de la consonne initiale *h.* Et si l'on parcourt dans un dictionnaire français la liste des mots commençant par cette lettre, on constate qu'ils sont en très grande majorité d'origine germanique :

la *hache* et la *houe* — la *halle* et le *hangar*
la *hotte* et la *huche* — la *haine* et la *hargne*
les *housses* et les *haillons* — le *hanneton*, le *héron* et le *hareng*.

Pourtant, il y a aussi des mots d'origine latine commençant par un *h* : *homme, honneur, humble, heure,* où la consonne avait été maintenue uniquement dans la graphie. On ne la prononçait plus depuis l'époque de Cicéron et, en ancien français, on ne l'écrivait pas toujours. Ainsi, sur *homo* « homme », on avait formé le pronom personnel indéfini *on*, et, de son côté, le verbe *avoir* n'avait pas gardé le *h* de HABERE.

Récréation

POURQUOI UN *H* DANS *HUILE, HUIT* ET *HUÎTRE* ?

Les historiens de la langue affirment que la plupart des mots commençant par ***h*** sont d'origine germanique. Mais alors, que doit-on penser de ***huile***, ***huit*** et ***huître***, qui non seulement viennent en droite ligne du latin, mais qui ne comportaient pas d'***h*** dans cette langue (OLEA, OCTO, OSTREA) ?

Trouvez la bonne réponse :

1. ce ***h*** s'est prononcé au Moyen Âge parmi les paysans et les petits commerçants
2. ce ***h*** est uniquement graphique. Il était destiné à faciliter la lecture des anciennes formes ***uile, uit*** ou ***uitre***.

Réponses : 2. Ce ***h*** a été ajouté pour éviter la confusion possible de ***huile, huit*** et ***huître*** avec ***vile, vit*** et ***vitre***, à l'époque où l'on écrivait le ***u*** et le ***v*** de la même façon.

Une consonne en remplace une autre

Si l'influence germanique a été responsable du retour d'une consonne prononcée, dans des mots comme *haie* ou *hameau*, elle a aussi grossi l'inventaire des mots commençant par une consonne initiale qui n'avait jamais cessé d'exister, la consonne /g/. En jetant un coup d'œil sur la liste des mots français commençant par /g/, on constate qu'une grande partie d'entre eux provient de mots germaniques et que dans cette langue ils commencent par /w/. Tel est le cas de *guerre*, par exemple, qui vient du même mot que l'anglais *war*. Mais il y a aussi les verbes *gagner, garder, guetter, guérir* et les noms *gain, gant, garçon, gars, guimpe, guise*[69].

Un « germanique menu »

Cette construction peu habituelle en français, avec l'adjectif précédant le nom, est normale dans les langues germaniques, et elle s'était manifestée en ancien français à la suite des invasions.

On en trouve de multiples traces dans la toponymie[70], à condition de savoir identifier, par exemple, « clair » et « mont » dans *Clermont*, « nouveau » et « château » dans *Neuchâtel*, ou encore de pouvoir reconnaître dans la première syllabe de *Pommard* (Côte-d'Or) la forme germanique signifiant « étang, marais » (cf. *pool* en anglais) et dans la seconde le mot germanique qui a donné *Mark* « borne, limite » en allemand. *Pommard* est donc, selon l'étymologie, « la marécageuse limite[71] ».

Par ailleurs, *Forbach* est « le ruisseau des pins », mais, si l'on identifie sans peine *bach* (cf. l'allemand *Bach* « ruisseau »), on devine moins facilement *Föhre* « pin sylvestre »[72], tandis que dans *Mulhouse* la « meunière maison » (ou plutôt la « maison du moulin ») apparaît comme une évidence si on pense à l'allemand *Mühle* « moulin » et *Haus* « maison »[73].

Enfin, pour réparer une injustice millénaire, rappelons que ces prétendus « barbares » étaient aussi de fins gourmets puisque, grâce aux mots de leur langue, on pourrait préparer le repas suivant, dont tous les plats ont des noms d'origine germanique :

Harengs saurs
Soupe au *cresson*
Escalopes aux *morilles*
Cailles garnies
Gibier mijoté
Gigot rôti
Flan aux *groseilles*
Gâteau aux *framboises*

Et, pour terminer ce repas de germanique façon, le tout serait arrosé d'un *flacon* de l'*échanson*.

Venus de Scandinavie, d'autres Germains

C'est en 793, après leur premier raid sur le monastère de Lindisfarne, en Écosse, que d'autres populations germaniques, connues sous le nom de Vikings, commencent à défrayer la chronique hors de leur pays d'origine. Partis de Scandinavie sur leurs navires à tête de dragon – les drakkars –, ces hommes du Nord, ces Normands, vont déferler en vagues sucessives et semer la terreur dans toute l'Europe pendant plus de deux siècles.

En France, leurs incursions étaient devenues régulières vers le milieu du IXe siècle, contraignant les populations à leur verser une rançon, appelée *Danegeld* (« la rançon des Danois »), en échange d'une trêve momentanée, et cette situation inconfortable s'était prolongée jusqu'à la création du duché de Normandie, en 911. Le roi de France Charles le Simple, en faisant du chef des Vikings son vassal, parvenait ainsi à ramener la paix dans une vaste région très éprouvée. Mais à l'époque le domaine occupé par les Vikings devait certainement dépasser de beaucoup les limites de la Normandie si l'on en croit la répartition des noms de lieux du type *La Guerche* (du scandinave *virki* « fortification »). On trouve des *La Guerche* aussi bien en Bretagne et dans le Maine qu'en Poitou, en Anjou, en Touraine et jusque dans le Berry[74].

Ils adoptent la langue de leur nouvelle patrie

En contraste avec les envahisseurs germaniques précédents, les Vikings n'ont laissé que peu de traces de leur langue dans la langue française : la colonisation scandinave avait été strictement masculine, et la langue de la famille, née des couples mixtes, a très vite été la langue de la mère, c'est-à-dire la langue romane de la région, surtout après la conversion des Normands au christianisme. Toutefois, il semble bien qu'au milieu du Xe siècle la langue des Vikings n'avait pas encore totalement disparu et se maintenait ici ou là, et en particulier à Bayeux, que l'on considère comme l'ultime bastion de la langue norroise[75].

MOTS VENUS DU VIEUX SCANDINAVE			
agrès	eider	hanter	quille
ballast*	étambot	haras	raz
bidon	étrave	haridelle	regretter
bitte (poteau)	flâner	harnais	remugle
blêmir	flotte	harpon	risée (brise)
carlingue	gabegie	hauban	rogue
cingler	gable	homard	saga
crique	girouette	hune	scorbut
dalle*	graffigner	joli	tillac
débiter	gréer	marquer	turbot
drakkar	guichet	marsouin	vague
duvet	guindeau	mièvre	varech
égrillard	guinder	nantir	viking

* par le néerlandais

Noms de lieux en Normandie

L'abondance des toponymes de Normandie terminés par *-ville*, du latin VILLA « ferme, propriété agricole » – plus de 200 –, montre de quelle façon l'adoption de la nouvelle langue avait pu se produire : du germanique, on abandonnait en partie le vocabulaire, mais on gardait la structure des constructions, en plaçant le déterminant avant le déterminé. Sont ainsi de formation hybride latino-germanique :

Cricqueville (Calvados) et *Querqueville* (Manche), où l'on doit reconnaître, dans l'élément initial, la forme scandinave *kirkja* « église », précédant la forme *-ville*, issue du latin VILLA[76] ;

Sotteville (Manche, Seine-Maritime) du nom propre *Soti* et de *ville* ;

Tocqueville (Eure, Manche, Seine-Maritime) du nom propre *Toki* et de *ville* ;

Tourville (Calvados, Eure, Manche, Seine-Maritime) du nom propre *Thori* et de *ville* ;

Trouville (Manche, Seine-Maritime) du nom propre *Turold* et de *ville*.

MÉFIONS-NOUS DES APPARENCES

Attention ! Les noms de lieux terminés par ***-beuf, -bec, -fleur***, qui, en français, évoquent tout naturellement la campagne, sont en fait le rappel d'un univers de marins. Ainsi,

-beuf désignait un « abri » :
Criquebeuf (Eure, Seine-Maritime, Calvados) signifie « à l'abri de l'église ». On y retrouve la même forme *kirkja* « église » que dans *Cricqueville* ou *Querqueville*
Elbeuf (Seine-Maritime) « à l'abri de la fontaine »
Lindebeuf (Seine-Maritime) « à l'abri des tilleuls »
Yquebeuf (Seine-Maritime) « à l'abri des chênes »

-bec, un « ruisseau » :
Caudebec (Seine-Maritime), de *kald* « froid », « le froid ruisseau »
Houlbec (Eure, Manche), de *hollr* « profond », « le profond ruisseau »
Bricquebec (Manche) de *brekka* « colline », « le ruisseau de la colline »

et ***-fleur***, une « crique » :
Honfleur (Calvados), où la première partie est un nom propre
Harfleur (Seine-Maritime), où *har* est l'adjectif « élevé »
Barfleur (Manche), où *bar* signifie « angle ».

Il est toutefois difficile, pour les noms de lieux en *-ville*, qui sont particulièrement fréquents dans le nord de la Normandie, d'en attribuer avec certitude la paternité aux seuls Vikings, étant donné qu'ils avaient été précédés dans ces lieux par d'autres populations de langue germanique, les Francs[77].

En revanche, on peut être plus affirmatif pour les toponymes en *-tot*, qui sont très répandus – plus de 100 – en Normandie pour désigner un habitat, car ils sont souvent précédés d'un nom de personne scandinave *(Robertot, Yvetot)*. On peut parfois y trouver des allusions descriptives des lieux :

Aptot ou *Appetot*	« la ferme aux pommiers »
Bouquetot	« la ferme aux hêtres »
Lintot	« la ferme aux tilleuls »
Ecquetot	« la ferme aux frênes »

Des mots de la mer

Comme il fallait s'y attendre, c'est surtout le vocabulaire maritime qui rappelle en français la langue scandinave des premiers Normands. Pêle-mêle, voici :

vague, varech et *flotte* ;

quille, tillac « pont de bateau », *étrave, carlingue* ;

marsouin (mot à mot, « cochon de mer »), *turbot* et *homard* ;

hauban, hune et *bitte* (d'amarrage). De ce dernier mot vient le verbe *débiter*, dérivé du scandinave *biti* « poutre », d'abord avec le sens de « découper du bois de construction ».

Des mots normands

Certaines formes, comme *cingler* « faire voile », *guichet* ou *harnais*, ou encore *hanter* ou *nantir*, sont apparues assez tôt (XIIe ou XIIIe siècle), mais d'autres semblent avoir été transmises plus tard à la langue française, par l'intermédiaire du normand, comme par exemple *remugle* au XVIe siècle et *flâner* au XVIIe siècle. Le remugle, qui désigne en français l'odeur des objets restés longtemps enfermés, a gardé en Normandie une forme – *remucre*, ou *mucre* – et un sens – « moisissure » – plus proches du scandinave (*mygla* « moisissure » et *mykr* « fumier »). De même, *dalle*, par exemple, y désigne encore soit la rigole, comme en scandinave, soit l'évier de pierre. Le mot est emprunté au scandinave *dæla* « rigole ». Il

QUELQUES MOTS ENTENDUS EN NORMANDIE

On y trouve des traces de la langue des Vikings[78] :

une **falue** est une galette briochée, légèrement bombée (de ***fali*** « tube »)

un **haitier**, une poêle lourde et plate (de ***heitr*** « brûlant »)

un **viquet**, une petite porte amovible (de ***vik*** « baie »). Ce même mot a abouti à ***guichet*** en français commun

les **gades** ou **gadelles** sont des groseilles à grappes (de ***gaddr*** « épine »)

se **vâtrer**, c'est se salir dans la boue (de ***vatn*** « eau »).

est passé en français avec le sens un peu différent de « plaque de pierre ».

Il y a enfin l'adjectif *joli*, qui rappelle le nom d'une très vieille fête païenne de Scandinavie pour célébrer le solstice d'hiver, qui est devenue la fête de Noël (« Joyeux Noël » se dit encore aujourd'hui *God Jul* en danois). En ancien français, l'adjectif a d'abord été attesté sous la forme *jolif*, et avec des sens divers : « gai, beau », mais aussi « ardent, amoureux ». Ce dernier sens se retrouve très exactement dans notre expression un peu désuète *faire le joli cœur*.

Récréation

LA NORMANDIE EN FLEUR

1. La ville de ***Harfleur*** est citée dans un poème célèbre, dont voici le premier vers : ***Demain dès l'aube, à l'heure où blanchit la campagne***. De qui est ce poème ?
2. La ville de ***Honfleur*** s'appelle ainsi parce qu'elle est toujours très fleurie. Vrai ou faux ?
3. ***Honfleur*** est la ville natale d'un peintre normand amoureux des paysages de plage. Il a été le maître de Monet et il est considéré comme le précurseur des impressionnistes. Qui est ce peintre ?

Réponses :

1. Ce poème est de Victor Hugo (*Les Contemplations*, 1847), et en voici les quatre derniers vers :
« Je ne regarderai ni l'or du soir qui tombe,
Ni les voiles au loin descendant vers Harfleur.
Et quand j'arriverai, je mettrai sur ta tombe
Un bouquet de houx vert et de bruyère en fleur. »
2. Faux. Dans ***Honfleur***, le suffixe ***-fleur*** résulte de l'évolution d'un mot scandinave signifiant « crique, baie ».
3. Eugène Boudin, né à Honfleur en 1824, mort à Deauville en 1898.

9

LE TEMPS DES FOIRES

Diversité des apports au Moyen Âge

C'est au cours de la longue période aux limites floues qu'on appelle le Moyen Âge que s'était lentement formée la langue française, une langue qu'on peut grossièrement définir jusque-là comme du latin ayant poussé sur un fonds gaulois plutôt mince, mais avec un apport germanique déjà important : celui des Francs, considérable, et celui des Vikings, infiniment plus modeste.

Pendant le même temps s'étaient développés en France d'autres idiomes, parmi lesquels des parlers gallo-romans (oïl, oc et francoprovençal) et des parlers germaniques (flamand, alsacien, lorrain germanique). À ces deux filons – langues romanes et germaniques – devait se joindre un troisième élément très important, celui des langues de l'Orient et de la Méditerranée, par l'intermédiaire de l'arabe. Les contacts entre toutes ces langues avaient trouvé un terrain particulièrement favorable dans les foires de Champagne.

Les foires de Champagne

Ces lieux de rencontre drainaient, probablement dès le milieu du XIe siècle, et sûrement entre le XIIe et le XIIIe siècle[79], des marchands venus de partout.

Dans le Nord, la Flandre était devenue un pôle très important de l'activité économique, avec la production de drap et de toile, tandis que dans le Sud l'Italie constituait un pôle encore plus varié car c'était la voie de passage presque obligée des produits venus d'Orient. Située à mi-chemin entre ces deux pôles, la Champagne constituait, du fait de sa position géographique, un lieu privilégié pour des échanges commerciaux, d'autant plus que les comtes de Champagne avaient pris des mesures en faveur des marchands. Les villes de Bar-sur-Aube, Troyes, Provins, Lagny étaient devenues le centre du négoce européen[80]. On y vendait, en provenance des pays du Nord, des étoffes de laine, des toiles, des cuirs, des pelleteries, du fromage, du beurre et, venus d'Orient, toutes sortes de produits qui avaient été commercialisés sous un terme générique suggestif : *avoir-du-poids*. L'expression est passée dans l'anglais *avoirdupois* ou *averdepois* qui désignait, avant l'application du système métrique, un système de poids appliqué à toutes les marchandises autres que les métaux précieux, les pierreries et les médicaments[81].

Les foires de Champagne constituaient ainsi de vastes marchés où l'on trouvait des épices aux noms magiques, évocateurs de pays lointains, mais aussi de simples colorants ainsi que des produits de base comme l'alun, employé comme mordant en teinturerie[82]. Les noms de tous ces produits de provenance étrangère font alors irruption dans la langue française en formation : des mots arabes mêlés à des mots venus des autres dialectes de France et à des mots néerlandais.

Des mots venus du néerlandais

Le néerlandais est à l'origine la langue des Francs, le francique, dont une des variétés s'est perpétuée en France sous le nom de flamand jusqu'à nos jours dans le département du Nord. Les premières attestations dans la langue française de ces mots venus des plaines du Nord datent justement de la lointaine époque des foires de Champagne. C'est dire que ces formes lexicales ont eu le temps, au cours des siècles, de s'intégrer harmonieusement aux structures de la langue française. Qui, en effet, hésiterait à qualifier de français des mots comme *matelot*, *cabillaud*, *maquereau*, *crabe* ou *ramequin* ? On pourrait aussi citer *layette* et *ruban*, l'adjectif *espiègle* et les verbes *amarrer*, *flotter*, *frelater*, *maquiller* ou *dégringoler*. Tous sont pourtant venus du « plat pays », et leur migration vers la langue française ne devrait pas étonner car les relations ont été constantes et étroites entre la France et les « Provinces-Unies » dès le Moyen Âge.

Parmi les mots le plus anciennement attestés en français, on trouve celui de la *gaufre*, qui, en ancien français, désignait un gâteau de cire d'abeille, et qui paraît venir du vieux francique. Mais il semble que ce soit par le néerlandais qu'ait été introduit le nom du *boulanger* – « celui qui confectionne des boules de pain » – , nom qui a définitivement remplacé les formes de l'ancien français *panetier* et *pestor*. On trouve aussi, pour désigner une boutique, le terme *échoppe*, d'abord sous les formes *escopes* ou *eschoperie*, ainsi que le nom du *crabe* qui, jusqu'au XVIIIe siècle, était du genre féminin.

C'est avant le XVe siècle que sont attestés de nombreux termes néerlandais concernant la marine et la navigation (*coche d'eau*, *beaupré*, *fret*, *lest*...), ainsi que les produits de la mer comme le *bar*, l'*aiglefin*, le *cabillaud*, l'*éperlan* et le *maquereau*.

Un peu plus tard, de véritables colonies hollandaises s'implanteront dans plusieurs ports français, à Rouen, à Dieppe ou à Bordeaux, et l'influence de leur langue continuera à s'exercer sur le français pendant le XIVe et tout le XVe siècle. Elle se développera encore par l'intermédiaire des ingénieurs spécia-

DEUX MAQUEREAUX OU UN SEUL ?

En argot, l'entremetteur est appelé un ***maquereau***, mot qui vient selon toute vraisemblance du néerlandais ***makelaer*** « courtier ».

Mais pourquoi le poisson s'appelle-t-il ainsi ? Deux thèses s'affrontent :

- une étymologie populaire voudrait que ce soit en raison des mœurs de ce poisson, qui a pour habitude de rapprocher les harengs mâles des harengs femelles et de les accompagner dans leurs déplacements[83] ;
- une autre hypothèse prend appui sur les taches que les maquereaux portent sur leurs écailles, et sur l'ancien verbe français ***maquerer*** « frapper, marquer d'une tache ». Cette explication serait confirmée par le nom de la ***groseille à maquereau*** ou « groseille tachetée »[84].

Mais, d'autre part, on apprend que le mot néerlandais ***mackerel*** qui désigne le poisson, viendrait lui-même du français ***maquereau***[85].

On revient alors à la case départ, ce qui signifie qu'en matière d'étymologie on n'est jamais sûr de rien.

QUELQUES MOTS VENUS DES COLONIES NÉERLANDAISES

Au XVIIe siècle, les Pays-Bas étaient la première puissance commerciale d'Europe et avaient étendu leur empire sur une grande partie de l'Indonésie. C'est par leur intermédiaire que quelques mots **malais** se sont introduits en français :

cacatoès, sorte de grand perroquet,
béribéri, nom d'une maladie due à une carence en vitamine B,
kapok, fibre végétale d'un arbre tropical,
casoar, sorte d'autruche,
rotin, sorte de palmier dont les tiges servent à fabriquer des câbles et des meubles.

listes qu'Henri IV ira chercher en Hollande pour assécher les marais de Picardie ou du Poitou, de Saintonge et de Guyenne, d'Auvergne et de Provence. C'est de Flandre que Colbert, dans son désir de réorganiser en France le tissage, l'industrie hydraulique et la construction navale, fera venir les meilleurs artisans, et un nouvel afflux de mots néerlandais enrichira alors la langue française.

Cet apport lexical néerlandais ne s'interrompra qu'au cours du XVIIIe siècle, et pour une raison qui s'explique par l'histoire sociolinguistique : les Hollandais, Brabançons ou Flamands qui résidaient en France avaient alors pris l'habitude de parler français.

Des mots qui racontent une histoire

Il y a des mots empruntés dont la forme permet de comprendre aisément l'origine, comme *bouquin*, par exemple, qui a été emprunté au moyen néerlandais *boekelkijn*, diminutif de *boek* « livre ». On constate ainsi qu'un bouquin, à l'origine, ne pouvait donc pas être volumineux.

Mais pourquoi dit-on d'un homme mis en prison qu'il a été *écroué* ? Ce verbe, en fait, n'a rien à voir avec l'*écrou* qui se visse (qui, lui, est d'origine latine), mais il doit être relié à un autre mot de même forme, qui avait été emprunté par l'ancien français au néerlandais, et qui désignait un « lambeau de tissu ». Plus tard, il prend le sens plus précis de « bande de parchemin », puis de « registre » (où l'on inscrivait les noms des prisonniers).

Le *ruban* et la *layette* réservent d'autres surprises. Le *ruban* est d'abord attesté sous la forme *riban*, mais avec le sens de « collier », forme et sens qui sont beaucoup plus proches du néerlandais *ringhband* « bande en forme d'anneau » (cf. aussi l'anglais *ribbon*). Quant à la *layette*, c'est un dérivé de *laye*, attesté pour la première fois en 1357 à Lille[86], mais dans le sens de « coffre, tiroir » (cf., en patois sarthois, *liette* « tiroir »[87]) où l'on étend le linge, comme on peut le comprendre si on rapproche ce mot de l'anglais *to lay* « étendre ». Le sens de « trousseau de bébé », qu'il a pris en français, ne date que du XVIIe siècle.

Des mouvements dans les deux sens

S'il est vrai que le français a si parfaitement intégré ses emprunts au néerlandais, les mouvements des mots ne se sont pas produits à sens unique, et le néerlandais, de son côté, fourmille de mots venus du français. On croit ne rien connaître de la langue néerlandaise, et pourtant on retrouvera avec amusement, sous *avontuur*, notre *aventure*, sous *plezier*, notre *plaisir*, sous *boetiek*, notre *boutique* et, sous *bordeel*, le mot français *bordel*, lui-même d'origine germanique (cf. ch. 8, *encadré* LE BORDEL : UNE CABANE EN PLANCHES, p. 106). Il faudra en revanche se méfier de la signification, en néerlandais, de *chanteren*, qui ne signifie pas « chanter » mais « exercer un chantage », de celle de *bon*, qui est une « contravention », et de celle de *bonbon*, qui est un « chocolat fourré ». Enfin, nous aurons encore plus de mal à deviner que *krek* est une altération du français *correct*, et que *krant*, qui vient de l'adjectif français *courant*, désigne le « journal » en néerlandais[88].

Le « françois », une langue composite

Pendant tout le Moyen Âge, la langue que l'on appelait alors le *françois* s'était lentement formée et elle avait commencé à se manifester par écrit au cours du IXe siècle. À cette époque, elle n'était pas encore codifiée mais, dans la région parisienne, devenue dès le XIe siècle le centre politique et intellectuel du royaume, on verra s'élaborer au cours des siècles suivants une langue commune au contact des autres dialectes de France[89]. Et c'est tout naturellement dans le creuset parisien que se fera le tri des emprunts aux langues régionales[90].

Commencée sous Philippe Auguste (1180-1223), l'unité politique, administrative et juridique du royaume se poursuivra sous Louis VIII avec l'acquisition du Poitou et sous Saint Louis avec l'annexion du Languedoc et le rattachement des provinces du Midi.

Il est important de signaler que les premières chartes – et les plus nombreuses – en langue locale, c'est dans le Midi qu'on les trouve dès le début du XIIe siècle. Dans le Nord, les premières chartes en langue vulgaire sont attestées à la fin du XIIe siècle à Tournai, puis dans d'autres villes du Nord et de la Champagne, tandis que dans la région parisienne elles datent seulement de la seconde moitié du XIIIe siècle[91]. C'est donc

LES DIALECTES GALLO-ROMANS

Sous cette désignation, on distingue, parmi les langues issues du latin, celles qui se sont développées autour du français, par opposition aux dialectes italo-romans (autour de l'italien) ou ibéro-romans (autour de l'espagnol).

Les trois grandes divisions des dialectes gallo-romans, **oïl, oc** et **francoprovençal,** se subdivisent de la façon suivante :

zone d'oïl : picard, normand (et anglo-normand), gallo, tourangeau, angevin
wallon, lorrain, champenois
franc-comtois, bourguignon, bourbonnais
saintongeais, poitevin, berrichon

zone francoprovençale : Forez, Dauphiné, Savoie, sud de la Franche-Comté, Val d'Aoste, Suisse romande

zone d'oc : gascon
béarnais
nord-occitan (limousin, auvergnat, provençal alpin)
occitan moyen (provençal, languedocien)

catalan, qui se prolonge en Espagne
corse, qui se rattache aux parlers italo-romans[92].

très lentement que le français émergera de l'amalgame de plusieurs dialectes romans, dans la région parisienne, et qu'il se répandra ensuite dans l'ensemble du territoire à mesure que s'agrandira le royaume de France.

D'abord les troubadours

Le français est incontestablement une langue romane du domaine d'oïl, où l'influence germanique – on vient de le voir – s'était fait sentir depuis plusieurs siècles, mais c'est plus exactement une langue d'oïl qui a grandement bénéficié des apports des langues d'oc, dont la littérature lyrique, d'un extrême raffinement, avait largement dépassé les frontières de la France dès le XIIe siècle. Vers 1323 avait en outre été créée à Toulouse une académie de langue d'oc, *le gay savoir*[93] : cet événement se produisait plus de trois cents ans avant la création de l'Académie française.

TROUBADOUR = TROUVÈRE

Voilà deux mots qui évoquent la poésie du Moyen Âge, sous une forme méridionale (***troubadour***) et sous une forme d'oïl (***trouvère***). Dans ***troubadour*** on reconnaît une forme méridionale grâce à la présence des consonnes ***b*** et ***d*** entre deux voyelles, tandis qu'en français, ces deux consonnes ne se sont pas maintenues : ***b*** a évolué en ***v*** (comme dans ***avoir***, issu de HABERE) et ***d*** n'a pas survécu (comme dans ***foi***, issu de FIDEM).

Un suffixe très dynamique

Pour reconnaître les emprunts du français aux diverses variétés d'oc, il existe des arguments phonétiques, qu'il faut pourtant utiliser avec beaucoup de circonspection, comme on peut le constater avec les mots terminés par le suffixe *-ade*.

Il faut tout d'abord se rappeler que le *-t-* du latin placé entre deux voyelles n'est plus présent, pas même sous une forme modifiée, dans les mots de la langue française, alors qu'il a survécu dans les langues du Midi en se changeant en *-d-* : à partir de SETA latin, le *-t-* n'a laissé aucune trace dans *soie* en français, mais le mot a évolué en *sedo* en provençal. De même, *amata* latin a abouti à *aimée* en français et à *amado* en provençal. Comme on sait en outre que le suffixe *-ade* vient du latin *-ata*, on est donc fortement tenté d'attribuer aux variétés occitanes l'origine de tous les mots français en *-ade*. Or d'autres langues romanes ont aussi vu évoluer le *-t-* intervocalique du latin en *-d-*, par exemple l'espagnol et le portugais, ainsi que les parlers de l'Italie du Nord.

Seules des indications historiques permettront donc de confirmer la répartition des mots en *-ade* selon la liste suivante :

venus de la France du Midi

accolade	aiguade	aillade	aubade
ballade	bigarade	brandade	cantonade
cassonade	charade	croustade	daurade
galéjade	gambade	muscade	panade
pétarade	salade	tapenade	

venus de l'Italie du Nord

arcade	arlequinade	autostrade	balustrade
bastonnade	bourgade	bravade	brigade
carbonade	cascade	cavalcade	chamade
colonnade	débandade	embuscade	escalade
escapade	esplanade	estafilade	estrade (?)
estrapade	façade	incartade	mascarade
orangeade	parade (?)	passade	pommade
rebuffade	sérénade	taillade	tirade

venus de l'espagnol

camarade	capilotade
estrade (?)	parade (?)
tornade	algarade (< arabe)

venus du portugais

marmelade	pintade

Est-ce parce que le goût de la gastronomie nous vient des régions du soleil que la plupart du vocabulaire venu de l'occitan – de l'*aillade* à la *croustade* et de la *panade* à la *salade*

– a trait au domaine culinaire ? Il faudrait dans ce cas adjoindre à l'occitan le portugais, qui nous a donné *marmelade* et *pintade*, et il serait bon de faire remarquer, pour l'Italie, le nombre élevé de mots beaucoup moins amènes, comme *bastonnade*, *estrapade*, *rebuffade* ou encore *taillade*. Quant à *algarade*, le mot est passé en français par l'intermédiaire de l'espagnol, mais il vient d'un mot arabe signifiant « attaque à main armée ».

Une dernière réflexion sur ce suffixe : introduit en français de plusieurs côtés, il s'y est ensuite si bien acclimaté qu'il est devenu à son tour productif après le XVIe siècle. Des mots comme *cotonnade*, *grillade*, *rigolade* ou encore *citronnade* ont sans doute été dérivés directement en français par imitation et n'ont pas été empruntés tels quels.

La langue des troubadours

La langue de la poésie de l'amour courtois, ou « koinè » littéraire, était assez unifiée au Moyen Âge, époque à laquelle on l'appelait parfois *limousin* ou *lemosi*, ou encore *provençal*, en souvenir de l'ancienneté de la PROVINCIA romaine. Mais ce dernier terme est ambigu, et de nos jours on préfère réserver le terme de *provençal* aux seules variétés parlées en Provence. Il reste cependant difficile d'attribuer aujourd'hui spécifiquement à l'une ou à l'autre des variétés d'oc (gascon, languedocien, béarnais, provençal...) les nombreux emprunts que le français leur a faits. C'est pourquoi on trouve parfois la dénomination *provençal* dans la même acception que *occitan*, ce qui, malheureusement, peut prêter à confusion.

Parmi les emprunts les plus anciens, donc sans différenciation précise possible, on trouve : *barge*, *barque*, et également *port* (mais dans le sens de « col de montagne », comme dans *Saint-Jean-Pied-de-Port*, dans le Pays basque).

Au XIIe siècle sont attestés : *aigle*, *cadeau*, *cigogne*, *donzelle*, *flûte*, *rossignol*, *tortue* et l'adjectif *jaloux*. Ce dernier mot doit être rapproché du mot *amour*, non seulement à cause de sa signification (puisque les troubadours provençaux sont les inventeurs de l'amour courtois) mais aussi pour sa forme car on attendrait en français une autre voyelle à la fin du mot :

Récréation

EST-CE VRAI OU FAUX ?

A. Les mots ***amadou***, ***bartavelle***, ***girelle***, ***ortolan*** et ***tapenade*** sont tous d'origine méridionale.

B. 1. ***amadou*** vient du provençal *amadou* « amoureux » et se dit d'une sorte de champignon qui s'enflamme très facilement.
2. la ***bartavelle*** est une sorte de crécelle, très en vogue au XVIIe siècle.
3. la ***girelle*** est une espèce de girouette qui orne souvent les mas de Provence.
4. ***ortolan*** vient d'un mot provençal signifiant « jardinier », dérivé du latin HORTUS, les ortolans étant réputés pour être des oiseaux fréquentant les jardins.
5. ***tapenade*** vient de ***tapeno*** « olive », en provençal.

Réponses : A. Vrai. – B 1. Vrai. – B 2. Faux. La *bartavelle* est une sorte de perdrix. – B 3. Faux. La *girelle* est un poisson. – B 4. Vrai. – B 5. Faux : *tapeno* signifie « câpre » en provençal, mais la *tapenade* contient à la fois des câpres et des olives.

la voyelle *eu*. La forme *jaleus* a d'ailleurs existé en ancien français, mais elle a finalement été supplantée par la forme méridionale *jaloux*[94].

Le mot *amour* est attesté en français au XIIIe siècle, en même temps que *fagot*, *muscade* ou *sommelier*, et au XIVe siècle apparaissent *abeille*, *aiguière*, *broc*, *tocsin*, *langouste*...

AMOUR EST ENFANT DU MIDI

Il s'agit bien évidemment de la forme du mot : en effet, les mots latins terminés en -OR ont donné ***-eur*** en français et, de même que FLOR a donné ***fleur*** et CALOR ***chaleur***, c'est ***ameur*** que l'on attendrait pour AMOR. Mais c'est le mot ***amour*** qui a été adopté par la langue française : il reste ainsi comme un vivant témoignage et presque le symbole de tout ce qu'elle doit aux troubadours du Moyen Âge, inventeurs de l'amour courtois.

Quelques origines mieux localisées

Parfois on peut localiser les emprunts contractés par le français auprès des langues du Midi de façon un peu plus précise. Ainsi, viennent sans doute

du **limousin :** *chabichou* (le même fromage se nomme *cabécou* dans des zones plus méridionales),
du **périgourdin :** *truffe*,
de l'**auvergnat :** *bougnat*,
du **gascon :** *barrique*, *cadet*, *cagnotte*, *castrat*, *cèpe*, *mascaret*, *rabiot*, *tacite*, *traquenard*,
du **languedocien :** *banquette*, *cassoulet*, *grigou*, *malfrat*, *palombe*,
du **béarnais :** *béret*, *cagot*, *garbure*, *piperade*,
du **rouergat :** *causse*,
du **cévenol :** *airelle*.

Le **corse** tient une place à part car ce n'est pas une variété de l'occitan, mais une langue romane apparentée aux parlers italiens. Les emprunts au corse ne sont pas très nombreux, mais on peut être sûr que *maquis* et *vendetta* sont des mots venus de l'île de Beauté.

Si l'on quitte maintenant les rivages de la Méditerranée en remontant la vallée du Rhône, on entre dans le domaine du francoprovençal, où se sont développées d'autres langues romanes.

La montagne

Les parlers francoprovençaux couvrent en France tout le Lyonnais et la Savoie ainsi qu'une partie du Dauphiné, du Forez et de la Franche-Comté et se prolongent en Suisse romande et en Italie (Val d'Aoste). Comme on pouvait s'y attendre en raison de leur implantation géographique, ils ont fourni un certain nombre de mots liés à la montagne et à la neige, tels que :

adret « partie de la montagne faisant face au soleil »,
congère « amas de neige entassée par le vent »,

LE REBLOCHON

Ce fromage des Alpes est particulièrement apprécié par les linguistes car, en dehors de ses qualités gustatives, il est souvent cité par les phonéticiens et par les historiens des langues romanes pour deux raisons :

1. La première syllabe de ce mot est souvent prononcée avec un ***o*** (à cause du ***o*** qui suit), ce qui pousse les gens à écrire son nom comme ils le prononcent ***(roblochon)***.
2. Le nom de ce fromage est formé à partir d'un vieux mot savoyard, ***rablassa***, qui signifiait à l'origine « voler, marauder », mais qui a ensuite désigné le fait de « traire une seconde fois », pratique qui avait au XIVe siècle un caractère frauduleux. Ce produit de la seconde traite servait à fabriquer un fromage qui fait aujourd'hui la réputation des fermiers des Aravis[95].

moraine « amas de pierres entraînées par le glissement d'un glacier »,
névé « masse de neige durcie »,
piolet « bâton d'alpiniste »...

Signalons aussi l'*omble (chevalier)*, qui est un poisson des lacs de montagne, et dont le nom vient d'un dialecte de Suisse romande.

L'héritage de Guignol

Créé à Lyon en même temps que son ami Gnafron, Guignol (la marionnette) est passé, en un clin d'œil – car telle pourrait bien être l'étymologie de *Guignol*, du verbe *guigner* « cligner de l'œil » –, du statut de nom propre à celui de nom commun dans la langue française. Ce mot typiquement lyonnais a accompagné toute une série d'autres de même provenance, appartenant le plus souvent au registre familier, comme on peut le voir par la liste suivante :

bafouiller, jacasser, ronchonner, décaniller, vadrouille, moutard, frangin, rapetasser, flapi, dégobiller...

Réputée pour sa gastronomie, mais aussi pour sa liberté de parole et son impertinence héritées de Guignol, la ville de Lyon n'hésite pas à nommer sa spécialité de fromage blanc frais *cervelle de canut*, le terme *canut* désignant un ouvrier d'une manufacture de soie. C'est sans doute aussi chez ces mêmes canuts que s'est d'abord diffusé le mot *échantillon*, né dans la région lyonnaise d'un verbe *échandiller* « vérifier les mesures des marchands ». Le sens actuel de « petite quantité de marchandise permettant de juger de la qualité de l'ensemble » date du XVe siècle.

Les parlers d'oïl

Comme les régions d'oïl ont été les premières « contaminées » par le français, on a souvent du mal à distinguer entre les diverses provenances régionales et les créations opérées dans le creuset parisien. Parfois – mais c'est rare – on a la chance de savoir d'où et à quel moment précis un mot régional a pu être diffusé, le plus souvent après être passé par Paris. Cela se produit seulement à l'occasion d'un événement exceptionnel qui fait la une des journaux.

Les parlers d'oïl du Nord

On sait, par exemple, très exactement le lieu d'origine et la date d'introduction en français du mot *rescapé* : en 1906, une formidable explosion de grisou avait fait 1 200 victimes dans les mines de charbon de Courrières, dans le Pas-de-Calais, et les journalistes dépêchés sur place avaient employé la forme picarde (*rescapé*) pour désigner les heureux mineurs qui avaient *réchappé* (c'est la forme française) à la catastrophe. Le mot *grisou* lui-même, venu du wallon, s'était déjà répandu au cours du XIXe siècle.

Si on a moins de données sur la date et les circonstances de l'introduction du mot *usine* en français, on sait néanmoins qu'il est également originaire d'un dialecte du Nord et qu'il représente une évolution du latin OFFICINA « lieu où l'on produit des ouvrages » (il est formé sur OPUS « travail, ouvrage »).

Quant à *ducasse* et à *coron*, ils sont tout de suite identifiables comme des mots du Nord, car ils se réfèrent à des réa-

LA CREVETTE, UNE PETITE CHÈVRE ?

Oui, mais alors très petite, et qui vit dans l'eau.

Le mot ***crevette*** est effectivement la forme prise par le diminutif du latin CAPRA « chèvre » en picard et en normand. On l'appelait ainsi en raison de ses déplacements par bonds.

En ancien français, la forme, pour le crustacé, était ***chevrette***, et on la trouve encore avec ce sens au XVIe siècle, chez Rabelais. Plus tard, la forme ***crevette***, empruntée au normanno-picard, n'a plus servi qu'à désigner le crustacé, ce qui a permis de distinguer la ***crevette*** (qui saute dans l'eau) de la ***chevrette*** (qui gambade sur terre).

lités spécifiques de cette région. Ajoutons que la *ducasse*, qui désigne la fête patronale dans les villes du nord de la France et en Belgique, tient son nom de l'altération de *dédicace* (à un saint patron) sous sa forme dialectale. Le mot *coron*, dérivé de *corne*, désignait à l'origine le coin, la corne d'un bâtiment. Le sens de « quartier ouvrier » d'une localité industrielle est dû au fait que les habitations de ce type sont généralement reléguées en bout de rue, à l'extrémité des agglomérations.

Les parlers d'oïl de l'Ouest

Parmi les mots venus des parlers de Normandie, on peut citer *brancard*, dérivé de *branque*, équivalent du français *branche*, ainsi que *câble*, qui s'est substitué à l'ancien français *chaable* « grosse corde ». On pense en outre que la *brioche* doit son nom au verbe normand *brier*, correspondant au français *broyer*, la *brie* étant l'instrument servant à pétrir la pâte. Enfin, les *potins*, dans le sens de « commérages », semblent dus à l'habitude qu'avaient les femmes normandes d'apporter leurs chaufferettes (appelées des *potines*) quand elles se réunissaient chez l'une d'entre elles pour bavarder pendant la saison froide (cf. aussi ch. 8, § Des mots normands, p. 116).

Originaire des dialectes de l'Ouest, le *cagibi* désignait tout d'abord une petite cabane où l'on remisait les vieux meubles. Le verbe *dégouliner* est également un verbe des parlers de l'Ouest, formé sur *goule* « bouche », la forme française étant *gueule*. Enfin, le mot *lessive*, venu aussi d'un des dialectes de l'Ouest, a remplacé le mot *buée* de l'ancien français à partir du XVIe siècle.

Les parlers d'oïl de l'Est

Pour les parlers d'oïl de l'Est, on a un critère phonétique assez sûr : la prononciation *oua* des mots en *-ois* ou en *-oie*. Ainsi, c'est au champenois que le français a emprunté la forme *avoine*, qui se prononçait *aveine* à Paris comme dans les dialectes de l'Ouest jusqu'au XVIIe siècle (cf. ci-dessous, *encadré* PARIS IMITE PARFOIS CE QUI VIENT D'AILLEURS).

PARIS IMITE PARFOIS CE QUI VIENT D'AILLEURS

Contrairement à une idée reçue, les prononciations parisiennes ne sont pas toujours victorieuses. La preuve : à la cour de Louis XIV on disait ***estret, crère, crêtre*** pour ***étroit, croire, croître***, et Molière faisait rimer ***droite*** et ***nette***.

Pourtant, à la fin du XVIIIe siècle, ce sont les prononciations en *oua* venues des parlers de l'Est (***étroit, croire, croître*** et ***droit***) qui ont supplanté les autres dans ces mots et dans plusieurs autres. Mais on a gardé le ***harnais*** à Paris, côte à côte avec le ***harnois*** venu de l'Est, et ***roide*** ne nous semble pas aujourd'hui moins français que ***raide***, sinon un peu plus recherché[96].

10

LES LANGUES DE L'ORIENT ET DE LA MÉDITERRANÉE

Une place privilégiée pour l'arabe

Sans avoir connu le destin de l'espagnol, qui s'est trouvé en contact quotidien avec l'arabe pendant une très longue période – sept siècles, au moins pour le sud de la Péninsule –, le français a emprunté (et gardé) une grande quantité de mots arabes. Ceux qui viennent le plus rapidement à l'esprit sont sans doute ceux qui nous ont été apportés d'Afrique du Nord au moment de la colonisation, comme *bled*, *clebs*, *maboul*, *toubib*, *smala* ou *gourbi*, ou encore *flouss* (curieusement, assez souvent prononcé *flouze*). C'est là un vocabulaire réservé aux conversations familières quelque peu relâchées, voire délibérément argotiques. Mais il représente une couche infime du lexique français.

D'autres apports, bien plus anciens, l'avaient enrichi auparavant de façon considérable. Ils datent du Moyen Âge. Certains d'entre eux, comme *sirop* ou *sorbet*, ont été apportés par les Croisades (cf. ci-dessous, *encadré* LES SOUKS D'ALEP PENDANT LES CROISADES).

LES SOUKS D'ALEP PENDANT LES CROISADES

« Non loin des gargotes s'entend le tintement caractéristique des vendeurs de ***charab***, ces boissons fraîches aux fruits concentrés que les Franj* emprunteront aux Arabes sous forme liquide, ***sirop***, ou glacée, ***sorbets***. »

(Extrait de Amin Maalouf, *Les Croisades vues par les Arabes*[97].)

* Ce mot désignait indistinctement tous les croisés venus d'Europe.

D'autres restent de vivants témoignages des connaissances scientifiques apportées à l'Occident par les savants arabes et ont le plus souvent transité par les langues de l'Espagne, tandis que d'autres enfin passaient soit par Venise et le nord de l'Italie, soit par les ports de la Méditerranée, où débarquaient les marchandises venues d'Orient.

Les apports de l'arabe au français nous donnent maintenant l'occasion d'aborder un autre pan du paysage infiniment varié des langues du monde : les langues de la famille *chamito-sémitique*.

Les fils de Cham et de Sem

Dans la Bible, on apprend que deux des fils de Noé, Cham et Sem, avaient eu une importante descendance, ce qui laisse supposer que les peuples chamito-sémitiques avaient pu partager une langue commune vers le Ve millénaire av. J.-C., mais les langues finalement attestées montrent que cet idiome s'est ensuite diversifié (cf. ci-dessous, *encadré* LA FAMILLE CHAMITO-SÉMITIQUE).

LA FAMILLE CHAMITO-SÉMITIQUE

Plusieurs langues de cette famille, comme l'**akkadien**, le **cananéen** et l'**araméen**, ont aujourd'hui disparu, mais :

l'**égyptien ancien** survit d'une certaine manière dans les usages liturgiques du **copte**. L'arabe d'Égypte actuel n'en est pas le descendant

le **couchitique** est parlé dans la « corne de l'Afrique » (Somalie, Éthiopie, Érythrée, Soudan et Égypte du Sud)

le **libyco-berbère** comprend plusieurs variétés de langues d'Afrique du Nord, parmi lesquelles celles des Kabyles, des Touareg, etc.

le **sémitique** est représenté en particulier par l'**arabe** et l'**hébreu**. Selon une hypothèse encore discutée, le **haoussa**, langue tchadienne, leur serait également apparenté.

Seuls l'arabe et l'hébreu ont fourni du vocabulaire à la langue française. Ces deux langues font partie de la même branche linguistique, celle du sémitique, mais les deux langues ont connu des destins prodigieusement différents :

l'arabe s'est répandu sans interruption, tout en se différenciant au contact des diverses populations islamisées à partir du VIIe siècle, tandis que l'hébreu, longtemps connu uniquement comme la langue de la Bible, a subi une éclipse de dix-sept siècles, tout en restant la langue de la liturgie, avant de revivre à la fin du XIXe siècle pour devenir en 1948 l'une des deux langues officielles du jeune État d'Israël. Cette langue s'écrit comme l'hébreu ancien mais elle s'est adaptée au monde moderne en développant un lexique plus conforme aux besoins contemporains[98].

LA BRANCHE SÉMITIQUE[99]

À l'est — l'**akkadien** † : c'est la langue sémitique la plus ancienne, qui s'est ensuite ramifiée :
- en **babylonien** †
- et en **assyrien** †.

À l'ouest
1. le **cananéen** :
   - **phénicien** † ou **punique** † (côtes du Liban, Carthage et divers comptoirs du nord de la Méditerranée)
   - **ougaritique** † (XVe-XIIe av. J.-C.). Les textes retrouvés sont en écriture cunéiforme
   - **hébreu** : il a été parlé en Palestine pendant 1 000 ans. C'est la langue de la Bible (IXe-VIIe av. J.-C.)
2. l'**araméen** : d'abord nomade, cette langue a remplacé, à partir du IVe siècle av. J.-C. (peut-être avant), l'akkadien et l'hébreu dans les usages parlés. Le **syriaque**, qui en est issu, est aujourd'hui réservé à des usages liturgiques et survit sous forme de dialectes en Asie
3. l'**arabe**, qui se subdivise en diverses variétés
4. le **sudarabique**, dont l'**éthiopien**.

† langue disparue.

L'hébreu, langue de la Bible

L'hébreu est donc tout d'abord la langue de la Bible, qui a probablement été écrite entre le milieu du IXe siècle et la fin du VIIe siècle av. J.-C. Mais à la suite de la chute de Jérusalem, au VIe siècle av. J.-C., tout en demeurant une langue écrite et lue à des fins religieuses, elle avait cessé d'être parlée et, au moment de la conquête de la Palestine par Alexandre au IVe siècle av. J.-C., c'est une autre langue de la même famille, l'araméen, qui avait remplacé l'hébreu dans les usages oraux.

JÉSUS POLYGLOTTE

Sa langue quotidienne était l'**araméen**, qui était alors la langue commune de la Palestine, une langue qu'on peut encore entendre dans quelques villages près de Damas. Il connaissait aussi l'**hébreu** ancien, qu'il lisait sans peine dans le texte, et il pouvait également s'exprimer en **grec**, langue officielle de l'Empire romain en Orient[100].

L'araméen, qui était la langue quotidienne de Jésus, était une langue d'origine nomade, venue du nord de l'Arabie, et qui s'était ensuite sédentarisée sur le territoire de la Syrie actuelle. Elle s'était étendue à toutes les populations du Proche-Orient à partir du IIIe siècle av. J.-C. Parmi ses variétés, seul le syriaque a pu se maintenir comme une langue de culture chrétienne jusqu'au Xe siècle, mais, depuis, elle est essentiellement réservée à des fins liturgiques[101].

Les traductions de la Bible et leur impact linguistique

La *Bible*, dont le nom grec est une forme de pluriel, *biblia* « les livres », est effectivement restée « **le** livre » par excellence dans tout le monde judéo-chrétien, et ses traductions dans les diverses langues de l'Europe ont eu une importance capitale dans l'histoire de ces langues.

Parce qu'elle a été traduite en grec dès le IIIe siècle av. J.-C. (version des *Septante*, à Alexandrie), c'est dans des traductions grecques que les premiers chrétiens prendront ensuite connaissance de l'Ancien et du Nouveau Testament.

Les traductions latines sont beaucoup plus tardives. Celle de saint Jérôme date du IVe siècle après J.-C. Elle est connue depuis sous le nom de *Vulgate*.

C'est aussi du milieu de ce IVe siècle après J.-C. que date la première traduction en langue germanique, rédigée par l'évêque arien Wulfila. Ce texte, en gotique, est la plus ancienne attestation écrite que nous possédions d'une langue germanique.

GOTIQUE OU GOTHIQUE ?

Depuis le XIXe siècle, on a pris l'habitude d'écrire ***gotique*** (sans ***h***) pour la langue et ***gothique*** (avec un ***h***) dans tous les autres cas.

Au IXe siècle, à leur tour, les moines Cyrille et Méthode traduiront en langue slavonne (ou vieux slave) le texte grec des *Septante*.

La première Bible imprimée l'a été par Gutenberg vers 1452, mais elle n'est pas en allemand. Le texte est celui de la traduction latine de saint Jérôme et il se trouve à la Bibliothèque nationale de Paris sous le nom de « Bible à 42 lignes », dite « Bible Mazarine » parce qu'elle avait appartenu à Mazarin. Il faudra attendre le XVIe siècle pour que l'allemand, alors très diversifié, trouve une expression écrite unifiée dans une langue « au dessus des dialectes ». Elle sera réalisée grâce à la traduction de la Bible par Luther (1521-1522), et cet événement sera essentiel dans la constitution de l'allemand standard.

Dès le Moyen Âge, la Bible a été paraphrasée en anglais, et des versions complètes dans cette langue ont été réalisées au XIVe siècle, mais c'est seulement en 1611 que paraît *The Authorized Version*, faite à la demande du roi Jacques Ier[102].

Pour les langues celtiques, vers le milieu du XVIe siècle paraît une traduction en gallois, dans une forme standardisée généralement acceptée, ce qui a certainement été un élément important dans la résistance du gallois à la domination de l'anglais.

Auparavant, les moines irlandais avaient joué un rôle déterminant dans l'évangélisation des îles Britanniques et aussi dans leur histoire linguistique : ils avaient adopté l'alphabet latin en l'adaptant aux nécessités de leur langue celtique, et ils avaient aussi fourni à l'anglais un signe particulier (ð, une sorte de *d* barré) pour désigner ce qui s'écrit aujourd'hui *th*[103].

Grâce à toutes ces traductions de la Bible, des tournures et des mots venus de l'hébreu se sont abondamment infiltrés dans toutes les langues européennes, et ils s'y sont si bien acclimatés qu'ils font partie de leur patrimoine commun. L'hébreu survit ainsi dans des langues appartenant à d'autres familles, bien que sa présence ne se révèle parfois qu'au prix d'un certain effort.

L'hébreu visible et invisible

On conçoit aisément que des mots comme *alléluia* « Louez l'Éternel », *amen* « Ainsi soit-il », *hosanna* « Sauve-nous, de grâce », *éden* « paradis terrestre », proviennent de l'hébreu de la Bible : la forme du mot de la langue d'origine y est encore reconnaissable.

Mais comment déceler l'hébreu sous des mots comme *calvaire* ou *scandale*, qui ne ressemblent pas du tout à la forme qu'ils avaient en hébreu ? C'est impossible si l'on ne tient pas compte du fait que la Bible, d'abord écrite en hébreu, était passée par la traduction avant de parvenir jusqu'aux langues modernes. Les linguistes appellent ces expressions, dont seul le sens est transposé, des *calques* (cf. ci-dessous, *encadré* UN CALQUE N'EST QU'UNE TRADUCTION).

UN CALQUE N'EST QU'UNE TRADUCTION

Certains emprunts sont peu visibles car ce n'est pas leur forme d'origine qui est passée dans la langue emprunteuse, mais seulement leur sens. Tel est le cas du mot ***ange***, qui résulte de la traduction du mot hébreu ***mal'hak*** « le messager », d'abord en grec (***aggelos***), puis en latin (ANGELUS).

En revanche, et toujours dans le domaine angélique, ***chérubin*** et ***séraphin*** ne sont pas des calques, mais des emprunts purs et simples, car on peut y reconnaître à la fois la forme (à peine modifiée) et le sens des mots hébreux d'origine (***keroûbim*** et ***seraphim***).

Tel est le cas, par exemple, pour *calvaire*, qui est à l'origine une traduction latine de l'hébreu *goulgoleth* « crâne ». Pour comprendre ce saut sémantique apparemment incongru, il faut savoir que la colline où Jésus fut crucifié avait reçu ce nom de *goulgoleth* en raison de sa forme arrondie et de son aspect désertique : elle ressemblait à un crâne chauve. Pour désigner le *Golgotha*, on trouve le terme *calvarius locus* (du latin *calvus* « chauve ») dans la traduction latine de l'Évangile de saint Matthieu (XXVII, 33), d'où le français *calvaire*. Et c'est seulement plus tard que ce mot a pris le sens de « épreuve longue et douloureuse ».

De son côté, l'histoire du mot *scandale* conduit à l'hébreu *mikchôl*, qui désignait « le caillou, ce qui fait trébucher ». Le mot a d'abord été traduit en grec par *skandalon* et il est ensuite passé dans le latin d'Église *scandalum*, d'abord avec le sens de « pierre d'achoppement », puis celui de « dispute », puis son sens actuel. En français, on trouvera aussi, plus tard, le même mot sous la forme *esclandre*.

Venues de la Bible, des images...

Parmi les innombrables expressions directement traduites de l'hébreu et qui n'ont pas cessé d'être employées en français, on peut citer :

le bouc émissaire
le cheval de bataille
le don des langues
la paille et la poutre
le sel de la terre
le nombril du monde
le serpent de mer
être sur la brèche
crier sur les toits
se voiler la face
sortir par le nez
n'avoir que la peau sur les os
semer la zizanie
tomber du ciel

... et des tournures grammaticales

Mais si l'on veut vraiment retrouver l'hébreu sous son aspect grammatical, c'est du côté des formes superlatives qu'il faut chercher (cf. ci-dessous, *encadré* LE CANTIQUE DES CANTIQUES).

LE CANTIQUE DES CANTIQUES

Des tournures comme ***le cantique des cantiques,***
le roi des rois,
le dieu des dieux,
sont des formules typiques de l'hébreu, où cette répétition est une façon de marquer le superlatif : ***le saint des saints*** est le lieu inviolable, où l'on ne pénètre que pour un sacrifice exceptionnel, et ***les siècles des siècles*** représentent une durée illimitée, autrement dit l'éternité.

Sur la lancée de ces expressions héritées de l'hébreu de la Bible, le français en a forgé quelques autres comme ***le fin du fin*** ou ***la der des der***, et « comble du comble », ce n'est pas en français, mais en anglais, que l'on dit ***la crème de la crème***.

Plus récemment, on a vu fleurir ***le top du top***, qui mêle tout à fait anachroniquement l'anglais du XXe siècle et l'hébreu de la Bible[104].

L'arabe des savants

Ce n'est plus le domaine religieux mais celui de l'ensemble des connaissances scientifiques au Moyen Âge qu'il faut faire revivre lorsque l'on aborde les apports de l'arabe à la langue française (et aux autres langues de l'Europe). Affaiblie par les invasions, l'Europe avait à cette époque perdu le goût de la recherche, et les manuscrits des Anciens avaient en grande partie disparu. Seuls quelques moines savants au fond de leurs monastères tentaient encore de recopier ceux qui avaient survécu, mais le flambeau de la science, après avoir été l'apanage des Grecs, était passé aux mains des Arabes.

Dès le VIIIe siècle, le calife Al-Mansour, à Bagdad, avait tenu à encourager ses sujets à traduire en arabe les ouvrages trouvés chez les Grecs et, au tournant du IXe siècle (786-833), le calife Al-Mamoun était si désireux de s'instruire et d'instruire son peuple qu'il avait exigé de Michel III, empereur d'Orient, qu'il venait de soumettre, la livraison d'un exemplaire de tous les manuscrits grecs qu'il possédait[105].

Dans l'Espagne occupée par les Arabes, la ville de Cordoue avait alors une bibliothèque de 600 000 volumes, et la ville de Tolède avait créé un grand centre de traduction qui recevait beaucoup d'étrangers. C'est le plus souvent dans des traductions arabes que les écrits d'Aristote ont été connus du monde occidental, et les *Éléments* d'Euclide ont d'abord été diffusés en Occident dans la traduction en latin, faite par l'Anglais Adélard de Bath à partir d'une version arabe du texte grec original[106].

L'ARABE, INTRODUCTEUR DE MOTS GRECS

C'est à travers l'arabe du Moyen Âge que sont parvenus en français certains mots grecs. Par exemple :

alambic, où l'on reconnaît l'article défini ***al*** de l'arabe, suivi du mot grec ***ambix*** « vase à distiller » ;

élixir, où l'article arabe a été rendu par ***él-***, et où l'on devine le grec ***ksêron*** « médicament de poudres sèches » ;

estragon, dont l'origine serait le terme botanique grec ***drakontion*** « serpentaire », dérivé de ***drakon*** « serpent » (nommé ainsi peut-être à cause de son aspect filiforme) ;

guitare, qui est passé par l'arabe ***qitâra*** (et plus tard par l'espagnol) et qui se trouve être un doublet de ***cithare***, également venu du grec ***kithara***.

Trois siècles après la mort du Prophète, la langue arabe était ainsi devenue le véhicule de la science. Les Arabes étaient en particulier passés maîtres dans l'art de la médecine, et la réputation d'Avicenne était telle au XIe siècle que le roi de Castille avait même choisi d'aller se faire soigner à Cordoue, chez ses propres ennemis.

Albucasis, chirurgien précurseur

La traduction en latin des ouvrages écrits en arabe par Abu'l Qasi, dit Albucasis, chirurgien arabe qui vivait à Cordoue et qui était probablement le médecin personnel du calife Hakam II (fin du Xe siècle), a été pendant des siècles le texte qui a fait autorité dans l'enseignement et la pratique de la médecine européenne. Tel était en particulier le cas de son livre, traduit en latin sous le titre *Chirurgia*, où il présentait, entre autres, non seulement la méthode de la cautérisation héritée des Grecs, mais aussi ses propres méthodes de chirurgie oculaire, qu'il accompagnait de la description de deux cents instruments conçus par lui et dont il fournissait les croquis[107].

Le texte arabe a probablement été traduit en latin par Gérard de Crémone, l'un des plus célèbres traducteurs de l'école de traduction de Tolède. Il restera pendant plus de deux siècles l'unique manuel de chirurgie en langue latine, et il jouissait encore d'une grande faveur au XVIe siècle[108].

L'arabe des mathématiciens

Également nourris de culture indienne, les Arabes avaient bénéficié des connaissances des peuples qu'ils avaient asservis et ils étaient devenus experts en mathématiques : on leur doit l'introduction du zéro dans la numération et celle du système décimal[109], et il n'est pas exagéré de dire que sans les Arabes l'histoire des chiffres en Occident aurait certainement été différente, car c'est grâce à eux qu'à partir du XIIe siècle l'ensemble de l'Europe a pu prendre connaissance des méthodes de calcul qu'ils avaient apprises des Indiens. Depuis, on appelle – improprement – « chiffres arabes » des chiffres qui sont en fait indo-arabes. Adoptés tout d'abord par les savants d'Europe, ces chiffres indo-arabes ont acquis depuis un caractère quasi mondial.

Il faut ajouter à cette caractéristique universelle une particularité linguistique moins généralisée : le même mot arabe ***ṣifr***, qui correspondait à l'adjectif « vide », a donné en français et dans d'autres langues romanes non pas un seul, mais deux mots différents – de forme et de sens (cf. ci-dessous, *encadré* CHIFFRE = ZÉRO).

CHIFFRE = ZÉRO

Un Français, Gerbert d'Aurillac, futur pape, semble avoir le premier vulgarisé, au Xe siècle, l'usage des chiffres indo-arabes[110], mais c'est à un Italien, Léonard de Pise, dit *Fibonacci*, qu'on doit, au XIIe siècle, le mot ***zéro*** qui, comme le mot ***chiffre***, vient du mot arabe ***ṣifr***. Il l'avait d'abord latinisé en ***zephirum***, que l'on trouve plus tard en italien pour désigner une absence d'unité, un « vide », sous la forme ***zefiro***, puis ***zefro***, et enfin ***zero***.

C'est finalement sous cette forme qu'il est passé en français à la fin du XVe siècle, et voilà pourquoi on peut dire, sans paradoxe, que ***chiffre = zéro***[111].

L'arabe des alchimistes

La chimie, en tant que discipline scientifique, ne prendra naissance qu'à la fin du XVIIIe siècle avec en particulier l'établissement d'une nomenclature rigoureuse[112], mais, dès le haut Moyen Âge, cette discipline était représentée par les alchimistes, ces savants un peu fous qui cherchaient, par la transmutation des métaux et l'introduction de la « pierre philosophale », à aboutir à la fabrication de l'or, qui, selon eux, représentait la perfection métallique. Ils rêvaient aussi de découvrir le ferment mystérieux permettant de retarder presque indéfiniment la désagrégation des corps, et donc la mort.

C'est probablement par le *truchement* (le mot vient d'un mot arabe signifiant « interprète ») des alchimistes que sont parvenus en français des mots comme *alambic*, *alcali*, *alcool*, *antimoine* ou *élixir* :

alambic « instrument servant à la distillation »

alcali « soude » : ce mot, dans l'expression *alcali volatil*, désigne parfois l'ammoniaque, autre base alcaline, comme la soude

alcool : le mot vient de l'arabe *al-kohl*, qui correspond en fait à de la poudre d'antimoine qui, sous le nom de *khôl*, est encore utilisée aujourd'hui comme fard pour les paupières. C'est l'alchimiste et médecin suisse Paracelse, qui, au XVIe siècle, sera responsable du changement de sens du mot *alcool*

antimoine est un terme d'origine arabe désignant plus exactement le sulfure d'antimoine, produit naturel qui, finement broyé, constitue le *khôl*

élixir : c'est ainsi que les alchimistes arabes nommaient la pierre philosophale, cette matière un peu magique qui était censée avoir la propriété de changer les métaux en or. Le mot arabe *al-iksir* avait été formé sur le grec *ksêron* « médicament (fait de poudres sèches) ».

L'arabe des naturalistes

C'est par l'intermédiaire du latin des naturalistes qu'ont été empruntés à l'arabe de nombreux noms d'animaux :

civette, dont le nom arabe désignait la matière odorante que sécrète l'animal qui porte ce nom
alezan, qui, en arabe, était le nom d'un renard au pelage roussâtre, tout comme *fennec* est celui d'un petit renard au pelage couleur de sable
gerboise, petit rongeur aux pattes avant peu développées, qui se tient souvent debout sur ses longues pattes arrière (comme le kangourou, toutes proportions gardées)
gazelle, de l'arabe *ghazâla*
girafe, de l'arabe *zarâfa*, mais les auteurs latins appelaient cet animal *camelo pardalis* « chameau-panthère », car il a la tête d'un chameau et la peau tachetée comme celle d'une panthère. Le mot *camélopard* a d'ailleurs existé en ancien français[113].

L'arabe des botanistes

Certaines productions botaniques ont aussi des noms arabes à l'origine :
henné, qui est un colorant, et *séné*, qui est un purgatif
abricot et *artichaut*, qui ont tous deux conservé quelque chose de l'article défini arabe *al-* à l'initiale du mot
tamarin et *chicotin*, dont l'évolution phonétique a effacé l'allusion géographique. En effet *tamarin*, c'est *tamâr hindi* ou « datte de l'Inde », mais on retrouve mieux la référence au lieu d'origine dans l'anglais *tamarind* ; quant à *chicotin*, c'est un aloès venu de l'île de *Socotra*, située en face du Yémen.

DU MAGASIN AU MAGAZINE

Aucun rapport ? Eh bien, si.

Ces deux mots viennent du même terme arabe signifiant « dépôt de marchandises », mais ils ont pénétré en français à plusieurs siècles de distance :
magasin, à la fin du Moyen Âge, par l'intermédiaire du provençal,
magazine, avec le nouveau sens de « revue illustrée », à la fin du XVIIIe siècle, par l'anglais, qui, en fait, l'avait lui-même emprunté auparavant au français, mais avec le sens de « collection ».

La science arabe

Comme on l'a vu, c'est par des traductions du grec à l'arabe, puis de l'arabe au latin, à l'espagnol ou à l'italien, que les textes scientifiques, dans leur grande majorité, ont été finalement diffusés dans le monde occidental. Voilà pourquoi on hésite parfois sur l'origine première d'un mot savant au Moyen Âge et sur les langues intermédiaires par lesquelles il a pu transiter avant de pénétrer dans les langues de l'Europe.

Le /b/ dans *abricot*

Par bonheur, certains indices proprement linguistiques permettent quelquefois de s'y retrouver.

Le cas du nom de l'*abricot* est exemplaire à cet égard. Le mot pour désigner ce fruit a parcouru un long chemin avant de parvenir en français, par l'intermédiaire du catalan. On peut en attribuer l'origine lointaine à l'arabe *al-barqoûq*, qui, sous la forme *aubercot*, est attesté en français au XVIe siècle. Mais l'arabe l'avait lui-même emprunté au latin *praecoquum* « précoce », par l'intermédiaire du grec, qui avait transporté ce terme en Syrie[114]. Il désignait à l'origine un « fruit précoce » : *al-barqoûq*, c'est donc « le précoce ».

Ce qui nous permet de considérer l'arabe comme intermédiaire probable, c'est la présence d'un /b/ dans *abricot* pour représenter le /p/ du latin *praecoquum*. L'arabe, en effet, qui ne possédait pas de /p/ dans son système consonantique[115], remplaçait généralement, dans les mots qu'il empruntait, cette consonne /p/ par un /b/ (plus rarement par un /f/ : *Platon*, en arabe, se dit *Flatoûn*). Si le nom de l'abricot nous avait été transmis directement par le latin, c'est un /p/, et non pas un /b/, que nous aurions en français (comme par exemple dans *poire*, du latin PIRA).

Dernière information : ce même mot *al-barqoûq*, qui a connu une si large diffusion dans les langues romanes et germaniques, n'a pratiquement pas survécu avec ce sens en arabe d'aujourd'hui.

Un article qui ne dit pas son nom

On peut proposer un moyen simple pour reconnaître l'origine arabe d'un grand nombre de mots français : la présence de la syllabe *al-* au début du mot, qui n'est autre que l'article défini *al* « le », « la » ; les mots *alambic*, *alcool*, *alcali*, *alcôve*, *alezan*, *algèbre*, *algorithme*, etc., sont dans ce cas.

Si l'article arabe est demeuré entier dans les exemples qui précèdent, on le devine à peine dans *artichaut*, où pourtant il est bien présent (*al-karchoûf* nous a été retransmis par l'espagnol *alcachofa*, plus proche de la forme d'origine).

L'exemple d'*amiral* est plus trompeur, car ce n'est pas au début, mais à la fin du mot français qu'il faut chercher l'article : sans pitié pour le sens, l'expression arabe *emir al bahr* « prince de la mer » a été tronquée en français pour devenir *amiral*, mot à mot « prince de la », ce qui ne signifie pas grand-chose. Mais on pourrait aussi considérer *-al* comme un suffixe français qui existait déjà dans une série de mots comme *maréchal*, *sénéchal* (venus du germanique).

Dans *azimut* et *zénith*, si on a du mal à identifier le même mot arabe *samt* « chemin », c'est qu'une partie de l'article est encore présente dans *azimut* (à l'origine *as samt*), tandis que dans *zénith* l'article n'a pas été maintenu. Mais il y a plus : la forme française de ce dernier mot provient d'une erreur de lecture du *m* de *samt*, interprété comme *ni* (*sanit*, puis *zénith*[116]).

Enfin, dans *luth* (*al-oûd* « le luth »), seule la consonne initiale évoque l'ancienne forme de l'article arabe, tandis que dans *hasard*, de l'arabe *az zahr* « (jeu de) dés », la présence d'un *h* dans la graphie du mot français achève de dérouter les chercheurs les plus avertis.

C'est, semble-t-il, le phénomène inverse qui s'est produit dans le cas du *benjoin*, qui vient de l'arabe *louban djaoui* « encens de Java » et où la première syllabe (*lou-*) a sans doute été prise pour l'article défini. Cette expression a, de plus, été tronquée, et rendue par *benzoe* dans le latin des botanistes, pour donner plus tard naissance à *benzine* (mélange d'hydrocarbures), puis à *benzène* (corps chimique bien défini, de formule C_6H_6).

Des mots qui se dédoublent

Ce dernier exemple montre comment une seule expression a pu se fragmenter en trois mots de forme et de sens différents (*benjoin*, *benzine*, *benzène*) en passant dans une autre langue.

À partir de l'arabe, d'autres rapprochements peuvent être faits comme *chiffre* et *zéro* ou *azimut* et *zénith*, déjà commentés, comme *sirop* et *sorbet* ou *magasin* et *magazine* cités en encadré, ou enfin comme *mohair* et *moire*.

Le mot *moire* avait été emprunté dès le Moyen Âge à l'arabe, avec le sens qu'il avait en arabe « étoffe en poils de chèvre », et on peut se demander par quel miracle ce mot a, depuis le XVIIIe siècle, pris le sens de « soie aux reflets changeants (mats et brillants) ». C'est à la même époque que le même mot arabe revient en français, mais cette fois par l'intermédiaire de l'anglais, sous la forme *mohair*, pour désigner une « laine soyeuse », ce qui s'explique en partie par l'influence du mot anglais *hair* « poil ».

Assassins : fumeurs de haschisch ?

Le mot *assassin* a une longue histoire, qui commence au début du XIe siècle avec la secte musulmane dite « des Assassins », les *Haschischiyoun*. Cette secte avait été fondée par un vieux sage de confession chiite, Hassan As-Sabbah, qui était en lutte contre les Turcs Seldjoukides, alors maîtres de l'Islam officiel, et qui, eux, n'étaient pas chiites mais sunnites. Les meurtres que les membres de cette secte chiite organisaient contre les personnalités sunnites se déroulaient toujours selon le même scénario spectaculaire : après avoir préparé l'attentat dans le plus grand secret, le meurtre avait lieu de préférence dans la mosquée, le vendredi, à l'heure de la plus grande affluence. L'acte revêtait ainsi une double signification pour eux : c'est en public qu'ils éliminaient définitivement une personnalité sunnite, tout en donnant de l'éclat à celui qui se sacrifiait avec un courage exemplaire à la vengeance de la foule qui s'acharnait alors sur lui et le mettait à mort.

Le calme avec lequel agissaient ces candidats au suicide a pu faire penser qu'ils étaient drogués avec du haschisch, d'où leur surnom *haschischiyoun* ou *haschaschin*[117]. Le mot a été transmis au français par l'intermédiaire de l'italien *assassino*, et l'étymologie par le haschisch a longtemps prévalu.

Mais une autre étymologie peut être avancée, car des documents attestent que Hassan avait coutume d'appeler ses adeptes *Assassiyoun*, c'est-à-dire ceux qui sont fidèles au *assas*, au « fondement » de la foi, les « fondamentalistes ». La ressemblance des deux mots – *Haschischiyoun* et *Assassiyoun* – aurait donc pu induire en erreur les premiers voyageurs occidentaux dont la connaissance de la langue arabe était sans doute superficielle[118].

Les surprises de la sémantique

Les évolutions sémantiques sont parfois aisées à expliquer, et parfois si extravagantes qu'elles sont à peine croyables.

Parmi les premières, il y a le mot *mousson*, qui désignait en arabe n'importe quelle saison et qui ne concerne plus en français que des intempéries propres à une saison particulière. On comprend aussi que le mot désignant « l'interprète » en chair et en os ait pu devenir notre abstrait *truchement*. Il en est de même pour *djubba*, qui désignait en arabe un long sous-vêtement de laine : nous pouvons y reconnaître le mot français *jupe*. Toutefois, en français, ce n'est jamais un sous-vêtement, mais une *jupe* qui n'est pas forcément longue, et qui peut aussi être confectionnée dans un tissu de *coton* ou de *moire*, autres mots également d'origine arabe. Le sens que le mot avait en arabe ne s'est pas vraiment maintenu, mais on reste dans le même domaine.

L'évolution sémantique de l'adjectif *cafard*, dont le sens premier, en arabe, était « incroyant », et qui qualifie en français une personne qui divulgue un secret, est déjà un peu plus mystérieuse. Celle de *mesquin*, qui signifiait « malheureux », ne laissait pas supposer que cet adjectif serait aujourd'hui un synonyme de « avare ».

Mais là où l'étonnement est à son comble, et peut même friser l'incrédulité, c'est lorsqu'on apprend qu'une forme arabe signifiant « belette sibérienne » a pu aboutir au français *chamarrer*, ou que *laquais* désignait, à l'origine, un haut fonctionnaire. Dans ce dernier cas, des données historiques permettent d'apporter quelques éclaircissements : lorsque le mot *laquais*, par l'intermédiaire du catalan, est passé en français, les chefs arabes avaient, du fait de la reconquête, perdu leur puissance en Espagne, et le mot *laquais* s'appliquait alors, non plus au « chef », mais au « valet d'armée »[119].

DES PRINCES ARABES

calife, chef suprême de l'empire islamique, remplaçant et successeur du Prophète[120].
sultan, titre donné à l'origine aux chefs seldjoukides turcs qui, aux XIe et XIIe siècles, gouvernaient au nom du calife de Bagdad.
chérif, noble, descendant du Prophète.
émir, prince d'un pays musulman, celui qui gouverne ce pays et commande son armée.
vizir, ministre d'un souverain musulman (aujourd'hui *wazîr*).
caïd, haut fonctionnaire, en Afrique du Nord (administration, impôts, etc.).

L'arabe, langue de passage

L'arabe a été à son tour la langue qui a transporté vers les langues de l'Europe de nombreux mots venus d'Orient. Ainsi *babouche*, du persan *papouch*, mot à mot « qui couvre le pied », a d'abord transité par l'arabe. Mais pourquoi cette différence de prononciation en français ? Si on se rappelle que l'arabe ne connaissait pas la consonne /p/ dans son système consonantique, et la réalisait généralement grâce à une consonne voisine, /b/, on pense tout naturellement à un passage de ce mot persan par l'arabe, ce qui expliquerait les deux /b/ dans le mot français. Pourtant, le doute peut subsister car toutes les attestations anciennes du mot français *babouche* se trouvent toujours en relation avec l'Empire ottoman, ce qui favoriserait plutôt l'hypothèse d'un passage par le turc[121].

L'ARABE À LA CROISÉE DES CHEMINS

Grands commerçants et grands voyageurs, les Arabes ont souvent apporté en Europe des objets venus d'Orient et du pourtour de la Méditerranée et, avec eux, les mots pour les désigner.

Ainsi, c'est en passant par l'arabe que sont venus :

orange, qui est un mot	sanskrit
riz	hindi
azur	persan
minaret	turc
alambic	grec

Le persan, langue indo-européenne

Contrairement à l'arabe, langue de la famille sémitique, le persan est une langue appartenant à la famille indo-européenne, et plus précisément à la branche indo-iranienne de cette famille. Cette dernière se subdivise en :

langues indiennes, parmi lesquelles le *sanskrit*, langue liturgique, et les *prâkrits*, langues usuelles, d'où ont émergé le *pali*, le *hindi*, le *bengali*, le *tsigane*...

langues iraniennes, dont l'*avestique*, le *persan* (ou *farsi*), le *kurde*, l'*afghan* (*pachto*), l'*ossète*... (cf. ci-après, *encadré* LA BRANCHE INDO-IRANIENNE).

Les premiers documents écrits en persan datent du début du VIIIe siècle après J.-C. Devenu langue commune au Moyen Âge, il est plus tard promu au rang de langue officielle dans le pays que, depuis 1935, l'on nomme l'Iran. Le persan s'écrit au moyen de l'alphabet arabe, et son lexique contient une grande quantité de mots empruntés à l'arabe[122].

De ce fait, les deux langues sont souvent liées lorsqu'on décrit les apports de l'Orient à l'Occident.

Des échanges de bons procédés

Si l'on devait établir un bilan des échanges entre le français et le persan, on verrait que la balance penche très nettement du côté du persan, qui s'est enrichi entre 1794 et 1924 de près de deux mille mots français, parmi lesquels : *artiste*, *concert*,

LA BRANCHE INDO-IRANIENNE

Les langues indo-iraniennes représentent, avec l'arménien, la partie asiatique de la grande famille des langues indo-européennes.

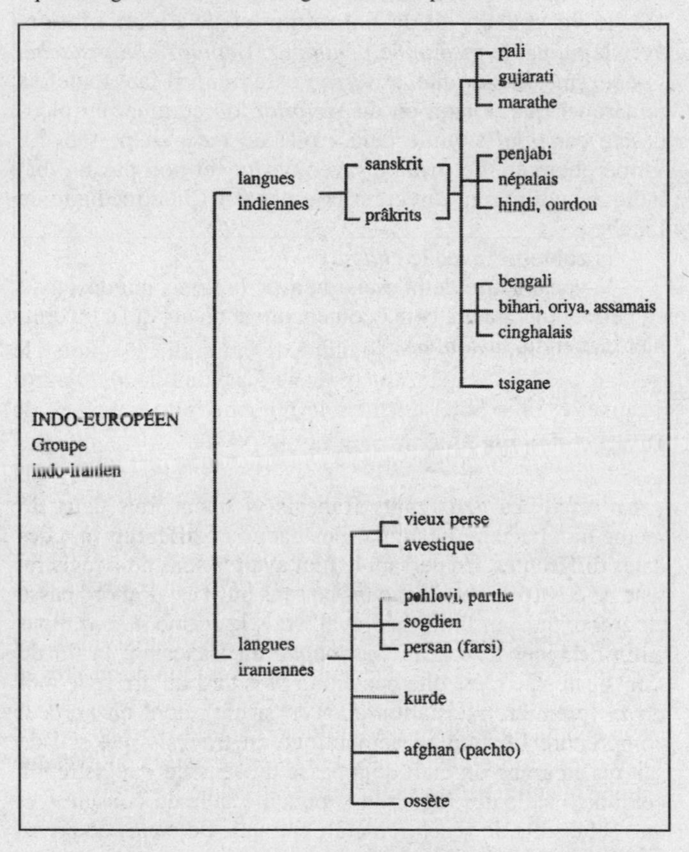

gendarme, *appartement*, *microbe*, *manteau*, *sauce*, *cadeau*, *merci* et même *maman*, qui font aujourd'hui partie du vocabulaire persan courant[123].

Les emprunts dans l'autre sens – du français au persan – sont à la fois plus modestes et bien plus anciens, et ils sont souvent passés par l'arabe. Ils concernent en particulier :

– le vocabulaire de l'**habillement**, avec la *babouche*, la *casaque*, le *châle*, le *turban*, le *caftan*, le *taffetas*, la *percale*, le *zénana* (sorte d'étoffe cloquée), ainsi que le *pyjama*. L'étymologie de ce dernier mot est « vêtement des jambes », comme celle de *babouche* était « vêtement des pieds » ;

– le vocabulaire de la **botanique** et de l'**alimentation**, avec la *tulipe*, le *jasmin*, le *nénuphar*, l'*épinard*, la *pistache*, l'*aubergine*, la *badiane*, le *safran* et le *pilaf*. Il faut toutefois remarquer que, lorsqu'on dit *riz pilaf*, on commet un pléonasme car *pilaf* signifie déjà « plat de riz » en persan. La forme phonique de *pyjama*, avec un /p/ (et non pas un /b/) indique un emprunt direct, et non pas par l'intermédiaire de l'arabe ;

– la **zoologie**, avec le *chacal* ;

– le vocabulaire de la **maison**, avec la *tasse*, qui désignait en persan une grande coupe, ou encore le *divan*, qui a un doublet inattendu, la *douane*[124].

Divan et douane : même origine

En effet, ces deux mots français viennent tous deux du même mot persan *diwan*, par des chemins différents et à des dates différentes. En persan, le mot avait le sens de « registre, liste de contrôle » et c'est dans ce sens qu'il est d'abord passé en arabe, puis en latin médiéval, sous la forme *doana*, pour enfin désigner le bureau de *douane* en français à la fin du XIIIe siècle. Ce n'est que beaucoup plus tard qu'arrive le mot *divan* (première attestation au XVIe siècle), dont on ne peut comprendre l'évolution sémantique en français que si l'on sait qu'en arabe on était déjà passé du sens de « registre » à celui de « salle des registres », puis à « salle du conseil », et que cette salle de réception était entourée de bancs de pierre garnis de coussins[125].

Le retour au bercail

Certains mots que le français a empruntés anciennement au persan, tels que *kiosque*, *camphre* ou *pyjama*, ont connu une aventure tout à fait exceptionnelle puisque, plusieurs siècles plus tard, ils sont retournés dans leur langue d'origine, cette fois sous leur forme française[126].

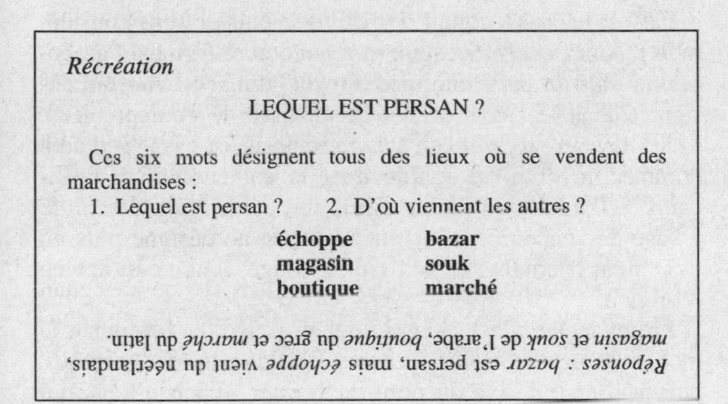

Récréation

LEQUEL EST PERSAN ?

Ces six mots désignent tous des lieux où se vendent des marchandises :

1. Lequel est persan ? 2. D'où viennent les autres ?

échoppe	**bazar**
magasin	**souk**
boutique	**marché**

Réponses : *bazar* est persan, mais *échoppe* vient du néerlandais, *magasin* et *souk* de l'arabe, *boutique* du grec et *marché* du latin.

Le persan a aussi été un intermédiaire

Tout comme l'arabe, avec lequel les contacts ont été fréquents, le persan a servi de lieu de passage à certains éléments de vocabulaire venus de l'Inde, et en particulier à des mots venus du sanskrit. Ces mots sont souvent passés successivement par le persan et par l'arabe. C'est le cas de nombreux termes usuels de la vie domestique, comme *riz* ou *sucre*, *candi* ou *orange*, *aubergine*, *musc* ou *muguet*.

LE SANSKRIT, LANGUE LITURGIQUE

Le **sanskrit** – le mot signifie « (langue) parfaite, accomplie » – est la langue du brahmanisme, qui a été fixée très anciennement dans les **Véda** (IIe millénaire avant J.-C.), qui sont des hymnes liturgiques.

À côté de cette langue littéraire se sont développées des langues communes, les **prâkrits**. C'est dans un de ces prâkrits que Bouddha prêchera au VIe siècle avant J.-C.[127].

Un bleu devenu écarlate ?

Parfois le mot a connu des changements de sens considérables. Ainsi, *écarlate* est un mot qui doit sa forme à l'arabo-persan *saqirlat* par l'intermédiaire du latin *scarlatus*, qui désignait dans les pays orientaux un tissu de couleur bleue. Mais, devenu *escarlate* en ancien français, ce terme servait à nommer un drap de qualité dont la couleur variait beaucoup[128]. Il a fallu qu'au XIIe siècle soit généralisée la teinture à base de cochenille pour que le terme ne désigne plus un tissu, mais la couleur de ce tissu : le rouge, et non plus le bleu d'origine.

En revanche, c'est bien la couleur rouge que désignait le mot arabo-persan *kirmiti* qui est à l'origine du mot *cramoisi*, puisqu'il était dérivé du nom du *kermès* « cochenille », qui est bien un insecte dont on tirait une teinture de couleur rouge. Une curiosité : jusqu'au XVIIIe siècle, le mot a aussi servi à qualifier l'intensité des couleurs plutôt qu'uniquement le rouge. C'est ainsi qu'on peut trouver chez Rabelais l'expression : *velours bleu cramoisi*[129].

Les Mille et Un Jours

Les mots ne sont pas l'unique lieu où arabe et persan se trouvent associés. Les contes des *Mille et Une Nuits*, qui sont le fruit d'une tradition orale séculaire, sont très souvent généreusement attribués aux Arabes, parce que ces derniers les ont considérablement enrichis. Ils sont en fait d'origine indo-iranienne, et le titre persan était simplement *Mille Contes*. Les Arabes y ont ajouté le mystère de la nuit en les appelant *Alf Layla wa Layla* « Les Mille et Une Nuits ». Est-ce par esprit de contradiction, ou par désir d'être original à tout prix ? en France, au XVIIIe siècle, on avait préféré leur donner un autre titre : *Les Mille et Un Jours*[130].

Une autre langue orientale, le turc

Islamisés entre le VIIIe et le Xe siècle, les habitants du futur Empire ottoman ont été en contact fréquent avec la langue arabe, et des emprunts du turc à l'arabe et au persan ont eu lieu dès le haut Moyen Âge. Si bien que, lorsque la langue française a emprunté le nom d'un objet appartenant à cette civilisation, les mots avaient déjà circulé entre les trois langues en question : l'arabe, langue sémitique, le persan, langue indo-européenne, et le turc, qui appartient à une tout autre famille, la famille ouralo-altaïque[131].

LE TURC

On rattache généralement le **turc** à la famille dite « ouralo-altaïque », et plus particulièrement à la partie altaïque, qui comprend aussi :

- le groupe **mongol**
- le groupe **mandchou-toungouze**
- et peut-être aussi le **coréen**.

Il n'y a pas une, mais plusieurs langues turques, et le **turc de Turquie**, qui est le produit de l'évolution de l'**osmanli**, parlé à la cour des Ottomans, en est le représentant le plus important.

Après avoir accueilli beaucoup de vocabulaire venu de l'arabe et du persan, la langue a été soumise à un grand mouvement d'épuration à partir de 1928, sous l'impulsion d'Atatürk, qui substitua également au système d'écriture arabe, mal adapté au turc, un alphabet latin aménagé pour les besoins de la phonétique turque[132].

Bien avant les « turqueries »

C'est seulement aux XVIIe et XVIIIe siècles que s'est manifestée en Europe la grande vogue des « turqueries », restées dans la mémoire collective avec, en particulier, le *Grand Mamamouchi* de Molière (qui pourtant ne parlait pas le turc mais un sabir méditerranéen[133]), le mouvement *Alla turca* d'une sonate de Mozart, ainsi que d'autres compositions artistiques relevant d'une Turquie imaginaire et fantaisiste.

Mais les premiers emprunts au turc sont bien plus anciens, comme on peut le constater avec *bergamote* et *galetas*, attestés en français dès le XIVe siècle.

Ce dernier terme fournit l'occasion de poser le problème quasiment insoluble de la « vraie » langue des noms propres, puisque le mot *galetas* est en fait une adaptation du nom de la tour de Galata, qui était haute de près de 100 mètres et qui dominait Constantinople. Aujourd'hui, un quartier d'Istanbul porte encore son nom.

La même question se pose pour un grand nombre de mots devenus français, mais qui tiennent leur nom d'un nom de lieu à l'étranger (cf. ci-dessous, *récréation* LA GÉOGRAPHIE, SOURCE LEXICALE).

Récréation

LA GÉOGRAPHIE, SOURCE LEXICALE

Si l'on s'en tient aux régions orientales proches de la Méditerranée, on peut citer des noms de lieux ayant abouti à des mots du lexique français. Pouvez-vous les retrouver ?

1. Pergame	**5. Maiandros**
2. Galata	**6. Chypre**
3. Troie	**7. Cydonea (Crète)**
4. Ascalon	**8. Pharos**

Réponses :

1. *parchemin*, dont la préparation aurait été inventée à *Pergame*.
2. *galetas* : jusqu'à la fin du XVIIe siècle, c'était un logement sous les combles. Plus tard, le mot allait prendre le sens de logement misérable et sordide.
3. *truie*, du latin (PORCUS) TROIANUS « porc farci », par allusion plaisante au cheval de Troie.
4. *échalote*, du latin ASCALONIA (CEPA) « (oignon) d'Ascalon ».
5. *méandre*, du nom du fleuve Maiandros, au cours particulièrement sinueux.
6. *cuivre*, du latin *aes cyprium* « bronze de Chypre ».
7. *coing*, du grec *kudonia* (*mala*) « (fruit) de Cydonea (ville de Crète) ».
8. *phare*, du grec *Pharos*, île où fut érigée, au IIIe siècle av. J.-C., une tour servant de point de repère aux marins.

HONGROIS EST UN MOT TURC

Lors de leur occupation du pays des Magyars au XVIe siècle, les Turcs avaient été frappés (c'est le cas de le dire) par les flèches dont se servaient ces populations et ils avaient appelé celles-ci d'un nom formé sur le mot turc ***ogur*** « flèche », qui devint le mot ***hongrois*** en français.

Le déguisement des mots turcs

Non seulement les mots français venus du turc n'ont pas l'air turcs, mais certains d'entre eux font plutôt penser à d'autres langues étrangères : on jurerait que *caviar* est russe et *colback* d'ascendance allemande. Or ils sont tous les deux bel et bien turcs, mais ils ne sont pas toujours passés directement du turc au français. Ainsi, *caviar* est passé par la forme italienne *caviale*, et la forme française a été *cavial*, puis *caviat* jusqu'à la fin du XVIIe siècle.

D'autres mots d'origine turque, comme *cravache*, *laiton* ou *savate* n'ont plus rien d'exotique. Enfin *chagrin* (cf. la *peau de chagrin*, rendue célèbre par le roman de Balzac) est aussi un mot d'origine turque, *sagri*, désignant un cuir de chèvre d'aspect grenu.

11

LES APPORTS DES SŒURS LATINES
(italien)

L'italien

À tout seigneur, tout honneur

En ces temps de morosité où l'on regarde avec inquiétude du côté de l'anglais envahissant, il peut être salutaire – pour se consoler – de jeter un coup d'œil rétrospectif sur une autre langue, l'italien, car c'est à cette dernière que le français, jusqu'au milieu du XXe siècle, a le plus emprunté. Et lorsque l'on pense aux apports de l'italien au français, une seule époque vient immédiatement à l'esprit et repousse dans l'ombre toutes les autres, celle de la Renaissance italienne, qui, dès le XVe siècle, a ouvert la voie à la Renaissance française dans le domaine des arts. La langue italienne a alors donné au français un fort contingent de mots qui se sont très vite et très harmonieusement fondus dans la masse lexicale déjà héritée du latin, ce qui peut s'expliquer à la fois par la parenté linguistique et par l'histoire des peuples.

Ces deux langues nées du latin avaient des affinités naturelles dues à leur origine commune, et elles avaient aussi côtoyé au cours de leur histoire les mêmes autres langues (le germanique ancien, l'arabe, etc.). Sur un plan plus général, l'interpénétration des deux peuples avait été facilitée d'une part à l'occasion des guerres d'Italie, d'autre part à la faveur de la présence successive de deux reines italiennes à la cour de France. Il y avait eu, dès 1533, le mariage de Catherine de Médicis, descendante de Laurent le Magnifique, avec le duc d'Orléans, fils de François Ier et futur Henri II, et, à la mort de ce dernier, la longue régence de Catherine de Médicis pendant près de vingt ans (1560-1580). Cette influence italienne

STENDHAL VOULAIT
« TO MAKE OF THIS SKETCH A *ROMANZETTO* » *(sic)*

En 1833, Stendhal, alors consul à Civitavecchia, avait acquis des manuscrits relatant en patois romain des chroniques du XVIe et du XVIIe siècle, dont l'une était intitulée *Origini delle grandezze della famiglia Farnese*. Elle allait servir de point de départ à *La Chartreuse de Parme*, comme cela est attesté par ces quelques mots écrits dans ce mélange anglo-italien qu'il affectionnait particulièrement : « to make of this sketch a *romanzetto* » (16 août 1835), que l'on trouve, tracés de la main de Stendhal, à la première page d'un des gros volumes où ont été recopiés les textes d'où ont été tirées ses *Chroniques italiennes*.

(Stendhal, *Romans et nouvelles*,
Paris, Gallimard, La Pléiade, 1952, p. 1437-1438.)

à la cour de France s'était poursuivie avec le mariage en 1600 de Marie de Médicis avec Henri IV, et une nouvelle période de régence à la mort du roi, jusqu'à l'avènement de Louis XIII. De plus, c'est pendant près de vingt ans (1641-1661) que le cardinal italien Mazarin exercera ses fonctions de ministre de la France. Au total, c'est donc pendant plus d'un siècle que la cour de France a subi l'influence directe de grands personnages italiens et de leur entourage.

Des écrivains français ont aussi voyagé et vécu en Italie, ils se sont imprégnés de ce pays, qu'ils ont fait revivre dans leurs œuvres, comme cela a été le cas pour Montaigne et du Bellay au XVIe siècle, ou encore pour Stendhal au XIXe siècle.

Mais c'est bien plus tôt, dès le XIVe siècle, que l'italien avait pénétré dans la langue française, surtout en raison de l'importance des activités commerciales, qui se manifestaient avec succès dans l'ensemble du monde méditerranéen.

En Italie, l'Orient rencontrait l'Occident

Pendant tout le Moyen Âge, les ports de Venise, de Gênes et ceux de Toscane avaient en effet joué un rôle de relais naturel sur la route des épices et de la soie qui, du lointain Orient, aboutissait aux foires de Champagne, rendez-vous périodique

DES ÉCHELLES ET DES PORTS

Pourquoi a-t-on donné le nom d'**échelles** à certains ports commerciaux de la Méditerranée ? C'est qu'il s'agissait simplement à l'origine de véritables échelles, qui permettaient de débarquer les marchandises dans ces ports.

Voilà un bon exemple de ce qu'on appelle une *métonymie*, figure de style par laquelle le nom d'un objet en vient à désigner le lieu dans lequel il se trouve.

d'un commerce déjà international (cf. ch. 9, LE TEMPS DES FOIRES, p. 121).

L'un des avantages que les négociants italiens avaient alors acquis était la création d'établissements portuaires qu'on appelait des *échelles*, dont les plus connues étaient les *Échelles du Levant*, sur les côtes orientales de la Méditerranée, et les *Échelles de Barbarie*, sur les côtes d'Afrique du Nord. C'est par ces ports, où les commerçants italiens avaient obtenu que certains quartiers soient soumis à leur propre administration, que se faisait l'essentiel du commerce entre l'Orient et l'Occident.

Ils y avaient leur *arsenal* et leur *douane*, ils y fixaient leurs *tarifs* et y constataient éventuellement les *avaries* de leurs marchandises. Tous ces mots, d'origine arabe, ont d'abord transité par l'italien avant d'aboutir en français. Il en est de même pour les noms de la *nacre* et de quelques tissus de soie, comme celui du *taffetas*, venu du persan en passant par l'arabe, ou encore pour le mot *baldaquin*, qui désignait à l'origine une étoffe en soie de Bagdad (qu'on appelait *Baldacco* en ancien italien).

La rue des Lombards

Il existe encore à Paris une *rue des Lombards* qui perpétue le souvenir de ces riches commerçants italiens, qui étaient aussi de puissants banquiers, venus s'installer en France depuis l'époque de Philippe Auguste. Curieusement, ces « Lombards » n'étaient pas tous originaires de Lombardie,

BOCCACE EST PEUT-ÊTRE NÉ À PARIS

Selon certains de ses biographes, Boccace serait né à Paris, rue des Lombards[134], en 1313, d'une mère parisienne et d'un « Lombard » de Florence : au Moyen Âge, les marchands, les banquiers et prêteurs sur gages originaires d'Italie étaient tous appelés des **Lombards**[135].

Plus tard, on retrouve Boccace à Naples, à la cour somptueuse de Robert d'Anjou, devenue un centre intellectuel où se rencontraient harmonieusement les civilisations française, italienne, arabe et byzantine.

mais venaient surtout de Venise, de Gênes et de Toscane (Pise, Sienne, Lucques, Florence).

On leur doit la plupart des termes de la finance, à commencer par le mot *banque*, de l'italien *banca*, qui désignait le comptoir où se faisaient les transactions du changeur, ainsi que celui de *banqueroute*, qui correspond à l'italien *banca rotta* « comptoir rompu », car on brisait symboliquement l'instrument de travail d'un changeur lorsqu'il faisait faillite.

De la monnaie à la presse écrite

La puissance et l'efficacité des banquiers italiens étaient telles que plusieurs noms de pièces de monnaie d'Italie ont essaimé hors de la Péninsule et ont eu cours dans d'autres pays d'Europe :

le *ducat*, qui était la monnaie des Doges de Venise,

le *carlin*, de l'italien *carlino*, ancienne monnaie du royaume de Naples, à l'effigie de Charles d'Anjou,

le *florin*, qui a également eu cours en France et qui est encore le nom de la monnaie des Pays-Bas (en concurrence avec *gulden*),

la *piastre*, de l'italien *piastra* « lame de métal ». Le terme s'emploie encore familièrement, au Canada, pour désigner le dollar,

la *gazette*, du vénitien *gazeta* (italien *gazzetta*) « pie », piécette sur laquelle se trouvait représentée une petite pie.

C'est la *gazette* qui a connu la destinée la plus... « littéraire ». À Venise, cette petite pièce de monnaie permettait d'acheter une feuille d'annonces, chroniques mondaines et cancans, elle-même appelée *gazzetta.* Lorsque cette publication était devenue régulière, son nom avait pris le sens plus général de « journal », sens qui est passé en français avec le mot, et qui s'est imposé dans cette langue en 1631 avec la *Gazette de France* de Théophraste Renaudot, premier périodique français ayant contribué à mieux faire comprendre la langue du roi auprès de la population française, encore majoritairement patoisante à cette époque[136].

Des liens culturels anciens

Le commerce et la finance n'avaient pas été les seuls points de rencontre entre la France et l'Italie. La littérature en avait été un autre, qui avait tissé des liens très étroits entre les langues des deux pays, car des écrivains italiens avaient librement choisi d'écrire en français et des auteurs français avaient été irrésistiblement attirés par l'italien.

Le cas le plus remarquable est peut-être celui de Brunetto Latini, qui, après avoir vécu six ans d'exil en France entre 1260 et 1266, avait tenu à écrire en français, et sous le nom de Brunet Latin, son *Livres dou Tresor*. Cet ouvrage peut être considéré comme la première encyclopédie réunissant toutes les connaissances de l'époque, et s'il l'avait écrit en français, c'était, selon ses propres paroles, parce qu'il considérait cette langue comme « plus delitable [c'est-à-dire plus délicieuse] et plus commune à toutes gens[137] ».

Brunet Latin avait été le maître à penser de Dante, qui lui-même avait peut-être passé deux ans d'exil en France, en 1309 et 1310[138]. Mais si son séjour à Paris reste à prouver, bien que, dans *La Divine Comédie*, Dante fasse allusion à la rue du *Fouarre*[139], qui existe toujours dans le Quartier latin et qui rappelle l'époque où les étudiants recevaient autrefois leur enseignement assis sur des bottes de foin – c'est le sens du mot *fouarre (feurre)* en vieux français – , on sait en tout cas que Dante connaissait très bien le français et le provençal[140]. Toujours dans *La Divine Comédie*, il va d'ailleurs jusqu'à composer quelques vers en langue d'oc, qu'il met dans la bouche du troubadour Arnaut Daniel, considéré par lui comme le plus grand des poètes ayant chanté l'amour :

« jeu sui Arnaut, que plor e vau cantan
cosiros vei la passada folor,
e vei jauzen lo jorn qu'esper, denan. »
« Je suis Arnaut, qui pleure et vais chantant ;
Je contemple avec peine ma folie passée,
et je regarde avec joie devant moi le jour auquel
[j'aspire[141]. »

Un autre cas célèbre est celui du Vénitien Marco Polo, qui, en 1298, avait dicté en français, dans sa prison, à son compagnon de cellule[142] Rusticien de Pise, le récit de son voyage émerveillé en Orient, où il nomme affectueusement le chef Hassan As-Sabbah « le vieux de la montagne » et où il décrit pour la première fois la secte des Assassins (cf. ch. 10, § Assassins : fumeurs de haschisch ?, p. 153).

Enfin, si Boccace avait pu baigner pendant un court séjour dans une atmosphère française à la cour angevine de Naples, Pétrarque avait passé près de vingt ans de sa vie en France : il avait fait ses études à Montpellier, et c'est dans une église d'Avignon qu'il avait rencontré Laure, le 6 avril 1327[143].

Les contacts entre l'italien et le français étaient donc loin d'être une nouveauté quand le XVIe siècle apporta aux Français une vraie passion pour l'Italie, pour son art de vivre et pour son art tout court, avec les mots pour le dire.

Les mots de la guerre

Le XVIe siècle, c'est, dans le domaine de la littérature, l'époque où les œuvres de Boccace et de Pétrarque sont traduites en français, mais c'est aussi celle des guerres d'Italie, et le vocabulaire des armes avait d'abord recouvert celui des artistes et des poètes.

À l'imitation du cri de guerre italien *all'arme !* « aux armes ! », un substantif, *alarme*, prend naissance en français, tandis que le cri d'avertissement *all'erta !* « sur la hauteur ! », que poussaient les sentinelles italiennes pour prévenir d'un danger, devient en français l'adjectif *alerte*. Cet adjectif signifie alors « vigilant » et non pas « vif, agile », comme aujourd'hui (le substantif féminin *une alerte* ne fera son apparition que deux siècles plus tard).

Un autre mot, venu du dialecte piémontais, évoque encore un appel militaire : le mot *chamade*, du piémontais *ciamata* (cf. l'italien *chiamata* « appel »), un mot français que l'on n'emploie plus aujourd'hui que pour exprimer une intense émotion, mais rappelons que c'est toujours le cœur qui *bat la chamade* alors que la *chamade* était à l'origine le roulement de tambour ou la sonnerie de trompette qui annonçait aux assiégeants qu'on était prêt à capituler.

Les armes à la main

Parmi les armes dont les noms viennent de l'italien, certaines ne sont plus aujourd'hui que des souvenirs littéraires :

l'*escopette*, arme à feu dont la forme phonique est peut-être une onomatopée,

le *mousquet*, arme à feu portative mais encombrante, maniée par les mousquetaires,

la *pertuisane*, sorte de hallebarde à longue hampe,

le *tromblon*, arme à feu portative dont le canon est évasé.

D'autres termes, comme le *canon* ou la *bombe*, ne sont, hélas, pas sortis de l'usage, et les noms des métiers de la guerre sont restés bien vivants, à commencer par celui du *soldat*, mot à mot « celui qui touche une solde », qui a détrôné le mot français *soudard* – de même racine que *soldat* – pour le reléguer dans une acception péjorative, tout comme il a fait tomber dans l'oubli le mot *spadassin*, qui, en italien, se référait seulement au tireur d'épée *(spada)*.

En revanche, le terme *sentinelle* (de l'italien *sentire* « entendre ») désigne toujours « celui qui veille » (parce qu'il prête l'oreille) et l'*estafette* (de *staffa* « étrier »), « l'agent de liaison militaire », même s'il ne se déplace plus à cheval.

Enfin, aux deux extrémités de la hiérarchie militaire, il y a le *caporal* d'une part, le *colonel* et le *généralissime* de l'autre. On remarquera aussi le retour du suffixe *-issime*, délaissé jusqu'alors en français et qui, à cette occasion, reprend vie au contact de l'italien.

UN BRIGAND INGAMBE

Tous les mots en gras ont été empruntés à l'italien.

Au beau milieu de ***l'autostrade*** qui menait à la ***lagune***, j'aperçus un ***brigand ingambe*** au noir ***dessein***. Ah ! si vous saviez avec quelle ***prestesse j'accaparai*** la ***bombe*** avec laquelle il tentait de m'***estropier*** ! J'avais complètement perdu la ***boussole*** et mon cœur battait la ***chamade***, mais je réussis, dans une ***cavalcade burlesque***, à déjouer cette ***embuscade***. Le ***bilan*** de cet ***intermède*** ? Je dus ***camoufler*** à mes proches mon ***pantalon*** déchiré.

Une coloration péjorative

Il faut encore ajouter l'arrivée – justifiée par ces temps belliqueux du XVIe siècle – de plusieurs termes pour désigner des disputes plus ou moins brutales, en paroles ou en gestes, comme *bisbille, rebuffade, barouf* ou encore *carnage*.

Ils ont été suivis par une série de termes très péjoratifs, qui sont même souvent devenus des insultes en français :

bandit, de *bandito* « banni, hors la loi ». Ce terme est devenu une insulte sous la Révolution ;

birbe, de *birbo* « coquin », terme familier pour qualifier en français un vieillard ennuyeux ;

barbon, de *barbone* « grande barbe » ;

brigand, qui n'était à l'origine qu'un soldat appartenant à une brigade ;

ruffian, de l'italien *ruffiano*, lui-même d'origine germanique ;

canaille : le mot italien était *cane* « chien », avec un suffixe péjoratif. Ce mot a remplacé l'ancien français *chiennaille* ;

faquin, qui avait jusqu'au XVIIe siècle le sens qu'il a gardé en italien : « portefaix » ;

sbire, qui désignait à l'origine en italien un simple agent de police ;

sacripant, nom d'un personnage des romans chevaleresques italiens[144].

Les mots de la mer

La navigation a également gardé de l'italien :

des noms de bateaux

brigantin, ancien navire à deux mâts ;
frégate, qui était autrefois un simple bateau à rames ;
gondole, à Venise.

du vocabulaire maritime

carène, partie inférieure de la coque, qu'il faut *colmater* (ce verbe aussi vient de l'italien) ;
drisse, cordage permettant de hisser les voiles ;
misaine, voile de l'avant du navire, mais qui était autrefois celle du milieu, comme on peut le voir par la forme italienne *mezzana* « située au milieu » ;
coursive, couloir étroit à l'intérieur d'un navire ;
corsaire, capitaine de navire habilité par son gouvernement à capturer des navires de commerce ennemis.

À propos de *coursive* et *corsaire*

Lorsqu'on sait que *coursive* et *corsaire* viennent de mots italiens de la même famille (*corsia* et *corsaro*), on peut s'étonner que le *o* de l'italien ait été rendu par *ou* dans *coursive*, et par *o* dans *corsaire*. Pour faire comprendre cette anomalie, il faudrait rappeler qu'à l'époque où ces mots ont été empruntés (XVIe siècle), les grammairiens et les gens de lettres en France étaient en pleine querelle des « ouistes » et des « non-ouistes ». Les discussions portaient sur la prononciation d'un certain nombre de mots, pour lesquels l'usage hésitait alors effectivement entre les deux voyelles *ou* et *o*. Après avoir balancé entre *arroser* et *arrouser*, entre *fromage* et *froumage*, entre *cossin* et *coussin*, entre *formi* et *fourmi*, la norme a été finalement fixée de façon arbitraire : on a choisi *arroser*, *fromage* contre *arrouser*, *froumage*, mais *coussin* et non pas *cossin*, *fourmi* et non pas *formi*[145], et on a préféré *coursive* d'un côté, et *corsaire* de l'autre.

LES ITALIANISMES CHEZ RABELAIS

Tout comme Montaigne, Rabelais n'hésitait pas à faire des emprunts à l'italien. Il a été parmi les premiers à employer les mots ***ballon, gondole, soutane*** ou ***citrouille*** et à donner à ***forestier*** le sens de « exilé », qu'il avait en italien.

On aime l'italien, passionnément

Le XVIe siècle français se caractérise vraiment par l'attirance envers tout ce qui venait d'Italie, et par le prestige qui entourait les artistes italiens de la Renaissance, dont certains passeront une partie de leur vie en France : en 1515, François Ier invite Léonard de Vinci à séjourner dans les châteaux de la Loire ; en 1531, il fait venir le Primatice pour décorer le château de Fontainebleau et, en 1540, il appelle auprès de lui le sculpteur Benvenuto Cellini, qui résidera en France pendant cinq ans.

Les voyages en Italie

De leur côté, tous les grands de la littérature française ont été attirés par l'Italie et, pratiquement, tous y ont séjourné : Rabelais a passé un an à Rome, du Bellay y a vécu pendant près de trois ans, et Montaigne, au cours de son long périple hors de France, a séjourné plusieurs mois en Toscane, puis à Rome.

La langue italienne devient aussi l'objet d'un intérêt, voire d'un engouement qui ne fera que s'intensifier sous la régence de Catherine de Médicis.

Une véritable italomanie s'empare alors des Français. Cette reine venue de Toscane installera la comédie italienne à Paris, et le français parlé à la Cour va tellement s'italianiser que certains craindront pour sa survie.

MONTAIGNE ET L'ITALIEN

Montaigne, qui avait fait un très long voyage en Italie en 1580, avait même rédigé une partie de son récit en italien. C'est dans ses écrits qu'apparaissent pour la première fois de nombreux mots empruntés à l'italien et qui n'ont jamais cessé d'être employés depuis :

baguette	**ombrelle**	**contraste**	**douche**
posture	**fleuret**	**soldatesque**	**fougue**
villanelle	**travestir**	**fracasser...**	

Mais on y trouve aussi des italianismes sans lendemain comme :
strette « élancement (de douleur) » (le mot avait aussi le sens militaire de « attaque surprise »), ou encore
longuerie « discours un peu longuet[146] ».

Des moqueries et des mouvements de résistance

Parce que cet envahissement de l'italien risquait de devenir dangereux pour la langue française, des mouvements de résistance allaient s'organiser, à la fois du côté des écrivains et de la part du pouvoir politique.

Tandis que du Bellay critiquait *bravade* ou *soldat*, Ronsard, qui employait sans sourciller *camisole*, ironisait sur *sentinelle, escarmouche* ou *embuscade*. Tous deux regrettaient que *cargue* ait remplacé *charge* (dans *donner la cargue* « attaquer »), et ils rejetaient d'un commun accord la *camisade* (de *camiciata*, formé sur *camicia* « chemise ») qui désignait une attaque armée de nuit au cours de laquelle les soldats portaient, en signe de reconnaissance, leur chemise par-dessus leur armure[147].

RONSARD ET LA BELLE ITALIENNE

Elle s'appelait **Cassandre** Salviati. Elle était la fille d'un banquier florentin – un « Lombard », comme on disait alors – et il l'avait rencontrée à Blois en 1545. Elle avait seize ans et Ronsard vingt et un, et les quelque 230 poèmes qu'elle lui avait inspirés sont un témoignage incomparable de l'influence que Pétrarque et sa « complication dans l'élégance » ont pu exercer sur la littérature française.

DU BELLAY, OU LA NOSTALGIE

Après un séjour de près de trois ans en Italie, l'enthousiasme des premiers temps faisait place à la nostalgie :

« ... Plus me plaît le séjour qu'ont bâty mes aieux
Que des palais romains le front audacieux,
Plus que le marbre dur me plaît l'ardoise fine,

Plus mon Loyre gaulois que le Tibre latin,
Plus mon petit Liré que le mont Palatin
Et plus que l'air marin la douceur angevine. »

(Du Bellay, *Les Regrets*.)

Le français italianisé

Pour mesurer l'ampleur de cet engouement pour l'italien au XVIe siècle et les réactions qu'il avait suscitées, il suffit de lire les ouvrages d'Henri Estienne, qui prenait avec passion la défense du français, dont il montrait avec une insistance un peu naïve la « précellence » évidente au regard de l'espagnol ou de l'italien. Il s'insurgera contre ceux qui employaient l'expression *à l'improviste* (qui est un emprunt à l'italien) alors que le français avait déjà *au dépourvu*. Pourquoi, disait-il, utiliser des italianismes comme *manquer* au lieu de *défaillir*, *baster* au lieu de *suffire*, *la première volte* au lieu de *la première fois* ?

Sans craindre de pousser le trait un peu trop loin, Estienne exercera aussi son ironie dans les *Dialogues du nouveau langage françois italianizé et autrement desguizé* (1578), où il se met en scène lui-même, comme le défenseur de la langue française pure et dure, face à un courtisan qui argumente en faveur de cette langue moderne, à la mode, bourrée d'italianismes[148]. « Je m'esbahi, dit l'auteur, comment vous *imbrattez* notre langue d'une telle *spurquesse* de paroles[149]. » On peut reconnaître dans cette phrase deux italianismes aujourd'hui disparus, l'un formé à partir du verbe *imbrattare* « souiller », l'autre à partir du substantif *sporchezza* « saleté ».

Dans ce même ouvrage, il fait dire à l'un de ses personnages qu'il est un peu *straque* d'un mot italien signifiant

« fatigué »), parce qu'il a *battu la strade* (« il a parcouru les rues ») depuis le matin, et qu'il ne pourra donc pas se rendre dans *une case un peu discoste* (« une maison un peu éloignée »).

Au fil des pages, on apprend aussi avec surprise que *risque* et *réussir*, ainsi que *parapet* ou *caprice*[150], copiés sur l'italien, sont alors des néologismes insupportables.

Quatre siècles avant la véhémente satire d'Étiemble contre notre goût immodéré pour l'anglais (*Parlez-vous franglais ?*, 1964), nous avons là le témoignage du danger qu'avait pu représenter l'italien aux yeux des puristes au XVIe siècle.

Les modes éphémères

Mais les craintes d'Henri Estienne n'étaient pas justifiées : certains mots, employés alors tout naturellement, sonnent aujourd'hui assez bizarrement, parce que les mots à la mode finissent aussi par se démoder, s'ils ne sont pas vraiment utiles :

escarpe « chaussure »	*burler* « se moquer »
estivallet « bottine »	*discoste* « éloigné »
pianelle « chaussure de daim »	*avoir martel* « être jaloux[151] »

Ceux-là n'ont donc connu qu'une mode passagère, mais beaucoup d'autres ont traversé les siècles :

courtiser	figurine	mascarade	bilan
douche	accaparer	récolte	politesse
travestir	mont-de-piété (« établissement de prêt sur gage »).		

Ces mots ne resteront pas toujours des étrangers

Une fois oubliés les excès de cette mode, la langue française a tout de même jugé bon de garder une grande partie des centaines de mots apportés par l'italien à cette époque, et elle a encore récidivé au XVIIIe siècle. Si bien qu'on considère aujourd'hui comme des mots français « bon teint » des quantités de termes, parmi lesquels on peut détacher :

MONTAIGNE DÉCOUVRE LA DOUCHE

Dans les environs de Lucques, Montaigne séjourne aux Bagni della Villa :

« Il y a ici de quoi boire et aussi de quoi se baigner. Un bain couvert voûté et assez obscur, large comme la moitié de ma salle de Montaigne. Il y a aussi certain égout qu'ils nomment la doccia. Ce sont des tuyaux par lesquels on reçoit l'eau chaude en diverses parties du corps et notamment à la tête, par des canaux qui descendent sur vous sans cesse et vous viennent battre la partie, l'échauffent ; et puis l'eau se reçoit par un canal de bois, comme celui des buandières, le long duquel elle s'écoule. »

(Extrait de Montaigne, *Le Voyage en Italie*[152].)

les mots de la table : *banquet* et *festin, bocal* et *carafon,* ainsi que *gélatine, saucisson* et *vermicelle,* ou encore *biscotte, chou-fleur, citrouille, radis* ou *scarole* ;
ceux des vêtements : *caleçon, costume, escarpin, pantalon, pantoufle* et *veste* ;
ceux de l'architecture, des arts plastiques et de la musique : *balcon, coupole* et *gradin* ; *appartement* et *bicoque ; aquarelle, caricature, dessin* et *esquisse* ; *arpège, solfège, sérénade* et *virtuose.*

Il faudrait encore ajouter *lavande* et *pommade, colis* et *valise, ombrelle* et *parasol,* ainsi que *bouffon, burlesque, fantasque, jovial* et *polichinelle*, mais également *balourd*, ou au contraire *ingambe*, ou encore les verbes *réussir* et *risquer, caresser* et *batifoler*.

Tous ces mots, et bien d'autres, nous ont été donnés par l'italien à diverses époques, mais ils ont si bien trouvé leur place dans la langue française qu'on ne pense plus à *scarpino* « petite chaussure » sous le mot français *escarpin* et qu'on n'imagine pas que *réussir*, c'est, à l'origine, le verbe italien *riuscire* (étymologiquement « ressortir »). Enfin, on emploierait peut-être l'adjectif *ingambe* sans faire de contresens si on y voyait encore la forme italienne *in gamba*, mot à mot « en jambe ».

La naturalisation française des mots qui nous viennent de l'italien a finalement été une grande réussite, si bien que certains d'entre eux ont même été proposés pour remplacer une partie des anglicismes actuels, notre nouvelle bête noire. En substituant *vol nolisé* à *charter*, on remplace en fait un emprunt à l'anglais par un emprunt à l'italien : l'épouvantail d'autrefois est devenu un remède.

Si l'histoire des emprunts connaît de tels retournements, devons-nous alors être vraiment inquiets aujourd'hui devant le déferlement de tous ces mots qui nous viennent de l'anglais ?

12

LES APPORTS DES SŒURS LATINES
(espagnol et portugais)

L'espagnol

« El camino francés » au XIe siècle

Les premiers contacts entre la langue française et la langue espagnole remontent au début du XIe siècle, à l'époque du roi de Castille Sancho le Grand, et ils se sont développés de façon plus considérable à l'occasion des pèlerinages à Saint-Jacques-de-Compostelle. Jusque-là, le voyage devenait très pénible à partir du col de Roncevaux car les chemins de montagne étaient escarpés et dangereux. Grâce au roi Sancho, qui avait fait tracer une nouvelle route par la plaine, les étrangers pouvaient dès lors affluer en masse. Parmi eux, les Français étaient les plus nombreux, d'où le nom donné à ce nouvel itinéraire : *el camino francés* « le chemin français », le long duquel vont se créer de nombreux petits villages de « francos ».

À la faveur de la reprise de Tolède aux Arabes en 1088, l'implantation française en Espagne s'est consolidée au cours des siècles suivants par l'installation d'abbayes des ordres de Cluny, de Cîteaux et de Clairvaux, puis en quelque sorte officialisée par les mariages de deux des filles d'Alphonse VI de Castille avec deux fils de la noblesse de Bourgogne.

Des mots français traversent les Pyrénées

Toutes ces circonstances expliquent que l'on trouve dès cette époque des mots originaires des provinces de France dans la langue qui allait devenir l'espagnol, des mots dont le sens n'a pas toujours évolué de la même façon de part et d'autre des Pyrénées.

espagnol	<	**français**
mensaje	<	*message*
homenaje	<	*hommage*
pitanza	<	*pitance*
monje	<	*moine*
mesón « auberge »	<	*maison*
viandas « mets »	<	*viande*[153]

À son tour, le français puise dans l'espagnol

Mais il faudra attendre le milieu du XVIe siècle pour qu'à son tour le français emprunte du vocabulaire à l'espagnol : le mot *camarade*, par exemple, est dérivé de l'espagnol *camarada* « la chambrée », ce qui rappelle qu'à l'origine les camarades étaient ceux qui partageaient la même chambre, et le mot *mousse* « jeune matelot » vient de l'espagnol *mozo* « jeune garçon ».

D'autres termes marins ont déferlé en français, parmi lesquels *flottille, cabotage, embarcation, pinasse, lagon* ou encore *baie*.

Le mot *baie* « petit golfe » pose en fait un problème que l'on retrouve souvent dans des langues à la fois apparentées et voisines dans l'espace, car on peut se demander si ce n'est pas le français qui aurait donné *bahía* à l'espagnol, et non pas l'inverse. En faveur de cette hypothèse, il y a le vieux verbe français *bayer, béer* « être grand ouvert », qui pourrait rendre compte du sémantisme du mot *baie*, puisque ce mot désigne effectivement une grande échancrure du littoral.

Comment identifier les emprunts à l'espagnol

Grâce à leur terminaison en *-o*, en *-or* ou en *-a*, certains des mots empruntés à l'espagnol montrent tout de suite leur origine, comme cela apparaît clairement dans *aficionado, guérillero, matador, picador, conquistador, macho* ou *pasionaria*.

UNE PASIONARIA EST UNE FLEUR

En espagnol, ***pasionaria*** est un nom de fleur et désigne la *passiflore* ou *fleur de la Passion*.

C'est aussi le surnom qui avait été donné en 1936 à Dolores Ibarruri, député communiste aux Cortes. Cette femme pleine de fougue avait impressionné par son éloquence et joué un rôle important durant la guerre civile espagnole, et c'est pour cette raison que le mot est passé en français pour qualifier une femme convaincue, passionnée et prête à tout pour faire triompher ses idées[154].

On reconnaît également sans peine les mots *paella, gaspacho, chorizo, gambas* comme ibériques, mais il faut préciser que *gambas* et *paella* ne sont pas des mots castillans, mais des mots catalans. Et *paella* réserve une autre surprise : le mot avait été primitivement emprunté à l'ancien français *paele* « plat métallique peu profond » par le catalan, puis, devenu *paella*, par le castillan, qui à son tour l'a retransmis au français.

D'autres mots espagnols sont plus difficiles à identifier comme tels, par exemple *bourrique*, qui aurait très bien pu venir directement du bas-latin, ou *sieste*, qui est une forme évoluée du latin *sexta hora* « la sixième heure », ou encore *moustique*, venu de l'espagnol *mosquito*, diminutif de *mosca* « mouche ».

Apparemment plus faciles à reconnaître à cause de leur terminaison, d'autres mots encore peuvent se grouper sous la forme d'un bouquet de rimes en *-ille*. En effet, ce suffixe diminutif d'origine latine, qui existe aussi dans les autres langues romanes, a été particulièrement productif en espagnol :

LA CÉDILLE

C'est de l'orthographe espagnole que provient la cédille que l'on met en français au-dessous du *c* (***zedilla***, ou ***cedilla*** « petit z[155] »).

Ce signe diacritique est sorti de l'usage espagnol, mais il est resté indispensable en français, où son omission risque même d'être inconvenante, par exemple dans ***leçon***.

mot français	étymologie
banderille,	formé sur *bandera*, donc, à l'origine, « petit drapeau »

jonquille	*junco*	« petit jonc »
peccadille	*pecado*	« petit péché »
vanille	*vaina*	« petite gousse »
mantille	*manta*	« petite couverture »
pastille	*pasta*	« petite pâte »
résille	*rede*	« petit filet »
cédille	*zeda*	« petit z »

Chaque mot a son histoire

Enfin, il est des mots qui méritent des commentaires spécifiques, tels que : *canari, gitan* ou *casque*.

Le petit serin au plumage jaune vif que l'on nomme *canari* doit son nom à celui des îles Canaries, qui étaient déjà connues dans l'Antiquité. Cependant, ce n'est pas pour leurs oiseaux qu'elles étaient célèbres à cette époque, mais pour leurs grands chiens. Pline l'Ancien y faisait déjà allusion dans son *Histoire naturelle*, et c'est ainsi que s'explique le nom latin de l'île : *insula Canaria* « l'île aux chiens ».

Le mot *gitan* est l'adaptation en français d'une abréviation espagnole. Il s'agit d'un mot dérivé du latin EGYPTANUS « égyptien », et devenu *gitano* en espagnol, par un phénomène que les linguistes appellent une *aphérèse*, comme c'est le cas en français pour *bus* au lieu de *autobus*. Ajoutons que l'espagnol *gitano* et l'anglais *gipsy* ont la même étymologie, un peu trompeuse cependant, car il ne s'agit pas d'un peuple venu d'Égypte mais de populations parties du nord-ouest de l'Inde au Moyen Âge et qui ont déferlé sur toute l'Europe à partir du XIVe siècle. Elles avaient d'abord séjourné en Grèce, et en particulier dans un quartier de la ville de Modon, dans le Péloponnèse, appelé *Petite-Égypte*.

Le mot *casque* apporte à cet ensemble de vocabulaire d'origine espagnole une note plus ludique : le sens premier en espagnol est « tesson (de bouteille) » et c'est par plaisanterie que ce mot a ensuite désigné « le crâne, la tête », pour passer enfin à ce qui recouvre la tête, le casque. On sait que le mot

LES GENS DU VOYAGE

Parties du nord-ouest de l'Inde au Moyen Âge, des populations de langue indo-iranienne (cf. tableau, p. 157) se déplacent vers l'Europe à partir du IXe siècle, date à laquelle leur présence est signalée en Grèce.

Suivant les pays, on les a appelés **Gitans, Tsiganes, Romanichels, Gipsies**, mais ils se désignent eux-mêmes par d'autres noms : **Roms, Manouches, Sinti, Kalé** (ou **Caló**)[156]...

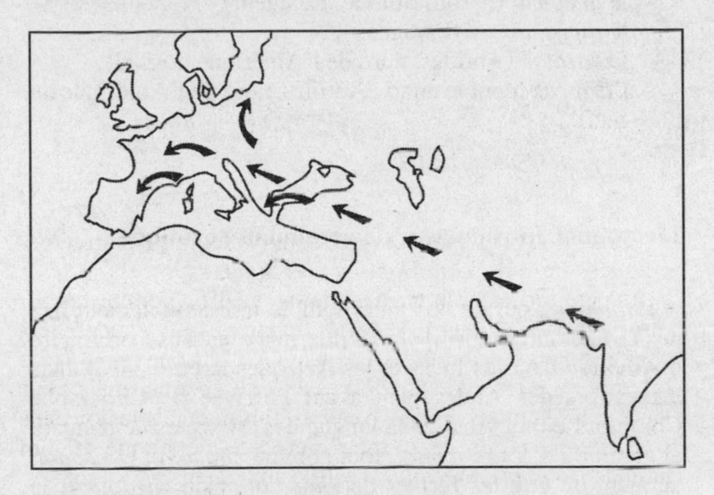

français *tête* a connu le même destin : il vient du latin vulgaire TESTA qui signifiait en effet « tesson de bouteille, vieux pot, vieille marmite » avant de désigner aussi, de façon plaisante, la « tête ». Aujourd'hui on dit bien « il a reçu un coup sur la cafetière » ou « ramène ta fiole ».

C'est que depuis des siècles, sous toutes les latitudes et dans toutes les langues, on ne se lasse pas de faire toujours les mêmes jeux de mots.

L'espagnol entre deux mondes

Avec la découverte de l'Amérique et l'installation des Espagnols dans le Nouveau Monde, leur langue a été le véhicule d'une masse de vocabulaire exotique, devenu aujourd'hui usuel dans la plupart des langues d'Europe, de la *tomate* à la *patate*, du *maïs* au *chocolat* et à la *cacahuète*, ou du *caoutchouc* au *tabac*.

Les seules langues amérindiennes qui aient donné quelques mots à la langue française par l'intermédiaire de l'espagnol, sont :

- le *nahuatl* (Mexique),
- le *quechua* (Pérou, Bolivie, Équateur),
- le *tupi-guarani* (Paraguay),
- le *caraïbe* (Antilles, nord de l'Amérique du Sud),
- l'*arawak* (dont le taïno ; Antilles, nord de l'Amérique du Sud).

L'espagnol, introducteur de vocabulaire exotique

La *tomate*, qui de nos jours semble indissolublement liée aux rivages ensoleillés de la Méditerranée, est aussi originaire d'Amérique, où les Incas et les Aztèques la cultivaient dans les vallées des Andes bien avant l'arrivée de Christophe Colomb. Le mot vient de la langue des Aztèques, le nahuatl, et aurait dû s'écrire *tomatl*, tout comme *chocolatl* et *cacaotl* auraient dû être les formes de *chocolat* et de *cacao*, car le nahuatl possédait une consonne bien particulière, qui ressemblait un peu à la succession *tl* (comme dans *atlas*). Les phonéticiens donnent le nom savant d'« affriquée à relâchement latéral » à cette consonne, que les Espagnols ne savaient pas prononcer, surtout en fin de mot, ce qui explique sa simplification ou son élimination totale dans *tomate, cacao, chocolat, avocat* (le fruit), *ocelot, coyote* ou encore *cacahuète*.

Seuls trois mots savants ont gardé cette succession *-tl : nahuatl*, qui est le nom même de la langue des Aztèques, *peyotl*, celui d'un gros cactus aux effets hallucinogènes car il

CACAHUÈTE

Pourquoi cette bizarre orthographe du mot ***cacahuète*** ?

Tout simplement parce que en français on a copié la forme écrite espagnole de ce mot : ***cacahuete***.

QUELQUES LANGUES INDIGÈNES
DE L'AMÉRIQUE LATINE

Plusieurs centaines de langues amérindiennes sont encore parlées en Amérique latine. Seules figurent sur cette carte celles qui ont fourni des mots à la langue française.

contient de la mescaline, et *axolotl*, nom d'un petit batracien du lac de Mexico mais qui s'est facilement acclimaté en Europe.

L'espagnol a aussi servi d'intermédiaire à des mots venus d'autres langues amérindiennes, en particulier dans le domaine de la flore et de la faune :

du **quechua** :	*coca, hévéa, maté*
	alpaga, condor, lama, puma, vigogne
de l'**arawak** :	*goyave, maïs, papaye, patate (douce)*
	iguane, curare, ouragan
du **caraïbe** :	*caïman, agami* (ou *oiseau-trompette*)
	pirogue, cannibale.

LA VITALITÉ DE QUELQUES LANGUES AMÉRINDIENNES

À l'arrivée des Européens en Amérique, des centaines de langues indiennes étaient parlées par les indigènes. Sous la pression des envahisseurs, la plupart d'entre elles n'ont pas pu résister. Néanmoins, aujourd'hui, certaines d'entre elles connaissent encore une vitalité exceptionnelle, comme, par exemple :

- l'**aymara**, en Bolivie,
- le **tupi-guarani**, au Paraguay (langue nationale, avec l'espagnol),
- le **quechua**, surtout au Pérou (langue officielle, avec l'espagnol).

D'autres, comme l'**arawak** (taïno) ou le **caraïbe** ont pratiquement disparu des Antilles mais existent encore au Venezuela, en Colombie, en Bolivie et au Brésil[157].

Le tabac a eu plusieurs noms

Bien que l'origine du terme soit controversée[158], on peut soutenir l'hypothèse que le *tabac* a bien été introduit en Europe par les Espagnols au milieu du XVIe siècle. Ils l'avaient rapporté de Haïti, où le mot d'origine désignait, chez les Arawaks, soit le tuyau de bambou servant à l'inhalation de la fumée, soit une sorte de cigare.

En français, le mot *tabac* a supplanté au XVIIe siècle l'ancien *pétun*, nom tupi du tabac chez les Indiens du Brésil, dont quelques plants avaient été rapportés dès 1550 et cultivés en Angoumois.

Mais le tabac a encore eu d'autres noms : parce que Jean Nicot, ambassadeur de France au Portugal, en avait envoyé un plant à Catherine de Médicis, on l'avait appelé *herbe à Nicot, herbe à l'ambassadeur, herbe à la reine, catherinaire* et même *médicée*, car Catherine de Médicis l'avait alors adopté comme remède à toutes sortes de maux.

Finalement, tous les anciens noms sont tombés en désuétude à l'exception de celui qui avait été introduit par les Espagnols : *tabac*.

La patate et la pomme de terre

Patate est en français un mot dont il faut se méfier car il peut renvoyer à deux légumes complètement différents. Venu de l'espagnol *batata* (avec un *b*), attesté dans cette langue dès 1519 et emprunté au taïno, langue indienne des Antilles de la famille arawak, il a d'abord désigné la patate douce, une convolvulacée rapportée de Haïti par les Espagnols.

Mais ces derniers avaient aussi rapporté d'Amérique, et plus précisément du Chili, un autre légume, un tubercule de la famille des solanacées, qu'ils appelaient *patata* (avec un *p*), mot formé à partir du quechua *pápa*, qui lui-même est encore le seul mot employé pour désigner ce tubercule dans tous les pays hispanophones d'Amérique.

À son arrivée en Europe, ce tubercule de la famille des solanacées a d'abord été cultivé avec succès en Allemagne, aux Pays-Bas et en Grande-Bretagne bien avant de l'être en France, ce qui explique les deux noms qu'il a en français : le terme familier *patate*, venu d'Amérique par l'espagnol, a dû transiter par l'anglais *potato* avant d'être adopté par le français, tandis que *pomme de terre* est sans doute un calque du néerlandais *aardappel* (de *aard* « terre » et *appel* « pomme »).

C'est ce que confirme Parmentier, ce pharmacien savant qui avait eu tant de mal à implanter la culture de la pomme de terre en France à l'époque de la Révolution, lorsqu'il précise dans ses écrits qu'on l'appelait alors *patate* dans quelques-unes des provinces françaises, « la confondant journellement avec la *patate* (douce) et même avec le *topinambour* »[159].

Malgré les obstacles qu'elle avait rencontrés à ses débuts[160] parce qu'elle avait la réputation d'être toxique, la pomme de terre a néanmoins fini par si bien s'imposer en

France qu'elle y est aujourd'hui le légume le plus consommé, très loin devant la *tomate*[161].

Une « démarcation » historique

Enfin, et pour revenir à des termes moins exotiques, il faut s'arrêter plus longuement sur le mot *démarcation*, qui aurait pu voir le jour en français puisqu'il est d'origine latine, mais qui provient de l'espagnol *demarcación*. Il désignait très exactement, à partir de 1493, la ligne théorique qui, selon la bulle du pape Alexandre VI, répartissait les terres à découvrir entre les royaumes de Castille et du Portugal. Passant en plein milieu de l'Atlantique, cette ligne de démarcation reconnaissait comme possession du Portugal tout ce qui se trouvait à l'est de cette ligne et accordait à l'Espagne tout ce qui se trouvait à l'ouest.

L'année suivante, cette ligne, qui correspondait à 35° de longitude ouest, a pu être déplacée d'une quinzaine de degrés vers l'ouest, selon un accord rectificatif des deux parties, connu sous le nom de traité de Tordesillas (1494). Elle entamait cette fois très profondément la pointe nord-est du continent, plus précisément la région qu'Álvares Cabral allait très officiellement découvrir au nom du roi du Portugal en 1500. Voilà pourquoi on parle aujourd'hui le portugais au Brésil. Et voilà aussi pourquoi toute une partie du vocabulaire indien d'Amérique latine n'a pas transité par l'espagnol mais par le portugais pour parvenir dans la langue française.

Le portugais

Le triple apport du portugais

Les apports du portugais sont de trois sortes : les mots qui viennent de l'Amérique latine par le tupi, langue indienne du Brésil, ceux qui viennent des langues d'Asie et d'Indonésie, et ceux qui viennent directement du portugais.

UNE LIGNE DE DÉMARCATION QUI SE DÉPLACE

À l'époque des grandes explorations, les terres découvertes ou à découvrir avaient fait l'objet de deux bulles du pape Alexandre VI (1493) qui avaient d'abord déterminé une ligne de démarcation *(en trait discontinu)* passant au milieu de l'Atlantique et séparant les domaines d'expansion de la Castille et du Portugal. Ces deux pays, un an plus tard, s'accordent, par le traité de Tordesillas (1494), pour repousser cette ligne plus à l'ouest *(en trait continu)*, ce qui attribue au Portugal une grande partie de ce qui est aujourd'hui le Brésil. (Carte établie d'après l'*Atlas historique Larousse*, G. Duby, Paris, 1978, p. 57 et 74.)

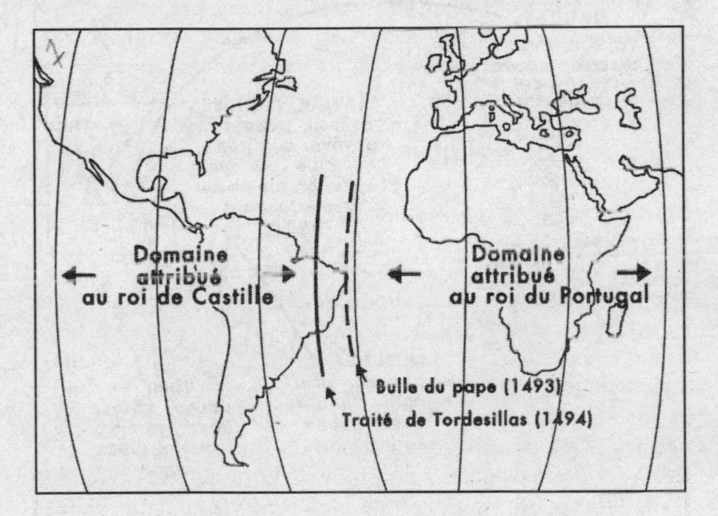

Les plus nombreux sont ceux qui ont été empruntés au tupi : ils relèvent surtout des domaines de la zoologie et de la botanique.

zoologie

cobaye, petit rongeur mammifère ;
sarigue, petit mammifère à longue queue à laquelle s'accrochent ses petits ;
piranha, petit poisson carnassier capable de dévorer un bœuf au passage d'un gué ;
jaguar, grand mammifère carnassier ;
couguar, autre nom du *puma* (mot quechua) ;
sapajou et *sagouin*, petits singes très espiègles.

MOTS VENUS PAR L'ESPAGNOL ET PAR LE PORTUGAIS

D'abord empruntés par les colons espagnols (flèches noires ➧) ou portugais (flèche blanche ⇨), des mots indigènes venus d'Amérique centrale et d'Amérique du Sud ont ensuite pénétré dans la langue française.

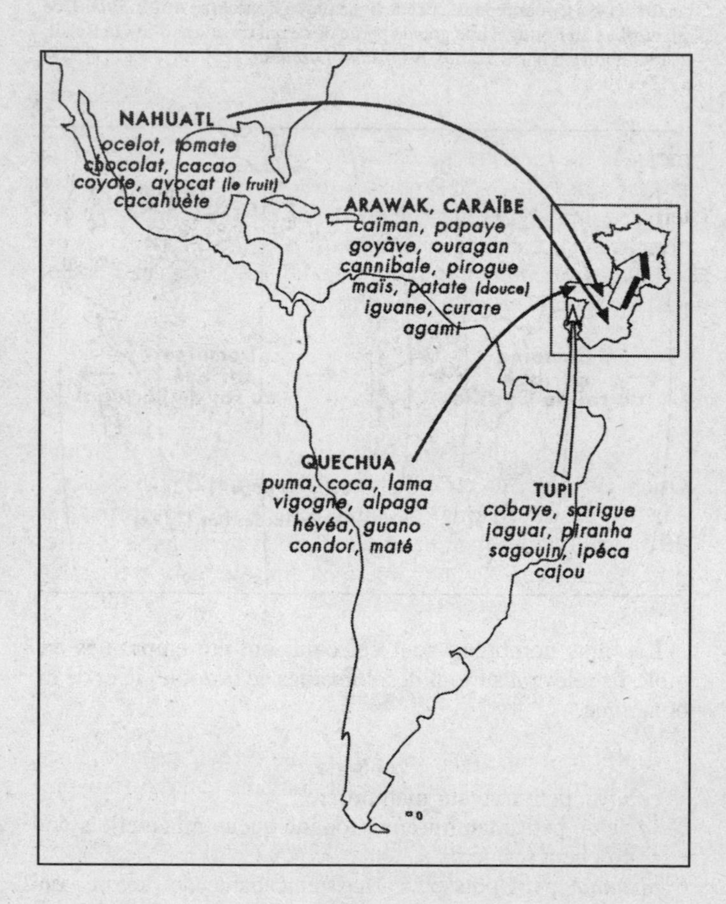

botanique

acajou, bois précieux ;
ipéca, racine aux propriétés vomitives ;
cajou, fruit de l'anacardier, ou faux acajou ;
manioc, dont la racine fournit le *tapioca* ;
ananas, que les indigènes nomment *ana ana* « parfum des parfums ».

En ce qui concerne *cacatois* : le malais *kakatuwa* a donné, d'une part *cacatoès* (pour l'oiseau), probablement par l'intermédiaire du néerlandais, et d'autre part *cacatois* (pour la voile), passé plus vraisemblablement par le portugais car ce terme est inconnu du langage maritime néerlandais, qui nomme cette voile *bovembramzell*[162].

Pour *sarbacane* : l'emprunt a été fait par le persan, l'arabe, puis l'espagnol et enfin le portugais.

Le malais, langue de passage

Un parallèle peut être établi entre le malais en Extrême-Orient et l'arabe dans la Méditerranée médiévale : les Malais, à la fois habiles marins et commerçants actifs, se chargeaient de transporter des marchandises entre les divers pays d'Asie, et c'est souvent par leur intermédiaire que sont passés les mots venus des régions lointaines[163].

Les mots africains et portugais

Enfin, les rares mots français venus de langues africaines par le portugais appartiennent au domaine bantou : *banane, igname, macaque*.

Parmi les mots venus du portugais d'Europe, certains sont tout à fait descriptifs, imagés et sans mystère :

bayadère, de *bailadeira* « danseuse », dérivé normal de *baile* « bal » ;
cachalot, de *cachalote* « poisson à grosse tête », créé à partir du portugais populaire *cachalo* « tête, caboche » ;

MOTS VENUS D'ASIE PAR LE PORTUGAIS

Les mots de la lointaine Asie passés en Europe par l'intermédiaire du portugais ont été replacés dans leur lieu d'origine sur la carte ci-dessous. Le **malayalam** au sud-ouest de l'Inde, le **tamoul** au sud-est de l'Inde et au nord de Ceylan, sont tous deux des langues dravidiennes ; le **cinghalais**, au sud de Ceylan, est une langue indo-européenne, et le **malais**, une langue indonésienne.

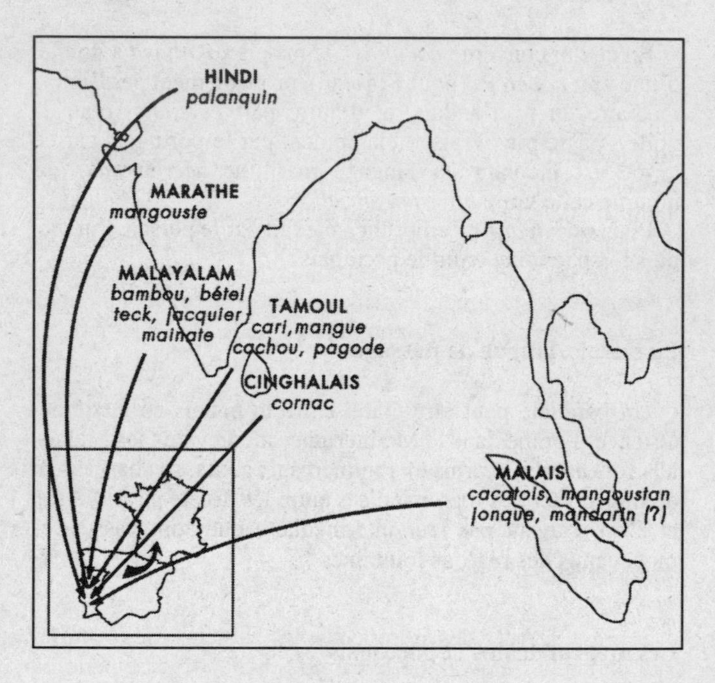

cobra, qui est en français une forme tronquée de *cobra de capelo* « couleuvre à chapeau » ;
pintade « (poule) peinte » ;
paillote, formé sur un mot portugais dérivé de *paja* « paille » ;
fétiche, d'une forme ancienne du portugais *feitiço* « sortilège ».

Un seul terme pose une énigme : celui de *marmelade*. En effet, ce mot, qui désigne en français une préparation sucrée à base de n'importe quel fruit, ne peut s'appliquer en anglais qu'à de la confiture d'oranges, mais il faut savoir qu'en portugais c'était à l'origine – et c'est toujours – de la confiture de coings (d'après *marmelo* « coing »). Par quel prodige le mot latin MELIMELUM, qui désignait une sorte de pomme douce, a-t-il pu passer de la douceur de la pomme à l'acidité de l'orange ou à l'âpreté du coing ? La connaissance des circonstances historiques du passage d'une langue à l'autre permettra peut-être de le comprendre un jour.

Les créoles ?

Que sont les créoles ?

Après l'arrivée des Européens, les habitants des Antilles, qui parlaient l'arawak ou le caraïbe, avaient rapidement disparu, du fait des massacres systématiques ou de l'épuisement dû au travail forcé. Les colonisateurs avaient alors eu recours à une main-d'œuvre constituée d'esclaves enlevés sur les terres d'Afrique. Transplantés en Amérique et répartis dans diverses plantations, ces Africains ont progressivement appris des rudiments de la langue de leurs maîtres, et les créoles sont nés de l'amalgame de leurs langues africaines avec les langues européennes. C'est ainsi qu'on peut parler de créoles à base lexicale française, anglaise, néerlandaise, portugaise.

Récréation

DES MOTS VENUS DE LOIN

Composé à partir d'une fable que vous avez tous en mémoire, voici un pastiche avec, en ***gras***, des mots empruntés à une famille de langues lointaines. Laquelle ?

> Maître ***jaguar*** en ***pirogue*** monté
> Tenait en sa gueule un ***lama***.
> Maître ***coyote***, par l'***ouragan*** chassé
> Lui tint à peu près ce charabia :
> « Hé, bonjour, Monsieur du ***canot*** !
> Que vous êtes ***sagouin*** avec vos ***mocassins*** !
> Sans mentir, si vous me donnez
> Un bout de ***chocolat***
> Vous serez le ***cacique*** des bois de ***séquoias***. »

Réponse : les langues amérindiennes (par l'anglais, le portugais ou l'espagnol).

L'espagnol toutefois pose un véritable problème, jusqu'ici resté insoluble : pourquoi n'y a-t-il pas eu de création de créole à base espagnole en République dominicaine ? Elle constitue pourtant la partie orientale de l'ancienne *Hispaniola*, découverte dès 1492 par Christophe Colomb et qui a constitué le premier élément de l'empire colonial espagnol, alors qu'il existe un créole à base française très vivant dans la partie occidentale, en Haïti[164].

L'apport des créoles

Il reste généralement peu de mots des langues africaines dans les créoles, mais tous les créoles en ont conservé une petite partie, presque toujours dans le domaine des croyances religieuses : témoin *zombie* « revenant », par exemple, qui a été emprunté au créole de Haïti. Mais les mots que le français a pris aux différents créoles sont rares : *biguine* (danse des Antilles), *zouk* « fête », *ouassou* (sorte de grosse crevette) ou *béké* (Blanc des îles depuis plusieurs générations) font seulement de timides apparitions dans le français. Signalons aussi

LES CRÉOLES DANS LE MONDE

à base française	Haïti Guyane Martinique, Guadeloupe, Dominique Louisiane : *Negro-French*, à distinguer du *Louisiana French*, qui est une variété de français La Réunion, Maurice, Seychelles
anglaise	Jamaïque, Guyane (*taki-taki*, avec une forte proportion de vocabulaire néerlandais et de langues romanes) Honduras britannique Colombie *(bendê)* Virginie (États-Unis)
portugaise	Curaçao (*papiamento*, avec de nombreux éléments néerlandais) Guinée Cap-Vert Casamance[165]
néerlandaise	îles Vierges (*negerhollands*, aujourd'hui probablement disparu)
espagnole	Colombie (*palenquero*, parlé par des descendants d'esclaves marrons[166])

que c'est l'espagnol qui a fourni au français le mot *marron* (de *cimarrón*) dans le sens de « fugitif » en parlant d'un esclave qui s'est enfui et se cache dans les fourrés *(cimarra)*.

Enfin, venu d'un créole de l'océan Indien, le mot *tam-tam* a d'abord désigné un tambour, puis une plaque de métal sur laquelle on frappait avec un maillet, ce qu'on a ensuite appelé un *gong*, mot d'origine malaise (cf. ch. 14, *carte* MOTS VENUS D'ASIE PAR L'ANGLAIS, p. 229).

13

LES AUTRES APPORTS EUROPÉENS
(germains, scandinaves, slaves, finno-ougriens)

L'allemand

Les emprunts les plus récents

On a déjà vu l'importance de l'héritage germanique à date ancienne (cf. ch. 8, L'HÉRITAGE GERMANIQUE, p. 99) et la modicité des apports scandinaves des Vikings (cf. ch. 8, § Venus de Scandinavie, d'autres Germains, p. 113), ainsi que l'apport substantiel du néerlandais au Moyen Âge (cf. ch. 9, § Des mots venus du néerlandais, p. 122).

À nouveau, les emprunts aux langues germaniques se sont manifestés à partir du XVe siècle, en apportant au français d'une part du vocabulaire familier, parfois même argotique, d'autre part du vocabulaire d'usage général, et qui allait plus tard bien souvent s'imposer à toute l'Europe, presque au monde entier, dans les domaines de la philosophie et de la science.

Le vocabulaire des mercenaires

Il faut accorder toute l'importance qui lui revient à ce vocabulaire légué par les mercenaires suisses et allemands qui, jusqu'au XVIIe siècle, vont combattre dans les armées du roi ou des princes.

Le mot *bivouac*, par exemple, qui désigne à l'origine une patrouille supplémentaire de nuit, est probablement venu d'un dialecte de Suisse. On peut y reconnaître une forme germanique où *bi* est une particule signifiant « auprès de » et *wacht* « la garde, la veillée ». De même, il faut savoir que sous *chenapan* il y a l'allemand *Schnapphahn* « maraudeur », sous *reître*, l'allemand *Reiter* « cavalier », sous *rosse*, l'allemand *Ross* « cheval » et sous *trinquer*, le verbe *trinken* « boire ».

D'autres mots et expressions sont plus nettement argotiques :

mouise, d'une forme dialectale *mues* qui, de « bouillie pour les pauvres », a pris, en passant en français, le sens plus dramatique de « misère » ;

loustic, forme presque phonétique de l'adjectif *lustig* « joyeux » ;

faire la bringue, adaptation d'une formule dialectale de Suisse alémanique, utilisée à l'origine pour porter un toast.

Toutes ces expressions semblent s'être propagées au cours de conversations détendues, entre soldats en veine de plaisanteries.

Des mots savants et des mots guerriers

Au XVIIIe siècle, c'est un lexique beaucoup plus savant qui pénètre en français, et c'est surtout la minéralogie qui s'enrichit de termes empruntés à l'allemand, par exemple *gangue*, de l'allemand *Gang* « chemin, filon », ou encore *cobalt* et *nickel* (cf. ci-dessous, *encadré* DES LUTINS DANS LES MINES).

DES LUTINS DANS LES MINES

Avec le **cobalt** et le **nickel**, nous nous trouvons plongés dans le monde un peu surnaturel des légendes germaniques.

Cobalt est la forme française de l'allemand **Kobalt**, lui-même variante de **Kobold**, nom d'un petit lutin espiègle des mines, qui avait pour mission de voler le minerai d'argent pour le remplacer par du minerai de cobalt.

Nickel représente l'abréviation de **Nicolaus**, qui est le nom donné à un autre lutin malicieux de la mythologie germanique. À l'origine, les mineurs allemands avaient nommé ce minerai **kupfernickel** « lutin du cuivre » car ils l'avaient pris pour un minerai de cuivre. Le terme **nickel** a été créé en 1751 par le minéralogiste von Cronstadt pour le minerai qu'il venait de découvrir[167].

La médecine et la chimie sont aussi redevables à l'allemand d'une partie de leur lexique. Le mot *aspirine*, par exemple, qui date du XIXe siècle, a été créé par un savant allemand à partir du préfixe grec *a-* privatif « sans » et *spirin* « spirée » : il s'agissait en effet de donner un nom à un nouveau produit fabriqué par synthèse alors que jusque-là c'était un produit naturel, extrait des plantes de la famille des spirées. À la même époque prend naissance le nom de la *fuchsine*, pour désigner une matière colorante rouge-violet. Cette fois, c'est le mot allemand *Fuchs* « renard » qui est adopté, pour une raison inattendue mais qui trouve sa justification lorsqu'on sait que l'entreprise française des frères Renard, qui fabriquait ce produit, a voulu ainsi honorer le chimiste allemand Hofmann qui l'avait inventé[168].

Avec le XXe siècle affluent en grand nombre des éléments d'un tout autre domaine, celui du vocabulaire de la guerre (*bunker, ersatz, parabellum, putsch*), mais aussi des termes de biologie (*gène, plasma*), de chimie (*propergol*) ou de physique (*quanta*).

Certains termes sont arrivés sous une forme abrégée : *nazi* et *stalag* sont des abréviations, respectivement de *National Sozialist* et de *Sta(mm)lag(er)*, mot à mot « camp de base », tandis que *LSD* est un sigle représentant *Lyserg Säure Diäthylamid* « diéthylamide de l'acide lysergique ».

Des mots inventés

Il faut insister sur le fait qu'une grande partie de ce vocabulaire emprunté à l'allemand n'appartient pas au vocabulaire traditionnel d'origine germanique, mais qu'il a été, en allemand, l'objet de créations modernes sur des bases grécolatines, qui ont été le plus souvent adoptées par la plupart des langues européennes :

à partir du latin	**à partir du grec**
album	*aspirine*
culturel	*écologie*
déterminisme	*entropie*
diktat	*gène*

harmonica	*leucémie*
introversion	*noumène* (Kant)
kaiser	*paranoïa*
lanoline	*plancton*
libido (Freud)	*plasma* (Dr Schultz)
mutant	*politologie*
parabellum	*pragmatisme*
primat (en philo)	*proclitique*
quanta	*propergol*
quartier-maître	*protoplasme*
statistique	*taximètre*

autres origines

ester, créé par le chimiste Gmelin vers 1850 en combinant la forme *Essig* « vinaigre » et le mot latin, d'origine grecque, *æther* « air ».

zinc, de l'allemand *Zinke(n)* « fourche, excroissance », mot inspiré par la forme dentelée des cristaux de zinc laminé.

croissant, traduction de l'allemand *Hörnchen* « petite corne », nom d'une pâtisserie fabriquée d'abord à Vienne, en 1689, pour fêter la victoire des Autrichiens sur les Turcs, dont l'emblème était un croissant.

Créations particulières

L'évolution des formes latines et des acceptions nouvelles qui se sont imposées est en général assez facile à suivre, mais des explications complémentaires sont parfois nécessaires. Par exemple, *album*, qui signifiait « blanc » en latin, ne peut se comprendre dans son nouveau sens que si l'on sait qu'il s'agit d'un raccourci de *album amicorum* « (le livre) blanc des amis », dont les pages blanches sont prêtes à accueillir leurs messages de sympathie à certaines occasions. Pour *parabellum*, premier pistolet mitrailleur, l'explication se trouve dans le proverbe latin *si vis pacem, para bellum* « si tu veux la paix, prépare la guerre », tandis que pour *statistique* l'étymologie renvoie directement à « ce qui a rapport à l'État », du latin *status* « État ». Quant à *Kaiser*, c'est une adaptation du latin *Caesar*, mot emprunté très tôt par les mercenaires germaniques engagés par Rome, ce qui justifie le *K* de l'allemand *Kaiser*, qui reproduit fidèlement la prononciation du *C* latin (*cf. encadré* TSAR = KAISER = CAESAR, p. 213).

Altérations et interprétations erronées

Le mot *ballon*, dans le sens de « sommet arrondi, montagne érodée », est le résultat d'une méprise : le mot allemand d'origine était *Belchen* « (petite) montagne », qui a été confondu avec *Bällchen* « petite balle », d'où la forme française *ballon (ballon de Guebwiller)*.

Un autre mot, *bock*, résulte, de son côté, d'erreurs en cascade : les Allemands eux-mêmes s'étaient d'abord trompés sur *Einbeckbier*, à l'origine « bière (de la ville) de Einbeck », prononcé parfois *Einbockbier* d'où, avec un découpage erroné, *ein Bock Bier*. C'est ainsi que le français a adopté le *bock* de bière, qui en fait n'aurait jamais dû exister.

L'allemand, langue de passage

Situé au centre de l'Europe, à la croisée des grands chemins commerciaux, au contact avec les langues slaves, finno-ougriennes et romanes, l'allemand a souvent servi d'intermédiaire pour transporter du vocabulaire venu, par exemple :

du hongrois : *sabre, goulache, hussard* ;

du tchèque : *calèche* (du tchèque *kolesa*, par l'allemand *Kalesche*) ;

et peut-être du serbe : *vampire*.

Les langues scandinaves modernes

On a déjà vu que la langue des Vikings avait laissé peu de traces dans le vocabulaire français (cf. ch. 8, *encadré* MOTS

VENUS DU VIEUX SCANDINAVE, p. 114), qui a intégré l'essentiel de ces emprunts anciens sous la forme de mots aujourd'hui parfaitement fondus dans le reste du lexique. Tel est le cas de *banquise*, *édredon, narval* ou *renne*.

À LA HUSSARDE

Cette expression, qui indique des manières un peu « cavalières », a pour origine un mot hongrois désignant la « vingtième personne » qui est passé en français sous la forme ***hussard*** avec le sens de « cavalier de l'armée hongroise ».

Pourquoi ce passage de « 20 » à « cavalier » ? Parce que, en 1458, pour lutter contre l'invasion turque, les Hongrois avaient levé une cavalerie légère en enrôlant dans cette troupe un homme sur vingt.

On ne peut pas en dire autant des emprunts plus récents, qui, eux, ont pratiquement tous gardé des allures étrangères, comme on peut le constater dans les quelques mots suivants, d'origine norvégienne : *christiania, fart, fjord, iceberg, rorqual, ski* ou *slalom*, ainsi que dans *geyser*, qui est à l'origine le nom d'une source d'eau chaude située dans le sud de l'Islande, ou dans (papier) *kraft* « fort », d'origine suédoise. Tous ces emprunts sont assez récents (XVIIIe ou XIXe siècle), à l'exception d'*édredon*, qui est déjà attesté sous la forme *ederdon* en ancien français, mais qui ne reparaît dans les textes écrits, sous sa nouvelle forme, qu'au XVIIIe siècle.

Les langues slaves

En dehors du russe, qui a donné au français une bonne cinquantaine de mots, l'apport des langues slaves n'est pas considérable.

Un peu de russe en français

Les premiers emprunts au russe semblent avoir été les mots *boyard* (XVe siècle) et *cosaque* (en 1609). Mais il faut attendre le XIXe siècle pour voir du vocabulaire russe entrer dans la lit-

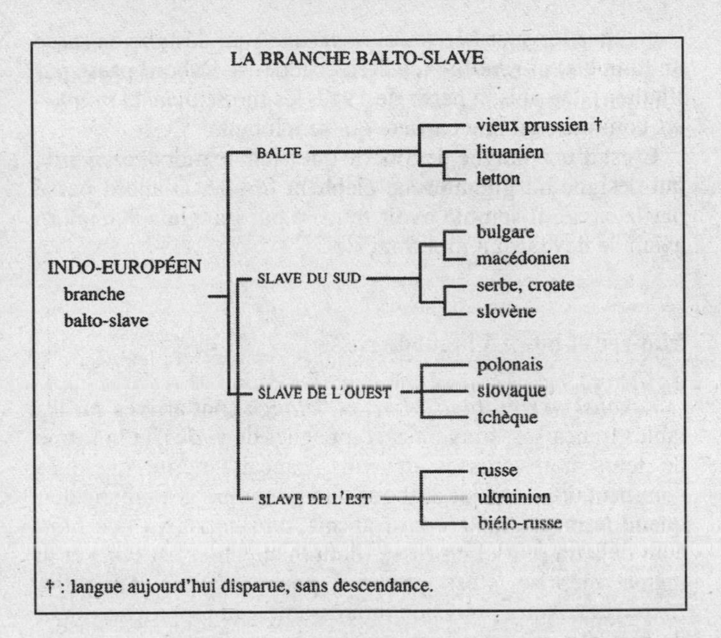

térature française : chez Mme de Staël on lit, par exemple, *moujik, ukase* ou *verste.*

Chez Alexandre Dumas père, on peut trouver des attestations fréquentes de *tzar, tzarévitch, tzarine* (avec cette graphie), *rouble, kopeck, troïka, samovar, vodka, isba* ou *knout*

LA VERSTE ET LE VERS

Aussi étonnant que cela puisse paraître, la **verste** russe et le **vers** (poétique) français ont la même étymologie. Le mot russe **verste** désigne en effet d'abord le tournant que la charrue effectue au bout du champ et, à partir de là, la distance que parcourt une charrue avant de faire demi-tour à l'extrémité du sillon. Le mot français **vers** vient du latin **VERSUS** qui désignait également le tournant que le laboureur fait exécuter à sa charrue au bout du champ (du verbe latin **VERTERE** « tourner »).

Rapprocher ces deux mots, c'est donc confirmer, par-delà les siècles, la parenté génétique des langues slaves et des langues issues du latin, qui constituent deux branches importantes de la famille indo-européenne[169].

et, chez Prosper Mérimée, *kourgane* (qui désigne en russe un tumulus) et *zibeline* (ce dernier mot est d'abord passé par l'italien). De plus, à partir de 1917, les mots *soviet* et *bolchevik* commencent une carrière qui sera longue[170].

C'est d'une langue de Sibérie que vient le mot *mammouth*, qui désigne un gigantesque éléphant fossile. D'abord passé par le russe, il semble avoir transité par l'anglais *mammuth* avant de devenir un mot français.

Manger et boire à la mode russe

Zakouskis, koulibiac, blinis et *bélouga* sont arrivés sur les tables françaises, souvent accompagnés de *vodka*, et la forme de leurs noms russes devenus français mérite quelques commentaires, et tout d'abord une remarque grammaticale : quand le mot est passé en français, on n'a pas vu que *blini* était déjà un pluriel en russe (dont le singulier est *blin*) et la même méprise s'est produite pour *zakouski* (singulier *zakouska*). Autre précision intéressante, qui rapproche *vodka* du mot d'origine celtique *whisky* (de *uisgebeatha* « eau-de-vie »), la *vodka*, c'est la « petite eau », diminutif de *voda* « eau ». Le mot *bélouga*, que l'on découvre sur certaines boîtes de caviar, est un mot russe désignant une espèce de marsouin blanc (mot de la même racine que *biélo-russe* « russe blanc »).

Le polonais : une danse, une pâtisserie, une graphie

Le polonais n'a transmis au français que peu de mots, mais ils accompagnent des événements agréables : par exemple, le nom d'une danse populaire, la *mazurka*, introduite en France au XIXe siècle, et celui d'un gâteau, le *baba*. On pense que ce dernier a fait son entrée en français vers le milieu du XVIIIe siècle, à l'occasion du mariage de Marie Leszczinska, fille du roi de Pologne, avec Louis XV.

Par ailleurs, on a des doutes sur l'origine (polonaise ou russe ?) de la *chapka* (ou *chapska*) « bonnet de fourrure », et également de la *meringue*, qui pourrait venir tout simplement du latin MERENDA « petit repas[171] ».

En revanche, il est sûr que la graphie *czar* pour désigner le *tsar* est polonaise, mais seule la graphie est différente car le mot se prononce également [tsar] en polonais.

> TSAR = KAISER = CAESAR
>
> Le mot **tsar**, qui désigne le monarque en russe, est lui-même un très ancien emprunt au latin **Caesar**, qui a aussi été emprunté par les langues germaniques sous la forme **Kaiser** (cf. § Créations particulières, p. 209).

Le tchèque

Contrairement à l'incertitude qu'on peut avoir sur l'origine polonaise de certains mots français, on a l'assurance de l'origine tchèque de *calèche, obus, pistolet* et *robot*. *Calèche* et *obus* ont probablement été introduits en français par l'intermédiaire de l'allemand. On sait d'autre part que *robot*, qui vient d'un mot tchèque désignant le travail forcé, a été créé par le dramaturge Kariel Čapek pour sa pièce *Les Robots universels de Rossum* (1924)[172].

Les autres langues de l'Europe

On ne peut pas terminer ce chapitre sans dire quelques mots de ces langues de l'Europe qui ne font pas partie de la famille indo-européenne et qu'on nomme **finno-ougriennes** : le **hongrois**, le **lapon** et le **finnois**, bien que leurs apports aient été bien modestes. Pourtant, *sabre, soutache* et *shako* ont été empruntés au hongrois ainsi que *goulache* et *paprika*.

En outre, le mammifère marin qu'on nomme le *morse* doit son nom au lapon, tandis que c'est du finnois que vient la mode du *sauna* et tout naturellement le mot pour le dire.

Enfin, le mot *coche* (pour désigner une voiture couverte) a une origine contestée, mais il pourrait venir du nom d'un relais de poste situé entre Vienne (Autriche) et Pest, la ville basse de Budapest, sur la rive gauche du Danube.

14

L'ANGLAIS

L'anglais, vieux compagnon de route

Comme on l'a vu, tout au long de son histoire la langue française a côtoyé de nombreuses autres langues, auxquelles elle a le plus souvent beaucoup donné, et auxquelles elle n'a pas hésité à emprunter, parfois seulement quelques mots corespondant à des produits, des fruits ou des fleurs venus d'ailleurs, parfois des masses considérables de mots usuels ou recherchés, comme cela a été le cas pour l'italien.

Récréation LE CLOWN ET LE BOUFFON

1. Les mots en ***gras*** proviennent des deux langues auxquelles le français a le plus emprunté. Quelles sont ces deux langues ?

2. Rendez à chacune les mots qui lui reviennent

3. De très loin, ces quelques lignes rappellent les premiers vers d'une fable de La Fontaine. Laquelle ?

Le ***clown*** un jour dit au ***bouffon*** :
« Vous avez bien sujet d'accuser la ***diva***.
Un ***partenaire*** pour vous est un lourd ***parangon***,
La moindre ***vamp*** qui vous charma
En roucoulant des ***trémolos***
Vous fait perdre vos airs de parfait ***maestro***,
Cependant que mon nez de ***paillasse*** en ***carton***
M'apporte des ***oscars*** et des tas de ***bravos***. »

Réponses : 1. l'italien et l'anglais – 2. italien : *bouffon, bravo, carton, diva, maestro, parangon, paillasse, trémolo* ; anglais : *clown, oscar, partenaire, vamp*. 3. « Le chêne et le roseau » : « Le chêne un jour dit au roseau : / « Vous avez bien sujet d'accuser la nature. / Un roitelet pour vous est un pesant fardeau ; / Le moindre vent qui d'aventure / Fait rider la face de l'eau / Vous oblige à baisser la tête / Cependant que mon front, au Caucase pareil, / Brave l'effort de la tempête. »

Avec l'anglais, depuis neuf siècles, les rapports ont toujours été très intimes, mais l'échange entre les deux langues n'a jamais cessé d'être déséquilibré : entre le milieu du XIe siècle et le XVIIe siècle, le français a fourni à l'anglais des milliers de mots nés en son giron, mais ce n'est qu'à partir du milieu du XVIIIe siècle que le processus s'est inversé et que les mots anglais ont traversé la Manche pour nourrir la langue française. Depuis le milieu du XXe siècle, le phénomène s'est considérablement accéléré – certains disent : dangereusement – tout en changeant d'itinéraire, car c'est aujourd'hui d'outre-Atlantique que viennent les emprunts les plus spectaculaires.

D'abord du français vers l'anglais...

Les débuts de ces échanges remontent à la conquête de l'Angleterre par Guillaume de Normandie avec, pour conséquence, du XIIIe au XVe siècle, une présence constante de la culture française et de la langue qui la véhiculait. Des mots appartenant à des domaines aussi divers que *tower* (du français *tour*), *butler* (de *bouteiller* « échanson »), *table, lamp, gentle* (d'abord « bien né », puis « généreux », enfin « de bonne famille », d'où *gentleman*), *pilgrim* (de l'ancien français *pelegrin*) ou *forest* (français moderne *forêt*) sont entrés dans le vocabulaire anglais avant le XIVe siècle. Le verbe si typiquement anglais *to wait* a pour origine un verbe de l'ancien français, *guaitier* « guetter », et c'est ce sens que *to wait* avait aussi en anglais au XIIe siècle. L'évolution sémantique vers « attendre » s'explique aisément et, au XIVe siècle, un sens dérivé, plus inattendu, mais compréhensible, est apparu en anglais, celui de « servir à table », d'où *waiter* « garçon, serviteur »[173].

C'est surtout pendant ce XIVe siècle que s'est produite une véritable invasion de mots français. On compte, par exemple, chez Chaucer (1340-1400) près de 250 mots français qu'il est le premier à utiliser. À cette époque, se multiplient en particulier les emprunts de termes abstraits (*influence, variation, virtue,* etc.) qui se poursuivront jusqu'à nos jours, et qui s'ajoutent à des termes de la vie quotidienne, comme *library* « bibliothèque » (ce mot avait

QUELQUES MOTS ANGLAIS VENUS DU FRANÇAIS

apron « tablier », ancien français ***naperon***, d'abord ***a napron***, devenu ensuite, par fausse segmentation, ***an apron***.

bacon, ancien français ***bacon*** « pièce de porc salé ». Le mot est d'origine germanique, mais passé en anglais par l'intermédiaire du français.

bargain « marché, affaire », ancien français ***bargaignier*** « commercer » (cf. le français moderne ***barguigner***).

cabbage « chou ». Il s'agit d'une métaphore à partir de ***caboche*** « tête », mot d'origine normande.

cattle « bétail », sur une forme normande de ***cheptel***.

country « campagne », puis « pays natal », de l'ancien français ***cuntree*** « parcelle de terre, pays natal » (cf. le français moderne ***contrée***).

curtain « rideau », ancien français ***cortine*** « rideau de lit ».

journey « voyage ». C'était, à l'origine, un voyage d'une journée.

match « allumette », ancien français ***meiche***, français moderne ***mèche***.

mushroom « champignon », du français ***mousseron***.

noise « bruit », ancien français ***noise*** « querelle » (bruyante). Le mot n'a survécu en français que dans l'expression ***chercher noise***.

plenty « beaucoup », ancien français ***plentee*** « grande quantité ».

porridge « bouillie », altération de l'ancien français ***potage*** « ce qui est cuit dans un pot ».

to purchase « acheter », ancien français ***pourchasier*** « tenter d'obtenir ».

to toast « faire griller », ancien français ***toster*** « rôtir ».

encore ce sens en français chez Montaigne), *army, ticket* (du moyen français *estiquet*, qui désignait une marque fixée à un pieu), *sauce, toast* (de l'ancien français *toster* « rôtir ») ou *marmalade*. Ce dernier est un mot que le français avait lui-même auparavant emprunté au portugais (cf. ch. 12, § Les mots africains et portugais, p. 199).

Ce qui est le plus remarquable lorsqu'on examine les milliers de mots passés au cours des siècles du français à l'anglais[174], c'est qu'ils s'y sont si bien intégrés qu'ils ont la plupart du temps l'allure de mots nés en Angleterre. Si bien que, lorsqu'ils sont revenus en français plusieurs siècles plus tard sous leur nouvelle forme, on ne les reconnaissait plus. Il est banal de citer « l'aller et retour » de *flirter*, qui n'est autre que *fleureter* « conter fleurette », ou celui de *tennis*, de *tenetz*

« tenez ! », exclamation entendue au jeu de paume au moment de lancer la balle.

Mais qui se douterait que l'adjectif anglais *nice* est d'origine française ? C'est pourtant bien un mot français, qui signifiait « stupide, simple d'esprit », du latin NESCIUS « ignorant »[175]. Passé en anglais au XIIIe siècle, avec le sens de « sot », l'adjectif a ensuite pris le sens peu prévisible de « précis » au XVIe siècle, pour finalement signifier « agréable » à partir du XVIIIe siècle. De même, l'adjectif anglais *very*, dans le sens de « véritable » (*this very person* « cette personne même »), a pour origine l'adjectif français *vrai*.

La liste de l'encadré ci-dessus, p. 219, réserve quelques autres surprises.

... puis de l'anglais vers le français

Le processus d'emprunt en sens inverse a mis du temps à se mettre en place, mais, depuis deux siècles, quelle profusion !

C'est approximativement de l'époque de la Révolution française que l'on peut dater les premiers emprunts massifs du français à l'anglais. Les Français venaient de découvrir le système parlementaire britannique et ils en avaient conçu une telle admiration que la plus grande partie du vocabulaire de la vie politique en avait été envahie. Voltaire avait passé trois ans en Grande-Bretagne et il avait fait connaître en France à la fois les philosophes d'outre-Manche et les jardins à l'anglaise. C'est alors que tout un vocabulaire institutionnel venu d'Angleterre a déferlé dans les milieux révolutionnaires.

L'anglais avait puisé dans le latin

Mais il ne faudrait pas croire que le français se soit alors dangereusement anglicisé, car tout ce vocabulaire de la vie politique est tellement imprégné de latin qu'il aurait aussi bien pu prendre naissance en français, comme le montrent, parmi des centaines d'autres, les quelques exemples ci-dessous :

amendement	*inconstitutionnel*
pétition[176]	*officiel*
convention	*respectabilité*
législature	*sélection*
majorité	*vote*
minorité	*impopulaire*
session	*verdict* (du latin VERE DICTUM)

Outre la vie politique, il y avait aussi les arts et les lettres : le terme *romantique*, par exemple, a d'abord vu le jour dans des écrits anglais pour qualifier un paysage, un jardin, puis un tableau. Il a ensuite été étendu au domaine littéraire.

VOYAGE SENTIMENTAL

Le mot ***sentimental*** n'existe en français qu'à partir du milieu du XVIIIe siècle.

Il a été forgé d'abord en anglais à partir de ***sentiment*** (mot emprunté au français dès le XIVe siècle) et s'est répandu en France à la suite de la traduction parue en 1769 du roman de Laurence Sterne ***The Sentimental Journey*** (1768). Le traducteur de cet ouvrage, Fresnais, confirme ainsi la nouveauté du mot en français au milieu du XVIIIe siècle :

« Le mot anglais ***sentimental*** n'a pu se rendre en français par aucune expression qui pût y répondre et on l'a laissé subsister. Peut-être trouvera-t-on en lisant qu'il méritait de passer dans notre langue[177]. »

C'est aussi en anglais qu'a été créé l'adjectif français *confortable* (mais l'adjectif anglais *comfortable* avait été formé à partir du français *confort*). Signalons aussi l'adjectif *populaire*, qui prend le nouveau sens de « qui plaît au peuple », alors que précédemment il signifiait seulement : « relatif au peuple ».

De nouveaux verbes commencent aussi à s'employer, malgré des réticences, comme, par exemple, *disqualifier, libéraliser, influencer* ou *utiliser*[178].

Les « allers et retours »

Ces quelques rappels ne font que confirmer le retour au pays natal de quantité de mots français, parfois sous une nouvelle forme, souvent avec un nouveau sens, comme on peut le constater dans les quelques exemples suivants, empruntés à différentes époques :

auburn, de l'ancien français *alborne* « blond », où l'adjectif latin ALBUS « blanc » était plus facilement identifiable
cash, de *caisse*, ce qui suggère l'idée qu'à l'époque de l'emprunt la prononciation de la consonne *s* en français était assez proche de celle du *s* castillan (un peu comme dans *cache*)
comité, du participe passé de *commettre* « désigner »
computer : ce substantif est issu de la même racine que *compter*, du latin COMPUTARE. En français, il a été assez vite remplacé par *ordinateur*
interview, de *entrevue*. Mais l'*interview* est destinée à être rendue publique, tandis que l'*entrevue* désigne n'importe quel entretien et peut même être confidentielle
mess (des officiers), de même origine que *mets*
nurse, de *nourrice*. Le mot *nurse* a ensuite pris en anglais le sens de « infirmière », mais, revenu en français, il a gardé le sens de « gouvernante d'enfants »
pedigree, du français *pied de grue*, par allusion à la disposition des arbres généalogiques, en forme d'empreinte de patte d'oiseau

LES « CHUINTEMENTS » DE L'ANGLAIS

Si l'on compare certains mots anglais aux mots français dont ils sont issus, comme

mushroom	du français	*mousseron*
cash	- -	*caisse*
push	- -	*poussent*
finish	- -	*finissent*
perish	- -	*périssent*
nourish	- -	*nourrissent*,

on peut faire l'hypothèse qu'à l'époque où ces mots ont été empruntés les *s* de *mousseron, caisse, poussent*, etc., ne se prononçaient pas comme aujourd'hui, mais avec un léger chuintement, c'est-à-dire qu'ils se rapprochaient de *ch*.

rail « barre », de l'ancien français *rail* « barre de fer »
redingote, où *-gote* représente l'ancien français *cotte* (devenu l'anglais *coat*)
rosbif, où l'on reconnaît l'ancien français *rostir*, plus tard *rôtir*, et l'ancien français *buef* « bœuf », sous une forme graphique altérée. La première attestation en français l'a été sous la forme *rôt de bif* (1740)
rush (to) « se ruer, se précipiter », de l'ancien français *reüser* « mettre en fuite, faire reculer », du latin RECUSARE « refuser »
sport, de l'ancien français *deport* « amusement ». En anglais, ce terme a signifié « plaisanterie », puis « jeu en plein air »
test « essai », de l'ancien français *test* « pot servant à l'essai de l'or ».

Après plusieurs siècles d'adaptation à l'anglais, ces vieux mots français se sont fait une nouvelle jeunesse. Quelquefois ils ont acquis une signification particulière, comme c'est le cas pour *interview*, et d'autres fois ils ont miraculeusement retrouvé, comme dans *rosbif*, la forme et le sens qu'ils avaient en ancien français.

Des formes nouvelles

D'autres mots, cette fois vraiment d'origine anglaise, pénètrent en masse en français au cours du XVIIIe, puis du XIXe siècle. Tel est le cas de *club, jockey* ou *pickpocket*, qui ont conservé leur forme graphique d'origine.

Mais, avec le temps, certains mots se sont progressivement conformés aux habitudes de l'orthographe française :

bowl, encore graphié ainsi chez Brillat-Savarin[179] en 1826 ; ce mot est devenu plus tard *bol*
partner, encore graphié ainsi par Balzac en 1836 (aujourd'hui *partenaire*)
névrose, mot forgé par le médecin écossais William Cullen *(neurosis)* et traduit en *névrose* par le docteur Philippe Pinel.

Des significations nouvelles

En suivant chronologiquement la progression de certains mots venus d'Angleterre, on perçoit mieux le cheminement des emprunts lexicaux : dans un premier temps, une grande partie de ce vocabulaire n'a été utilisée qu'en référence à la vie parlementaire anglaise. Et ce n'est le plus souvent que quelques décennies plus tard que ces mots ont pu être appliqués à des réalités françaises.

	en référence à la Grande-Bretagne	*en référence à la France*
club	1702	1774
vote	1702	1789
pétition	1704	1789
majorité	1735	1760
opposition	1745	1772
motion	1775	1789
respectabilité	1784	1862
jury	1790	1793
verdict	1790	1796

Il faut en outre insister sur le fait que, à l'exception de *club*, tous ces mots existaient déjà en français, mais :

vote, uniquement avec le sens de « vœu », depuis le XVIe siècle

pétition, employé jusque-là dans l'expression *pétition de principe* « lorsqu'on allègue pour preuve la chose même qui est en question » et non pas dans le sens restrictif, nouveau, de « demande adressée à une autorité supérieure »[180]

majorité, seulement en rapport avec l'âge auquel on devient majeur, et non pas dans le sens nouveau de « nombre excédant la moitié des votes »[181]

motion, depuis le XIIIe siècle, dans le sens de « mise en mouvement ». La nouvelle acception désigne « l'action d'un orateur qui meut une assemblée par une proposition »[182]

jury, sous la forme *jurée*, et dans le sens ancien de « serment juré ». L'emprunt du mot *jury* à l'anglais correspond au sens actuel, pour désigner l'ensemble des personnes appelées à juger. Ce terme se distingue désormais de *juré*, qui désigne chacun des membres d'un *jury*

verdict : le mot avait été emprunté à l'ancien français *veir dit* « jugement », du latin VERE DICTUM.

Des calques encore en usage

C'est aussi à partir de la Révolution que pénètrent, pour s'installer définitivement dans la langue française, des calques de l'anglais, c'est-à-dire des expressions traduites mot à mot de l'anglais, comme celles-ci :

lune de miel	*liberté de la presse*
juge de paix	*ordre du jour*
machine à vapeur	*libre penseur*
question préalable	*hors-la-loi*

ou encore *sélection naturelle*. Cette dernière expression figure dans la 7e édition (1878) du *Dictionnaire de l'Académie*.

Les anglicismes et l'Académie française

Le rythme d'entrée des anglicismes dans le *Dictionnaire de l'Académie* permet de mesurer les progrès de ce vocabulaire dans la norme. La première édition, en 1694, contenait seulement les 11 mots suivants :

boulingrin, de *bowling green*, supprimé en 1933
dériver, de *drive*
dogue
doguin « jeune dogue »
falot, de *fellow*
gigue
haquenée « petite jument »
moire, prononciation à la française de *mohair*
ramberge « embarcation », de l'anglais *rowbarge*

parlement, en référence au parlement anglais
puritain, de l'anglais *puritan*.

Parmi les 7 anglicismes entrés à l'occasion de la 2e édition (1718), on trouve *contredanse* (de *country-dance*) et *paquet-bot*, qui ne deviendra *paquebot* que dans la 5e édition (1798). Mais il serait fastidieux d'énumérer

les	8	anglicismes de la	3e	édition	(1740)
les	54	-	4e	-	(1762)
les	60	-	5e	-	(1798)
les	97	-	6e	-	(1835)
les	25	-	des compléments de 1836 et 1866		
les	114	-	7e	-	(1878)
les	164	-	8e	-	(1932-1935)

soit au total quelque 540 anglicismes (jusqu'en 1935).

La 9e édition étant en cours, on ne peut pas donner de chiffres, mais on peut aisément constater une progression constante depuis la première édition de 1694.

L'examen de ces listes montre aussi qu'auprès de mots encore parfaitement compris et utilisés comme :

punch, héler, yacht (4e éd. 1762)
interlope, stock (5e éd. 1798)
partenaire, plaid (6e éd. 1835)
reporter (n. m.), *confortable, meeting* (7e éd. 1878)
docker, vaseline, poker, raid (8e éd. 1932-1935)

on trouve, dans ces anciennes éditions du *Dictionnaire de l'Académie*, bon nombre d'anglicismes aujourd'hui complètement sortis de l'usage, comme :

sloop, quarter (nom de mesure), *squire, puddlage, truck, brushel, teddy-bear*,

ou devenus très rares, comme :

fashionable, spleen, raout, cottage, steamer ou *turf*[183].

L'anglais, transporteur de mots

De même que l'espagnol avait été une langue de passage entre l'arabe et le français, puis entre les langues amérin-

MOTS VENUS D'AMÉRIQUE DU NORD

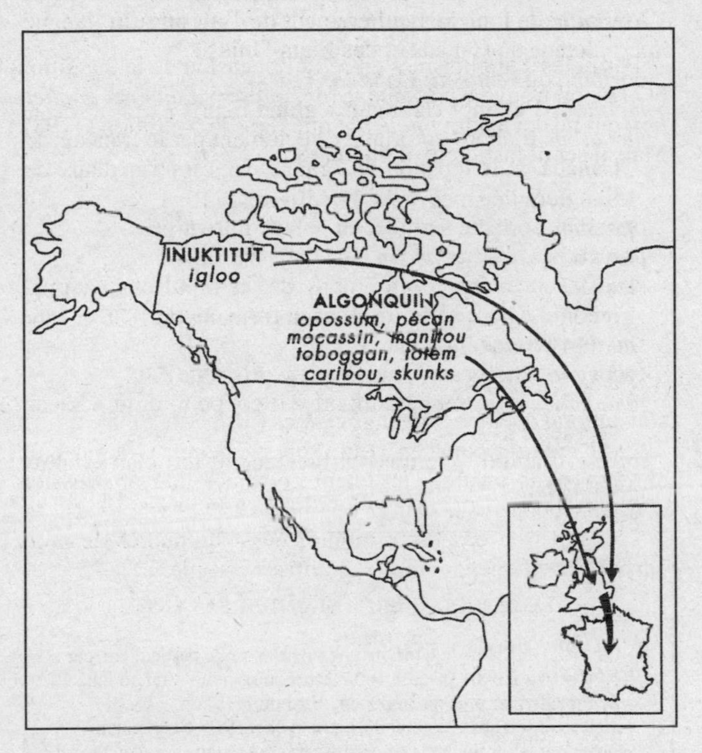

diennes et le français, de même que le portugais avait été un passage obligé des langues indigènes du Brésil et de certains pays d'Asie (cf. ch. 12, *carte* MOTS VENUS D'ASIE PAR LE PORTUGAIS, p. 198), l'anglais a joué un rôle d'intermédiaire pour les mots exotiques nés dans les langues indigènes d'Amérique ou dans celles d'Asie (cf. ci-dessus, *carte* MOTS VENUS D'AMÉRIQUE DU NORD).

Des mots amérindiens

C'est surtout par l'intermédiaire de l'anglais, mais aussi par le français du Canada, qu'a pénétré en français la plus grande partie du vocabulaire venu des populations indigènes d'Amérique et tout particulièrement de l'**algonquin**, langue amérindienne du Canada et des États-Unis :

caribou, ou *renne du Canada*
manitou, d'un mot signifiant « grand Esprit »
mocassin, d'abord emprunté directement par le français du Canada, puis répandu en France par l'intermédiaire de l'anglais
opossum, sorte de sarigue, au pelage noir et gris
pacane, ou *noix de pécan*
skunks, ou *sconse*, autre nom de la mouffette, animal renommé pour sa fourrure et sa forte odeur
squaw « femme indienne »
toboggan « traîneau », puis « piste glissante »
tomahawk, d'un mot signifiant « il coupe », d'où « hache de guerre »
totem, d'abord « animal protecteur d'un clan », puis « fétiche ».

Récréation

LE SÉQUOIA, VIEUX, GÉANT ET SAVANT

Cet arbre de Californie mérite une mention toute particulière, car :
1. Il peut atteindre jusqu'à 145 mètres de hauteur. Vrai ou faux ?
2. Il peut vivre plus de 3 000 ans. Vrai ou faux ?
3. Il tient son nom de celui d'un grand chef sioux **See-Quayah**[184], célèbre pour avoir inventé une écriture pour sa langue. Vrai ou faux ?

Réponses : 1. Vrai – 2. Vrai – 3. Vrai.

Des mots venus d'Asie

De son voyage aux Indes, l'anglais a rapporté en Europe un grand nombre de mots, qui ont ensuite été adoptés par les autres langues de l'Occident. Certains d'entre eux figurent sur la carte ci-contre.

Si l'on a la curiosité de comparer cette carte à la carte sur les MOTS VENUS D'ASIE PAR LE PORTUGAIS (ch. 12, p. 198), on

MOTS VENUS D'ASIE PAR L'ANGLAIS

C'est par l'intermédiaire de l'anglais que le français a connu, puis adopté un grand nombre de mots venus d'Asie (cf. aussi ch. 12, *carte* MOTS VENUS D'ASIE PAR LE PORTUGAIS, p. 198).

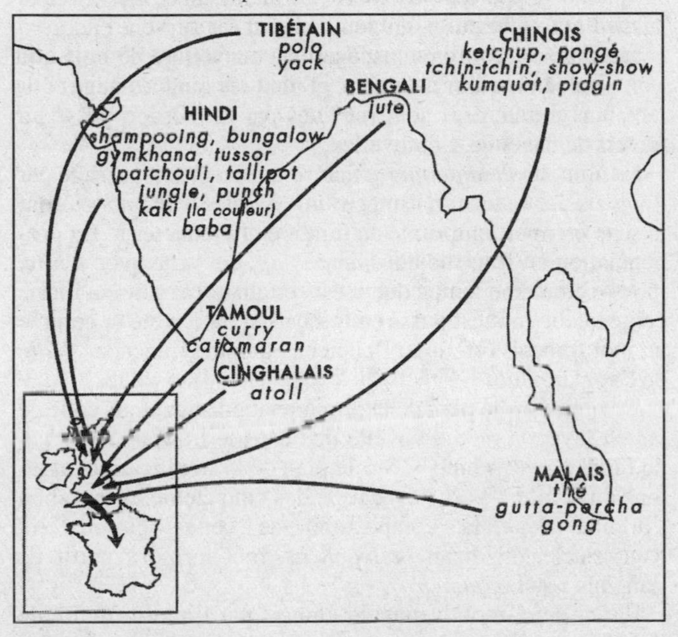

remarquera sans doute que *cari* et *curry* viennent tous deux du tamoul, et on comprendra alors la raison des deux variantes en français : l'une, *cari*, a gardé la graphie portugaise, et l'autre, *curry*, la graphie anglaise.

À propos des mots venus du tamoul, on sera peut-être étonné de ne pas voir *trimaran* à côté de *catamaran*. C'est qu'en fait seul *catamaran* est vraiment issu du tamoul. Le mot est formé sur *katta* « lien » et *maram* « bois », le *catamaran* étant à l'origine une embarcation faite de deux troncs d'arbre évidés et assemblés par des liens. Lorsque les Occidentaux ont réalisé une embarcation à trois coques sur le modèle du *catamaran*, ils l'ont tout naturellement – mais contre tout respect de l'étymologie de *catamaran* – baptisée *trimaran*.

Parmi les mots venus du hindi, le mot *tallipot* peut sembler d'un exotisme exagéré. Il s'agit en fait d'une sorte de palmier parasol dont le nom savant, *corypha umbraculifera*, évoque sa qualité de porteur d'ombre rafraîchissante. Cet arbre a aussi d'autres vertus : ses feuilles séchées servent encore à confectionner ces livres manuscrits à couverture de bois que l'on peut se procurer à Ceylan, et dont les longues pages étirées horizontalement sont retenues par un cordon passé au travers de chacune d'entre elles.

Le nom du *shampooing* affiche clairement son passage par l'anglais par sa terminaison en *-ing*, ajoutée à *shampoo*, dont le sens premier, emprunté au hindi, était « masser ». La prononciation en français de *shampooing*, qui rime avec *poing*, montre en même temps que c'est certainement sous sa forme écrite que le mot est passé en français et qu'il a été lu comme un mot français (cf. aussi l'ancienne graphie française *chelin* de l'anglais *shilling*).

Toujours sur le plan de la prononciation, signalons celle de *punch* (avec la même voyelle que dans le français *tronche*), du hindi *panch* « cinq ». Sur le plan de la signification, ajoutons qu'il faut y voir l'évocation des cinq éléments entrant à l'origine dans la composition de cette boisson. Au XVIIe siècle, on disait *bolleponche*, mot formé à partir de l'anglais *bowl of punch*.

Enfin, deux mots venus du chinois par l'intermédiaire de l'anglais méritent d'être commentés : *pidgin*, qui correspond à la prononciation – tout approximative – du mot *business* en chinois, et *ketchup*, qui est l'adaptation – tout aussi libre – d'un mot chinois désignant la saumure de poisson. Il est possible que les Anglais l'aient connue par l'intermédiaire du malais, mais il faut préciser que la sauce qui a été commercialisée sous ce nom n'a plus aucun rapport avec le produit d'origine.

Les anglicismes aujourd'hui

C'est l'abondance accrue de termes anglais dans quelques domaines particuliers qui frappe aujourd'hui les observateurs, et certains s'en émeuvent.

POURQUOI *THÉ* ET NON PAS *CHA* ?

En fait, le mot qui désigne la plante et la boisson que nous nommons ***thé*** vient du chinois ***cha***, et c'est cette même forme, à peine altérée, qu'on retrouve en arabe, en russe, en portugais, en turc ou encore en persan, langues qui semblent l'avoir empruntée directement au chinois classique. En revanche, l'anglais aurait emprunté ce mot au malais ***te***, avant de le répandre dans certaines langues de l'Europe, et en particulier en français.

Il est indéniable que nos contemporains donnent de plus en plus volontiers la préférence à certaines expressions anglaises dans leurs communications journalières : elles leur semblent incomparablement plus expressives, et en tout cas plus « dans le vent » que leurs équivalents français. C'est une mode qui touche surtout quelques domaines privilégiés :

- **le monde du spectacle**, où bon nombre de formes anglaises sont devenues familières. Par exemple :

casting	pour	*distribution* (cinéma, théâtre)
live		*en public* (mais *live*, pour un spectacle, n'est pas le synonyme de *direct*, car il peut s'agir d'un enregistrement précédemment réalisé en *public*, mais dont la diffusion a été différée, tandis que pour le *direct*, le spectacle est concomitant avec la diffusion)
clip		*bande vidéo promotionnelle, bande promo*
remake		*nouvelle version* (d'un film, d'un spectacle)
non stop		*permanent, continu*
(press-)book		*album de presse* (où l'artiste rassemble les articles de presse le concernant)

- **le monde des affaires et de la publicité**, où l'on préfère :

sit-in	à	*occupation des locaux*
mailing		*publipostage*
pack		*lot d'articles vendus ensemble*

package	*forfait, tout compris.* Ce terme est aussi utilisé par les voyagistes (encore désignés par l'anglicisme *tour operators*) qui proposent un prix global pour le transport et le séjour
packaging	*conditionnement* (d'un produit). Le terme anglais ne recouvre pas seulement l'emballage protecteur mais l'ensemble de la présentation et se réfère souvent à son esthétique
showroom	*salle d'exposition*, où les produits sont seulement présentés mais ne sont pas vendus sur place
designer	*styliste*. Le terme anglais s'applique à toutes sortes d'objets de consommation courante, et non pas à la seule mode vestimentaire
rough	*prémaquette, maquette d'essai.* Le terme s'emploie surtout dans la publicité et l'audiovisuel

- **le monde des médias**, où l'on entend souvent :

au feeling	plutôt que *au sentiment, à l'intuition*
free-lance	plutôt que *travailleur indépendant, pigiste*
private joke	qui désigne une plaisanterie ou une allusion compréhensible uniquement par les personnes qui sont de connivence

- **le domaine des sports**, étendu métaphoriquement à d'autres domaines, où l'on préfère :

pole position à	*position de tête*
top niveau	*du plus haut niveau*
le top (de)	*le summum (de)*
badge	*insigne* (carte d'identification portée sur le vêtement).

Emprunts visibles et emprunts dissimulés

Tous les emprunts ne disent pas leur nom. Si les usagers identifient sans peine immédiatement comme des anglicismes les formes en *-ing (jogging, parking, mailing)* ou les substantifs du type *skipper* « barreur » (d'un voilier), ou encore des expressions comme *top model* « mannequin vedette » ou *desk* « bureau des dépêches » (dans une agence de presse), c'est surtout parce que la graphie ou la phonie de ces mots ne suivent pas les règles traditionnelles du français. Mais devant des expressions comme *donner le feu vert* ou *prendre en compte*, qui nous viennent d'outre-Manche, il faut vraiment faire un effort pour se rappeler que les formes françaises traditionnelles correspondantes étaient naguère respectivement *donner l'autorisation* et *tenir compte (de)*. De nos jours, de tels calques de l'anglais s'infiltrent sans attirer l'attention, comme c'est le cas pour *ce n'est pas ma tasse de thé*, qui remplace de façon plus imagée l'ancienne formule *très peu pour moi*. L'expression *être en charge (de)* devient plus fréquente que *être responsable (de)*, et on parle de plus en plus du *futur* plutôt que de l'*avenir*. Mais qui prend conscience de ces anglicismes ?

LE COCA-COLA,
UNE BOISSON AFRO-AMÉRICAINE CENTENAIRE

Cette boisson, dont le nom est une marque déposée depuis 1886, contient à la fois des extraits de feuilles de **coca**, arbrisseau d'**Amérique** tropicale (Mexique, Pérou), dont a été soigneusement retiré le principal composé, la cocaïne, et des extraits de noix de **cola**, fruit d'**Afrique** tropicale riche en caféine[185].

Beaucoup plus anciens, certains autres anglicismes sont encore plus difficiles à déceler aujourd'hui parce qu'ils datent de plus de deux cents ans : *prendre en considération, hors-la-loi, lune de miel, libre penseur, non-sens*, tout comme le substantif *patient* et les adjectifs *romantique* et *sentimental* n'ont gardé aucune trace de leur origine britannique, de même que le vocabulaire de la vie politique emprunté à l'anglais au moment de la Révolution (cf. ci-dessus, § ... puis de l'anglais vers le français, p. 220).

Les anglicismes pernicieux

Récemment, certains anglicismes se sont révélés plus dangereux, car les formes adoptées coexistent avec des formes françaises identiques, mais pour exprimer un sens assez différent, parfois même très différent. Tel commentateur sportif, par exemple, décrit l'arrivée d'une étape du Tour de France en employant le verbe *contrôler* avec le sens de « diriger, être maître de la situation » ; tel présentateur du journal télévisé parle d'*armes non conventionnelles* pour désigner des armes chimiques, et personne ne se rend compte qu'en employant le terme *interférence* on fait aussi un anglicisme si on l'emploie comme un synonyme d'*ingérence*. Le verbe *supporter* peut aussi prêter à confusion, car il est parfois employé de nos jours avec le sens que le verbe *to support* a en anglais (« soutenir »). Enfin, *versatile* est une forme particulièrement trompeuse, car cet adjectif, péjoratif en français (« qui change souvent d'avis, girouette »), ne l'est pas du tout en anglais, où il signifie « qui a plusieurs talents, plusieurs personnalités » et où il représente au contraire une qualité.

Ces exemples sont évidemment des cas extrêmes, et les emprunts susceptibles de créer des difficultés dans la communication restent en fait l'exception.

Les grands résistants

En revanche, sont entrés dans nos discours quotidiens des anglicismes pour lesquels on aurait du mal à trouver un équivalent français, à moins d'avoir recours à une longue périphrase. Tel est le cas des *boots* et du *hold-up*, du *cutter* et du *flash*, du *dealer* et de l'*overdose*, du *brushing* et du *lifting*.

Le petit dictionnaire franglais-français ci-après montre qu'il existe aussi des anglicismes utiles.

DICTIONNAIRE FRANGLAIS-FRANÇAIS

boots Ce ne sont pas des bottes, mais des sortes de bottines basses avec une empeigne très lisse et sans lacets.

bulldozer « Engin très puissant, monté sur chenilles et utilisé pour les travaux de terrassement. » Une circulaire du 15 septembre 1977 avait proposé *bouteur* pour remplacer cet anglicisme, mais *bulldozer* était déjà trop bien implanté pour que *bouteur* puisse avoir une chance d'être adopté par les usagers.

cutter « Petit instrument muni d'une lame permettant de couper du papier. » Les mots *tranchet* ou *tranchoir*, proposés en remplacement, auront sans doute aussi du mal à s'imposer, parce qu'ils arrivent probablement un peu tard.

dealer « Revendeur de drogue », et non pas n'importe quel revendeur.

desk Ce terme désigne aussi bien le bureau des dépêches dans les agences de presse ou dans l'audiovisuel que le personnel qui reçoit et élabore les correspondances venues de l'extérieur. La dernière édition du *Dictionnaire des termes officiels de la langue française* propose quatre équivalents : *bureau, bureau des dépêches, rédaction* et *rédaction sédentaire*[186], dont aucun ne correspond parfaitement au sens de *desk*.

doping « Absorption d'excitants. » Il est intéressant de constater à l'heure actuelle un recul de la forme anglaise en *-ing*, le mot étant de plus en plus souvent remplacé par *dopage*, avec un suffixe français.

fax Le mot français *télécopie*, c'est-à-dire « reproduction à distance », est évidemment beaucoup plus explicite que la forme *fax*, mais il présente l'inconvénient de correspondre aussi à la fonction du *télex*. En faveur du terme *fax*, en dehors de sa brièveté, il faut aussi rappeler qu'il n'est après tout que l'abréviation d'un latinisme depuis longtemps entré en français : *fac-similé* « fait à l'identique ».

flash Ce terme s'applique aussi bien aux nouvelles prioritaires dans les informations télévisées qu'à la photographie. Le verbe *flasher*, plus récent, dérivé de ce substantif, signifie « avoir le coup de foudre ».

freezer Ce terme permet de distinguer entre la partie supérieure d'un réfrigérateur et le congélateur, dont la température est beaucoup plus basse et qui est souvent un meuble à part.

hold-up « Attaque à main armée. »

jogging En français, c'est à la fois le fait de courir à petites foulées dans la nature, le survêtement que l'on porte pour ce sport et, au pluriel, les chaussures qui permettent de le pratiquer.

kitchenette Une *kitchenette* n'est pas simplement une petite cuisine, autrement dit une cuisinette, mais une sorte de petite installation permettant de faire la cuisine au bout d'une salle de séjour.

mailing « Envoi de lettres groupées. »

mixer (n.m.) Comme pour beaucoup de mots d'origine anglaise de ce type, la prononciation hésite entre *-er* (comme si la graphie était *-aire*) et *-eur*. La graphie reste toutefois celle de l'anglais.

nominer Ce verbe n'est pas l'équivalent de *nommer*, mais celui de « sélectionner avant la compétition définitive ». Il pourrait donc être remplacé par *présélectionner*, pourtant moins bon que *nominer*, qui est aussi d'origine latine et qui n'a pas plus l'air étranger que *dominer, laminer* ou *ruminer*.

obsolète ou ***obsolescent*** sont deux exemples de mots qui existent de longue date dans la langue française pour désigner ce qui est « démodé, dépassé », et qui ont repris une nouvelle vigueur depuis leur réintroduction en français par l'intermédiaire de l'anglais.

off Une voix *off* est la voix de quelqu'un qui n'est pas visible à l'écran. Dans le jargon audiovisuel, dire quelque chose *off*, ou *off the record*, c'est tenir des propos dont le journaliste ne pourra pas faire état dans son reportage en les attribuant à son auteur.

panel Ce n'est pas le synonyme de *échantillon*, car il s'agit d'un même groupe de personnes qui a été choisi par un organisme de sondage pour être consulté périodiquement, et non pas d'un échantillon quelconque.

reality show Émission où les participants racontent leur vie intime.

rewriting et le verbe ***rewriter*** ne sont pas des synonymes de *réécriture* et de *réécrire*. Il est vrai qu'un même auteur peut réécrire son propre texte, mais si l'opération est faite par quelqu'un d'autre, le verbe *rewriter* permet de faire une distinction utile.

talk-show On a proposé le terme *émission de plateau* pour désigner ces émissions télévisées où les personnes présentes ne sont là que pour parler. Cette expression parviendra-t-elle à prendre la place du terme anglais, déjà bien implanté ?

week-end Ce terme ne désigne pas vraiment la fin de la semaine, mais plus exactement la période de repos ou de loisir de la fin de la semaine.

Les anglicismes « ringards »

Mais tout anglicisme n'est pas forcément un indice de modernité. En effet, si *look* garde son prestige en face de *apparence*, trop neutre, ou *coach* en face de *entraîneur*, trop banal, il n'est plus question d'employer le terme *fashionable* (« élégant »), ou encore *surprise-party* pour désigner ce que les jeunes d'aujourd'hui appellent tout simplement une *fête*. Le pseudo-anglicisme, ou faux anglicisme, *footing* n'est plus à la mode. On ne parle plus de *babies* ni de *kids*, comme au temps où Étiemble partait en guerre contre le franglais[187], mais de *bébés* ou d'*enfants* et si, ces dernières années, les adolescents étaient souvent des *teenagers*, aujourd'hui ce sont plutôt des *ados* (abréviation d'un mot bien français). Dire qu'on va prendre un *drink* (une « boisson ») *on the rocks* (« avec des glaçons »), ou un *ice-cream* (une « glace ») dans un *milk-bar* ou un *snack-bar* fait immédiatement penser à une époque révolue, et l'adjectif *smart* (« élégant ») n'a plus cours du tout. Il est encore plus désuet de dire *darling* (« chéri(e) »), *shake-hand* (« poignée de main ») ou *highlife* (« élégant »). Quant à *spleen* et à *dandy*, ils renvoient immanquablement au siècle dernier, à Baudelaire et à Stendhal.

Les mouvements de la mode ont donc balayé hors du discours quotidien une quantité de mots anglais naguère en vogue, signe que la langue se débarrasse de ce qui s'est révélé inutile après une période d'engouement.

15

L'AUTRE BOUT DU MONDE

L'exotisme africain

En raison des relations étroites de la France avec les pays de l'Afrique centrale et occidentale depuis deux siècles – dans 18 pays africains, la langue française est une langue officielle[188] – , on aurait pu s'attendre à trouver un nombre

LE FRANÇAIS,
LANGUE OFFICIELLE DANS 18 PAYS D'AFRIQUE

Bénin	Guinée
Burkina Faso	Mali
Burundi (avec le kirundi)	Mauritanie (avec l'arabe)
Cameroun (avec l'anglais)	Niger
République centrafricaine	Rwanda (avec le kinyarwanda)
Congo	Sénégal
Côte-d'Ivoire	Tchad (avec l'arabe)
Djibouti (avec l'arabe)	Togo
Gabon	Zaïre[189]

très important de mots venus des langues africaines. Or il se réduit à seulement quelques dizaines, dont une partie figure sur la carte ci-après.

Les seules langues africaines auxquelles le français a fait des emprunts sont :

- le bantou, parlé dans toute la moitié sud de l'Afrique
- le malinké, parlé au Sénégal et en Gambie
- l'ewé-fon, parlé au Ghana, au sud du Togo et au Bénin
- le hottentot, parlé en Namibie et au Botswana.

QUELQUES MOTS VENUS DES LANGUES D'AFRIQUE

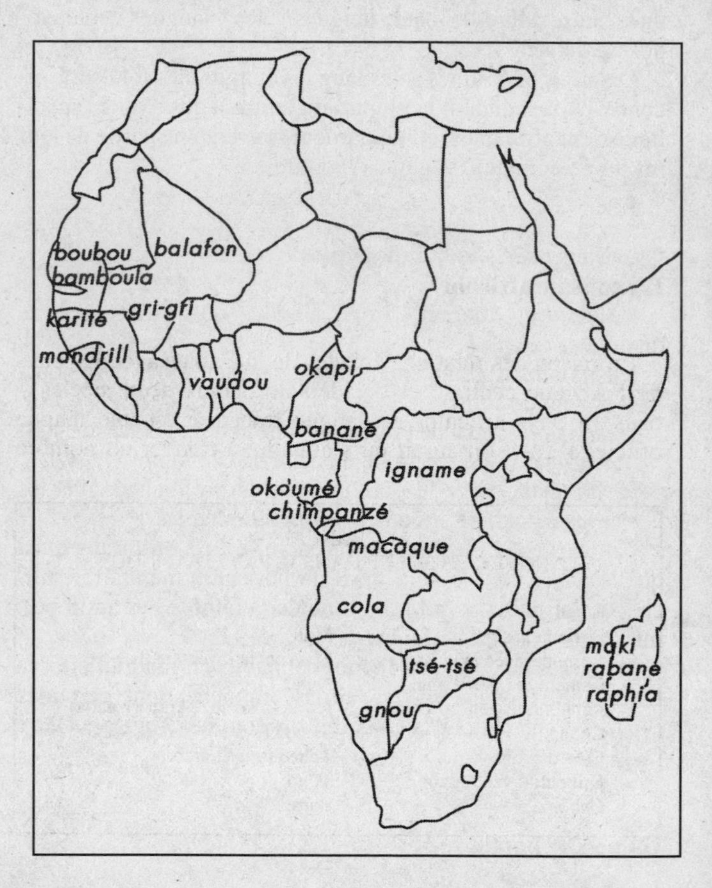

Les mots venus du malgache (ou merina) appartiennent à une autre famille de langues, les langues malayo-polynésiennes.

Les mots empruntés à ces langues et figurant sur la carte ci-contre correspondent la plupart du temps à des réalités spécifiquement africaines, et qui gardent souvent une partie de leur mystère : animaux, végétaux, coutumes.

Quelques précisions zoologiques

Voici tout d'abord trois singes, qu'il convient de distinguer :

le *chimpanzé*, grand singe vivant dans les arbres et se nourrissant de fruits

le *macaque*, singe de taille moyenne et dont la face, de couleur chair, se rapproche de celle de l'homme

le *mandrill*, singe féroce habitant de préférence dans les rochers et dont les colères sont redoutables.

Citons aussi l'*okapi*, mammifère mi-zèbre, mi-girafe, ainsi que le *gnou*, dont le nom vient du hottentot, mammifère mi-cheval, mi-taureau, qui fait partie de la famille des antilopes, mais avec la grâce en moins.

Parmi les insectes peu recommandables, il faudrait citer la redoutable mouche *tsé-tsé*, grosse mouche dont certaines espèces transmettent la maladie du sommeil, qui peut être mortelle.

Un peu de botanique

Rafraîchissons maintenant notre mémoire en rappelant que l'*okoumé* est un arbre du Gabon dont le bois est utilisé en ébénisterie, que les graines du *karité* ou *arbre à beurre* renferment une substance grasse comestible, que la *cola* (ou *kola*), fruit du colatier, contient de la caféine, tandis que l'*igname* est une plante grimpante dont on consomme le tubercule. Plus familière, la *banane* a tellement de qualités que les botanistes de la Renaissance l'avaient appelée *musa paradisiaca*, comme si elle ne pouvait venir que de lieux paradisiaques. Bernardin de Saint-Pierre, au XVIIIe siècle, chantait ainsi ses louanges : « La banane donne à l'homme de quoi le nourrir, le loger, l'habiller et même l'ensevelir[190]. »

Rites et croyances

La spiritualité se doit d'occuper une place particulière parmi les apports africains dans d'autres continents car le *vaudou*, dont le nom vient de l'ewé-fon, et qui est un culte animiste né dans la région appelée autrefois *Côte de Guinée* (Ghana, Bénin, Togo), s'est ensuite beaucoup développé et considérablement enrichi dans les communautés noires des Antilles et du Brésil.

Avec le *gri-gri*, qui a désigné à l'origine un esprit malfaisant, on reprend pied dans la vie quotidienne puisqu'on le considère aujourd'hui plus matériellement comme un objet fétiche destiné à éloigner les maladies et le mauvais sort.

Plus terre à terre encore, *bamboula* vient d'un mot de Guinée désignant un tambour qui est une sorte de *tam-tam*. Le mot a ensuite désigné une danse, d'où l'expression maintenant un peu désuète : *faire la bamboula* « faire la fête ».

Citons aussi le *balafon*, qui est un instrument de musique à percussion utilisant des calebasses comme caisses de résonance.

Parmi les vêtements, le *boubou* est en fait un nom d'animal. En malinké, ce dernier mot désigne un singe, et il évoque ainsi l'époque où les habitants d'Afrique occidentale se vêtaient de peaux de singe. Il désigne aujourd'hui une sorte de vêtement léger et flottant que portent les hommes et les femmes en Afrique.

Le malgache (merina) a aussi fourni quelques mots à la langue française : on connaît bien le *raphia*, un palmier aux longues feuilles pouvant atteindre 20 mètres de long, et dont les fibres servent à confectionner un tissu, la *rabane*, alors qu'il faut peut-être prendre un dictionnaire pour apprendre que le *maki* est un petit mammifère appelé aussi *chat de Madagascar*.

Récréation

BOIS EXOTIQUES

Sur ces 8 mots d'origine exotique, seul l'un d'entre eux ne désigne pas le bois d'un arbre. Lequel ?

1. **acajou** (tupi)
2. **baobab** (arabe)
3. **bambou** (malais)
4. **okapi** (bantou)
5. **okoumé** (bantou)
6. **palissandre** (arawak)
7. **séquoia** (iroquois)
8. **tallipot** (malais)

Réponse : okapi (mammifère).

Autour du Pacifique

Ce sont encore des mots évoquant des réalités lointaines, rapportées par les grands voyageurs, qui constituent l'essentiel du vocabulaire venu des pays bordant l'océan Pacifique.

On a déjà vu qu'une partie des mots venant du malais sont parvenus en français par l'intermédiaire du portugais (cf. ch. 12, *carte* MOTS VENUS D'ASIE PAR LE PORTUGAIS, p. 198), du néerlandais (cf. ch. 9, *encadré* QUELQUES MOTS VENUS DES COLONIES NÉERLANDAISES, p. 124) et de l'anglais (cf. ch. 14, *carte* MOTS VENUS D'ASIE PAR L'ANGLAIS, p. 229).

D'autres mots semblent être arrivés directement du malais ou d'une langue indonésienne, comme :

orang-outang : ce mot désignait en malais des tribus vivant dans les forêts, mais c'est probablement par erreur (ou serait-ce par plaisanterie ?) que les Occidentaux l'ont attribué à un grand singe anthropoïde

pangolin, nom d'un curieux petit mammifère couvert d'écailles qui se redressent quand l'animal s'enroule sur lui-même (sens que le mot a en malais[191])

calao, oiseau à l'apparence inoubliable car son bec énorme, plus gros que sa tête, est surmonté en outre d'une excroissance cornée[192]

émeu (ou *émou*), oiseau coureur, de la même famille que les autruches

pagaie, rame à double pelle.

Enfin, *sarbacane* est sans doute le mot malais qui a parcouru le plus de chemin : d'abord emprunté par le persan, il est ensuite passé par l'arabe, qui l'a introduit en Espagne sous la forme *cerbatana*. Adopté par le français, le mot a d'abord pris une forme proche de celle de l'espagnol (*sarbatane*), avant de devenir *sarbacane*, sans doute par croisement avec *canne*.

Des mots d'Australie et de Nouvelle-Zélande

Tous les mots d'origine australienne sont parvenus en français par l'intermédiaire de l'anglais :

kangourou, animal de la famille des marsupiaux sauteurs, dont la femelle possède une poche ventrale extérieure où l'embryon termine son développement pendant huit mois. Il est essentiellement herbivore

koala, petit animal de la famille du kangourou, mais qui se nourrit exclusivement de fruits

dingo, chien sauvage, dont le nom a été donné à un personnage de Walt Disney

boomerang, arme formée d'une pièce de bois recourbée et revenant à son point de départ s'il n'a pas touché sa cible.

C'est aussi par l'intermédiaire de l'anglais que sont arrivés les mots venus du maori, langue de Nouvelle-Zélande, dont le plus connu est *kiwi*, un mot qui désigne à la fois un oiseau coureur et un fruit à la peau velue et au goût acidulé. Il est d'origine chinoise et n'a été cultivé en Nouvelle-Zélande qu'en 1910. Il est aujourd'hui bien acclimaté en France. Ce fruit, très riche en vitamines et en potassium, est recommandé aux personnes âgées pour réduire les risques d'attaques cardiaques[193].

Des mots venus de Polynésie

Certains d'entre eux sont venus directement, comme :

vahiné, mot désignant à Tahiti une jeune fille ou une femme.

paréo, vêtement traditionnel tahitien fait d'une seule pièce d'étoffe, nouée au-dessus de la poitrine pour les femmes et à la ceinture pour les hommes.

D'autres sont d'abord passés par l'anglais :

tatouer, du polynésien des îles Marquises

tabou, du polynésien de l'île Tonga.

Des mots chinois

En dehors des mots chinois venus par le portugais *(cangue, typhon)*, par le malais *(sampang, thé)* et par l'anglais *(ketchup, kumquat* et *pongé)*, il y a encore :

kaolin, d'un mot chinois signifiant « haute colline » car c'est, semble-t-il, de lieux élevés que l'on extrayait l'argile blanche destinée à la porcelaine de qualité

kung-fu, art martial se pratiquant à mains nues, ce qui l'apparente au *karaté* japonais

litchi, fruit exotique, dont le nom a été emprunté par l'intermédiaire de l'espagnol

mah-jong, jeu de société chinois, qui serait la plus ancienne forme du jeu de dominos

shantung, étoffe de soie dont le nom est aussi celui d'une province chinoise

youyou, embarcation légère, dont l'usage était plus fréquent au XIXe siècle.

Des mots tibétains

En dehors des mots dont on sait qu'ils sont venus par l'intermédiaire de l'anglais, tels que *polo*, de *pulu* « balle », et *yack*, nom d'un mammifère encore appelé *bœuf grognant*, il faut signaler le *zébu*, dont l'origine est cependant plus incertaine, alors que le mot *lama*, qui désigne un prêtre bouddhiste au Tibet et en Mongolie, vient d'une forme tibétaine signifiant « homme supérieur », *dalaï-lama* correspondant à « grand lama ».

Le japonais, dernière escale

C'est avec le japonais que s'achève ce tour du monde des mots venus d'ailleurs.

Les emprunts au japonais apportent des suggestions inédites :

– ils donnent l'occasion de faire une brève incursion dans l'univers culturel nippon si particulier ;

– ils intriguent les phonéticiens, qui se demandent la raison de la prononciation inattendue de quelques éléments de ce vocabulaire en français ;

– ils invitent aussi à se familiariser un peu avec l'écriture japonaise.

MOTS D'ORIGINE JAPONAISE

aïkido	*bonsaï*	*bonze*	*bushido* (code d'honneur)
dan	*geisha*	*hara-kiri*	*ikébana* (arrangement floral)
jiu-jitsu	*judo*	*judoka*	*kakémono* (tableau)
kaki (fruit)	*kamikaze*	*karaoké*	*karaté*
kimono	*mikado*	*mousmé*	*nippon*
nô	*saké*	*samouraï*	*shogoun* (dictateur)
soja	*sumo*	*tatami*	*yen*

Des arts martiaux très élégants

Il est assez paradoxal de constater que plusieurs arts martiaux ont des dénominations étrangement pacifiques : *jiu-jitsu* ou « art de la souplesse », *judo* ou « art de la délicatesse, de la conciliation », *karaté* ou « combat à mains nues » et *aïkido* ou « voie de la paix ». Tous ces noms évoquent plutôt des mouvements de danse que des combats sans merci.

Les difficultés de la prononciation

Les mots *kamikaze* « pilote volontaire pour une mission suicide consistant à s'écraser avec son avion sur une cible ennemie » et *bonsaï* « arbre nain » attirent plus particulièrement l'attention des phonéticiens. En effet, la vraie prononciation en français devrait être *kamikazé* car la voyelle finale se prononce en japonais. Pour *bonsaï*, on peut légitimement se demander pourquoi la prononciation de ce mot devient *bonzaï* en français alors que le s devrait rester s, comme dans le verbe *danser*. Le rapprochement avec le mot *bonze*, qui pourtant appartient à un tout autre domaine sémantique, a pu jouer en faveur de la prononciation avec z.

Se faire *hara-kiri*

Enfin, c'est grâce à quelques indications sur les principes de l'écriture japonaise qu'on peut voir comment les Français – et avec eux, tous les Occidentaux – ont eu le choix entre deux mots pour désigner le mode de suicide par éventration connu en Europe sous le nom de *hara-kiri*, les Japonais ayant deux formes à leur disposition, *hara-kiri* et *sep poukou*, cette dernière étant un peu plus officielle.

Les idéogrammes chinois et la langue japonaise

La base de l'écriture japonaise est l'écriture idéographique, qu'ils tiennent des Chinois, et où chaque signe représente un sens, contrairement aux alphabets, où les signes représentent des sons.

En japonais, le signe représentant la montagne est constitué d'une barre horizontale surmontée de trois barres verticales dont celle du millieu est plus haute 山 . Cet idéogramme peut se prononcer, soit à la chinoise (quelque chose comme *san*), soit à la japonaise (quelque chose comme *yama*). Les Européens ont choisi la lecture « à la japonaise » pour désigner la montagne sacrée du Japon, le *Fuji-Yama*, contrairement aux habitudes du pays, où la forme officielle de ce nom est *Fujisan*[194].

Le mot japonais *hara-kiri* constitue un autre exemple typique de la double lecture possible des idéogrammes chinois en japonais.

HARA-KIRI = SEP POUKOU

Pour désigner par écrit le mode de suicide par éventration particulier aux Japonais, connu en Europe sous le nom de hara-kiri, il existe deux idéogrammes, qui peuvent être lus, soit « à la chinoise », soit « à la japonaise ».

Dans la lecture « à la chinoise », on est en présence de deux éléments graphiques :

切腹

Le premier caractère signifie « couper » et se prononce [sɛʔ].
Le deuxième caractère signifie « ventre » et se prononce [puku].
La forme complète se lit approximativement **sep poukou**.

Dans la lecture « à la japonaise », les mêmes éléments se trouvent inversés :

腹切

Le premier caractère, signifiant « ventre », se prononce [hara].
Le deuxième, signifiant « couper », se prononce [kiri].
Cette dernière forme se lit donc **hara kiri.**

C'est celle qui a été adoptée par les Occidentaux. Pour les Japonais, les deux termes ont la même valeur, mais **sep poukou** est plutôt un terme officiel [195].

On comprendra mieux comment fonctionne l'écriture idéographique en prenant un exemple analogue dans les langues européennes, où le signe **5** signifie toujours « cinq » mais peut aussi se lire *five, fünf, cinque, cinco...* selon qu'on le trouve dans un texte en anglais, en allemand, en italien, en espagnol.

16

ON A SOUVENT BESOIN D'UN ÉTRANGER CHEZ SOI

Emprunter, c'est s'enrichir

À la fin de ce sinueux voyage parmi les mots venus de langues aussi voisines que l'italien, l'espagnol ou l'anglais, aussi insolites que le hottentot, le malais ou le tupi, il apparaît comme une évidence que la langue française, malgré son goût séculaire pour un purisme sans concessions, ne s'est jamais complètement repliée sur elle-même et qu'elle n'a au contraire jamais cessé de s'enrichir au contact de plusieurs dizaines de langues différentes, nées sur les cinq continents.

Les milliers d'emprunts qui ont grossi son dictionnaire sont eux-mêmes de diverses sortes et, après les avoir suivis sur leurs lieux de naissance autour du monde, il convient maintenant d'en esquisser la typologie, ce qui revient à les regrouper en quatre grandes catégories.

Les emprunts tels quels

Le premier groupe, qui est aussi le plus facile à identifier, correspond au passage total d'un mot d'une langue à une autre, sous ses deux aspects : à la fois sa forme phonique ou graphique, plus ou moins bien adaptée en français, et sa signification. Tel est le cas de *talk-show*, emprunté à l'anglais, de *blinis*, au russe, de *jaguar*, au tupi. Il faut aussi observer que :

ananas renvoie au même fruit en tupi (langue du Brésil) qu'en français

moustique désigne en français le même insecte que le mot espagnol *mosquito* dont il est issu

aquarelle se réfère en français à une peinture à l'eau, comme en italien.

Mais il ne faudrait pas croire à une identité parfaite entre le mot passé en français et le mot d'origine, car les mots n'ont jamais vraiment le même pouvoir d'évocation dans la langue qui a emprunté et dans la langue qui a donné.

En effet, pour un habitant du Brésil connaissant le tupi, le mot *ananas* rappelle que ce fruit est très parfumé (*ana ana* signifie « parfum des parfums » en tupi). Pour un hispanophone, la relation entre un moustique et une mouche est évidente (*mosquito* « moustique » est un diminutif de *mosca* « mouche »), alors qu'elle est absolument indécelable en français. Enfin, la présence de l'eau dans la peinture à l'aquarelle se manifeste avec insistance dans la forme italienne *acquarello*, où *acqua* est le mot italien pour « eau », alors qu'un léger temps de réflexion peut être nécessaire pour le mot français.

Ces trois exemples montrent qu'en passant d'une langue dans une autre les mots ne gardent pas toujours les mêmes extensions de sens.

Les nouvelles dérivations

Il peut arriver – et cela constitue un deuxième type d'emprunt – que seule la forme dérivée soit un emprunt, alors que la forme simple ne l'est pas. On a déjà vu que *confortable* est un emprunt à l'anglais, tout comme *sentimental* ou *romantique* (cf. ch. 14, p. 221). Mais le cas le plus étonnant est peut-être celui des verbes *influencer* et *utiliser*, qui étaient ressentis comme barbares par Necker en 1792, alors que *influence* et *utilisation* lui semblaient de bon aloi. Il écrivait : « On introduit chaque jour de nouveaux verbes complètement barbares, et on les substitue à l'usage des substantifs : ainsi l'on dit *influencer*, *utiliser*[196]. »

Un nouveau sens pour un mot déjà existant

Souvent, c'est sur l'extension du sens que porte l'emprunt, comme on l'a vu dans le cas des *Échelles du Levant* et des

Échelles de Barbarie (cf. ch. 11, *encadré* DES ÉCHELLES ET DES PORTS, p. 169). Il s'agit cette fois d'un emprunt à l'italien, mais uniquement pour le sens de « comptoir commercial » au XVIe siècle, car le mot *échelle* existait en français avec son sens premier depuis des siècles.

Ce troisième type d'emprunts est abondamment représenté parmi ceux qui ont été faits à l'anglais. On y trouve d'innombrables exemples de mots français de vieille souche qui, après avoir été adoptés en Angleterre, ont à nouveau refait surface en français, mais cette fois enrichis d'un sens qu'ils n'avaient pas à l'origine.

Les mots *désappointé, patate* et *populaire* sont significatifs à cet égard :

désappointé avait en français, jusqu'au milieu du XVIIIe siècle, uniquement le sens de « destitué » (« non appointé »). À son retour en France, il a pris le nouveau sens (« désappointé, déçu ») qu'il avait acquis en anglais

patate, dans le sens de « pomme de terre », a sans doute été aussi emprunté à l'anglais, mais le mot *patate* existait déjà en français depuis le XVIe siècle pour désigner un autre légume, la patate douce

populaire : cet adjectif, qui servait seulement à qualifier ce qui avait un rapport avec le peuple (*émeute populaire*), a acquis, sous l'influence de l'anglais, à la fin du XVIIIe siècle, le sens de « qui plaît au peuple » (*un ministre très populaire*).

Ces trois emprunts à l'anglais n'ont pas connu les mêmes évolutions au cours du temps : pour le premier (*désappointé*), seul le nouveau sens (« déçu ») emprunté à l'anglais s'est maintenu ; pour *patate*, l'ancienne signification a survécu auprès de la nouvelle, mais on prend soin le plus souvent d'ajouter *douce* à *patate* quand il ne s'agit pas de la pomme de terre. Quant à l'adjectif *populaire* dans le sens de « qui plaît à tous », il apparaît encore à certains comme un anglicisme à éviter.

Traductions et calques

Il existe enfin des emprunts sémantiques beaucoup plus souterrains, et qui passent parfaitement inaperçus sauf pour ceux qui connaissent vraiment bien les deux langues concernées. Ils constituent le quatrième groupe de ce classement, celui des traductions et des calques (cf. ch. 10, *encadré* UN CALQUE N'EST QU'UNE TRADUCTION, p. 144). Ainsi, l'expression *prendre en considération*, pourtant si évidemment française, a bien été empruntée à l'anglais, tout comme *libre penseur, machine à vapeur, lune de miel* ou *gratte-ciel.*

Il faudrait d'ailleurs distinguer entre les vrais calques (*prendre en considération* ou *libre penseur*) et les simples traductions (*machine à vapeur, lune de miel* ou *gratte-ciel*).

On a en effet une réplique pure et simple de l'anglais *to take into consideration* dans *prendre en considération*, et cela se voit encore plus clairement dans *libre penseur*, où l'adjectif précède le nom, comme en anglais (*free-thinker*) : ce sont de vrais calques. Mais, pour *lune de miel, machine à vapeur* et *gratte-ciel*, les vrais calques de *honeymoon*, de *steam engine* et de *sky-scraper* seraient **miel lune*, **vapeur machine* et **ciel gratteur.* (L'astérisque marque que ces formes ne sont pas attestées.)

La langue française a donc bien adopté la forme empruntée, mais en l'adaptant à ses propres structures. Les calques réussis et les formes traduites, en se conformant aux modes de formation de la langue emprunteuse, perdent très rapidement toute coloration étrangère et ont alors des chances de perdurer.

Pour terminer en s'amusant...

... puisqu'on a souvent besoin d'un étranger chez soi, voici une dernière récréation.

Récréation

DES VÊTEMENTS VENUS DE PARTOUT

Sur les 12 mots de ce texte concernant l'habillement, 3 sont empruntés à l'italien, 2 à l'anglais, 2 au persan, 1 à l'espagnol, 1 à l'allemand, 1 au germanique ancien, 1 au turc et 1 à l'arabe. Lesquels ?

Elle avait ouvert l'armoire aux merveilles : son choix s'était tout de suite porté sur une *jupe* longue et une *guimpe* sur laquelle elle se promettait d'enfiler un *gilet* ou de poser négligemment un *châle* avant de recouvrir le tout d'une *veste* brodée.

Sur la tête, elle voulait mettre un *turban*, mais aussi une *mantille* et peut-être même une *capeline*. Elle savait qu'ainsi elle aurait bien trop chaud et qu'elle serait obligée de se déshabiller pour enlever le *body* et le *tee-shirt* qu'elle avait l'habitude de porter à même la peau.

Mais elle n'en eut pas le loisir car l'homme en *loden*, qui était en face d'elle, venait subitement d'enlever son *pantalon*, ce qui la fit s'enfuir à toutes jambes.

Réponses : à l'italien : *veste*, *capeline*, *pantalon* à l'anglais : *body*, *tee-shirt* – au persan : *châle*, *turban* – à l'espagnol : *mantille* – à l'allemand : *loden* – au germanique ancien : *guimpe* – au turc : *gilet* – à l'arabe : *jupe*

NOTES ET RÉFÉRENCES

1. WALTER, Henriette et WALTER, Gérard, *Dictionnaire des mots d'origine étrangère*, Paris, Larousse, 1991, 413 p., nlle éd. 1998.

2. ÉTIEMBLE, *Parlez-vous franglais ?*, Paris, Gallimard, 1964, 376 p.

3. WALTER, Henriette et WALTER, Gérard, *Dictionnaire des mots d'origine étrangère*, Paris, Larousse, 1991, nouvelle édition 1998, 427 p., en particulier p. 403. Les résultats alors indiqués dans cet ouvrage ont, depuis, été légèrement modifiés, grâce à une recherche complémentaire effectuée par Gérard Walter. Ce sont les nouveaux résultats qui ont été consignés dans le présent ouvrage.

4. GUIRAUD, Pierre, *Les Mots étrangers*, Paris, PUF, « Que sais-je ? », n° 1166, 1965, 123 p., p. 64-82.

5. Rappelons que la première étude, faite par un érudit, non argotier lui-même, Francisque MICHEL, date de 1856 : *Études de philosophie sur l'argot et sur les idiomes analogues parlés en Europe et en Asie*.

6. HUGO, Victor, *Les Misérables*, 4e partie, livre VII, ch. 2, Paris, Flammarion, éd. 1925, p. 193.

7. GUIRAUD, Pierre, *L'Argot*, Paris, PUF, « Que sais-je ? », n° 700, 1958, 126 p., p. 87-88.

8. WALTER, Henriette, « Lexique argotique et emprunts », Colloque « Les argots : noyau ou marges de la langue ? », Cerisy-la-Salle, 11-17 août 1994, à paraître dans les *Actes*.

Le corpus qui est à la base de cette étude sur le vocabulaire argotique a été établi à partir du *Dictionnaire d'argot* de Jean-Paul Colin et Jean-Pierre Mével, paru aux éditions Larousse en 1990, qui a fourni l'essentiel des données. Celles-ci ont été complétées par les formes lexicales relevées dans :

DAUZAT, Albert, *Les Argots*, Paris, Delagrave, 1956 (1re éd. 1929), 189 p. Signalons que Dauzat considère que les mots étrangers ont toujours joué un rôle capital en argot et qu'il consacre environ trente pages à ce procédé de renouvellement.

GUIRAUD, Pierre, *L'Argot*, Paris, PUF, « Que sais-je ? », n° 700, 1958, 126 p.

CALVET, Louis-Jean, *L'Argot en 20 leçons*, Paris, Payot, 1993, 213 p.

CALVET, Louis-Jean, *L'Argot*, Paris, PUF, « Que sais-je ? », n° 700 *(sic)*, 1994, 128 p.

9. DAUZAT, Albert, *Les Argots*, Paris, Delagrave, 1956 (1re éd. 1929), 189 p., p. 56.

10. DAUZAT, Albert, *Les Argots*, Paris, Delagrave, 1956 (1re éd. 1929), 189 p., p. 34.

11. ALLIÈRES, Jacques, *Manuel pratique de basque*, Paris, Picard, 1979, 262 p., p. 8-21.

12. LAMBERT, Pierre-Yves, *La Langue gauloise*, Paris, Errance, 1994, 239 p., p. 191.

13. ERNOUT, Alfred et MEILLET, Antoine, *Dictionnaire étymologique de la langue latine. Histoire des mots*, Paris, Klincksieck, 1967 (1re éd. 1932), 827 p., p. 577.

14. Cf. la carte de l'hydronomie préceltique, dans WALTER, Henriette, *L'Aventure des langues en Occident. Leur origine, leur histoire, leur géographie*, Paris, Robert Laffont, 1994, 498 p., p. 228.

15. IGLESIAS PONCE DE LEÓN, Moisés, « À la recherche du sens perdu des mots : l'apport de la toponymie à la sémantique, via les sciences de la terre. Le cas de la pierre plate, *lousa, laxe*, en galicien », à paraître dans les *Actes* du Colloque international de linguistique fonctionnelle (Iaşi, Roumanie, 26 juin-2 juillet 1996).

16. ROUSSET, Paul-Louis, *Les Alpes et leurs noms de lieux, 6 000 ans d'histoire*, éd. par l'auteur, Meylan, 1988, 444 p., p. 235-236 (diffusion Didier et Richard, Grenoble).

17. NÈGRE, Ernest, *Toponymie générale de la France*, Genève, Droz, 1990, tome 1, p. 7-704, 1991, tome 2, p. 713-1381, et tome 3, p. 1399-1852, p. 19-20 et 50-51.

18. WALTER, Henriette, *L'Aventure des langues en Occident. Leur origine, leur histoire, leur géographie*, Paris, Robert Laffont, 1994, 498 p. (préface d'André Martinet), carte de l'Europe celtique, p. 66.

19. LE QUELLEC, Jean-Loïc, *Dictionnaire des noms de lieux de la Vendée*, La Mothe-Achard, Geste éditions, 1995, 319 p., p. 223.

20. MILLS, A.D., *A Dictionary of English Place-Names*, Oxford-New York, Oxford University Press, 1991, 388 p., p. 74.

21. Le texte est reproduit in extenso dans SAVIGNAC, Jean-Paul, *Les Gaulois. Leurs écrits retrouvés (« Merde à César / Cecos ac Caesar »)*, Paris, La Différence, 1994, 186 p., p. 177.

22. LAMBERT, Pierre-Yves, *La Langue gauloise*, Paris, Errance, 1994, 239 p., p. 39.

23. FLOBERT, Pierre, « L'apport lexical du gaulois au français : questions de méthode », *Nomina Rerum*, Hommage à Jacqueline Manessy-Guitton, LAMA (Centre de recherches comparatives sur les langues de la Méditerranée ancienne), 13, 1994, p. 201-208, notamment p. 205.

24. WALTER, Henriette, *Des mots sans-culottes*, Paris, Robert Laffont, 1989, 244 p., p. 186.

25. Cité par SAVIGNAC, Jean-Paul, *Les Gaulois. Leurs écrits retrouvés (« Merde à César / Cecos ac Caesar »)*, Paris, La Différence, 1994, 186 p., d'après Guyonvac'h, dans Ogam, 1962.

26. BALZAC, Honoré de, *La Rabouilleuse*, ou *Un ménage de garçon*, Scènes de la vie de province : Les Célibataires, Paris, 1842.

27. Mais une autre étymologie a été proposée par GUIRAUD, Pierre, *Dictionnaire des étymologies obscures*, Paris, Payot, 1982, 522 p., p. 113.

28. DAUZAT, Albert, *La Toponymie française*, Paris, Payot (1re éd. 1960), 1971, 335 p., p. 41, note 1.

JULLIAN, Camille, *Histoire de la Gaule*, Paris, Robert Laffont, 1971 (édition abrégée), tome I, p. 89-97, 101, tome II, p. 261.

29. JULLIAN, Camille, *Histoire de la Gaule*, Paris, Robert Laffont, 1971 (édition abrégée), tome I, p. 131.

30. Cf. la carte publiée dans WALTER, Henriette, *Le Français dans tous les sens*, Paris, Robert Laffont, 1988, 384 p. (préface d'André Martinet). Grand Prix de l'Académie française pour 1988, p. 138.

31. Les 221 toponymes évoquant le chêne ont été recensés dans le *Dictionnaire national des communes de France*, Paris, Albin Michel et Berger-Levrault, 1984. Ils ont été vérifiés dans NÈGRE, Ernest, *Toponymie générale de la France*, Genève, Droz, 1990, tome 1, p. 266-271.

32. Le terme est attesté dans les ouvrages suivants :

BOISGONTIER, Jacques, *Dictionnaire du français régional du Midi toulousain et pyrénéen*, Paris, Bonneton, 1992, 157 p.

DUBUISSON, Pierrette et BONIN, Marcel, *Dictionnaire du français régional de Berry-Bourbonnais*, Paris, Bonneton, 1993, 142 p.

DUCHET-SUCHAUX, Monique et Gaston, *Dictionnaire du français régional de Franche-Comté*, Paris, Bonneton, 1993, 159 p.

FRECHET, Claudine et MARTIN, Jean-Baptiste, *Dictionnaire du français régional du Velay*, Paris, Bonneton, 1993, 159 p.

GAGNY, Anita, *Dictionnaire du français régional de Savoie*, Paris, Bonneton, 1993, 159 p.

MARTIN, Jean-Baptiste, *Dictionnaire du français régional du Pilat*, Paris, Bonneton, 1989, 173 p.

RÉZEAU, Pierre, *Dictionnaire du français régional de Poitou-Charentes et de Vendée*, Paris, Bonneton, 1990, 159 p.

TAMINE, Michel, *Dictionnaire du français régional des Ardennes*, Paris, Bonneton, 1992, 157 p.

TAMINE, Michel, *Dictionnaire du français régional de Champagne*, Paris, Bonneton, 1993, 157 p.

TAVERDET, Gérard et NAVETTE-TAVERDET, Danièle, *Dictionnaire du français régional de Bourgogne*, Paris, Bonneton, 1991, 159 p.

VURPAS, Anne-Marie et MICHEL, Claude, *Dictionnaire du français régional du Beaujolais*, Paris, Bonneton, 1992, 191 p.

VURPAS, Anne-Marie, *Le Parler lyonnais, Lexique*, Paris, Rivages, 1993, 287 p., ainsi que

TUAILLON, Gaston, *Les Régionalismes du français parlé à Vourey, village dauphinois*, Paris, Klincksieck, « Matériaux pour l'étude des régionalismes du français », n° 1, 1983, 383 p.

33. Tamine, Michel, *Dictionnaire du français régional de Champagne*, Paris, Bonneton, 1993, 157 p., p. 16.

Taverdet, Gérard et Navette-Taverdet, Danièle, *Dictionnaire du français régional de Bourgogne*, Paris, Bonneton, 1991, 159 p.

34. Tamine, Michel, *Dictionnaire du français régional des Ardennes*, Paris, Bonneton, 1992, 157 p., p. 150.

35. Dubuisson, Pierrette et Bonin, Marcel, *Dictionnaire du français régional de Berry-Bourbonnais*, Paris, Bonneton, 1993, 142 p.

36. Vurpas, Anne-Marie et Michel, Claude, *Dictionnaire du français régional du Beaujolais*, Paris, Bonneton, 1992, 191 p.

37. Martin, Jean-Baptiste, *Dictionnaire du français régional du Pilat*, Paris, Bonneton, 1989, 173 p.

38. Tuaillon, Gaston, *Les Régionalismes du français parlé à Vourey, village dauphinois*, Paris, Klincksieck, « Matériaux pour l'étude des régionalismes du français », n° 1, 1983, 383 p.

39. Walter, Henriette, *Le Français dans tous les sens*, Paris, Robert Laffont, 1988, 384 p. (préface d'André Martinet). Grand Prix de l'Académie française pour 1988 ; particulièrement le tableau des langues indo-européennes, p. 30-31.

40. Rostaing, Charles, *Les Langues romanes*, Paris, PUF, « Que sais-je ? », n° 1562 (1re éd. 1974), 1979, 128 p.

41. Roland, Henri et Boyer, Laurent, *Locutions latines du droit français*, Paris, Litec, 1993, 513 p.

42. Clause, L., *Guide Clause, Traité pratique du jardinage*, Brétigny-sur-Orge, 1984, 608 p., p. 93-171.

43. La plus grande partie de ces informations provient de Hale, Harrison, « The elements » dans Hodgman, Charles (sous la dir.), *Handbook of Chemistry and Physics*, Cleveland (USA), Chemical Rubber Publishing, 1956, 3 206 p., p. 357-388.

44. Guiraud, Pierre, *Les Mots savants*, Paris, PUF, « Que sais-je ? », n° 1325, 1968, 115 p., p. 27.

45. Bouffartigue, Jean et Delrieu, Anne-Marie, *Trésors des racines latines*, Paris, Belin, 1981, 335 p., p. 128.

46. Walter, Henriette, *Des mots sans-culottes*, Paris, Robert Laffont, 1989, 224 p., p. 87-88.

47. Brandy, Daniel, *Motamorphoses*, Paris, Casterman, 1986, 338 p., p. 28-30.

48. Sauf indication contraire, toutes ces informations proviennent de Bloch, Oscar et Wartburg, Walther von, *Dictionnaire étymologique de la langue française*, Paris, PUF, 1950, 651 p.

49. Walter, Henriette et Walter, Gérard, *Dictionnaire des mots d'origine étrangère*, Paris, Larousse, 1991, 413 p., p. 192.

50. Guyot, Lucien et Gibassier, Pierre, *Les Noms des animaux terrestres*, Paris, PUF, « Que sais-je ? », n° 1250, 1967, 126 p., p. 77.

51. Rey, Alain (sous la dir.), *Dictionnaire historique de la langue française*, Paris, Le Robert, 1992, 2 tomes, 2 383 p.

52. Bréal, Michel, « Les lois intellectuelles du langage », *Annuaire de l'Association pour l'enseignement des études grecques en France*,

1883, 17, cité par GUIRAUD, Pierre, *La Sémantique*, Paris, PUF, « Que sais-je ? », n° 655 (1re éd. 1955), 1969, 126 p., p. 7.

53. GUIRAUD, Pierre, *Les Mots savants*, Paris, PUF, « Que sais-je ? », n° 1325, 1968, 115 p., p. 87-88.

54. PROUST, Marcel, *À la recherche du temps perdu*, Paris, Gallimard, coll. La Pléiade, 1954, tome I, p. 234 (*Du côté de chez Swann*, 1re éd. 1919).

55. GERMA, Pierre, *Du nom propre au nom commun, dictionnaire des éponymes*, Paris, Bonneton, 1993, 255 p.

56. WALTER, Henriette, *Le Français dans tous les sens*, Paris, Robert Laffont, 1988, 384 p. (préface d'André Martinet). Grand Prix de l'Académie française pour 1988, p. 52.

57. WALTER, Henriette, *L'Aventure des langues en Occident. Leur origine, leur histoire, leur géographie*, Paris, Robert Laffont, 1994, 498 p. (préface d'André Martinet), p. 282.

58. MUSSET, Lucien, *Les Invasions. Les vagues germaniques*, Paris, PUF, 1965, 323 p., p. 198.

59. MUSSET, Lucien, *Les Invasions. Les vagues germaniques*, Paris, PUF, 1965, 323 p., p. 52.

60. MUSSET, Lucien, *Les Invasions. Les vagues germaniques*, Paris, PUF, 1965, 323 p., p. 112.

61. TAVERDET, Gérard, *Noms de lieux de Bourgogne. Introduction à la toponymie*, Paris, Bonneton, 1994, 231 p., p. 60.

62. WALTER, Henriette, *Le Français dans tous les sens*, Paris, Robert Laffont, 1988, 384 p. (préface d'André Martinet). Grand Prix de l'Académie française pour 1988.

63. MUSSET, Lucien, *Les Invasions. Les vagues germaniques*, Paris, PUF, 1965, 323 p., p. 54.

64. MARTINET, André, *Des steppes aux océans. L'indo-européen et les « Indo-Européens »*, Paris, Payot, 1986, 274 p., p. 38 et 78.

65. GUINET, Louis, *Les Emprunts gallo-romans au germanique* (du Ier à la fin du Ve siècle), Paris, Klincksieck, 1982, 212 p., p. 37-38.

66. MATORÉ, Georges, *Le Vocabulaire de la société médiévale*, Paris, PUF, 1985, 336 p., p. 142, 150 et 296.

67. WALTER, Henriette, *L'Aventure des langues en Occident. Leur origine, leur histoire, leur géographie*, Paris, Robert Laffont, 1994, 498 p. (préface d'André Martinet), p. 109-110.

68. MUSSET, Lucien, *Les Invasions. Les vagues germaniques*, Paris, PUF, 1965, 323 p., p. 194-195.

69. GUINET, Louis, *Les Emprunts gallo-romans au germanique* (du Ier à la fin du Ve siècle), Paris, Klincksieck, 1982, 212 p.

70. WALTER, Henriette, *Le Français dans tous les sens*, Paris, Robert Laffont, 1988, 384 p. (préface d'André Martinet). Grand Prix de l'Académie française pour 1988, p. 57-69.

71. VIAL, Éric, *Les Noms de villes et de villages*, Paris, Belin, 1983.

72. NÈGRE, Ernest, *Toponymie générale de la France*, Genève, Droz, 1991, tome 2, p. 715.

73. CHERPILLOD, André, *Dictionnaire étymologique des noms géographiques*, Paris, Masson, 1988, 527 p., p. 275. BN [4° X 5331].

74. FELLOWS-JENSEN, Gillian, « Les noms de lieux d'origine scandinave et la colonisation viking en Normandie », *Proxima Thule, Revue d'études nordiques*, Paris, vol. 1, automne 1994, p. 67, où la carte montre près de 40 toponymes de ce nom.

75. FELLOWS-JENSEN, Gillian, « Les noms de lieux d'origine scandinave et la colonisation viking en Normandie », *Proxima Thule, Revue d'études nordiques*, Paris, vol. 1, automne 1994, p. 37 et 74.

76. LEPELLEY, René, *Dictionnaire étymologique des noms de communes de Normandie*, Caen, Presses universitaires, 1995, 278 p., p. 104.

77. FELLOWS-JENSEN, Gillian, « Les noms de lieux d'origine scandinave et la colonisation viking en Normandie », *Proxima Thule, Revue d'études nordiques*, Paris, vol. 1, automne 1994, p. 77-78.

78. LEPELLEY, René, *Dictionnaire du français régional de Basse-Normandie*, Paris, Bonneton, 1989, 159 p., remplacé par le *Dictionnaire du français régional de Normandie*, Paris, Bonneton, 1993, 157 p. ; voir notamment p. 151-154 où se trouve en annexe une liste de mots attestant des traces scandinaves dans le français régional de Normandie.

79. CRUBELLIER, Maurice et JUILLARD, Charles, *Histoire de la Champagne*, Paris, PUF, « Que sais-je ? », n° 507 (1re éd. 1952), 1969, 126 p., p. 21.

80. CHÉDEVILLE, André, *La France au Moyen Âge*, Paris, PUF, « Que sais-je ? », n° 69 (1re éd. 1965), 1988, 127 p., p. 52-53.

81. HORNBY, A.S. (sous la dir.), *Oxford Advanced Learner's Dictionary of Current English*, Londres, Oxford University Press, 1974, 1 055 p.

82. CRUBELLIER, Maurice et JUILLARD, Charles, *Histoire de la Champagne*, Paris, PUF, « Que sais-je ? », n° 507 (1re éd. 1952), 1969, 126 p., p. 34-35.

83. BLOCH, Oscar et WARTBURG, Walther von, *Dictionnaire étymologique de la langue française*, Paris, PUF, 1950, 651 p.

84. GUIRAUD, Pierre, *Dictionnaire des étymologies obscures*, Paris, Payot, 1982, 522 p., p. 386.

85. VALKHOFF, Marius, *Étude sur les mots français d'origine néerlandaise*, Amersfoort, Valkhoff and Co., 1931, p. 187.

86. VALKHOFF, Marius, *Étude sur les mots français d'origine néerlandaise*, Amersfoort, Valkhoff and Co., 1931, p. 177.

87. JOUSSE, Jean, *Du français au patois*, dactylographié, s.d., p. 87.

88. SCHOGT, Henry, « Les mots d'emprunt en néerlandais : une étude sociolinguistique », *La Linguistique*, 25, 1989/2, p. 63-80 et plus particulièrement p. 69-73.

89. CERQUIGLINI, Bernard, *La Naissance du français*, Paris, PUF, « Que sais-je ? », n° 2576, 1991, 127 p., notamment p. 117-119.

90. CHAURAND, Jacques, *Histoire de la langue française*, Paris, PUF, « Que sais-je ? », n° 167 (1re éd. 1969), 1977, 126 p., notamment p. 31.

91. MARCHELLO-NIZIA, Christiane, *Histoire de la langue française aux XIVe et XVe siècles*, Paris, Bordas, 1979, 378 p., p. 25-26.

92. CAMPROUX, Charles, *Les Langues romanes*, Paris, PUF, « Que sais-je ? », n° 1562 (1re éd. 1974), 1979, 128 p., p. 94.

93. MARCHELLO-NIZIA, Christiane, *Histoire de la langue française aux XIVe et XVe siècles*, Paris, Bordas, 1979, 378 p., p. 31.

94. BOURCIEZ, Édouard et BOURCIEZ, Jean, *Phonétique française. Étude historique*, Paris, Klincksieck, 1967, 243 p., p. 89, Remarque III.

95. LINDON, Raymond, *Le Livre de l'amateur de fromages*, Paris, Robert Laffont, 1961, 127 p., p. 27-28.

96. WALTER, Henriette, *Des mots sans-culottes*, Paris, Robert Laffont, 1989, 244 p., p. 150.

97. MAALOUF, Amin, *Les Croisades vues par les Arabes*, Paris, Jean-Claude Lattès, 1983, p. 101.

98. TÉNÉ, David, « L'hébreu contemporain », *Le Langage*, Encyclopédie de la Pléiade, sous la dir. d'André Martinet, Paris, Gallimard, 1968, p. 975-1001.

99. MEILLET, Antoine et COHEN, Marcel (sous la dir.), *Les Langues du monde*, Paris, CNRS-Champion, 1952, 2 tomes, 1 294 p. et 21 cartes, p. 81-181, notamment p. 98-142.

CARATINI, Roger (sous la dir.), *Linguistique*, Encyclopédie Bordas, Paris, Bordas, 1972, 160 p., p. 137-138.

100. BARREAU, Jean-Claude, *Biographie de Jésus*, Paris, Plon, 1993, 168 p., p. 29-30.

DUQUESNE, Jacques, *Jésus*, Paris, Flammarion et Desclée de Brouwer, 1994, 356 p., p. 77.

101. MEILLET, Antoine et COHEN, Marcel (sous la dir.), *Les Langues du monde*, Paris, CNRS-Champion, 1952, 2 tomes, 1 294 p. et 21 cartes, p. 114.

102. CRÉPIN, André, *Histoire de la langue anglaise*, Paris, PUF, « Que sais-je ? », n° 1265 (1re éd. 1967), 1982, 127 p., p. 115-116.

103. CRÉPIN, André, *Deux mille ans de langue anglaise*, Paris, Nathan, 1994, 191 p., p. 65-66.

104. AGUILLOU, Pascal et SAIKI, Nasser, *La Téci à Panam. Parler le langage des banlieues*, Paris, Michel Lafon, 1996, 216 p., p. 21.

105. ROUSSEAU, Pierre, *Histoire de la science*, Paris, Fayard, 1945, 823 p., p. 134.

106. THUILLIER, Pierre, *D'Archimède à Einstein. Les faces cachées de l'invention scientifique*, Paris, Fayard, 1988, 395 p., p. 43.

107. Un fac-similé du manuscrit latin ainsi que sa traduction en français et en allemand ont été publiés à Paris en 1992 par le Club du Livre (sous la responsabilité d'Hector Obalk, 26, rue de Clichy, 75009 Paris). Il s'agit de la traduction latine, intitulée *Chirurgia Albucasis*, rédigée au XIIe siècle, à partir du texte arabe d'Abu'l Qasim Halaf Ibn 'Abbas al-Zahrawi, dit Albucasis. Ce manuscrit en latin se trouve à la Bibliothèque nationale autrichienne de Vienne (Codex Vindobonensis, Series Nova 2 641), et comprend 68 miniatures et 200 schémas d'instruments.

108. COULON, Alain, Introduction à *La Chirurgie* d'Albucasis (voir réf. note ci-dessus).
109. ROUSSEAU, Pierre, *Histoire de la science*, Paris, Fayard, 1945, 823 p., p. 125-129.
110. IFRAH, Georges, *Histoire universelle des chiffres*, Paris, Seghers, 1981, 567 p., réédition Robert Laffont, coll. « Bouquins », 1994, 2 tomes, 1 042 p. et 1 010 p., tome 2, p. 344.
111. IFRAH, Georges, *Histoire universelle des chiffres* (cf. note 110), tome 2, p. 367 et suiv.
112. WALTER, Henriette, *Des mots sans-culottes*, Paris, Robert Laffont, 1989, 244 p., p. 82-85.
113. GUYOT, Lucien et GIBASSIER, Pierre, *Les Noms des animaux terrestres*, Paris, PUF, « Que sais-je ? », n° 1250, 1967, 126 p., p. 59.
114. BLOCH, Oscar et WARTBURG, Walther von, *Dictionnaire étymologique de la langue française*, Paris, PUF, 1950, 651 p., p. 3.
115. CANTINEAU, Jean, *Études de linguistique arabe*, Paris, Klincksieck, 1960, 299 p., p. 166.
116. WALTER, Henriette, *Le Français dans tous les sens*, Paris, Robert Laffont, 1988, 384 p. (préface d'André Martinet). Grand Prix de l'Académie française pour 1988, p. 96.
117. MAALOUF, Amin, *Les Croisades vues par les Arabes*, Paris, Jean-Claude Lattès, 1983, p. 117.
118. MAALOUF, Amin, *Samarcande*, Paris, Jean-Claude Lattès, 1988, 376 p., p. 150.
119. GUIRAUD, Pierre, *Les Mots étrangers*, Paris, PUF, « Que sais-je ? », n° 1166, 1965, 123 p., p. 44.
120. SOURDEL, Dominique, *Histoire des Arabes*, Paris, PUF, « Que sais-je ? », n° 1627 (1re éd. 1976), 1985, p. 32.
121. REY, Alain (sous la dir.), *Dictionnaire historique de la langue française*, Paris, Le Robert, 1992, 2 tomes, 2 383 p., sous l'entrée *babouche*.
122. MEILLET, Antoine et COHEN, Marcel (sous la dir.), *Les Langues du monde*, Paris, CNRS-Champion, 1952, 2 tomes, 1 294 p. et 21 cartes, p. 30-31.
123. DEYHIME, Guiti, « Les emprunts du persan au français (Étude phonétique) », *Luqmân, Annales des Presses universitaires d'Iran*, IV, n° 1, 1987-1988, p. 87-103.
MOVASSAGHI, A.M. et GHAVIMI, M., « Vrais amis et faux amis de la langue française et du persan », *Luqmân, Annales des Presses universitaires d'Iran*, III, n° 2, printemps 1987, p. 76-96, notamment p. 82-87.
124. DEYHIME, Guiti, « Les emprunts du français au persan », *Luqmân, Annales des Presses universitaires d'Iran*, V, n° 1, 1988-1989, p. 39-58, notamment p. 54.
125. BLOCH, Oscar et WARTBURG, Walther von, *Dictionnaire étymologique de la langue française*, Paris, PUF, 1950, 651 p., sous l'entrée *divan*.

126. DEYHIME, Guiti, « Les emprunts du français au persan », *Luqmân, Annales des Presses universitaires d'Iran*, V, n° 1, 1988-1989, p. 39-58, notamment p. 54.

127. VARENNE, Jean, *Grammaire du sanskrit*, Paris, PUF, « Que sais-je ? », n° 1116, 1971, 127 p., p. 9.

128. GREIMAS, Algirdas Julien et KEANE, Teresa May, *Dictionnaire du moyen français. La Renaissance*, Paris, Larousse, 1992, 668 p., sous l'entrée *escarlate*.

129. REY, Alain, *Dictionnaire historique de la langue française*, Paris, Le Robert, 1992, 2 tomes, 2 383 p., sous l'entrée *cramoisi*.

130. HADIDI, Djavad, « Les origines persanes de *Zadig*, roman philosophique de Voltaire », *Luqmân, Annales des Presses universitaires d'Iran*, IV, n° 1, 1987-1988, p. 51-68, notamment p. 52.

131. VARDAR, Berke, article « Turc, Turquie », *Grand Dictionnaire encyclopédique Larousse*, Paris, 10 vol., 1984.

132. MEILLET, Antoine et COHEN, Marcel (sous la dir.), *Les Langues du monde*, Paris, CNRS-Champion, 1952, 2 tomes, 1294 p. et 21 cartes, ainsi que
VARDAR, Berke, article « Turc, Turquie », *Grand Dictionnaire encyclopédique Larousse*, Paris, 10 vol., 1984.

133. WALTER, Henriette, *Le Français dans tous les sens*, Paris, Robert Laffont, 1988, 384 p. (préface d'André Martinet). Grand Prix de l'Académie française pour 1988, p. 216.

134. HILLAIRET, Jacques, *Dictionnaire historique des rues de Paris*, Paris, Éd. de Minuit, 1964 (1re éd. 1961), 2 tomes, sous l'entrée *Lombards*.

135. MICHELET, Jules, *Histoire de France*, tome IV, p. 52 (cité par Littré, sous l'entrée *lombard*).

136. CONDEESCU, N.N., *Traité d'histoire de la langue française*, Bucarest, Editura didactica si pedagogica, 1975, 454 p., p. 239.

137. *Dictionnaire des auteurs*, Paris, Robert Laffont, 1994, 3 tomes, tome 2, p. 1815.

138. RISSET, Jacqueline, *Dante, une vie*, Paris, Flammarion, 1995, 223 p., notamment p. 161-166.

139. DANTE, *La Divine Comédie*, traduction d'Alexandre Masseron, Paris, Albin Michel et Club français du livre, 1964, 3 tomes, *Paradis*, X, v. 137.

140. GILLET, Louis, *Dante*, Paris, Flammarion, 1941, 379 p., p. 179.

141. DANTE, *La Divine Comédie*, traduction d'Alexandre Masseron, Paris, Albin Michel et Club français du livre, 1964, 3 tomes, *Purgatoire*, XXVI, v. 140-147 et notamment v. 142.

142. *Dictionnaire des auteurs*, Paris, Robert Laffont, 1994, 3 tomes, tome 3, p. 2547 ainsi que
Dictionnaire des œuvres, Paris, Robert Laffont, 1994, tome 4, p. 4154.

143. *Dictionnaire des auteurs*, Paris, Robert Laffont, 1994, 3 tomes, tome 3, p. 2489.

144. Dans BOIARDO, Matteo Maria, *Roland amoureux* (1486), et dans l'ARIOSTE, *Roland furieux* (1532).

145. BRUNOT, Ferdinand, *Histoire de la langue française des origines à nos jours*, Paris, Armand Colin, 1905-1937, rééd. 1966-1967, tome IV, p. 177.
146. HOPE, T.E., *Lexical Borrowing in the Romance Languages. A Critical Study of Italianisms in French and Gallicisms in Italian from 1100 to 1900*, Oxford, Basil Blackwell, 1971, p. 236-237, note 6.
147. GREIMAS, Algirdas Julien et KEANE, Teresa May, *Dictionnaire du moyen français. La Renaissance*, Paris, Larousse, 1992, 668 p., sous l'entrée *camisade*.
148. ESTIENNE, Henri, *Deux dialogues du nouveau langage françois italianizé et autrement desguizé, principalement entre les courtisans de ce temps*, Genève, Slatkine, 1980 (1re édition anonyme, 1578), 476 p., p. 81.
149. ESTIENNE, Henri, *Deux dialogues du nouveau langage françois italianizé et autrement desguizé, principalement entre les courtisans de ce temps*, Genève, Slatkine, 1980 (1re édition anonyme, 1578), 476 p., p. 140-143.
150. ESTIENNE, Henri, *Deux dialogues du nouveau langage françois italianizé et autrement desguizé, principalement entre les courtisans de ce temps*, Genève, Slatkine, 1980 (1re édition anonyme, 1578), 476 p., p. 140-145.
151. HOPE, T.E., *Lexical Borrowing in the Romance Languages. A Critical Study of Italianisms in French and Gallicisms in Italian from 1100 to 1900*, Oxford, Basil Blackwell, 1971, p. 235.
152. MONTAIGNE, *Journal de voyage en Italie*, Paris, Librairie Générale Française, Le Livre de Poche, 1974, p. 374.
153. LAPESA, Rafael, *Historia de la lengua española*, Madrid, Gredos, 9e éd., 1986, 690 p., p. 168-170.
154. *Le Petit Robert 2, Dictionnaire universel des noms propres*, Paris, Le Robert, 1975, 1 992 p., article « Ibarruri ».
155. LAPESA, Rafael, *Historia de la lengua española*, Madrid, Gredos, 9e éd., 1986, 690 p., p. 295.
156. MARTINEZ, Nicole, 1986, *Les Tsiganes*, Paris, PUF, « Que sais-je ? », n° 580, 1986, 126 p., notamment ch. 2, p. 20-30, ainsi que
MALHERBE, Michel, *Les Langages de l'humanité*, Paris, Seghers, 1983, 441 p., et Paris, Robert Laffont, « Bouquins », 1995, 1 734 p., p. 197.
ASSÉO, Henriette, *Les Tsiganes, une destinée européenne*, Paris, Gallimard, 1994, 160 p.
WILLIAMS, Patrick, *Terre d'asile, terre d'exil*, Paris, Peuples autochtones.
LIÉGEOIS, Jean-Pierre, *Mutation tsigane, la révolution bohémienne,* Paris, Complexe, distr. par PUF, 1976, 225 p., notamment p. 13-22.
LIÉGEOIS, Jean-Pierre, *Roma, tsiganes, voyageurs*, Strasbourg, Conseil de l'Europe, 1994, 315 p., notamment p. 43-59.
157. MEILLET, Antoine et COHEN, Marcel (sous la dir.), *Les Langues du monde*, Paris, CNRS-Champion, 1952, 2 tomes, 1 294 p. et 21 cartes, p. 947-948, ainsi que

MALHERBE, Michel, *Les Langages de l'humanité*, Paris, Seghers, 1983, 441 p., et Paris, Robert Laffont, « Bouquins », 1995, 1 734 p., p. 254.
Selon le *Mémo-Larousse* 1989, p. 372, il y aurait 600 000 locuteurs d'aymara en Bolivie, 1 million de locuteurs de tupi-guarani au Paraguay et 6 millions de locuteurs de quechua au Pérou.

158. COROMINAS, Joan, *Breve diccionario etimológico de la lengua castellana*, Madrid, Grados (1re éd. 1961), 3e éd., 1987, 627 p., p. 123.
REY, Alain (sous la dir.), *Dictionnaire historique de la langue française*, Paris, Le Robert, 1992, 2 tomes, 2 383 p.

159. REY-DEBOVE, Josette et GAGNON, Gilberte, *Dictionnaire des anglicismes*, Paris, Robert, 1980, p. 698-699.

160. MURATORI-PHILIP, Anne, *Parmentier*, Paris, Plon, 1994, 398 p., ch. « La bataille de la pomme de terre », p. 105-140.

161. PELT, Jean-Marie, *Des légumes*, Paris, Fayard, 1993, 231 p., p. 60.
QUID 1995 donne une production annuelle de 60 000 t de pommes de terre contre 8 000 t de tomates.

162. VALKHOFF, Marius, *Étude sur les mots français d'origine néerlandaise*, Amersfoort, Valkhoff and Co., 1931, p. 82.

163. GUIRAUD, Pierre, *Les Mots étrangers*, Paris, PUF, « Que sais-je ? », n° 1166, 1965, 123 p., p. 59.

164. CHAUDENSON, Robert, *Les Créoles*, Paris, PUF, « Que sais-je ? », n° 2970, 1995, 127 p., p. 71-73.

165. PEREGO, « Les créoles », dans MARTINET, André (sous la dir.), *Le Langage*, Paris, Gallimard, « La Pléiade », 1968, 1 525 p.

166. CHAUDENSON, Robert, *Les Créoles*, Paris, PUF, « Que sais-je ? », n° 2970, 1995, 127 p., p. 21-23.

167. REY, Alain (sous la dir.), *Dictionnaire historique de la langue française*, Paris, Le Robert, 1992, 2 tomes, 2 383 p., article *nickel*.

168. GERMA, Pierre, *Du nom propre au nom commun, dictionnaire des éponymes*, Paris, Bonneton, 1993, 255 p.

169. WALTER, Henriette, *L'Aventure des langues en Occident. Leur origine, leur histoire, leur géographie*, Paris, Robert Laffont, 1994, 498 p. (préface d'André Martinet), notamment p. 107.

170. ŠABRŠULA, Jan, « L'élément russe dans les langues européennes », *Philologica Pragensia*, Prague, 1987, 4, p. 208-220.

171. REY, Alain (sous la dir.), *Dictionnaire historique de la langue française*, Paris, Le Robert, 1992, 2 tomes, 2 383 p., article *meringue*.

172. DAUZAT, Albert, DUBOIS, Jean et MITTERAND, Henri, *Dictionnaire étymologique et historique du français*, Paris, Larousse (1re éd. 1964), 1993, 822 p., sous l'entrée *robot*.

173. BACQUET, Paul, *Le Vocabulaire anglais*, Paris, PUF, « Que sais-je ? », n° 1574 (1re éd. 1974), 1982, 127 p., p. 52-53.

174. BACQUET, Paul, *L'Étymologie anglaise*, Paris, PUF, « Que sais-je ? », n° 1652, 1976, 125 p., p. 31-32.

175. BACQUET, Paul, *Le Vocabulaire anglais*, Paris, PUF, « Que sais-je ? », n° 1574 (1re éd. 1974), 1982, 127 p., p. 12.

176. CELLARD, Jacques, *Ah ! ça ira, ça ira... Ces mots que nous devons à la Révolution*, Paris, Balland, 1989, 351 p., p. 116.
177. REY, Alain (sous la dir.), *Dictionnaire historique de la langue française*, Paris, Le Robert, 1992, 2 tomes, 2 383 p., sous l'entrée *sentimental.*
178. WALTER, Henriette, *Des mots sans-culottes*, Paris, Robert Laffont, 1989, 244 p., p. 183-190.
179. BRILLAT-SAVARIN, J.A., *Physiologie du goût, ou Méditations de gastronomie transcendante*, Paris, 1826, cité par HÖFLER, Manfred, *Dictionnaire des anglicismes*, Paris, Larousse, 1982, 308 p.
180. FREY, Max, *Les Transformations du vocabulaire français à l'époque de la Révolution (1789-1800)*, Paris, PUF, 1925, p. 51.
181. FREY, Max, *Les Transformations du vocabulaire français à l'époque de la Révolution (1789-1800)*, Paris, PUF, 1925, p. 59.
182. FREY, Max, *Les Transformations du vocabulaire français à l'époque de la Révolution (1789-1800)*, Paris, PUF, 1925, p. 50.
183. MACKENSIE, Fraser, *Les Relations de l'Angleterre et de la France d'après le vocabulaire* : 1re partie, *Les Infiltrations de la langue et de l'esprit anglais. Anglicismes français* ; 2e partie, *Gallicismes anglais*, Paris, Droz, 1939, qui donne, dans l'appendice A, les listes complètes des nouveaux anglicismes figurant dans les éditions successives du *Dictionnaire de l'Académie française* (1694-1935).
184. GUYOT, Lucien et GIBASSIER, Pierre, *Les Noms des arbres*, Paris, PUF, « Que sais-je ? », n° 861 (1re éd. 1960), 1966, 127 p., p. 127.
185. SOUCCAR, Thierry, « Tout savoir sur les sodas », *Sciences et Avenir*, Paris, juin 1996, p. 45.
186. *Dictionnaire des termes officiels de la langue française*, Délégation générale à la langue française, Paris, *Journal officiel* éditeur, 1994, 462 p., p. 235.
187. ÉTIEMBLE, *Parlez-vous franglais ?*, Paris, Gallimard, 1964, 376 p.
188. WALTER, Henriette, *Le Français dans tous les sens*, Paris, Robert Laffont, 1988, 384 p. (préface d'André Martinet). Grand Prix de l'Académie française pour 1988, p. 182-183, et carte du français en Afrique, p. 211.
189. ROSSILLON, Philippe (sous la dir.), *Atlas de la langue française*, Paris, Bordas, 1985, 127 p., p. 81-89.
190. PELT, Jean-Marie, *Des fruits*, Paris, Fayard, 1994, 283 p., p. 159-168.
191. POIRÉ, Paul et coll., *Nouveau Dictionnaire des sciences et de leurs applications*, Paris, Delagrave, 1903 (?), 3 362 p., p. 2228.
192. POIRÉ, Paul et coll., *Nouveau Dictionnaire des sciences et de leurs applications*, Paris, Delagrave, 1903 (?), 3 362 p., p. 494.
193. PELT, Jean-Marie, *Des fruits*, Paris, Fayard, 1994, 283 p., p. 172-173.
194. MARTINET, André, « alfonic et l'écriture japonaise », *Liaison alfonic*, 1984/1, p. 7-10.
195. Je remercie Tomoko ICHIKAWA de son aide pour la rédaction de cet encadré.
196. Cité par FREY, Max, *Les Transformations...* (cf. note 180), p. 46.

197. Le corpus qui a été réuni dans le *Lexique* présenté en annexe a été constitué, en plus du *Dictionnaire des mots d'origine étrangère* de Henriette et Gérard WALTER (Paris, Larousse, 1991, 413 p.), grâce au dépouillement, par les soins de Gérard WALTER, des ouvrages suivants :

Larousse, Dictionnaire de français, 35 000 mots, Paris, 1987, 1 095 p.

Le Nouveau Petit Robert, Dictionnaire alphabétique et analogique de la langue française, ROBERT, Paul, sous la dir. d'Alain REY et de Josette REY-DEBOVE, Paris, éd. Le Robert (1re éd. 1967), 1993, 2 467 p.

Le Petit Larousse compact 1996, Paris, Larousse, 1995, 1 776 p.

Micro Robert Plus, Paris, Le Robert, 1988, 1 091 p. + 306 p. + atlas + chronologie (env. 35 000 mots).

ALLEN, R.E. (sous la dir.), *The Concise Oxford Dictionary of Current English*, Oxford, Clarendon Press, 1990, 1 454 p.

BLOCH, Oscar et WARTBURG, Walther von, *Dictionnaire étymologique de la langue française*, Paris, PUF, 1950, 651 p.

BOLOGNE, Jean-Claude, *Les Allusions bibliques*, Dictionnaire commenté des expressions d'origine biblique, Paris, Larousse, 1991, 288 p.

BOUFFARTIGUE, Jean et DELRIEU, Anne-Marie, *Trésors des racines latines*, Paris, Belin, 1981, 335 p.

BOUFFARTIGUE, Jean et DELRIEU, Anne-Marie, *Trésors des racines grecques*, Paris, Belin, 1981, 285 p.

COLIN, Jean-Paul, *Trésor des mots exotiques*, Paris, Belin, 1986, 307 p.

COROMINAS, Joan, *Breve diccionario etimológico de la lengua castellana*, Madrid, Grados (1re éd. 1961), 3e éd., 1987, 627 p.

CORTELAZZO, Manlio et ZOLLI, Paolo, *Dizionario etimologico della lingua italiana*, Bologna, Zanichelli, 1979, 5 tomes, 1 470 p.

CUNHA, Antônio Geraldo da, *Dicionário etimológico da língua portuguesa*, Botafogo (Brésil), Editora Nova frontera (1re éd. 1982), 2e éd. augmentée 1987, 832 p. + XX p. + 101 p.

DAUZAT, Albert, DUBOIS, Jean et MITTERAND, Henri, *Dictionnaire étymologique et historique du français*, Paris, Larousse (1re éd. 1964), 1993, 822 p.

GERMA, Pierre, *Du nom propre au nom commun, dictionnaire des éponymes*, Paris, Bonneton, 1993, 255 p.

GUIRAUD, Pierre, *Les Mots étrangers*, Paris, PUF, « Que sais-je ? », n° 1166, 1965.

GUIRAUD, Pierre, *Patois et dialectes français*, Paris, PUF, « Que sais-je ? », n° 1285, 1968, où l'auteur consacre tout un chapitre aux mots dialectaux (ch. IV, p. 95-113).

HOAD, T.F. (sous la dir.), *The Concise Oxford Dictionary of English Etymology*, Oxford, Clarendon Press, 1986, 552 p.

HÖFLER, Manfred, *Dictionnaire des anglicismes*, Paris, Larousse, 1982, 308 p.

LA STELLA T., Enzo, *Dizionario storico di deonomastica*, Firenze, Olschki, 1984, 233 p.

La Stella T., Enzo, *Santi e fanti, dizionario dei nomi di persona*, Bologna, Zanichelli, 1996, 385 p.

Mills, A.D., *A Dictionary of English Place-Names*, Oxford-New York, Oxford University Press, 1991, 388 p.

Nègre, Ernest, *Toponymie générale de la France*, Genève, Droz, 1990, tome 1, p. 7-704, 1991, tome 2, p. 713-1381 et tome 3, p. 1399-1852.

Onions, C.T. (sous la dir.), *The Oxford Dictionary of English Etymology*, avec la collaboration de Friederichsen, G.W.S. et Burchfield, R.W., Oxford, Clarendon Press (1re éd. 1966), 1985, 1 024 p.

Pergnier, Maurice, *Les Anglicismes. Danger ou enrichissement pour la langue française ?*, Paris, PUF, 1989, 214 p.

Pfeifer, Wolfgang, *Etymologisches Wörterbuch des Deutschen*, Berlin, Akademie Verlag, 1983, 3 tomes, 2 093 p.

Picoche, Jacqueline, *Nouveau Dictionnaire étymologique du français*, Paris, Hachette-Tchou, 1971, 827 p.

Picone, Michael David, *De l'anglicisme et de la dynamique de la langue française*, Lille, Atelier national de reproduction des thèses, Univ. de Lille, 1981, 405 p.

Rey, Alain (sous la dir.), *Dictionnaire historique de la langue française*, Paris, Le Robert, 1992, 2 tomes, 2 383 p.

Rey-Debove, Josette et Gagnon, Gilberte, *Dictionnaire des anglicismes*, Paris, Robert, 1980, 1 152 p. (2 626 formes).

Zingarelli, Nicola, *Vocabolario della lingua italiana*, Bologne, Zanichelli, 1970, 2 064 p.

LES INDEX ET LE LEXIQUE

Index des noms propres
Index des noms de lieux
Index des langues et des peuples cités
Index des notions

Lexique et index des formes citées

INDEX

I. NOMS PROPRES

Académie française 127, 225-226
Adélard de Bath 147
Al-Mamoun, calife 146
Al-Mansour, calife de Bagdad 146
Albert ***(prénom)*** 109
Albucasis (Abu'l Qasi, dit) 147
Alcuin (Albinus Flaccus) 64
Alexandre le Grand 142
Alexandre VI, pape 194-195
Alphonse VI de Castille 185
Ampère (André-Marie) 94
Arfvedson 73
Aristote 146
Arnaut Daniel 172
As-Sabbah (Hassan) 153-154, 172
Assassiyoun 154
Atatürk 161
Auguste, empereur 97
Avicenne 147

Balzac (Honoré de) 47, 163, 223
Baudelaire (Charles) 38, 237
Bernard ***(prénom)*** 109
Bernardin de Saint-Pierre (Henri) 244
Berthollet (Claude) 83
Berzelius (Jöns Jacob) 72, 73, 74, 75
Boccace (Giovanni Boccaccio, dit) 170, 172
Boiardo (Matteo Maria) 96
Bonnet rouge ***(prénom révolutionnaire)*** 83
Boudin (Eugène) 117
Bouthoul (Gaston) 86
Bréal (Michel) 86
Brillat-Savarin 223
Bromel (Olaf) 92
Brutus ***(prénom révolutionnaire)*** 83
Bunsen (Robert Wilhelm) 74
Bute (John Stuart, comte de) 92

Cabral (Álvares) 194

Cadogan (William) 96
Calepino (Ambrogio dei Conti di Caleppio, dit) 91, 95
Čapek (Kariel) 213
Cardigan (J.T. Brudenell, comte de) 96
Cassandre Salviati 177
Catherine de Médicis 12, 167, 176, 192-193
Cattley (William) 93
Cavanilles (Antonio José) 93
Caventou (Joseph Bienaimé) 85
Cellini (Benvenuto) 176
Celsius (Anders) 94
Cérès 72
César (Jules) 47, 62, 209, 213
Cham 140
Chaptal (Jean) 83
Charlemagne 12, 64
Charles d'Anjou 170
Charles le Simple 113
Chaucer (Geoffrey) 218
Cicéron 62, 108, 111
Clovis 103
Colbert (Jean-Baptiste) 124
Colomb (Christophe) 190, 200
Coquillards (procès des) 28
Coulomb (Charles) 94
Courtois (Bernard) 85
Cronstadt (Alex Fredrik, baron von) 206
Cullen (William) 223
Curie (Marie) 70, 72, 74, 95
Curie (Pierre) 70, 72, 95
Cuvier (Georges) 85
Cyrille, évêque, frère de Méthode 143

Dagobert 109
Dahl (Andreas) 13, 91, 93
Dante 171
Davy (Humphrey) 72, 73, 74, 85
Debierne (André) 72
Demarçay (Eugène Anatole) 73
Disney (Walt) 246
Du Bellay (Joachim) 168, 176, 178
Dumas (Jean-Baptiste) 85
Dumas fils (Alexandre) 92
Dumas père (Alexandre) 211

Einstein (Albert) 72
Endlicher 45, 46
Estienne (Henri) 12, 178-179
Étiemble (René) 12, 179, 237
Euclide 147

Faraday (Michael) 94
Fermi (Enrico) 73
Fibonacci (Leonardo) 148
François Ier 12, 29, 167, 176
Freud 208
Fresnais 221
Fuchs (Leonard) 93

Gadolin 73
Galilée 93-94
Garden (Alexander) 93
Gaulle (Charles de) 12
Gay-Lussac (Louis Joseph) 85

Gazette de France (La) 171
Gérard *(prénom)* 109
Gérard de Crémone 148
Gerbert d'Aurillac 148
Gmelin 208
Gnafron 132
Godillot (Alexis) 92
Gray 94
Guignol 132
Guillaume de Normandie 218
Gutenberg (Johannes Gensfleisch, dit) 143
Guyton de Morveau (Louis Bernard) 85

Hahn (Otto) 73
Hakam II, calife 147
Haschischiyoun, secte musulmane 153-154
Henri II 167
Henri III 12
Henri IV 29, 124, 168
Henry (Joseph) 94
Hertz (Heinrich) 94
Hofmann (August Wilhelm von) 207
Horace 62
Hubert *(prénom)* 109
Hugo (Victor) 26, 117

Ibarruri (Dolores) 187

Jacques Ier d'Angleterre 143
Jérôme, saint 142-143
Jésus 142, 144
Joule (James Prescott) 94

Kamel (Georg) 92
Kant 208
Kelvin (William Thomson, lord) 94
Kirchhoff (Gustav Robert) 74
Klaproth (Martin Heinrich) 72, 75
Kobold *(lutin germanique)* 206

La Fontaine (Jean de) 30, 47, 217
La Montagne *(prénom révolutionnaire)* 83
Latini (Brunetto, dit Brunet Latin) 171
Laure 172
Laurent le Magnifique 167
Lavoisier (Antoine Laurent de) 85
Lawrence (Ernest) 73
Lecoq de Boisbaudran (François) 72, 73, 74, 95
Léonard de Pise (Leonardo Fibonacci, dit) 148
Liberté *(prénom révolutionnaire)* 83
Linné (Carl von) 13, 92, 93
Littré (Émile) 86
Lockyer (Norman) 73
Lombards 169-170, 177
Louis VIII 126
Louis XIII 168
Louis XIV 135
Louis XV 212
Luther (Martin) 143

Maalouf (Amin) 139
Mamamouchi 161
Mansart (François) 92
Marie de Médicis 168
Marie Leszczinska 212

Marignac 73
Matthieu, saint 145
Mazarin (Jules, Giulio Mazzarino, dit) 143, 168
Mendeleïev (Dimitri Ivanovitch) 73, 74
Mérimée (Prosper) 212
Méthode, évêque, frère de Cyrille 143
Michel III, empereur d'Orient 146
Mille et Une Nuits (Les) 160
Molière (Jean-Baptiste Poquelin, dit) 135, 161
Monet (Claude) 117
Montaigne (Michel Eyquem de) 168, 176, 177, 180, 219
Montgolfier (Joseph et Étienne) 92
Mozart (Wolfgang Amadeus) 161

Necker (Jacques) 254
Neptune 74
Newton (Isaac) 94
Nicolaus *(lutin germanique)* 206
Nicot (Jean) 91, 192
Nilson 74
Niobé 74
Nobel (Alfred) 74
Noé 140

Odette 93
Oersted (Christian) 72
Ohm (Georg Simon) 94

Pallas 74
Paracelse (Philippus Aureolus Theophrastus Bombastus von Hohenheim, dit) 149
Parmentier (Antoine Augustin) 92, 193
Pascal (Blaise) 94
Pelletier (Joseph) 85
Perey (Marguerite) 73
Pétrarque (Francesco Petrarca, dit) 172, 177
Philippe Auguste 126, 169
Pierre le Grand 108
Pinel (Philippe) 223
Platon 151
Plessis-Praslin 92
Pline l'Ancien 188
Pluton 70, 74
Poiseuille 94
Polo (Marco) 172
Pontin 72
Poubelle (Eugène) 91
Primatice (Francesco Primaticcio, dit le) 176
Prométhée 74
Proust (Marcel) 92-93

Rabelais (François) 134, 160, 176
Racine (Jean) 95
Raglan (James Henry Somerset, baron de) 96
Ramsay (William) 73
Renard, les frères 207
Renart, Roman de 109
Renaudot (Théophraste) 171
Richelet 25
Robert *(prénom)* 109
Robert d'Anjou 170
Roland, neveu de Charlemagne 86
Ronsard 177

Röntgen (Wilhelm Conrad) 94
Rusticien de Pise 172
Rutherford (Ernest) 74

Saint Louis 126
Salpêtre *(prénom révolutionnaire)* 83
Samarski 74
Sancho le Grand 185
Sans-culotte *(prénom révolutionnaire)* 83
Scheele (Carl Wilhelm) 85
Schultz, Dr 208
Seaborg (Glenn) 72
Sédillot (Charles) 86
Sec-Quayah, chef cherokee 228
Seldjoukides 153
Sem 140
Siemens (Werner) 94
Sievert 94
Sigisbert *(prénom)* 109
Silhouette (Étienne de) 92
Staël (Germaine Necker, baronne de) 211
Stendhal (Henri Beyle, dit) 168, 237
Sterne (Laurence) 221
Stokes (George Gabriel) 94
Stoney 85
Suétone 108

Tantale 74
Tennant (Smithson) 73, 74
Thibaud *(prénom)* 109
Thor 75

Uranus 75
Urbain (Georges) 73

Van Helmont (Jean-Baptiste) 85
Vanadis 75
Verlaine (Paul) 22
Villon (François) 29, 35
Vinci (Léonard de) 176
Virgile 62
Volta (Alessandro) 94
Voltaire (François Marie Arouet, dit) 220

Watt (James) 94
Weber (Wilhelm) 94
Winkler (Clemens Alexander) 73
Wöhler (Friedrich) 72
Wollaston (William Hyde) 74
Wulfila (ou Ulfila), évêque 142

Zeus 74

II. NOMS DE LIEUX

Adour (cours d'eau) 39
Afrique 140, 199, 233, 241-242, 244
Afrique du Nord 139, 140, 169
Ain (cours d'eau) 39 **(dépt)** 52
Alep (Syrie) 139
Alexandrie 96, 142
Algérie 96
Allemagne 105, 193
Allier 50, 55, 56
Alpes 132
Alpes-Maritimes 41
Alsace 103
Amérique 189, 190, 192, 193, 199, 227, 228
Amérique du Nord 227
Amérique du Sud 190, 196
Amérique latine 191, 194
Anatolie 96
Andes (les) 190
Angleterre 48, 96, 218-220, 224, 255
Angoulême 41
Angoumois 192
Anjou 94, 113
Annonay 92
Antilles 190, 192, 193, 199, 200, 244
Appetot (Eure) 115
Aptot (Eure) 115
Arabie 142
Ardennes 56
Argenteuil (Val-d'Oise) 49
Ascalon (Palestine) 69, 162
Asie 197, 227, 228-229
Atlantique 39, 194-195, 218
Aube 50, 56
Aude 50
Aulnaie (Eure-et-Loir) 57
Aulnaies (L') (Maine-et-Loire) 57
Aulnat (Puy-de-Dôme) 57
Aulnay (Aube, Char.-Mar., Hauts-de-Seine, Indre-et-Loire, Vienne) 57
Aulnay-aux-Planches (Marne) 57
Aulnay-l'Aître (Marne) 57
Aulnay-la-Rivière (Loiret) 57
Aulnay-sous-Bois (Seine-Saint-Denis) 57
Aulnay-sur-Iton (Eure) 57
Aulnay-sur-Marne (Marne) 57
Aulnay-sur-Mauldre (Yvelines) 57
Aulnays (Les) (Maine-et-Loire, Mayenne, Saône-et-Loire) 57
Aulne (L') (Finistère, Mayenne) 57
Aulneaux (Les) (Sarthe) 57
Aulnizeux (Marne) 57

Aulnois (Vosges) 57
Aulnois-Bulgnéville (Vosges) 57
Aunois-en-Perthois (Meuse) 57
Aulnois-sous-Laon (Aisne) 57
Aulnois-sous-Vertuzcy (Meuse) 57
Aulnois-sur-Seille (Moselle) 57
Aulnoy (Aisne, Seine-et-Marne) 57
Aulnoy-lez-Valenciennes (Nord) 57
Aulnoy-sur-Aube (Haute-Marne) 57
Aulnoyc-Aymeries (Nord) 57
Aunay-en-Bazois (Nièvre) 57
Aunay-les-Bois (Orne) 57
Aunay-Saint-Georges (Calvados) 57
Aunay-sous-Auneau (Eure-et-Loir) 57
Aunay-sous-Crécy (Eure-et-Loir) 57
Aunay-sur-Odon (Calvados) 57
Aunay-Tréon (Eure-et-Loir) 57
Auneau (Eure-et-Loir) 57
Auneuil (Oise) 57
Aunou-le-Faucon (Orne) 57
Aunou-sur-Orne (Orne) 57
Aurillac 148
Australie 10, 246
Auteuil 41
Autriche 214
Auvergne 124
Avalleur (Aube) 50
Avallon (Yonne) 45, 50
Avalogile (Cantal) 45
Aveyron (cours d'eau) 39
Avignon 172

Bagdad 146, 169
Baigorri (Pays basque) 36
Bar-sur-Aube (Aube) 122
Barbarie (Échelles de) 169, 255
Barfleur (Manche) 115
Bayeux 113
Beauchêne (Loir-et-Cher, Orne) 52
Beauchesne (Illc-ct-Vilaine) 52
Beaujolais 36
Beauquesnc (Somme) 52
Beauvernois (Saône-et-Loire) 54
Belcasse (Tarn-et-Garonne) 52
Belgique 134
Bellechassagne (Corrèze) 52
Belloy (Oise, Val-d'Oise, Somme) 50
Belverne (Haute-Saône) 54
Bénin 241, 244
Berkeley (Californie, États-Unis) 70, 72
Berlin (Allemagne) 13, 96, 97
Bernède (Gers) 54
Bernède (La) (Ariège, Aude) 53
Berry 55, 113
Béziers 41
Bidassoa (Pays basque) 36

Bolivie 190, 192
Bordeaux (Gironde) 41, 103, 123
Bornholm 103
Botswana 241
Bougie (aujourd'hui Béjaia) 96
Bouleuse (Marne) 50
Bouquetot (Eure) 115
Bourgogne 56, 103, 185
Brésil 192, 194, 195, 227, 244, 253, 254
Bretagne 113
Bricquebec (Manche) 115
Bristol (Grande-Bretagne) 96
Brive (Corrèze) 45
Budapest 214
Burgundarholm 103
Burkina Faso 241
Burundi 241

Cadmée (Grèce) 72
Calabre 40
Californie / California 72, 228
Calvados 114, 115
Cameroun 241
Canada 36, 170, 227-228
Canaries 188
Cantal 36, 45
Cap-Vert 201
Capvern (Hautes-Pyrénées) 54
Carthage 141
Casamance 201
Cassaber (Pyrénées-Atlantiques) 52
Cassaet (Pyrénées-Atlantiques) 52
Cassagnabère-Tournas (Haute-Garonne) 52
Cassagnas (Lozère) 52
Cassagnas-Barre (Lozère) 52
Cassagne (Haute-Garonne) 50, 51, 52
Cassagne (La) (Dordogne) 52
Cassagnère (Haute-Garonne) 52
Cassagnes (Pyrénées-Orientales, Aveyron, Lot) 52
Cassagnes-Bégonhès (Aveyron) 52
Cassagnes-Comtaux (Aveyron) 52
Cassagnoles (Aveyron, Gard, Hérault) 50, 52
Cassaigne (Gers) 52
Cassaigne (La) (Aube) 52
Cassaignes (Aube) 52
Cassan (Morbihan, Cantal, Gard) 52
Cassanets (Les) (Vaucluse) 52
Cassaniouze (Cantal) 52
Cassano (Haute-Corse) 50, 52
Cassen (Landes) 52
Casseneuil (Lot-et-Garonne) 52
Cassés (Les) (Aube) 52
Casseuil (Gironde) 52
Cassignas (Lot-et-Garonne) 52
Cassignole (La) (Aube) 52
Castelnaudary (Aude) 50
Castille 147, 185
Castille / Portugal 194, 195

Caudebec (Seine-Maritime) 115
Ceylan 198, 230
Chagne (La) (Ain, Savoie) 52
Chaignay (Côte-d'Or) 52
Chaignot (Côte-d'Or) 52
Chainaz (Haute-Savoie) 52
Chainée (Jura) 52
Champagne 56, 105, 121-122, 126, 168
Chanas (Isère) 52
Chanay (Ain, Isère, Jura, Savoie) 52
Chanay (Le) (Ain, Savoie) 52
Chanaz (Savoie) 52
Chane (Savoie) 52
Chanenaz (Haute-Savoie) 52
Chanes (Ain) 52
Chânes (Saône-et-Loire) 52
Chanet (Cantal) 52
Chanet (Le) (Aube) 52
Chanets (Les) (Hautes-Alpes) 52
Chaneye (Ain) 52
Chaniers (Charente-Maritime) 52
Chanoy (Haute-Marne, Loiret) 50, 52
Chanoy (Le) (Seine-et-Marne) 52
Chanoz (Ain) 52
Charente (dépt) 40
Charnas (Ardèche) 52
Charnois (Ardennes) 52
Charnois (Le) (Seine-et-Marne) 52
Charnoy (Le) (Seine-et-Marne) 52
Chasnais (Vendée) 52
Chasnas (Ain) 52
Chasnaz (Savoie) 52
Chasne (Le) (Seine-et-Marne) 52
Chasné (Ille-et-Vilaine) 52
Chassagna (Haute-Vienne) 52
Chassagnas (Haute-Vienne) 52
Chassagne (Cantal, Haute-Loire, Hautes-Alpes, Nièvre, Puy-de-Dôme) 52
Chassagne (La) (Ain, Allier, Côte-d'Or, Creuse, Haute-Marne, Jura) 52
Chassagne-Montrachet (Côte-d'Or) 52
Chassagne-Saint-Denis (Doubs) 52
Chassagnes (Alpes-de-Haute-Provence, Haute-Loire) 52
Chassagnole (Loire) 52
Chassaigne (Allier) 50-52
Chassaignes (Allier, Dordogne, Hautes-Alpes) 52
Chassaignolles (Puy-de-Dôme) 52
Chassaing (Allier, Creuse, Dordogne) 52
Chassaing (Le) (Puy-de-Dôme) 52
Chassaing-Cheval (Creuse) 52
Chassant (Eure-et-Loir) 52
Chasse (Alpes-de-Haute-Provence, Isère) 52
Chasse-sur-Rhône (Isère) 52

Chasseignas (Dordogne) 52
Chasseigne (Indre, Nièvre) 52
Chasseignes (Vienne) 52
Chassenaz (Haute-Savoie) 52
Chassenet (Loire, Puy-de-Dôme) 52
Chasseneuil (Indre) 52
Chasseneuil (Le) (Haute-Vienne) 52
Chasseneuil-du-Poitou (Vienne) 52
Chasseneuil-sur-Bonnieure (Charente) 52
Chassignelles (Yonne) 52
Chassignol (Allier, Creuse, Loire) 52
Chassignole (Puy-de-Dôme, Yonne) 52
Chassignole (La) (Allier, Creuse) 52
Chassignoles (Les) (Puy-de-Dôme) 52
Chassignole (Indre) 52
Chassignolles (Haute-Loire) 52
Châteauroux (Indre) 50
Cheetwood (Grande-Bretagne) 41
Chenaie (La) (Maine-et-Loire, Orne) 52
Chêne (Ain, Nièvre, Vienne) 52
Chêne (Le) (Aube, Char.-Mar., Creuse, Doubs, Indre-et-Loire, Isère, Loire, Loire-Atlantique, Vaucluse) 52
Chêne-Arnoult (Yonne) 52
Chêne-au-Loup (Nord) 52
Chêne-Bernard (Jura) 52
Chêne-Doré (Eure-et-Loir) 52
Chêne-Doux (Mayenne) 52
Chêne-du-Loup (Allier) 52
Chêne-Éclat (Indre) 52
Chêne-en-Semine (Haute-Savoie) 52
Chêne-Fourchu (Le) (Cher) 52
Chêne-la-Reine (Marne) 52
Chêne-Pendu (Indre-et-Loire) 52
Chêne-Rond (Loiret) 52
Chêne-Sec (Jura) 52
Chênedouit (Orne) 52
Chênerie (La) (Mayenne, Saône-et-Loire) 52
Chênes (Les) (Char.-Mar., Cher, Vosges) 52
Chênesec (Orne) 52
Chénier (Indre) 52
Chenières (Meurthe-et-Moselle) 52
Chéniers (Creuse, Marne) 52
Chennebrun (Eure) 52
Chenois (Moselle, Seine-et-Marne) 52
Chénois (Le) (Vosges) 52
Chepniers (Charente-Maritime) 52
Cher 55-56
Chesnaie (La) (Deux-Sèvres, Indre-et-Loire, Maine-et-Loire) 52
Chesnay (Le) (Eure, Loir-et-Cher, Yvelines) 52
Chesnaye (La) (Eure-et-Loir) 52

Chesne (Le) (Ardennes, Eure, Oise) 52
Chesnée (La) (Calvados) 52
Chesnière (La) (Sarthe) 52
Chesnois (Le) (Ardennes) 52
Chesnois-Auboncourt (Ardennes) 52
Chesnoy (Le) (Loiret) 52
Chesny (Moselle) 52
Chili 193
Chypre 97, 162
Cimiez 41
Cîteaux 185
Civitavecchia 168
Clairvaux 185
Clermont 112
Cluny 185
Collioure 41
Colombie 192, 201
Congo 241
Constantinople 162
Copenhague (Danemark) 73
Cordoue (Andalousie) 97, 146, 147
Corse 40, 50, 51, 131
Côte-d'Ivoire 241
Côte-d'Or 56, 112
Couesnon (cours d'eau) 39
Courrières (Pas-de-Calais) 133
Creil (Oise) 49
Crémone 148
Crète 162
Créteil (Val-de-Marne) 49
Cricqueville (Calvados) 114, 115
Criquebeuf (Eure, Seine-Mar., Calvados) 115
Cucco (Corse) 40
Cucq (Pas-de-Calais) 40
Cucuron (Isère) 40
Cuq (Charente, Dordogne, Lot-et-Garonne) 40
Cuqueron (Pyrénées-Atlantiques) 40
Curaçao 201
Cydonea (Crète) 162

Damas 142
Danube 214
Dauphiné 56, 126, 131
Deauville 117
Dieppe (Seine-Maritime) 123
Dinan (Côtes-d'Armor) 45
Divonne (Ain) 45
Djibouti 241
Dominique (La) 201
Dordogne (dépt) 40
Doubs (cours d'eau) 39 (dépt) 50

Échelles de Barbarie 169, 255
Échelles du Levant 169, 254
Écosse 113
Ecquetot 115
Égypte 83, 140, 188
Elbeuf (Seine-Maritime) 115
Embrun (Hautes-Alpes) 50
Équateur 190
Équennes (Somme) 52
Érythrée 140
Eschêne (Territoire de Belfort) 52
Espagne 140, 155, 185, 194, 246
Esquennoy (Oise) 52
États-Unis 84, 228

Éthiopie 140
Eure 50, 114, 115
Europe 190, 192, 193, 213, 228
Évreux (Eure) 50
Extrême-Orient 197

Faenza (Italie) 97
Flandre 121, 124
Florence 93, 170
Fontainebleau 176
Forbach (Moselle) 112
Forez 126, 131
France 73, 221, 228
Franche-Comté 56, 126, 131
Fujisan 249
Fuji-Yama 249

Gabon 241, 243
Gambie 241
Galata (à Istanbul) 97, 162
Gard (cours d'eau) 39
Garonne (cours d'eau) 39, 45
Gaule 35-36, 38, 48, 49, 103
Gênes/Genoa/Genova 97, 168, 170
Genève 103
Germania 70
Gers (dépt) 40
Ghana 241, 244
Gironde (cours d'eau) 39
Golgotha 145
Gotland (Suède) 103
Grande-Bretagne 41, 193, 220
Grèce 83, 188, 189
Guadeloupe 201
Guebwiller (ballon de) 209
Guinée 201, 241, 244
Guyane 201
Guyenne 124

Haïti 192, 193, 200, 201
Harfleur (Seine-Maritime) 115, 117
Haute-Corse 50
Haute-Garonne 50
Haute-Marne 56
Haute-Savoie 50
Hautes-Pyrénées 50
Hérault (cours d'eau) 39
Hispaniola 200
Hollande 124
Honduras 201
Honfleur (Calvados) 115, 117
Houlbec (Eure, Manche) 115

Inde 83, 150, 159, 198, 228
Indien (océan) 201
Indre 50, 55, 56
Iran 156
Iriberri (Pays basque) 36
Isère (dépt) 40
Islande 210
Israël 141
Istanbul 162
Italie 36, 40, 121, 128, 129, 131, 140, 176, 177, 178
Ivry 50

Jamaïque 201
Japon 92, 249
Java 152

Kentucky (États-Unis) 84

La Boulaye (Saône-et-Loire) 50

La Guerche (Indre-et-Loire, Mayenne, Ille-et-Vilaine, Cher) 113
Lacassagne (Hautes-Pyrénées) 50, 52
Lachassagne (Rhône) 52
Lagny (Oise) 122
Languedoc 56, 126
Lannoy (Nord) 57
Lannoy-Cuillère (Oise) 57
Launay (Eure, Mayenne) 57
Launois-sur-Vence (Ardennes) 57
Launoy (Aisne) 57
Lavergne (Aveyron, Cantal, Corrèze, Creuse, Dordogne, Lot-et-Garonne, Lot, Puy-de-Dôme) 53-54
Lavernat (Sarthe) 54
Lavernay (Doubs) 54
Lavernhe (Aveyron) 53
Lavernose-Lacasse (Haute-Garonne) 54
Lavernoy (Haute-Marne) 54
Le Boulois (Doubs) 50
Le Cateau (Nord) 50
Le Cuq (Gers) 40
Le Truc (Savoie) 41
Les Aulneaux (Sarthe) 57
Les Aulnois (Yvelines) 57
Les Petits-Aulnois (Seine-et-Marne) 57
Levant (Échelles du) 169, 254
Levernois (Côte-d'Or) 53
Liban 141
Liéchêne (Seine-et-Marne) 52
Lille (Nord) 125
Lindebeuf (Seine-Maritime) 115
Lindisfarne (Écosse) 113
Lintot (Seine-Maritime) 115
Liré (Maine-et-Loire) 178
Loire (cours d'eau) 39, 176 **(dépt)** 56
Loiret 50
Lombardie 169
Longaulnay (Ille-et-Vilaine) 57
Longchêne (Yvelines) 52
Lot (cours d'eau) 39 **(dépt)** 40
Lot-et-Garonne (dépt) 40
Louisiane 201
Loyre (anc. graphie de Loire) 178
Lucques 170, 180
Lutèce 73
Lyon 132
Lyonnais 40, 131

Madagascar 244
Magnésie (Asie Mineure) 73
Maiandros / Méandre 97, 162
Maine 113
Malannoy (Pas-de-Calais) 57
Malaunay (Seine-Maritime) 57
Mali 241
Manche 114, 115, 218
Marne (cours d'eau) 39 **(dépt)** 50, 56
Marquises 247

Marseille (Bouches-du-Rhône) 29
Martinique 201
Maurice 201
Mauritanie 241
Mayenne (cours d'eau) 39
Méandre 97, 162
Méditerranée 39, 40, 131, 140, 141, 169, 197
Mendibels (Pyrénées-Atlantiques) 41
Mendigorri (Pyrénées-Atlantiques) 36, 41
Menton (Alpes-Maritimes) 41
Meuse (cours d'eau) 39
Mexico 191
Mexique 10, 93, 190, 233
Midi 126, 127, 128, 131
Modon (Péloponnèse) 188
Mongolie 247
Montcuq (Lot) 40
Mont-Saint-Michel 39
Monte Cucco (Calabre, Italie) 40
Montegibello (Sicile) 40
Montpellier 172
Mossoul (Iraq) 13
Mulhouse (Haut-Rhin) 112

Namibie 241
Nantua (Ain) 45
Naples 170, 172
Neuchâtel 112
Niger 241
Nîmes 36
Nord 50
Normandie 51, 105, 113-116, 134, 218
Nouveau Monde 189
Nouvelle-Zélande 246
Novgorod 108

Oise (cours d'eau) 39 **(dépt)** 50
Orne (cours d'eau) 39
Outre-Manche 97, 220

Pacifique 245
Padoue (Italie) 97
Palatin (Le) (Rome) 97, 178
Palatinat 103
Palestine 69, 141, 142
Paraguay 190, 192
Paris 73, 91, 113, 135, 143, 169, 170, 171, 176
Parme 168
Pas-de-Calas (dépt) 40, 133
Pays-Bas 124, 170, 193
Pays basque 129
Pergame (Asie Mineure) 162
Pérou 190, 192, 233
Pest / Budapest 214
Petrograd 108
Pharos (Alexandrie) 96, 162
Picardie 51, 124
Pise 148, 170, 172
Pistoia (Italie) 97
Pleubian (Côtes-d'Armor) 49
Pleumeur (Côtes-d'Armor) 49
Ploubalay (Côtes-d'Armor) 49
Plougastel (Finistère) 49
Poitou 113, 124, 126
Pologne 74, 212
Polynésie 246
Pommard (Côte-d'Or) 112
Poperingen (Flandre) 97

Port-Mahon (Baléares) 97
Portugal 192, 194, 195
Provence 124
Provinces-Unies 123
Provincia 129
Provins (Seine-et-Marne) 122
Puy-de-Serre (Vendée) 40
Pyrénées 185, 186
Pyrénées-Atlantiques (dépt) 40, 41

Quercitello (Haute-Corse) 50
Querqueville (Manche) 114, 115
Quesnay (Le) (Calvados, Eure, Manche) 52
Quesne (Le) (Somme) 50, 52
Quesnel (Le) (Oise, Somme) 52
Quesnot (Le) (Somme) 52
Quesnoy (Le) (Nord, Pas-de-Calais, Somme) 52
Quesnoy (Nord, Pas-de-Calais, Somme) 50, 52

République centrafricaine 241
République dominicaine 200
Réunion (La) 201
Rhin (cours d'eau) 39, 74, 103
Rhône (cours d'eau) 39, 131
Robertot (Seine-Maritime) 115
Rome 79, 97, 176
Roncevaux 86, 185
Rouen (Seine-Maritime) 124
Roussillon 36
Russie / Ruthenia 74
Rwanda 241

Saint-Colomban-des-Villars (Savoie) 41
Saint-Jacques-de-Compostelle 185
Saint-Jean-Pied-de-Port 129
Saint-Martin-de-Tours 64
Saintonge 124
Saône-et-Loire 50
Sardaigne 40
Sarthe (cours d'eau) 39
Sassenage (Isère) 51, 52
Savoie 41, 126, 131
Scandinavie / Scandia 74, 103, 113, 117
Seine-Maritime 114, 115
Sénégal 241
Seychelles 201
Sibérie 212
Sicile 40
Sienne 170
Socotra (Yémen) 150
Somalie 140
Somme 50
Sotteville (Manche, Seine-Mar.) 114
Soudan 140
Stockholm (Suède) 73, 75
Strontian (Écosse) 75
Suisse alémanique 103, 205
Suisse romande 126, 131
Syrie 142, 151

Tahiti 246

Tchad 241
Thulé 75
Tibet 247
Tibre 178
Tocqueville (Eure, Manche, Seine-Mar.) 114
Togo 241, 244
Tolède 146, 185
Tonga 247
Tordesillas 194, 195
Torquesne (Le) (Calvados) 52
Tortequesne (Pas-de-Calais) 52
Toscane 168, 170, 176
Toulon (Var) 29
Toulouse 41, 103, 127
Touraine 113
Tournai 126
Tourville (Calvados, Eure, Manche, Seine-Mar.) 114
Troie (Asie Mineure) 97, 162
Trouville (Manche, Seine-Mar.) 114
Troyes (Aube) 122
Turquie 161

Vair (Sarthe) 54
Vaire (Yonne) 54
Vaire-Arcier (Doubs) 54
Vaire-le-Petit (Doubs) 54
Vaire-sous-Corbie (Somme) 54
Vaires-sur-Marne (Seine-et-Marne) 54
Vaires-Torcy (Seine-et-Marne) 54
Val d'Aoste 126, 131
Val-d'Oise 50
Var (cours d'eau) 39
Vars (Charente) 53
Vars (Haute-Saône) 54
Vars-les-Plans (Hautes-Alpes) 54
Vars-Saint-Marcellin (Hautes-Alpes) 54
Vars-sur-Roseix (Corrèze) 53
Vendée 40, 55
Venezuela 192
Venise 140, 168, 170, 175
Ver (Manche) 54
Ver-en-Montagne (Jura) 54
Ver-lès-Chartres (Eure-et-Loir) 54
Ver-sur-Launette (Oise) 54
Ver-sur-Mer (Calvados) 53
Verdon (cours d'eau) 39
Vergnas (Corrèze) 53
Vergnaud (Le) (Allier) 53
Vergne (La) (Aveyron, Cantal, Char.-Mar., Cher, Corrèze, Creuse, Dordogne, Vienne) 53-54
Vergne (Le) (Puy-de-Dôme) 54
Vergné (Charente-Maritime) 53
Vergnecroze (Lozère) 54
Vergnelibère (Dordogne) 54
Vergnes (Les) (Corrèze, Creuse, Dordogne) 53-54
Vergnol (Cher) 53
Vergnolas (Creuse) 53
Vergnoles-le-Pouget (Aveyron) 53
Vergnolle (La) (Creuse) 54
Vergnon (Loire) 54
Vergnoulet (Lot) 54

Vergnoux (Creuse) 54
Vergt (Dordogne) 54
Vergt-de-Biron (Dordogne) 54
Vern-d'Anjou (Maine-et-Loire) 54
Vern-sur-Seiche (Ille-et-Vilaine) 54
Vernade (La) (Ardèche) 53
Vernades (Creuse) 54
Vernais (Cher) 53
Vernaison (Rhône) 54
Vernajoul (Ariège) 53
Vernarède (La) (Gard) 54
Vernarie (La) (Tarn) 54
Vernas (Ardèche, Isère) 53-54
Vernassal (Haute-Loire) 54
Vernassal-Bourg (Haute-Loire) 54
Vernaud (Loire) 54
Vernaux (Ariège) 53
Vernay (Le) (Ain, Haute-Savoie, Isère, Nièvre, Rhône) 53-54
Vernay (Loire, Rhône, Saône-et-Loire, Haute-Savoie) 54
Vernaye (Rhône) 54
Vernaz (La) (Haute-Savoie) 54
Verne (Allier, Doubs, Haute-Loire) 53-54
Verne (La) (Var) 54
Vernéa (La) (Alpes-Maritimes) 53
Verneau (Indre) 54
Vernède (La) (Gard, Haute-Loire) 54
Vernègues (Bouches-du-Rhône) 53
Verneiges (Creuse) 54
Verneil (Le) (Savoie) 54
Verneil-le-Chétif (Sarthe) 54
Verneix (Allier) 53
Vernejoul (Lot) 54
Vernelle (La) (Indre) 54
Vernet (Cantal, Creuse, Hérault, Haute-Garonne, Indre) 53
Vernet (Le) (Allier, Alpes-de-Haute-Provence, Ardèche, Ariège, Haute-Loire, Pyrénées-Orientales, Nièvre, Puy-de-Dôme) 53-54
Vernet-d'Ariège (Ariège) 53
Vernet-la-Varenne (Puy-de-Dôme) 54
Vernet-les-Bains (Pyrénées-Orientales) 54
Vernet-Sainte-Marguerite (Puy-de-Dôme) 54
Verneuge (Puy-de-Dôme) 54
Verneuges (Haute-Loire, Puy-de-Dôme) 54
Verneugheol (Puy-de-Dôme) 54
Verneuil (Allier, Charente, Cher, Dordogne, Marne, Nièvre) 53-54
Verneuil-en-Bourbonnais (Allier) 53
Verneuil-en-Halatte (Oise) 54
Verneuil-Grand (Meuse) 54
Verneuil-l'Étang (Seine-et-Marne) 54

Verneuil-la-Côte (Haute-Vienne) 54
Verneuil-le-Château (Indre-et-Loire) 54
Verneuil-Moustiers (Haute-Vienne) 54
Verneuil1-Petit (Meuse) 54
Verneuil-sous-Coucy (Aisne) 53
Verneuil-Saint-Germain (Indre-et-Loire) 54
Verneuil-sur-Avre (Eure)
Verneuil-en-Igneraie (Indre) 54
Verneuil-sur-Indre (Indre-et-Loire) 54
Verneuil-sur-Seine (Yvelines) 54
Verneuil-sur-Serre (Aisne) 53
Verneuil-sur-Vienne (Haute-Vienne) 54
Verneuges (Haute-Loire) 54
Verneuses (Eure) 54
Verneville (Moselle) 54
Verneys (Les) (Savoie) 54
Vernholes (Aveyron) 53
Vernie (Sarthe) 54
Verniolle (Ariège) 53
Vernioz (Isère) 54
Vernoil (Maine-et-Loire) 54
Vernois (Allier, Cantal) 53
Vernois (Le) (Allier, Côte-d'Or, Jura) 53-54
Vernois-le-Fol (Doubs) 54
Vernois-lès-Belvoir (Doubs) 54
Vernois-les-Vesvres (Côte-d'Or) 53
Vernois-sur-Mance (Haute-Saône) 54
Vernolles (Dordogne) 54
Vernon (Ardèche, Côte-d'Or, Eure, Indre-et-Loire, Loiret, Vienne) 54
Vernonet (Eure) 54
Vernonvilliers (Aube) 53
Vernose (Ardèche) 53
Vernose-lès-Annonay (Ardèche) 53
Vernot (Côte-d'Or) 53
Vernotte (La) (Haute-Savoie) 54
Vernou (Eure-et-Loir) 54
Vernou-en-Sologne (Loir-et-Cher) 54
Vernou-la-Celle-sur-Seine (Seine-et-Marne) 54
Vernou-sur-Brenne (Indre-et-Loire) 54
Vernouillet (Eure-et-Loir, Yvelines) 54
Vernouillet-Verneuil (Yvelines) 54
Vernoux (Ain) 53
Vernoux-en-Gâtine (Deux-Sèvres) 54
Vernoux-en-Vivarais (Ardèche) 53
Vernoux-sur-Boutonne (Deux-Sèvres) 54
Vernoy (Yonne) 54
Vernoy (Le) (Doubs) 54
Vernuéjoul (Cantal) 53
Vernusse (Allier, Côte-d'Or) 53-54
Vers (Ain, Haute-Savoie, Lot, Saône-et-Loire, Tarn) 53-54
Vers-l'Église (Savoie) 54

Vers-Pont-du-Gard (Gard) 54
Vers-sous-Sellières (Jura) 54
Vers-sur-Méouge (Drôme) 54
Vers-sur-Selles (Somme) 54
Vert (Ardèche, Aube, Creuse, Landes, Yvelines) 53-54
Vert (Le) (Deux-Sèvres, Haute-Loire, Isère, Maine-et-Loire, Val-de-Marne) 54
Vert-Bois (Le) (Charente-Maritime) 53
Vert-Buisson (Le) (Hauts-de-Seine) 54
Vert-en-Drouais (Eure-et-Loir) 54
Vert-le-Grand (Essonne) 54
Vert-le-Mant (Haute-Savoie) 54
Vers-le-Petit (Essonne) 54
Vers-Saint-Denis (Seine-et-Marne) 54
Vert-Toulon (Marne) 54
Vienne (cours d'eau) 39
Vienne (Autriche) 208, 214
Vierges (îles) 201
Virginie (États-Unis) 201

Yémen 150
Yonne 45, 50, 56
Yquebeuf (Seine-Maritime) 115
Ytterby (Suède) 73, 75
Yvelines 50
Yvetot (Manche, Seine-Maritime) 115

Zaïre 241

III. LANGUES ET PEUPLES CITÉS

Cet index permet de retrouver les noms des langues et des peuples cités, soit dans le texte (ils sont alors suivis d'une indication de pages), soit dans le lexique (sans indication de pages).

On trouvera entre parenthèses le nom de la famille ou du sous-groupe linguistique auquel ces langues appartiennent, par ex. « **malayalam** (dravidien) » et quelquefois une indication des lieux où ces langues sont parlées, par ex. « **negerhollands** (îles Vierges) ».

Les noms des langues ont été composés en **romain gras**, les noms des peuples en PETITES CAPITALES.

afghan (ou **pachto**) (indo-iranien) 156-157
africaines (langues) 9
afrikaans (germanique de l'Ouest) 104
akkadien (sémitique anc.) 140-141
ALAMANS 101, 103
alémanique (germanique de l'Ouest) 104
algonquin (amérindien) 13, 228
allemand (germanique de l'Ouest) 10, 20, 29, 30, 50, 104, 108, 112, 143, 163, **206-209**
allemand de Suisse (germanique de l'Ouest) 207, 208
alsacien (alémanique) 101, 104
amérindien 9, 20, 190, 191, 192, 193, 226, 227
amérindien du Canada 228
amharique (chamito-sémitique)
andalou 61
angevin (oïl) 27, 126
anglais (germanique de l'Ouest) 9, 10, 11, 12, 19, 20, 27, 31, 41, 50, 104, 107, 108, 125, 143, 146, 150, 153, 179, 188, 193, **217-237**, 245, 246, 247, 250, 253, 254, 255, 256, 257
anglais d'Amérique (germanique de l'Ouest)
ANGLES 48
anglo-frison 104
anglo-normand (gallo-roman, oïl) 126
AQUITAINS 35, 36
arabe (sémitique) 9, 12, 20, 27, 29, 31, 129, 139-141, 146-156, 158, 159, 160, 161, 167, 197, 231, 245, 246, 257
arabe des alchimistes (sémitique) 149
arabe des botanistes (sémitique) 150
arabe des mathématiciens (sémitique) 148
arabe des savants (sémitique) 146
ARABES 146, 147, 148, 160
arabo-persan 160
aragonais (ibéro-roman) 61
araméen (sémitique) 140, 141, 142
arawak (amérindien) 190, 191, 192, 199, 245
ARAWAKS 192
arménien (indo-iranien) 21
assamais (indo-iranien) 157
assyrien (sémitique anc.) 141
australienne (langue) 10, 246
auvergnat (oc) 37, 126, 131

avestique (indo-iranien) 156, 157
aymara (amérindien) 192
AZTÈQUES 190

babylonien (sémitique anc.) 141
balte (indo-européen) 20, 211
balto-slave (indo-européen) 211
bantou (langues africaines) 13, 21, 197, 241, 245
bas-allemand (germanique de l'Ouest) 104
basque 21, 39, 41, 102
BASQUES 36
BAVAROIS 103
béarnais (oc) 126, 129, 131
bendê (créole de Colombie) 201
bengali (indo-iranien) 156, 157, 229
berbère (sémitique) 140
berrichon (oïl) 47, 126
biélo-russe (slave de l'Est) 211, 212
bihari (indo-iranien) 157
bourbonnais (oïl) 126
bourguignon (oïl) 126
BRABANÇONS 124
breton (celtique) 48-49, 102
brittonique (celtique)
bulgare (slave du Sud) 211
burgonde (germanique de l'Est) 104
BURGONDES 103

cambodgien (mon-khmer)
cananéen (sémitique) 140, 141
caraïbe (amérindien) 190, 191, 192, 199
catalan (langue romane) 12, 29, 61, 126, 151
caucasien
CELTES 11, 38, 40, **45-57**
celtique (indo-européen) 9, 20, 39, 41, **45-57**, 143, 212
cévenol (oc) 131
chamito-sémitique 140
champenois (oïl) 61, 126
chinois (sino-tibétain) 229, 230, 231, 247, 249, 250
cinghalais (indo-iranien) 157, 198
copte (chamito-sémitique) 140
coréen (ouralo-altaïque) 161
cornique (celtique) 48
corse (langue romane) 61, 126, 131
couchitique (chamito-sémitique) 140
créoles 21, **199-201**
créoles à base lexicale française (Haïti, Guadeloupe, Guyane, La Réunion, Louisiane, Maurice, Seychelles) 201
créoles à base lexicale anglaise (Colombie, Guyane, Honduras brit., Jamaïque, Virginie) 201
créoles à base lexicale portugaise (Casamance, Cap-Vert, Curaçao, Guinée) 201
créoles à base lexicale espagnole (Colombie) 201
croate (slave du Sud) 211

dalmate (langue romane éteinte) 21
dano-norvégien 104
danois (germanique du Nord) 10, 21, 104
dauphinois (francoprovençal) 28, 56

écossais (celtique)
égyptien ancien (chamito-sémitique) 140
espagnol (langue romane) 9, 10, 12, 19, 20, 37, 61, 128, 129, 147, 151, 178, **185-194**, 196, 246, 253, 257
espagnol d'Andalousie (langue romane)
espagnol du Chili (langue romane)
éthiopien (sémitique) 141
étrusque 37
ewé-fon (langue africaine) 241, 244

farsi cf. **persan** (indo-iranien)
féroéien (germanique du Nord) 104
finno-ougrien (finnois, lapon, hongrois) 21, 213
finnois (finno-ougrien) 21, 213
flamand cf. **néerlandais**
FLAMANDS 124
franc-comtois (oïl) 28, 126
français (ancien) 37, 106, 107, 108, 109, 111, 112, 117, 171, 174, 210, 218, 219, 220, 222, 223
français du XVIe s. (langue romane) 176-179
français régional (langue romane) 54
francique (germanique de l'Ouest) 19, 122, 123
francique lorrain (ou **lorrain germanique**) (germanique de l'Ouest) 101, 104, 126
francoprovençal (gallo-roman) 28, 30, 37, 61, 126
FRANCS 19, 102, 103
franglais 234-236
frioulan 61
frison (germanique de l'Ouest) 104
FRISONS 48, 105
furbesco (argot italien) 26

gaélique d'Irlande (celtique) 48
galicien 61
gallois (celtique) 48, 143
gallo-roman (indo-européen) 19, 20, 27
gallo(t) (oïl de l'Ouest) 126
gascon (oc) 61, 126, 129, 131
gaulois (celtique) 12, 19, 35, 37, **45-57**, 106
GAULOIS 11, 35, 37, **45-57**
génois (italo-roman)
GERMAINS 105, 113
germania (argot espagnol) 26
germanique (indo-européen) 9, 27, 35, 50, **101-117**, 125, 142-143, 152
germanique ancien 20, 106, 167, 257
GOTHS 105

gotique (germanique de l'Est) 104, 142, 143
goudgerati (ou **gujarati**) (indo-iranien) 157
grec (hellénique) 9, 13, 28-29, 38, 67-68, 72, 73, 74, **79-87**, 102, 142, 143, 146, 147, 151, 156, 159, 162, 208
grec byzantin (indo-européen)
GRECS 146, 147
guarani (amérindien)
guyanais (créole)

haïtien (créole)
haoussa (langue tchadienne) 140
haut-allemand (germanique de l'Ouest) 104
hébreu (sémitique) 10, 21, 140-142, 144-146
hindi (indo-iranien) 10, 21, 156, 157, 229, 230
hindoustani (indo-iranien)
HOLLANDAIS 124
hongrois (finno-ougrien) 10, 21, 163, 210, 213
hottentot (langue africaine) 13, 241, 243
huron (amérindien)

ibère (pré-indo-européen) 21, 37
ibéro-roman (indo-européen) 126
IBÈRES 35, 36
INCAS 190
indo-européen 50, 156, 157, 211, 212
indo-iranien (indo-européen) 156, 157, 160, 189
indonésien (malayo-polynésien)
inuktitut (amérindien) 227
iroquois (amérindien) 245
islandais (germanique du Nord) 10, 104
italien (langue romane) 9, 10, 12, 13, 20, 27, 29, 30, 61, 96, 131, 148, 151, 154, 163, **167-181**, 218, 254, 255, 257
italo-romans (parlers) 126

japonais 9, 10, 13, 247, **248-250**
javanais (malayo-polynésien)
JUTES 48

KABYLES 140
kirghize (ouralo-altaïque)
kurde (indo-iranien) 156, 157

languedocien (oc) 27, 29, 61, 126, 129, 131
lapon (finno-ougrien) 213
latin classique (italique) 9, 10, 12, 13, 36, 37, 40, 41, 48, 50, 53, 55, **61-75**, 80, 81, 101, 106, 107, 108, 110, 111, 114, 128, 130, 133, 134, 142, 143, 144, 145, 147, 148, 150, 151, 159, 160, 167, 188, 194, 199, 208, 209, 212, 213, 220
latin des botanistes (italique) 69, 152

latin du droit (italique) 68
latin médiéval (italique) 84, 158
latin populaire (italique) 45, 64
latin scientifique (italique)
latin tardif (italique) 45, 79
latin vulgaire (italique) 62, 189
léonais 61
letton (balto-slave) 211
libyco-berbère (chamito-sémitique) 140
ligures 21, 37
LIGURES 35, 36
limousin (oc) 37, 126, 129, 131
lituanien (balto-slave) 211
longobard (langue germanique éteinte) 104
lorrain germanique (ou **francique lorrain**) (germanique de l'Ouest) 104, 126
Louisiana French 201
luxembourgeois (germanique de l'Ouest) 104
lyonnais (francoprovençal) 27, 30, 132

macédonien (slave du Sud) 211
MALAIS 197
malais (malayo-polynésien) 21, 124, 197, 198, 229, 230, 245, 246, 247
malayalam (dravidien) 198
malayo-polynésien 243
malgache (ou **merina**) (malayo-polynésien) 21, 244, 245
malinké (langue africaine) 21, 241
mandchou-toungouze (ouralo-altaïque) 161
mandingue (langue africaine)
maori (malayo-polynésien) 246
marathe (indo-iranien) 157
marseillais (argot) 29
micmac (amérindien)
mongol (ouralo-altaïque) 161
moyen néerlandais (germanique de l'Ouest)
mozarabe (langue mixte éteinte)

nahuatl (amérindien) 10, 190
néerlandais (germanique de l'Ouest) 9, 11, 12, 13, 19, 20, 28, 65, 104, 114, 122-125, 159, 193, 197
negerhollands (îles Vierges) 201
Negro French 201
népalais (indo-iranien) 157
nivernais (oïl)
nord-occitan (oc) 126
normand (oïl) 29, 37, 61, 116, 126, 134
normanno-picard (oïl) 134
norvégien (germanique du Nord) 21, 104

oc (gallo-roman) 126
oc pyrénéen (gallo-roman) 55, 56

occitan moyen (gallo-roman) 126, 129
oïl (gallo-roman) 126
oïl de l'Est (gallo-roman) 135
oïl de l'Ouest (gallo-roman) 27, 134-135
oïl du Nord (gallo-roman) 28, 133
oïl du Nord-Est (gallo-roman)
oriya (indo-iranien) 157
orléanais (oïl)
osmanli 161
osque (langue italique éteinte) 21
ossète (indo-iranien) 156, 157
OSTROGOTHS 103, 105
ougaritique (sémitique anc.) 141
ouralo-altaïque 161
ourdou (indo-iranien) 157

pachto (ou **afghan**) (indo-iranien) 156, 157
pahlevi, pehlevi (indo-iranien) 157
palenquero (créole de Colombie) 201
pali (indo-iranien) 156, 157
papiamento (créole de Curaçao) 201
parthe (indo-iranien) 157
penjabi, pendjabi (indo-iranien) 157
périgourdin (oc) 131
persan (farsi) (indo-iranien) 9, 10, 20, 155, 156, 157, 158, 159, 160, 161, 197, 231, 246, 257
phénicien (ou **punique**) (sémitique anc.) 141
picard (oïl) 27, 28, 37, 61, 126, 134
pidgin anglo-chinois 230
pidgin de Canton (sino-tibétain)
piémontais (italo-roman) 61, 173
Plattdeutsch (Allemagne du Nord) (germanique de l'Ouest) 104
poitevin 27, 126
polonais (slave de l'Ouest) 21, 211, 212, 213
polynésien des îles Marquises (malayo-polynésien) 247
polynésien de l'île Tonga (malayo-polynésien) 247
portugais (langue romane) 11, 21, 61, 128, 129, **194-199**, 219, 227, 229, 231, 247
portugais du Brésil (langue romane)
prâkrit, prâcrit (indo-iranien) 156, 157, 159
préceltique (pré-indo-européen) 30, 40, 41
pré-indo-européen 21
préroman (pré-indo-européen)
prélatin (pré-indo-européen) 36, 37, 40
provençal (oc) 12, 27, 29, 30, 61, 126, 129, 130, 150, 171
provençal alpin (oc) 126
punique cf. **phénicien** (sémitique anc.)

quechua (amérindien) 190, 191, 192, 193, 196
quercinol (oc)

romanche (langue romane) 61
rouchi (oïl) 28
rouergat (oc) 131
roumain (langue romane) 11, 61
russe (slave de l'Est) 10, 21, 108, 163, 211, 212, 213, 231, 253

sabir (langue mixte) 161
saintongeais (oïl) 126
sanskrit (indo-iranien, langue liturgique) 20, 156, 157, 159
sarde 61
sarthois (oïl) 125
savoyard (francoprovençal) 28, 37, 47
SAXONS 48, 105
scandinave 104, 113, 209
scandinave ancien (germanique du Nord) 104, 114, 210
SCANDINAVES 105
Schwytzertütsch (alémanique) (Suisse) 104
sémitique (chamito-sémitique) 37, 140
serbe (slave du Sud) 209, 211
siamois (sino-tibétain, thaï)
sicilien (italo-roman) 61
sioux (amérindien) 228
slave 20, 21, 209, 210
slave de l'Est (russe, ukrainien, biélo-russe) 211
slave de l'Ouest (polonais, slovaque, tchèque) 211
slave du Sud (bulgare, macédonien, serbe, croate, slovène) 211
SLAVES
slavon (langue slave anc.) 143
slovaque (slave de l'Ouest) 211
slovène (slave du Sud) 211
sogdien (indo-iranien) 157
somali (chamito-sémitique)
souabe (alémanique) 104
sudarabique (sémitique) 141
suédois (germanique du Nord) 21, 104
swahili, souahéli (langue africaine)
syriaque (sémitique) 141

tagalog (malayo-polynésien)

tahitien (malayo-polynésien) 246, 247
taïno (amérindien) 190, 192
taki-taki (créole de Guyane) 201
tamoul (dravidien) 21, 198, 229
tchèque (slave de l'Ouest) 21, 209, 211, 213
telougou, telugu
tibétain (sino-tibétain) 247
TOUAREG 140
toungouze (ouralo-altaïque) 161
tourangeau (oïl) 126
tsigane, tzigane (indo-iranien) 27, 28, 31, 156, 157

tupi (amérindien) 13, 191, 192, 245, 253, 254
tupi-guarani (amérindien) 191, 192
turc (ouralo-altaïque) 9, 21, 156, 161, 163, 231, 257
turco-mongol
twi (langue africaine)
tyrolien (germanique de l'Ouest)

ukrainien (slave de l'Est) 211

valaisan (francoprovençal)
valdôtain (francoprovençal)
valencien 61
vandale 104
vaudois (francoprovençal)
vénitien (italo-roman) 61, 170
vieil anglais (germanique)
vietnamien (sino-tibétain, thaï)
vieux perse (indo-iranien) 157
vieux prussien (balto-slave) 211
vieux scandinave (germanique du Nord)
VIKINGS 105, 113-117

wallon (oïl) 61, 126
WISIGOTHS 103, 105
wolof (langue africaine) 21

yiddish (germanique de l'Ouest) 104

zoulou (langue africaine)

IV. NOTIONS

Cette section est seulement destinée à permettre de retrouver à partir d'un très petit nombre de notions et de catégories générales une partie des formes lexicales empruntées par le français à d'autres langues

affriquée à relâchement latéral [tl] 190
aller et retour
français / anglais / français 221-223
anglicismes
« académiques » 225 226
« dissimulés » 232-233
« pernicieux » 234
« aujourd'hui » 230-232

« ringards » 237
« utiles » ; dictionnaire franglais-français 235-236
anthroponyme 39
aphérèse 67, 188
apocope 67
argot
français 25-31
espagnol *(germania)* 26
italien *(furbesco)* 26
article défini (*al*- de l'arabe) 152
Bible 141-146
Authorized Version 143
Septante 142-143
Vulgate 142
Bible Mazarine dite « à quarante-deux lignes » 143
calque 144
carolingienne (Renaissance) 65
couleurs 107
création de mots
gaz 85, *aspirine* 207, *statistique* 208, *robot* 213, *microbe* 86
doublets 64
compter / conter 64, *divan / douane* 158, *magasin / magazine* 150, 153
élimination des consonnes
intervocaliques 63-64, 127-128
en position faible 62-63
élimination des syllabes inaccentuées 62
emprunts au français
par l'anglais 218-220
par l'espagnol 185-186
par le néerlandais 125
par le persan 156-157
par diverses langues 10-11
emprunts au grec par le latin 67-68
emprunts au germanique par le latin 102
emprunts au latin par le germanique 102
éponymes 91
ethnonyme 39
étymon 64
euphémisme 10
formes populaires/savantes 65
français régional 54, 116
graphies *Kaiser* 209, *czar / tsar* 213, *cacahuète* 190
graphie *i/y cristal* 86
graphie *ph/f éléphant / olifant, nénuphar / nénufar* 86
graphie *k/ch / c kinésie / cinéma / chiromancie / chirurgie* 87
graphie *h huile, huître, huit* 111
graphie *ç* 187
graphie *ch, ph, th* 86-87
hagionyme 39
hagiotoponyme 39
hydronyme 38, 39
méprises, *ballon, bock* 209, *orang-outang* 245, *zakouski, blini* 212
métaphores 48, *cervelle de canut* 133, *donner le feu vert* 233
métonymie 169
odonyme 39
oronyme 38, 39

ouistes (querelle des) *o/ou* 175
patronyme 39
phonétique (évolution)
  /b/ < /v/ 127
  ca- < ca-, cha-, che-, que- 50
préfixes
  d'origine grecque 80-81
  d'origine gréco-latine 81-82
  d'origine latine 80-81
prénoms germaniques 109
prononciation
  en germanique / en latin /g/ -/w/ 111
  en arabe 151
  en anglais et en français 222
pseudo-anglicismes 237
sens (changement de) 154-155, 169, 254-255
sigle 207
suffixes -ille 187
  d'origine anglaise, *-ing* 230, 233
  d'origine germanique, *-ard* 109
  d'origine grecque 81
  d'origine latine *-ade* 128, *-ium* 72-75-*ville* 114
  d'origine scandinave, *-beuf, -bec, -fleur, -tot* 115
théonyme 39
toponymes 39
  préceltiques 38-41
  gaulois 49-56
  germaniques 53, 56-57
  latins 50
  scandinaves 113-117

LEXIQUE DES MOTS FRANÇAIS VENUS D'AILLEURS ET INDEX DES FORMES CITÉES

Ce lexique a été conçu à la fois comme

– **un index des formes citées** dans l'ouvrage, qu'il s'agisse de mots français ou de mots étrangers (avec indication des pages où l'on pourra les retrouver) et

– **un lexique complémentaire des mots français venus d'autres langues** (sans indication de pages puisqu'ils n'ont pas été cités dans l'ouvrage).

En effet, il n'était pas possible de commenter en détail dans cet ouvrage les quelque 10 000 mots français d'origine étrangère. Ils ont néanmoins été regroupés ici et comportent, en plus des langues d'origine, quelques brèves indications sur leur signification (entre guillemets ou entre parenthèses selon qu'on a donné le sens précis [ex. **estoc** « pointe d'épée », venu du francique] ou simplement le domaine d'emploi [ex. **action** (en Bourse), emprunté au néerlandais]).

On y trouvera trois sortes d'entrées, imprimées en **romain gras**, en ***italique gras*** ou en romain maigre :

1. En **romain gras** : tous les mots d'origine étrangère, résultat d'une longue recherche effectuée avec l'aide de mon mari[197], ainsi que tous les mots français ou étrangers commentés dans l'ouvrage. Seule leur origine est indiquée (et parfois leur signification).

Exemples : **soldat** ital 173, 177
braguette prov < gaul 14, 46, 47
sarbacane esp < ar < persan < malais 197, 246
apothêkê « entrepôt » mot grec 67

2. En ***italique gras*** : mots formés à partir d'un nom propre ou d'un nom de lieu. Dans ce cas, c'est le nom du lieu d'origine, et non pas le nom d'une langue qui est indiqué.

Exemples : ***dahlia*** (bot.) *Dahl* (Suède) 13, 93
faïence (poterie) *Faenza* (Italie) 97

3. En romain maigre : mots d'origine étrangère assez rares pour ne figurer ni dans *Le Petit Larousse* 1996, ni dans *Le Petit Robert* 1993.

Exemples : bigotelle « relève-moustaches » esp
bancasse (marine) germ

Dans les cas ambigus, des indications grammaticales ont été précisées en italique.

Exemples : **barde** *n.f.* (lard) espagnol < arabe
barde *n.m.* (poète) gaulois

LISTE DES ABRÉVIATIONS POUR LES NOMS DE LANGUE

a. fr	ancien français	jap	japonais
all	allemand	lat	latin
amérind	amérindien	lat eccl	latin ecclésiastique
angl	anglais	lat médiév	latin médiéval
angl d'Am	anglais d'Amérique	lgue	langue
anglo-norm	anglo-normand	moyen ht-all	moyen haut-allemand
ar	arabe	néerl	néerlandais
celt	celtique	norm	normand
dial	dialecte	norm-picard	normanno-picard
esp	espagnol	pré-indo-eur	pré-indo-européen
fr	français	prov	provençal
fr rég	français régional	ptg	portugais
francoprov	francoprovençal	scand	scandinave
gaul	gaulois	sémit	sémitique
germ	germanique	skr	sanskrit
grec byz	brec byzantin	vx scand	vieux scandinave
ital	italien		

< qui vient de
(?) d'origine incertaine ou contestée

A

a cap(p)ella ital
a fortiori lat 68
a giorno ital
a posteriori lat 68
a priori lat 68
a quia (embarrassé) lat
à égalité 68
à plus forte raison 58
aardappel mot néerlandais 193
abaca *n.m.* (chanvre) esp < tagalog
aballo mot gaulois 45, 46, 50
abandon germ
abasourdir prov (?)
abbé lat eccl < grec < araméen
abdomen lat
abeille prov 130
abélien (math.) *Abel* (Norvège)
ablater « supprimer » angl
abolitionnisme, -iste angl
abot « entrave » norm
abri oïl de l'Ouest
abricot catalan < ar 150, 151
absentéisme angl
abstract angl < lat
acabit prov
académie, -ique ital < grec
acajou ptg < tupi 197, 245
acarus (parasite) lat
accabler norm-picard
accaparer ital 174, 179
accastillage esp
accastiller esp
accelerando ital
accise (impôt) néerl
accolade prov 128
accordéon all < lat
accore *n.f.* (marine) néerl
accorte *adj.f.* ital
accoster prov (?)
acculturation angl
ace (tennis) angl
acétylène angl
achards ptg < malais < persan
acheb (bot.) ar
achigan (poisson) amérind
achoura (fête rel.) ar
acid-party angl
acné angl < grec
acon (marine) poitevin
acqua-tof(f)ana (poison) ital
acquerello « aquarelle » mot italien 254
acra (cuisine) créole
acre (mes. agraire) angl < norm
acronyme angl d'Am < grec
acting-out (psych.) angl
actinium (chimie) 72
action (en Bourse) néerl

ad libitum (au choix) lat
ad litem (procès) lat
ad litteram expr. latine 68
ad patres lat
ad valorem (proportionnellement) lat
adagio (mus.) ital
addenda (notes additionnelles) lat
addiction (drogue) angl
-ade *suffixe* < prov ou ital 127-128
adjudant esp
admittance (électr.) angl
ado *abréviation* 237
adouber (chevalerie) germ
adrénaline angl
adret dauphinois 131
adventiste angl
advertisingman (publicité) angl
aether « air » gréco-latin 208
aerobic (gymn.) angl
affaler néerl
affect (psych.) all
affidavit (taxes) angl
affidé « complice » ital
affiquet « bijou » norm
affres prov < germ
aficionado esp 186
after-shave angl
afterburner (chaudière) angl
agace *n.f.* « pie » prov
agami (oiseau) caraïbe 192, 196
agar-agar (algue) malais
agence ital
agenda lat
aggelos « messager » mot grec 144
aggiornamento ital
agha (chef) turc
agio ital
agit-prop (politique) *calque* < russe
agitateur (factieux) angl < lat
agitato (mus.) ital
agnosie (psych.) all < grec
agnosticisme angl < grec
agnostique angl < grec
Agnus Dei (liturgie) lat
agoraphobie grec 82
agouti (rongeur) tupi
agrafe germ
agrès vx scand 114
agricole *adj.* lat 82
agrume ital
aguardiente esp
aguiche *n.f.* (publicité) *calque* angl
aï (ou **paresseux**) tupi
aïd-el-adha (fête rel.) ar
aïd-el-fitr (fête rel.) ar
aïd-el-kébir (fête rel.) ar
aïd-el-séghir (fête rel.) ar
aigle prov 129
aiglefin (poisson) néerl 123
aigrette (oiseau) prov
aiguade (marine) prov 128
aiguail « rosée » poitevin
aiguayer prov
aigue-marine prov
aiguière prov 130
aiguillade (aiguillon) prov
aiguillat « requin » prov
aïkido (art martial) jap 248
ail 69, 71
aillade prov 128
aimée < lat 128
aïoli, ailloli prov

air (mus.) ital < lat < grec
air conditionné angl
Airbag angl *nom déposé*
airborne angl
airedale (race canine) angl
airelle cévenol 131
ajonc oïl de l'Ouest < prélatin
ajoupa (hutte) tupi
akkadien (langue sémit.) *Akkad* (Mésopotamie) 140, 141
akvavit, aquavit scand
al- article arabe 152
al dente ital
al-karchoûf « l'artichaut » mot arabe 152
al-oûd « le luth » mot arabe 152
al tempo ital
alambic esp < grec < ar 147, 149, 152, 156
alarme *n.f.* ital 172
alastrim (maladie) ptg
al-barqoûq (fruit) mot arabe 151
albatros angl < ptg < ar
albédo (mes. phys.) angl < lat
alberge (fruit) esp < ar
albinos ptg
alborne « blond » a. fr 222
album all < lat 13, 207, 208
alcade esp < ar
alcali ar 149, 152
alcarazas esp < ar
alcatras (pélican) ptg
alcazar esp < ar < lat
alchimie lat < ar < grec < égyptien
alcool lat médiév < ar 149, 152
alcôve esp < ar 152
aldéhyde (chimie) all < lat
ale (bière) néerl
aléa lat
alène, alêne (poinçon) germ
alérion (hérald.) francique
alerte *adj.* ital 172
alerte *n.f.* ital 173
alexine (biol.) all < grec
alezan esp < ar 150, 152
alfa (herbe) ar
alfange *n.f.* (arme) ar
algarade esp < ar 128, 129
algazelle ar
algèbre lat médiév < ar 152
-algie « douleur » grec 80, 81
algol (informatique) *acronyme* angl
algorithme lat médiév < ar 152
alguazil « policier » esp < ar
alias lat
alibi lat 68
alidade (instr. mes.) ar
alios (minéral.) gascon
alise (bot.) germ
alisier (bot.) germ
alizari (bot.) ar
alkékenge (bot.) persan
alkermès (liqueur) persan
alla turca ital 161
allégeance angl < a. fr
allegretto ital
allegro ital
alléluia lat < hébreu 144
allergique all < grec
alleu (féodal.) francique
alligator angl < esp
allitération angl
allô angl (?)

allopathie (médecine) all < grec
almanach ar < lat médiév < grec
almée (danseuse) ar
alnus « aulne » mot latin < germ 53, 55
alose (poisson) lat < gaul 47
alouette lat < gaul 18, 46
aloyau lat < gaul
alpaga esp < quechua 192, 196
alpage dauphinois
alpenstock all
alpestre ital
alpion ital
alpiste *n.m.* (bot.) esp
alquifoux (minéral.) esp < ar
alter ego lat
alternative (taurom.) esp
altesse ital ou esp
altier ital
alto (instr. mus.) ital
altus mot latin
aludal (poterie) grec < ar
alude prov
aluminium angl < fr 72
amadou prov 130
amalgame lat médiév < ar
aman (islam.) ar
amaril *adj.* (maladie) esp
amarre néerl
amarrer néerl 65, 122
amaryllis (bot.) lat
amateurisme angl < fr
ambassade ital < prov < lat < gaul 46
ambe (loterie) ital
ambix « vase à distiller » mot grec 147
amble (hipp.) prov
ambler (hipp.) prov
ambre lat < ar 22
amen lat < hébreu 144
amendement angl < fr 221
amer (marine) néerl
américanisme angl
americium (chimie) 72
ameur « amour » mot d'a. fr 130
amiral ar 152
amok (folie) angl < malais
amor « amour » mot latin 130
amoroso (mus.) ital
amour prov 129, 130
amouracher (s') ital
amourettes (cuisine) prov
ampère (mes. phy.) *Ampère* (France) 94
amure (marine) prov
ana ana « parfum des parfums » mot tupi 197, 254
anaconda (serpent) cinghalais
analphabète ital < grec
analphabétisme ital < grec
anam mot gaulois « marais » 46
ananas esp < ptg < tupi 197, 253, 254
ance « eau » (argot) 26
anche (mus.) oïl de l'Ouest ou du Centre < germ
anchois prov < grec (?)
andante (mus.) ital
andantino (mus.) ital
anémone grec 68
anesthésie angl < grec
ange de mer (poisson) néerl
ange lat eccl < grec *calque* < hébreu 144
angelus « ange » mot latin 144

angio- « vaisseau » grec 79
angledozer *n.m.* (trav. pub.) angl
anglican, -anisme angl < lat
anglicisme angl < lat
angström (mes. phys.) *Ångström* (Suède)
ani (oiseau) amérind
aniline all < ptg < ar < persan < skr
animaliser angl
animato (mus.) ital
animelles « testicules » ital
anion angl < grec
anode angl < grec
anolis (iguane) caraïbe
anone (bot.) esp
anorak inuktitut
anspect (levier) néerl ou angl
anspessade (militaire) ital
anthroponyme grec 39
anti-hold-up angl
anti-skating (électr.) angl
anti-skid (anti-dérapant) angl
antiaris (bot.) malayo-polynésien
antibiotique angl < grec
antichambre ital
antifading (électr.) angl
antifouling (peinture marine) angl
antigang angl
antilope angl < lat
antimoine lat méd < ar (?) 149
antiquaille ital
antitrust angl
antrustion (féodal.) germ
anus lat
apache *Apache* (Am. du Nord)
apanage lat médiév
apartament mot roumain < fr 11
apartheid afrikaans
Apfel mot allemand 50
aphérèse 67, 188
aplanétique (optique) angl
apocope grec 67
aposté « qui surveille » ital
apothêkê « entrepôt » mot grec 67
apôtre lat eccl < grec 68
apparatchik russe
apparence 237
appartement ital 180
appartement mot persan < fr 157
appassionata (mus.) ital
appassionato (mus.) ital
apple mot anglais « pomme » 50
appoggiature ital
apron/naperon 219
aptérix (zool.) angl < grec
aqua(m) mot latin 9
aquafortiste ital
aquaplaning pseudo-anglicisme
aquarelle ital 180, 254
aquarium lat
ar(r)obe (mes. phys.) esp < ar
ara (perroquet) tupi
arabesque ital
aragonaise (danse) *Aragon* (Espagne)
aragonite (minéral.) *Aragon* (Espagne)
araire prov
arak (liqu.) ar
arantèle « toile d'araignée » oïl

araucaria (bot.) amérind
arborer ital < lat
arbouse (bot.) prov
arbre à beurre ou **karité** 242, 243
arcade piémontais ou lombard 128
arcanne « craie rouge » ar
arcasse (marine) prov
arcature (archit.) ital
archaïque grec 87
arche 87
archéologie grec 87
archétype grec 87
archine (unité de long.) russe
archipel lat < grec 79
architecte lat < grec 87
architrave ital
archive grec 87
archivolte (archit.) ital
-ard *suffixe* < germ 109
ardillon (de boucle) germ
arditi (armée) ital
arec (bot.) ptg < malayalam
aremorici mot gaulois 46
aréquier (bot.) ptg < malayalam
argon (gaz rare) angl < grec
argousin (policier) ital (ou cat) < ar 29
argue (métall. de l'or) ital
argus (publication) *Argus* (mythol.)
aria (mus.) ital
ariette (mus.) ital
arioso (mus.) ital
arlequin ital < anglo-norm
arlequinade ital 128
arm-lock (lutte) angl
armada (marine) esp
armadille (cloporte) esp
armeline (fourrure) ital
armet « casque » germ
armoisin (étoffe) ital
army mot anglais « armée » 219
arnaquer *v.* picard (argot) 27
arol(l)e (bot.) franco-prov (?)
arpège ital 180
arpent gaul
arpette, arpète all
arpion prov
arquebuse néerl
arrhes *n.f.pl.* grec < hébreu
arrimer angl
arroche (bot.) prov
arroser/arrouser 175
arrow-root (bot.) angl
arroyo (chenal) esp
arsenal vénitien < ar 169
artefact angl < lat
artel (kolkhoze) russe
artichaut ital < ar 150, 152
artillerie francique
artimon génois
artisan ital
artiste ital
artiste mot persan < fr 156
arton « pain » < grec (argot) 26
arum (bot.) lat
as (monnaie romaine) lat
as samt « chemin » mot arabe 152
ascète grec 38
asdic *acronyme* (marine) angl
ashkénase (juif d'Europe centrale) hébreu
ashram « monastère » skr
asiento (commerce) esp

asp(l)e (soie) all
aspic, spic « lavande » prov
aspirine all < grec 207
assai (mus.) ital
assassin ital < ar 153
assassino « assassin » mot italien 154
assertorique (philos.) all
assette (outil) oïl
-asthénie « faiblesse » grec 80
asticoter all (?)
astrakan (fourrure) *Astrakhan* (Russie)
ataca, atoca (bot.) lgue amérind
atémi (arts martiaux) jap
athée grec 38, 79
atlante (arch.) ital
atlas (géogr.) *Atlas* (mythol.)
atoll angl < lgue des Maldives 229
atomiseur angl < lat < grec
atrium (cour intér.) lat
attaché-case angl < fr
attacher germ
attaquer ital < germ
attitude ital
attorney angl
attraction (spectacle) angl
au dernier moment 68
aubade prov 128
aubaine germ
aubépine oïl de l'Ouest
aubercot « abricot » mot d'a. fr 151
aubère *adj. et n.m.* (hipp.) ar
auberge prov 30
aubergine catalan < ar < persan 158, 159
aubette oïl du Nord
aubin *n.m.* (hipp.) ar
auburn angl < fr 222
aucuba (bot.) jap
audiencia (justice) esp
audit angl
auditeur lat 65
auditorium lat
aulne ou **aune** (bot.) germ 46, 53, 55, 56, 105, 106
aulof(f)ée (marine) néerl
aune (mesure) lat médiév < germ
aunelle 56
aurélie (méduse) ital
auriculaire lat 66
aurique (marine) néerl
aurochs all
austénite (métall.) *Austen* (G.-B.)
austère lat < grec 38
autan (vent) prov
autisme (méd) all
auto (théâtre) esp
auto- *préfixe* grec 81
auto-stop *pseudo-anglicisme*
autobus 188
autocar angl
autocoat angl
autodafé ptg
autofocus (optique) angl
autogire (aviation) esp
automation angl
automobile 81
autostrade ital 128, 174
auvent prov < gaul 47
avachir francique
aval (comm.) ital < ar
avalanche savoyard < ligure 14, 37
avanie ital < ar

avarie ital < ar 169
avatar skr
ave Maria (liturgie) lat
aveine mot d'a. fr 135
aveline « noisette » prov
aven rouergat < prélatin
avenir 233
aventure 125
aveugle 64, 65
avionnette (aviation) esp
avis mot danois < fr 11
aviso (marine) esp
avocat (fruit) esp < nahuatl 69, 190, 196
avocette (oiseau) ital
avoine oïl de l'Est 135
avoir 50, 111, 127
avoirdupois mot anglais 122
avontuur « aventure » mot néerlandais 125
awacs (aviation) *acronyme* angl
axis (vertèbre) lat
axolotl (zool.) nahuatl 191
axone (anatomie) angl
ayatollah ar
aye-aye (singe) malgache
ayuntamiento (assemblée) esp
azalée *n.f.* grec 68
azerole (fruit) esp < ar
azimut ar 152, 153
azote *n.m.* grec 85
azulejo (faïence) esp
azur lat médiév < ar < persan 156
az zahr « jeu de dés » mot arabe 152

B

baba (pâtisserie) polonais 212
baba « hippie » angl < hindi 229
baba-cool angl
babies angl 237
babilan « homme impuissant » ital
babiole ital
babiroussa (porc) malais
bâbord néerl
babouche ar < persan 155, 157, 158
baby angl 237
baby-beef angl
baby-boom (natalité) angl
baby-doll angl
baby-food angl
baby-foot (jeu) angl
baby-sitter, -ing angl
baby-test angl
bac (bateau) lat pop ou néerl < gaul
Bach « ruisseau » mot allemand 112
bâche gaul (?)
bachi-bouzouk turc
bacholle (seau en bois) oïl du Centre
back cross « rétro-croisement » angl
back-filler (engin de trav. publ.) angl
back-loader (engin de trav. publ.) angl
backgammon (jeu) angl < gallois
background angl
bâcler prov

bacon angl < fr < germ 219
bacon mot anglais < fr < germ 219
bacula (plafond) oïl (?)
bad-lands angl
bad-painting angl
badamier (bot.) persan
badaud prov
baderne ital
badge angl 232
badiane « anis » persan 158
badin « enjoué » prov
badminton (jeu) angl
baffle angl
bafouer prov
bafouiller lyonnais 132
bagad(ou) (mus.) breton
bagage angl
bagarre prov < basque (?) 36
bagasse (canne à sucre) esp < ar (?)
bagatelle ital
bagne ital
bagnole picard < gaul
bagou(t) oïl de l'Ouest
bague néerl (?)
baguenaude *n.f.* (fruit et flânerie) oc
baguenauder *v.* languedocien (argot) 27, 29
baguette ital 177
baie (petit golfe) esp 186
bailadeira mot portugais 197
baile *n.m.* « prévôt » prov ou ital
baille *n.m.* (marine) ital
baïram turc
Baiser (mot allemand) < fr 10
bakchich turc < persan
bakélite *n.f.* (chimie) *Baekeland* (Belgique)
baklava (pâtisserie) turc
baladin prov
balafon (instr. mus.) malinké 242, 244
balafre germ
balai breton
balais *adj.m.* (rubis) *Balakhchân* (Perse)
balalaïka (instr. mus.) russe
balancelle (marine) génois
balandran, -dras (marteau) oc (?)
balbuzard (oiseau) angl
balcon ital < longobard 180
baldaquin ital 169
balèze prov
balisier caraïbe
baliverne prov 30
ballade prov 128
ballast (chemin de fer) angl < scand
ballast (marine) néerl < scand 114
Bällchen « petite balle » mot allemand
balle (à jouer) dial ital < longobard
balle (paquet) francique
balle ou **bale** (de céréale) gaul
ballerine ital
ballet ital
ballon (balle) dial ital 176
ballon (montagne) all (?) 209
balourd ital 180
balsa (bois) esp
balustrade dial ital 128
balustre *n.m.* (colonnette) ital
balzan *adj.* (hipp.) ital

bambin ital
bambochade ital
bamboche dial ital
bambou ptg < malais 198, 245
bamboula bantou 242, 244
ban (dignitaire) slave
ban (vie féodale) francique
banane ptg < bantou 197, 242, 243, 244
banaste (corbeille d'osier) celt
banc germ 106
banca « banque » mot italien 170
banca rotta « banqueroute » mot italien 170
bancasse (marine) germ
banco (construction) lgue africaine
banco ital < germ
bancoulier (bot.) *Bancoulen* (Sumatra)
bande « lien » francique
bande promo 231
bande « troupe » germ
bande vidéo 231
bandeira (expédition esclavagiste) ptg du Brésil
bandeirantes (aventuriers) ptg du Brésil
bandera (armée) esp 187
banderille esp 187
banderiller esp
banderole ital
bandicoot (marsupial) angl < telougou
bandigui (peigne) malinké
bandingue (ligne de pêche) oïl de l'Ouest
bandins (marine) ital
bandit ital 174
bandito « hors-la-loi » mot italien 174
bando(u)lier (brigand) esp
bandoulière esp
banian (bot.) ptg < tamoul
banjo angl d'Am < esp
banlieue francique + gaul
banne (véhicule) gaul
bannière francique
bannir francique
banque ital < germ 170
banqueroute ital 170
banquet ital 180
banquette (siège) languedocien 131
banquier ital
banquise scand 210
banteng « bœuf de Malacca » malais
baobab ar 245
baptême lat eccl < grec 68
baptisme, -iste (relig.) angl
bar (comptoir) angl d'Am < fr
bar (poisson) néerl 65, 123
bara « pain » mot breton 49
baracon (grande case) lgue africaine
baragouin, -gouiner breton
baraka « chance » ar
baraque esp < ibère 14, 36, 37
baraquer *v.* (chameau) ar
baratin prov
baratte scand (?)
baratter *v.* scand (?)
barbacane (meurtrière) ar < persan
barbaque esp du Mexique
barbare grec 67, 102
barbaresque ital
barbe ital

barbecue angl < haïtien
barbiturique ital
barbon ital 174
barbone « grande barbe » mot italien 174
barbue (poisson) dial
barcarolle vénitien
barda (bagage) ar
bardane (bot.) dial
barde *n.f.* (lard) esp < ar
barde *n.m.* (poète) gaul
barder oc (?)
barège (tissu) oc
bargaignier/barguigner mot d'a. fr 219
bargain mot anglais 219
barge (marine) prov < lat médiév et grec 129
barge (oiseau) gaul
barguigner germ 219
barigoule prov
barine russe
barmaid angl
barman angl
barn (mes. phys.) angl
baron germ 108
baron(n)et angl
baroque (perle) ptg < prélatin
baroud « combat » ar ou berbère
barouf, barouf(l)e ital 174
barque prov < grec 129
barracuda esp
barranco (ravin) ptg
barras (résine) oc de l'Ouest
barre gaul
barrel « baril » angl
barrette « bonnet carré » dial ital
barrique gascon 131
bartavelle « perdrix » prov 30, 130
baryum (chimie) angl < fr 72
bas *adj.* osque (?)
bas-bleu *calque* < angl
bas-relief ital
basane (cuir) prov < esp < ar
base-ball angl d'Am
basin (tissu) ital
basique *adj.* (fondamental) angl < fr
basket(-ball) angl
basque (d'un vêtement) prov
basquine esp
basse (mus.) ital
basset (clarinette) ital
bassette (jeu de cartes) ital
basson (mus.) ital
bast(a)ing prov
basta ital
bastaque *n.f.* (marine) angl ou néerl
baste *n.m.* « as de trèfle » esp
baste *n.f.* (récipient) prov
baster *v.* mot français du XVIe s. 178
bastide prov
bastingage prov
bastingue (marine) ital (?)
bastonnade ital 128, 129
bat, batte (sport) angl
bataillon ital
bâtard germ
batayole *n.f.* (marine) ital
bateau vieil angl
bath angl
batifoler ital 180
batik malais
bâtir germ
bâton mot portugais < fr 11

batoude *n.f.* (tremplin) ital
battle-dress angl
battre la strade expr. française du XVIe s. < ital 179
battude (filet de pêche) prov
bau *n.m.* (marine) francique
bauche (herbe des marais) celt
-baud *suffixe* germ 109
baudet germ
baudroie (poisson) prov
baufe (techn. de pêche) prov
bauge *n.f.* « gîte du sanglier » gaul
baume (caverne) celt
bauque, baugue (algues) prov
bay-window angl
bayadère (danseuse) ptg 197
bayer *v.* 186
bayou (rivière) lgue amérind
bazar ptg < persan 159
bazooka (lance-roquettes) angl
be-bop ou **bop** angl d'Am
beagle angl
beat (mus.) angl
beat-generation angl
beatnik angl
beaucuit « sarrasin » angl
beaupré (marine) néerl ou anglo-norm 123
beauty-case (bagage) angl
bébé angl (?) 237
-bec *suffixe* scand 115
bec gaul 48
bécarre ital
becfigue (oiseau) ital
becher *n.m.* (récipient) all
bécune (poisson) prov
bed and breakfast angl
bedeau germ
bédégar (bot.) persan
bédouin ar
beefeater (garde) angl
béer *v.* 186
beetler *v.* (marteler un tissu) angl
beffroi germ
bègue néerl
béguine (religieuse) néerl
bégum (princesse) hindi
behavio(u)risme, -iste angl
beige mot portugais < fr 11
béké créole 200
bel (mes. phys.) *Bell* (U.S.A.)
bel canto ital
Belchen « petite montagne » mot allemand 209
bélandre *n.f.* (marine) néerl
bélier néerl (?)
bélître *n.m.* (insulte) all
belladone ital
belly landing (atterrissage) angl
belon (huître) *Belon* (Bretagne)
bélouga, béluga russe 212
belt conveyor « transporteur à bande » angl
belvédère ital
bémol ital
bengali (oiseau) hindi
béni-oui-oui ar (argot) 31
benjoin ar 22, 152, 153
benne oïl < gaul 46
bentonite *n.f.* (argile) Fort *Benton* (U.S.A.)
benzène ar 152, 153
benzine ar 152, 153
ber celt
bercail norm-picard

berce *n.f.* (bot.) all
bercer gaul 48
béret béarnais 131
bergamasque ital
bergamote turc 162
berge « rive » gaul
berge « année » tsigane (argot) 26
béribéri (maladie) malais 124
berkélium (chimie) *Berkeley* (U.S.A.) 70, 72
berle (bot.) celt
berline (voiture) *Berlin* (Allemagne) 13, 96, 97
berlingot ital
berme (fortification) néerl
bermuda (vêtement) *Bermudes* (U.S.A.)
bernacle, bernache (coquillage) celt
bernard-l'(h)ermite languedocien
berne (en) néerl (?)
berne (brimade) ital < ar
bernicle ou **bernique** breton
bersaglier ital
-bert *suffixe* germ 109
béryllium (chimie) lat 72
besaiguë, bis- (outil) ital
besoche (pioche) oïl
besogne germ
besoin germ
bessemer (métall.) *Bessemer* (G.-B.)
best of angl 11
best-seller angl
bestia mot latin 62
bête lat 62, 63
bétel ptg < malayalam 198
betting (paris aux courses) angl
betua « bouleau » mot gaulois 50
betullus mot latin < gaul 50
bétuse (récipient pour la pêche) oc (?)
-beuf *suffixe* scand 115
beurre lorrain < grec
béverage (radio) *Beverage* (G.-B.)
bey turc
bézef ou **bésef** ar (argot)
bézoard (antidote) ar < persan
bi- *préfixe* latin 81
biais prov
bible grec 142
biblia « livres » mot grec 142
bicéphale 82
biceps lat
biche norm-picard
bicher *v.* lyonnais (argot) 27
bichlamar (langue) ptg
bickford (explosif) *Bickford* (G.-B.)
bicoque ital 180
bicot (arabe) (argot) < ar
bicycle angl
bidé mot espagnol < fr 10
bidon scand (?) 114
bief (chenal) gaul
biélo-russe 211, 212
bière (boisson) néerl 65
bière « cercueil » germ
bièvre *n.m.* « castor » gaul 18, 47
bifteck (viande) angl < a. fr + vx scand
bifteck « prostituée » angl (argot) 31
bifteck « Anglais » angl (argot) 31

big bang (cosmos) angl
bigarade « orange amère » prov 128
bigorne (enclume) prov
bigot angl (?)
bigotelle « relève-moustaches » esp
bigouden breton
bigue *n.f.* (grue portuaire) prov
biguine (danse) créole 200
bihan « petit » mot breton 49
bijou breton 49
bikini (maillot de bain) *Bikini* (Pacifique)
bilan ital 174, 179
bilharzie, -ziose (ver parasite) *Bilharz* (Allemagne)
bill angl
bille (tronc d'arbre) germ 106
bille « petite boule » gaul
billevesées oïl de l'Ouest
biner prov
bingo angl
biniou breton
biologie grec 17
bionique *adj.* (électronique) angl
biorythme (biologie) angl < grec
bios « être vivant » mot grec 86
birbe *n.m.* ital 174
birbo « coquin » mot italien 174
biribi (jeu de hasard) ital
bis lat 68
bisbille « dispute » ital (argot) 30, 174
bischoff all
biscotin (biscuit) ital
biscotte ital 180
bise « vent froid » germ
bismuth all < lat médiév
bison germ
bisquer prov 30
bisse *n.m.* (canal) ital
bistouille (café + alcool) oïl du Nord
bistouri (chirurgie) *Pistoia* (Italie) 97
bit (informatique) *acronyme* < angl
biti « poutre » mot scandinave 116
bitte (marine) vx scand 114, 116
bitter *n.m.* (boisson) néerl
bivouac suisse alémanique 206
biz « doigt » mot breton 49
bizarre basque (?) 36
bizou « anneau » mot breton 49
black jack angl
black power angl
black sheep « brebis galeuse » angl
black spot (maladie des rosiers) angl
black-bass angl
black-bottom (danse) angl
black-out angl
black-rot (vigne) angl
blackbouler *v.* angl
blafard germ
blague (à tabac) néerl
blaireau (mammifère) gaul 47
blanc, blanche germ 107
blanque (jeu de cartes) ital
blanquette (vin) prov
blasé néerl
blazer *n.m.* angl

blé germ ou gaul
blèche *adj.* « laid » all
bled ar 139
bleime (maladie du cheval) wallon < néerl
blêmir vx scand 114
blende *n.f.* (minerai) all
blesser germ 110
bleu germ 107
bleu cramoisi 160
bliaud, bliaut (vêtement) germ
blindage, blinder all
blinde *n.f.* (poutre) all
blini(s) russe 212, 253
blister *v.* (emballage transparent) angl
blitz (guerre) all
blizzard (vent) angl
bloc néerl
bloc-notes angl
bloc-système (chem. de fer) angl
blocher *v.* « traire » mot savoyard
block (chem. de fer) angl
blockhaus all
blocus néerl
blond germ
bloom *n.m.* (métall.) angl
bloomer *n.m.* (vêtement) *Bloomer* (U.S.A.)
blottir (se) germ
blue devils (idées noires) angl
blue-jean(s) angl + *Gênes* (Italie)
blues (musique) angl
bluff angl d'Am < néerl (?)
blunt angl
blush (maquillage) angl
board « planche » mot anglais 106
boarding house (pension de famille) angl
boat people angl
boating angl
bobac (marmotte) lgue de Sibérie
bocage norm-picard < germ
bocal ital 180
bocard (broyeur) all
bochette (jeu de boules) ital
bock all 209
bodhisattva (sagesse) skr
body angl 257
body-building ang
Bodygraph angl *nom déposé*
boesse (outil) prov
boekelkijn « petit livre » mot néerlandais 124
boëte, boette (appât) breton
boetiek « boutique » mot néerlandais 125
boghead (houille) *Boghead* (Écosse)
boghei, boguet (cabriolet) angl
bogue (de châtaigne) oïl de l'Ouest < breton
bogue, bug (informatique) angl
bo(u)ille (bidon de lait) Suisse
bois (forêt) germ 106
boisseau (mesure) gaul
boîte grec 67
bol (récipient) angl 14, 223
bolas (lasso en Am. du Sud) esp
bolchevik russe 212
boldo (bot.) esp du Chili

bolduc (ruban) *Bois-le-Duc* (Pays-Bas)
boléro (danse) esp
boliche (filet de pêche) esp
bo(u)lier *n.m.* (marine) prov
bolivar (monnaie) *Bolivar* (Venezuela)
bollard (marine) angl
bolleponche mot français du XVIIe s. < angl 230
bombe ital 173, 174
bon « contravention » mot néerlandais < fr 125
bonace « accalmie » prov ou ital (?)
bonasse *adj.* ital
bonbon « chocolat » mot néerlandais < fr 125
bonbonne ou **bombonne** prov
bonde (trou d'écoulement) gaul
bondérisation (chimie) *Bonder* (G.-B.)
bondrée (oiseau rapace) breton
bonduc (arbrisseau) ar < hindi
bongeau (lin) oïl (?)
bonite *n.f.* (poisson) esp
bonnet germ
bonsaï ou **bonzaï** jap 248, 249
bonus lat
bonze ptg < jap 248, 249
boogie-woogie angl
booléen, boolien (math.) *Boole* (G.-B.)
boom angl
boomer *n.m.* (haut-parleur) angl
boomerang angl < lgue d'Australie 10, 246
booster *n.m.* (fusée) angl
bootlegger (contrebandier) angl
boots (chaussures) angl 22, 234, 235
boqueteau norm-picard
boquillon « bûcheron » picard
bora *n.f.* (vent) ital ou slovène
bor(a)in oïl du Nord
borax (chimie) persan
bord francique
bord « table » mot danois 106
Bord « étagère » mot allemand 106
borde « bûche » a. fr 106
borde (expl. agric.) francique
bordeel « bordel » mot néerlandais 125
bordel prov < germ 106, 125
borderie (expl. agric.) francique
borderline (médecine) angl
bo(u)rdigue (pêcherie) prov
bordj (maison) ar
borie (construction) prov
borinage (houillère) oïl du Nord
borne gaul (?)
borough angl
bort (diamant) angl
bort(s)ch russe
bosan (breuvage) turc
bosel (archit.) ital
boskoop *n.f.* (pomme) *Boskoop* (Pays-Bas)
boson (phys. nucl.) *Bose* (Inde)
bosquet ital ou prov < germ
boss angl
bosse ital

boston (danse) *Boston* (U.S.A.)
bot germ (?)
botequin (petit bateau) néerl
botte (chaussure) germ (?)
botte (escrime) ital
botte (gerbe) moyen néerl
boubou (vêtement) malinké 242, 244
bouc gaul 47
bouc émissaire *calque* < hébreu 145
boucan (tumulte) ital
boucan (viande fumée) tupi
boucau (entrée de port) gascon
boucaud, boucot (crevette) prov
bouchot « parc à huîtres » poitevin
boucon (mets empoisonné) ital
bouddha skr
boue oïl du Nord < gaul 47
bouée germ
bouffe (opéra) ital
bouffon ital 180, 217
bouffron (seiche) prov
bouge *n.f.* « sac » mot d'a. fr < gaul 46
bougette *n.f.* « sac » mot d'a. fr < gaul 46
bougie *Bougie* (Algérie) 96
bougna(t) auvergnat 131
bouillabaisse prov
bouille « bourbier » a. fr 47
bouiller dial
boujaron (marine) prov
boukinkan (bonnet) angl *Buckingham* (G.-B.)
boulanger picard < néerl 123
boulbène *n.f.* (géol.) gascon
boulder *n.m.* (géol.) angl
bouleau gaul 46, 50
bouledogue ou *bulldog* angl
bouléjon (filet de pêche) prov
boulevard néerl 14, 65
boulièche (filet de pêche) prov
bouline (cordage) angl
boulingrin/bowling green 225
bouloir (outil) dial
bouque (terme de pêche) prov
bouquer (faire sortir du terrier) prov
bouquet (arbres) norm-picard < germ
bouquet (crevette) gaul (?)
bouquetin francoprov < germ
bouquette (sarrasin) néerl
bouquin néerl 65, 124
bouracan (tissu) ar
bourbier gaul
bourbon (whisky) *Bourbon* (U.S.A.)
bourbouille (dermatose) prov
bourde prov
bourdillon (futaille) prov
bourg germ
bourgade dial ital du Nord (ou prov) 128
bourgeron (toile) oïl
bourgin (filet de pêche) prov
bourgne (sorte de nasse) oïl (?)
bourle (plaisanterie, attrape) ital
bourrache (bot.) prov < ar
bourrasque ital
bourriche « panier » picard
bourricot, -quot esp
bourrique esp 187
bourset (techn. de pêche) néerl

bousin (vacarme) angl
bousquer (marine) prov
boussole ital < grec 174
boutargue « œufs de poisson » prov < ar
boute (futaille) prov
bouteiller 218
bouter germ
bouteur (bulldozer) 235
boutique prov < grec 67, 125, 159
boutre *n.m.* (marine) ar
bovembramzell « cacatois » mot néerlandais 197
bow-string (construction) angl
bow-window angl
bowl / bol 223
bowl of punch express. anglaise 230
bowling (jeu de quilles) angl
box (garage) angl
box-(calf) angl
box-office angl
boxe angl
boxer *n.m.* (race canine) angl
boxing angl
boxon angl
boy-friend angl
boy-scout ou **scout** angl
boyard russe 210
boycott, boycotter *Boycott* (G.-B.)
boyer *n.m.* (marine) néerl
braconner prov < germ
braconnière (armure) ital
brader picard ou wallon < néerl
braguette prov < gaul 14, 46, 47
brahmane skr
brahmi (écriture) skr
brai (goudron) gaul
braies gaul
braille (alphabet) *Braille* (France)
brain-trust angl
brainstorming angl
brainwashing « lavage de cerveaux » angl
braise germ
bramer prov < germ
bran, bren (excrément) gaul
brancard norm 134
branche 134
brandade prov 128
brande (bruyère) lat médiév < germ
brandebourg (galon) *Brandebourg* (Allemagne)
branderie « distillerie » néerl
brandevin « eau-de-vie de vin » néerl
brandir germ
brandon germ
brandy angl < néerl
branque « branche » mot normand 134
braque (race canine) germ < prov
braquemart (épée) néerl
brasero esp < prélat (?)
brasque *n.f.* (enduit) ital
brasser (bière) gaul
bravache ital
bravade ital 128, 177
brave ital ou esp
bravissimo ital
bravo ital 217
bravoure ital
break (interruption) angl

break (voiture) angl

break-down angl

brèche (géol.) ligure (?)

brèche (ouverture) germ

brèche (être sur la) *calque* < hébreu 145

bréchet (sternum) angl

brédir (relier) germ

breeder *n.m.* (phys. nucl.) angl

breitschwanz (astrakan) all

brelan germ

brequin (vrille) néerl

bretelle germ

bretzel (pâtisserie) alsacien < lat

bri(c)k (sorte de crêpe) ar

brick (marine) angl

bricole (hipp.) ital < longobard (?)

bride germ

bridge (dentaire) angl

bridge (jeu de cartes) angl

brie mot normand 134

briefing angl < fr

brier « broyer » mot normand 134

brigade dial ital 128

brigand ital 174

brigantin (marine) ital 175

brightisme (néphrite) *Bright* (G.-B.)

briller ital

brimer oïl de l'Ouest

brin gaul (?)

brinde (toast porté à la santé de qqn) all

brindezingue all

bringue (faire la) all 206

bringue « personne mal bâtie » norm (?)

brio « pont » mot gaulois 45, 46

brioche norm 134

brique néerl

briser gaul

briska *n.m.* (calèche) russe

bristol (carton) *Bristol* (G.-B.) 96

broc « cruche à bec » prov < grec 130

brocanteur germ (?)

brocart (étoffe) ital

brocatelle (marbre ou étoffe) ital

brochet gaul 47

brocoli ital

brodequin néerl

broder *v.* germ

broker *n.m.* angl

bromélia (bot.) *Bromel* (Suède) 92

bronze ital < persan

brook (hipp.) angl

broquelin (tabac) néerl

broquette (clou) oc (?)

brouet germ

brouhaha hébreu

brouiller *v.* francique

brousse prov

brout (bot.) germ

brouter germ

brownien (mouvement) *Brown* (Écosse)

browning (pistolet) *Browning* (U.S.A.)

broyer germ 134

brucella, -ose (maladie) *Bruce* (Australie)

brugnon prov

bruir *v.* (traitement des étoffes) germ
brume prov 30
brun germ 107
brunch angl
brunette mot danois < fr 11
brusc (bruyère) prov
brushel angl 226
brushing (coiffure) *pseudo-angl* 234
brusque ital
bruyère gaul 46, 47
bucail (sarrasin) néerl
bûche germ 106
budget angl < fr < gaul 46
buée « lessive » germ 135
buef mot d'a. fr 223
buffalo « bison d'Am. du Nord » ital
buffet ital
buffle ital
bug, bogue (informatique) angl
bugle (instr. mus.) angl
building angl
buire *n.f.* (vase) francique
bulbe (marine) angl
bulge (marine) angl
bull-finch (race canine) angl
bull-terrier (race canine) angl
bulldog (race canine) angl
bulldozer (engin trav. publ.) angl 234
bulletin ital
bullionisme (finance) angl
bumper (billard électr.) angl
bun (pâtisserie) angl
bungalow angl < hindoustani 10, 229
bunker (golf) angl
bunker (casemate) all 207
bunraku (marionnette) jap
buquer (faire exploser) gallo-roman
burat (étoffe) ital
bure *n.m.* (puits de mine) all
burg « château fort » all
burger *n.m.* (sandwich) angl
burgrave all
burial-mound (tumulus) angl
burin ital < germ
burle ital
burler *v.* mot français du XVIe s. < ital 179
burlesque ital (ou angl < fr) 174, 180
burnous (vêtement) ar
buron (cabane) auvergnat < germ
bus angl 188
busc (baleine de corset) ital
buse (tuyau) scand ou néerl
bush (broussaille) angl
bushido (code d'honneur) jap 248
business angl 230
business school angl
businessman angl
busserole (bot.) prov
buste ital
but « cible » francique
butéa (bot) *Bute* (Écosse) 92
butic mot roumain < fr 11
butin germ
butler *n.m.* angl < fr 218
buzzer *n.m.* (radio) angl
by-pass, by-passer (dérivation) angl
bye-bye angl
byline (chant) russe

byssus (zool.) lat

C

cab angl
cabale hébreu
caban (grande veste) sicilien < ar
cabane prov < gaul
cabaret picard < néerl
cabas prov
cabbage mot anglais < norm 219
cabèche (tête) esp
cabécou (fromage) 131
cabernet (cépage) oc de l'Ouest
cabestan (marine) prov
cabiai (rongeur) tupi ou caraïbe
cabillaud (poisson) néerl 65, 122, 123
cabillot (amarre) prov
cabin-cruiser angl
cabine (de navire) angl < fr
cabinet (chambre, meuble) ital ou picard
cabinet « ensemble des ministres » angl
câble norm 134
cableman angl
câbler angl < fr
cablogramme angl
caboche norm-picard 219
cabot « chien » oc (argot) 29
cabotage, -ter esp 186
cabouille (bot.) amérind (?)
caboulot franc-comtois
cabre (instr. de levage) prov
cabrer (se) prov
cabri (chevreau) prov
cabriole ital
cabus (chou) prov
cabussière (filet) prov
cacah(o)uète esp < nahuatl 190, 196
cacao esp < nahuatl 190, 196
cacaoui (canard) algonquin
cacatoès (oiseau) néerl (?) < malais 124, 197
cacatois (voile) ptg < malais 197, 198
cachalot ptg 197
cachemire (étoffe) *Cachemire* (Inde)
cacheron (ficelle) oïl (?)
cachiman (bot.) créole
cacholong (opale) kalmouk, lgue de Sibérie
cachou ptg < tamoul (ou malais) 198
cachucha (danse) esp d'Andalousie
cacique (chef) esp < arawak 200
cacochyme grec 79
cacolet (bât) basque (?)
cactus (bot.) lat
cadastre vénitien ou prov < grec
caddie (golf) angl
cade (genévrier) prov
cadeau prov 129
cadeau mot persan < fr 157
cadédiou (juron) gascon
cadenas prov
cadence/chance 66
cadène (marine) ital
cadet gascon 131

cadi (juge musulman) ar
cadis (tissu) esp
cadmium (chimie) *Cadmée* (Grèce) 72
cadole (serrure) oc
cadre (tableau) ital
caecum (anat.) ital
caecus « aveugle » mot latin 64
caf(e)tan (vêtement) ar < persan 157
cafard (bigot, hypocrite) ar 154
café vénitien < turc < ar
cafétéria angl < esp
cafouiller norm-picard (argot) 27
cagade (lâcheté) prov
cagibi oïl de l'Ouest 134
cagna (cabane) prov
cagnard prov
cagne (mauvais chien) prov
cagnot (requin) prov
cagnotte gascon 131
cagot « faux dévot » béarnais 131
cagoule poitevin
cague (bateau) néerl
cahoter germ
caiche (bateau) angl
caïd ar 155
caïeu, cayeu (bot.) picard
caille *n.f.* (oiseau) francique 112
caillebot(t)is (marine) oïl de l'Ouest
caillebotter (cailler) oïl (?)
cailler 63
caillou norm-picard < gaul (?) 36, 37
caïman esp < caraïbe 192, 196
caïque (embarcation) ital < turc
cairn (tumulus) celt
cairon (moellon) prov
caisse prov 222
caisson ital
cajeput (bot.) malais
cajoler picard
cajou (noix de) ptg < tupi 196, 197
cajun *prononciation* de *acadien*
cajute néerl
cake angl
cake-walk (danse) angl
cal (pierre) précelt. ou gaul 37
cal(a)mar ital
calade (hipp.) ital
caladion, -dium (bot.) malais
calambac, -bour (bot.) malais
calanque prov < pré-indo-européen 37
calao (oiseau) malais 245
calcaneum « os du talon » lat
calcarone (soufre) ital
calcium (chimie) lat 72
caldarium (archéol.) lat
calde(i)ra (géol.) ptg
cale (de navire) prov
calebasse esp < ibère
calèche all < tchèque 209, 213
caleçon ital 14, 180
calencar (toile peinte) persan
calenture (médecine) esp
calepin (carnet) *Calepino* (Italie) 95
caler prov
calfater grec byz < ar
calibre ital < ar

caliche *n.m.* (minerai) esp
calicot (tissu) *Calicut* (Inde)
calife ar 155
californium (chimie) *Californie* (U.S.A.) 72
califourchon (à) oïl de l'Ouest < breton
calin (alliage) ptg < malais
câliner norm
caliorne *n.f.* (marine) ital
calisson prov
call-girl angl
calmande ital
calme ital < grec
caló « lgue des Gitans » esp
calong (zool.) malais
calor « chaleur » mot latin 130
calot (bille) oïl de l'Ouest < germ
calquer ital
calumet norm-picard
calvaire lat *calque* < hébreu 144-145
calvus « chauve » mot latin 145
calypso (danse) caraïbe
camaïeu ar
camail (pèlerine) prov
camarade esp < grec 14, 128, 186
camarilla esp
camarine (bot.) oc (?)
cambiaire, cambial (change) ital
cambiare mot gaulois 46
cambiste (change) ital
cambium (bot.) lat
camboye (pagne) cinghalais
cambrer norm-picard
cambrioleur prov
cambrousse prov
cambuse (marine) néerl
came (mécanique) néerl ou all
camée ital < ar 22
camél(l)ia (bot.) *Kamel* (Moravie) 92
camelle (marais salant) prov
camélopard mot d'a. fr 150
camelot (colporteur) prov < turc < ar (?)
caméra (cinéma) angl < lat
caméraman angl
camerawoman angl
camérier (dignitaire eccl.) ital
camériste esp ou ital
camerlingue (au Vatican) ital
camino francés expr. espagnole 185
camion norm-picard
camisade (attaque de nuit) prov 177
camisard languedocien
camisole ital ou prov 177
camoiard (étoffe de poil de chèvre) ital
camorra « mafia napolitaine » ital
camoufler ital 174
camp ital, picard ou prov
campagne ital, picard ou prov
campagnol (rongeur) ital
campanile ital
campêche (bois) *Campeche* (Mexique)
camphre lat médiév < ar < persan < skr 158
camping angl < fr
camping-car angl < fr
camping-gaz angl et fr
campo (plaine) ptg

campus angl < lat
can(n)ette (bouteille) picard
can(n)isse (roseau) prov
canaille ital 174
canapé grec 67
canapsa (havresac) all
canaque, kanak (langue) Nlle-Calédonie
canari (oiseau) esp 22, 188
canasta (jeu de cartes) esp
cancan lat 63
cancrelat néerl
candelette (marine) prov
candi ar < persan < skr 159
cane « chien » mot italien 174
canéfice (bot.) créole
canevas picard
canezou (corsage) prov
cangaceiro (bandit) ptg du Brésil
cange *n.f.* (barque) turc
cangue (carcan) ptg < chinois ou annamite 247
canier (roseaux) prov
canière (pêche) oïl (?)
canif germ
canillon (pêche) prov
canne prov < grec < hébreu 246
cannelle ital
cannelloni ital
cannelure ital
can(n)equin (cotonnade) hindi (?)
cannetille (fil d'or) esp
cannette (bobine) génois
cannibale esp < caraïbe 192, 196
cannibalisation angl
cannibaliser angl
canoë angl < arawak
canoeing angl
canon (artillerie) ital 173
cañon ou **canyon** esp d'Am
canot esp < arawak 200
cant (hypocrisie) angl
canta mot provençal 50
cantabile (mus.) ital
cantaloup (melon) *Cantalupo* (Italie)
cantare mot latin 50
cantate (mus.) ital
cantatrice ital
canter *n.m.* (hipp.) angl 50
canter *v.* mot picard
cantibay (industrie du bois) prov
cantilène ital
cantilever (pont) angl
cantine ital
cantique des cantiques *calque* < hébreu 146
canton ital
cantonade prov 128
canut (soierie) lyonnais 133
canzone (mus.) ital
caodaïsme (relig.) lgue d'Asie
caoua (café) ar
caouanne (tortue) caraïbe ou malais
caoutchouc esp < quechua 190
cap (promontoire) prov
capacitance (phys.) angl
caparaçon (armure) esp < ibère (?) 36
caparasse prov
cape (vêtement) ital
cape (marine) prov
cape (casquette de sport) angl

capéer, capeyer *v.* (marine) prov
capelan (poisson) prov
capeler *v.* (cordage) prov
capelet (méd. vétérin.) prov
capeline ital 257
capet (petit manteau) oc (?)
capeyer, capéer *v.* (marine) prov
capharnaüm (désordre) *Capharnaüm* (Palestine)
capie (écheveau) prov
capilotade esp 128
capion (marine) prov
capiscol (chantre) prov
capital-risque angl
capitan (fanfaron) ital
capitane (galère) ital
capiteux ital
capiton « bourre de soie » ital
capitoul (magistrat) prov
capon « peureux » prov < ital (?)
caponnière (archi.) ital
caporal ital 173
caposer *v.* (marine) oc
capot (aux cartes) prov (?)
capoter *v.* prov (argot) 30
capoulié (félibrige) prov
capoulière (filet de pêche) prov
capout « détruit » all (argot) 30
cappa magna (vêtement) ital
cappuccino ital
capra « chèvre » mot latin 134
capre (marine) néerl
câpre *n.f.* ital < grec
capriccio (mus.) ital
caprice ital 179
capricieux ital
capuce (capuchon) ital
capuchon ital
capucin ital
capulet (coiffure) gascon
caque *n.f.* (barrique) néerl
caquer « mettre en caque » néerl
car (véhicule) angl < norm
car-ferry angl
carabe *n.m.* (insecte) grec
carabé (ambre jaune) ar
carabin (médecine) oc
caracal (lynx) esp < turc
caraco « blouse » oïl de l'Ouest < turc
caracole, -er (hipp.) esp
carafe esp ou ital < ar 22
carafée (giroflée) oc (?)
carafon ital 180
caragne (résine) amérind de Colombie
carambolage esp ou ptg < marathe < skr
carambole (bot.) esp < malais
carambouillage (escroquerie) esp ou ptg
carambouille esp ou ptg < marathe < skr
caramel esp < ptg
carangue (poisson) amérind
carapace esp ou ptg < ibère (?) 36
carapater (se) turc
caraque (marine) ar
carassin (poisson) all < tchèque
carat lat médiév < grec < ar
caravane persan
caravaning angl < fr < persan

caravansérail turc (?) < persan
caravelle ptg < grec
carbet (cabane) caraïbe
carbon(n)ade (cuisine) ital 128
carbonado (diamant) ptg du Brésil
carbonaro (politique) ital
Carborundum (abrasif) *nom déposé* angl
carcajou (zool.) lgue amérind du Canada
cardan (mécanique) *Cardano* (Italie)
cardasse (bot.) ital
carde *n.f.* (cardage) picard
carde *n.f.* (cardon) prov
cardère *n.f.* (chardon) prov
cardigan (veste) *Cardigan* (G.-B.) 22, 96
cardinalice *adj.* ital
cardio- « cœur » grec 80
cardon (bot.) prov
carène génois 175
caresse, -er ital 14, 180
caret (corderie) picard
caret (tortue) esp < malais
cargaison prov
cargo angl < esp
cargue « charge » mot français du XVIe s. 177
carguer (marine) prov
cari (épice) ptg < tamoul 198, 229
cariacou (zool.) lgue amérind
cariatide ou **caryatide** ital < grec
caribou (renne) algonquin ou micmac 228
caricature ital 180
cariset (tissu) angl
caristade (aumône) esp
carlin (monnaie) ital 170
carlin (race canine) *Carlo* Bertinazzi (Italie)
carline (chardon) prov
carlingue vx scand 114, 116
carlino (monnaie) mot italien 170
carliste (politique) *Carlos* de Molina (Espagne)
carmagnole (veste) *Carmagnola* (Piémont)
carmeline (laine) esp
carmin lat méd < ar < persan < skr
carnage ital 174
carnal (marine) prov
carnassier prov
carnassière « gibecière » prov
carnauba (bot.) lgue amérind
carnaval ital
carnavalesque ital
carne (viande dure) ital ou norm
carné mot espagnol < fr 10
carnier « petite gibecière » prov
carnotset (local aménagé) vaudois
carogne (mauvais cheval) picard
carolus (monnaie) *Carolus* (Charles VII)
caronade (canon) *Carron* (Écosse)
carotte (récompense) angl
caroube, carouge (fruit) lat médiév < ar

carpaccio (cuisine) *Carpaccio* (Italie)
carpetbagger (émigré) angl
carpette angl < a. fr < ital
carpion (truite) ital
carqueron (tissage) oc (?)
carquois lat médiév < grec byz < ar < persan
carraire (chemin de troupeaux) prov
carrare (marbre) *Carrara* (Italie)
carréger prov
carrick (manteau) angl < lat
carrière « espace à parcourir » prov
carriériste angl < fr
carriole prov < gaul 46, 48
carrosse ital < gaul 46, 48
cartahu (marine) néerl
carte blanche expr. allemande < fr 10
cartel (ornement et pendule) ital
cartel « entente commerciale » all
cartelle (présentoir) ital
carter (boîtier) *Carter* (G.-B.)
cartisane (passementerie) ital
carton ital 217
cartoon « dessin animé » angl
cartouche *n.f.* (munition) ital
cartouche *n.m.* (encadrement) ital
casanier esp
casaque persan 157
casaquin (blouse de femme) persan
casbah ar
cascabelle (serpent à sonnettes) esp
cascade ital (?) 128
cascara (bot.) esp
cascarille (pharmacie) esp
cascatelle « petite cascade » ital
case (compartiment) esp
case (hutte) ptg
casemate ital
caseret, -ette (fromagerie) norm
caserne prov
cash and carry angl
cash/caisse 222
cash angl < fr 222
cash-flow angl
casimir (tissu) *Cachemire* (Inde)
casing (technique) angl
casino ital
casoar (oiseau) lat scient. < malais 124
casque esp 22, 188
casquer ital (argot) 26
cassade (bluff au jeu) ital
cassanos « chêne » mot gaulois 50, 51
cassate (glace) ital < ar
cassation (mus.) ital
cassave (galette) esp < caraïbe
casse (imprimerie) ital
casse (outil du verrier) prov
casserole prov
cassetin (imprimerie) ital
cassette norm ou ital
cassie (bot.) prov
cassin (tissage) ital
cassine (bicoque) piémontais

cassique (oiseau) esp < caraïbe (ou lat scient.)
cassis (fruit) poitevin
cassolette provençal ou esp
cassonade prov 128
cassoulet languedocien 131
castagne (bagarre) gascon
castagnettes esp < grec
caste ptg
castel prov
castellum mot latin 50
castille (querelle) esp
castine (calcaire) all
casting (distribution) angl 231
castoreum (parfumerie) lat
castrat ital ou gascon 131
casuarina, -rine (bot.) malais
casuiste esp
casus belli lat
cat(t)leya (fleur) *Cattley* (G.-B.) 92-93
catafalque ital
catalpa (bot.) angl
catalyse angl < grec
catamaran angl < tamoul 229
catarrhe grec 80
catch angl < a. fr
Caterpillar nom déposé *Caterpillar* (U.S.A.)
catgut (chirurgie) angl
cathedra « siège » mot grec 67
catherinaire « tabac » 192
cathode angl < grec
catimini (en) picard < grec byz
cation (chimie) angl
catleya (faire) 93
catogan, cado- (coiffure) *Cadogan* (G.-B.) 96
cattle / cheptel 219
cauchemar néerl + picard
caudillo esp
caudrette (filet) picard
cauris (coquillage) tamoul
causse rouergat 131
cavagnole (jeu) ital
cavaillon (melon) *Cavaillon* (Provence)
cavalcade ital 128, 174
cavalcadour (hipp.) prov
cavale (jument) ital
cavalet (marine) angl
cavalier ital
cavalot (canon) ital
cavas(s), kavas (gendarme) turc < ar
cavatine (mus.) ital
caveçon (équitation) ital
caver *v.* (au poker) ital
cavet (moulure) ital
caviar ital < turc 163
caye *n.m.* (écueil) esp
CD (disque) 11
cécité lat 64, 65
cecos mot gaulois 47
cédille esp 187, 188
cédrat (citron) ital
céleri lombard < grec 69
cellophane angl et grec
celluloïd angl
Celsius (degré) *Celsius* (Suède) 94
cent (monnaie) angl < fr
centimètre 82
cèpe gascon 131
céphal- « tête » grec 79
cerbatana mot espagnol 246
cercueil 80

cérium (chimie) *Cérès* (mythol.) 72
cernier (mérou) prov
cervelas milanais
cervelle de canut (fromage) lyonnais 133
cervoise gaul 46
céseron (pois chiche) prov
césium (caes-) (chimie) lat 72
cévadille (bot.) esp
cha « thé » mot chinois 231
chaable « filin » a. fr. 134
chabichou (fromage) limousin 131
chabraque, scha- « couverture de cheval » all ou hongrois < turc
chacal turc < persan 158
chafouin « putois » oïl Centre ou Ouest
chagrin (cuir grenu) turc 163
chah, schah ou **shah** persan
chahuter vendômois
chai (cellier) poitevin-saintongeais < gaul 47
chail, chaille (géol.) pré-celtique
chairman (président) angl
chaise orléanais ou champenois < grec 67
châle angl < hindi < persan 157, 257
chalet suisse romand < prélatin (?) 36
chaleur lat 130
challenge angl
challenge(u)r angl
chaloupe oïl de l'Ouest ou prov < germ
chalut oïl de l'Ouest ou norm
chamade ital 128, 173, 174
chamarrer esp < ar 155
chambarder prov
chambellan germ
chambouler oc
chameau lat < grec 68
chamois gaul 47
champer (marais salants) prov
champi(s) « enfant trouvé » berrichon
champion germ
champoreau (boisson) esp
chance/cadence 66
changer gaul 48
cha no yu (cérémonie du thé) jap
chanque (échelle) oc de l'Ouest
chanter *v.* 50, 125
chanteren mot néerlandais < fr 125
chaos grec 85, 87
chap(s)ka, scha- (bonnet) polonais ou russe 212
chapada (géol.) ptg du Brésil
chaparral (bot.) esp du Mexique
chapoter (céramique) oïl (?)
char gaul 18, 46, 48
charab « boisson » mot arabe 139
charabia esp ou prov < ar
charade *n.f.* prov ou languedocien 128
charlatan ital (?)
charleston (danse) *Charleston* (U.S.A.)
charpente a. fr < gaul
charrue gaul 46, 48
charter angl < a. fr 181

chat de Madagascar ou **maki** 244
chaton (de bague) francique
chauffard 109
chauvir « dresser (les oreilles) » francique
chavirer prov
chéchia (coiffure) ar
check-list angl < a. fr
check-up angl < a. fr
cheftaine angl < a. fr
cheik, cheikh ou **scheik** (chef de tribu) ar
chelem ou **schelem** (terme de bridge) angl
chemin gaul 18
chemin de fer angl
chenapan all 206
chêne gaul 46, 53
chéneau (gouttière) oïl du Centre ou de l'Est
chèque angl < a. fr
chérif ou **shérif** ital, puis angl < ar 155
cherry (liqueur) angl < a. fr
chérubin *calque* < hébreu 10, 144
chet « forêt » mot celtique 41
cheval 65
cheval de bataille *calque* < hébreu 145
chevaleresque ital
cheviotte (laine) *Cheviot* (Écosse)
chèvre 134
chevrette « crevette » mot d'a. fr 134
chevrette « petite chèvre » 134
chewing-gum ang et fr
chianti (vin) *Chianti* (Italie)
chicha (boisson) esp du Pérou
chicotin (aloès) *Socotra* (Yémen) 150
chien-loup *calque* < angl
chiennaille mot d'a. fr 174
chiffe angl et a. fr
chiffre lat médiév et ital < ar 148, 153
chignole « guimbarde » norm
chiite ar
chimpanzé lgue africaine du Congo 242, 243
china-clay (argile) angl
china-grass (ortie de Chine) angl
chinchilla esp < quechua
chiot oïl du Centre ou de l'Ouest
chiourme « galériens » génois (argot) 30
chipolata ital
chips (pommes de terre frites) angl
chique « tabac à mâcher » norm-picard
chiquenaude picard ou prov
chiro- « main » grec 80
chiromancie 87
chiropracteur angl < grec
chiropraxie, -practie angl < grec
chiroptère 87
chirou (chèvre) tibétain (?)
chirurgie 80, 87
chistera esp < basque 36
chlore grec 85
chlorine « chlore » mot anglais 85
chloroforme 85

chlorophage 87
chlorophylle 85, 87
chocolat esp < nahuatl 10, 14, 190, 196, 200
choisir germ
chop (tennis) angl
chope « grand verre à boire » oïl du Nord-Est < all
chopine (petite bouteille de vin) all ou néerl
choquer « heurter » néerl ou angl
chorizo (saucisson) esp 187
chorus (chant) lat
chou 69
chou-fleur *calque* < ital 180
choucard « beau, bon » tsigane (argot) 31
choucroute alsacien
chouette (oiseau de nuit) a. fr < germ
choule (technique de pêche) oïl
chouquet (marine) oïl
chouraveur « voleur » tsigane (argot) 31
chourin « couteau » tsigane (argot) 26, 31
chow-chow (race canine) pidgin anglo-chinois 229
christiania (ski) *Christiania* (ancien nom d'Oslo) 210
christmas (fête de Noël) angl
chromosome (biol.) all < grec
chronologie grec 86
churrigueresque (archit.) *Churriguera* (Espagne)
cibiste *acronyme* < angl
cible suisse alémanique
ciboule (oignon) prov 69
ciboulette 69
cicérone « guide » *Cicéron* (Rome)
cidre lat eccl < grec < hébreu
cigale prov 14, 30
cigare esp
cigarière esp
cigarillo esp
cigogne prov 129
cimarrón (esclave en fuite) esp 201
cimeterre ital ou turc < persan
cinéma grec 87
cinétique grec 87
cingler « faire voile » vx scand 114, 116
cirrus (météo.) lat
cisalpine lat 48
cistella « corbeille » mot latin 36
citadelle ital
citadin ital
cithare grec 147
citron-fromage mot danois < fr 11
citronnade 129
citrouille dial ital 176, 180
civade (avoine) prov
civadière (marine) prov
civette (mammifère) ital < ar 150
clabot, crabot (mécanique) germ
clactonien (archéol.) *Clacton* (G.-B.)
claie gaul
clair-obscur ital
clam (coquillage) angl
clamecer, clamser « mourir » all (argot)
clamp (chirurgie) scand

clan (tribu) angl < gaélique
clapier ancien prov < précel-tique 37
claquetteman (danse) angl
claudicare mot latin 64
claudiquer/clocher 64
clebs, cleb ou **clébard** (chien) ar (argot) 31, 139
clenche (loquet) picard < germ
clergyman angl < a. fr
clip (bijou) angl
clip ou **vidéoclip** angl 231
clitoris (anat.) lat
cliver « fendre » néerl
cloche gaul ou irlandais 18, 48
cloque picard
cloup (géol.) celt
clovisse (coquillage) prov
clown angl 217
club (association) angl < vx scand 223, 224
club « canne de golf » angl < vx scand
coach « entraîneur » angl 237
coaching angl
coachman angl
coachwoman angl
coagulare mot latin 63
coagulum (caillot) lat
coalition angl < a. fr
cobalt all 206
cobaye ptg < tupi 195, 196
cobol *acronyme* < angl
cobra ptg 199
coca esp < quechua < aymara 192, 196, 233
Coca-Cola angl d'Am < quechua + lgue africaine
cocagne prov ou ital < germ ou néerl
coccus (bactérie) lat
coche (bateau) norm-picard < néerl 123
coche (voiture) all < hongrois ou tchèque 10
cochenille (insecte) esp < mozarabe < grec
cocker (race canine) angl
cockpit angl
cocktail angl
coco « fruit du cocotier » ptg
cocon prov
coda (mus.) ital
codille *n.m.* (jeu de cartes) esp
coffee-shop angl
cognita causa expr. latine 68
cohober « distiller » lat médiév < ar
cohue breton
coiffe germ
coing (fruit) *Cydonea* (Crète) 162
coïtus interruptus lat
coke (cocaïne) angl
coke (houille) angl
cola ou **kola** (bot.) lgue du Soudan 233, 242, 243
colback (bonnet de fourrure) turc 163
cold-cream (pommade) angl < fr
colère lat < grec 38
colibri (oiseau) arawak
colimaçon norm-picard < germ
colin (poisson) néerl ou angl 65
colis ital 180
collapsus (médecine) lat
colley (chien) angl

colloïde angl < grec
colmater ital 175
colon (intestin) lat
colonel ital 173
colonnade ital 128
colorature (mus.) all ou ital
coloris ital
colostrum (physiol.) lat
colt (revolver) *Colt* (U.S.A.)
colza wallon ou rouchi < néerl
combe oc < gaul 47
combrière (filet de pêche) prov
combuger *v.* (tonnellerie) oc
come-back angl
comédie grec 67, 79
comité angl < a. fr 222
command-car (véhicule militaire) angl
commandite ital
commando angl < ptg
commodore angl < néerl < fr
commonwealth angl
comparse ital
compartiment ital
compendium (abrégé) lat
compère-loriot picard
compétitif angl < lat
compétition angl < lat
compliment angl < lat
compost (terreau) angl < a. fr
composteur ital
compter/conter 64
computare mot latin 64, 222
computer angl < a. fr 222
comte 108
conceptisme (littér.) esp
concerné angl
concert ital 156
concert mot persan < fr
concerto ital
conche (marais salants) ital
conchyl(l)is (papillon) lat
concombre prov
condenseur angl < lat
condominium (co-propriété) angl < lat
condor (oiseau de proie) esp < quechua 192, 196
condottiere ital
confer (cf.) lat
confessionnal ital
confetti ital
confident ital
confiteor (liturgie) lat
conformiste angl < fr
confort angl < a. fr 221
confortable angl < fr 221, 226, 254
confucianisme (relig.) *Confucius* (Chine)
congédier ital < a. fr
congère « amas de neige » dauphinois 131
congre (poisson) prov
congressman angl
conil mot d'a. fr 37
conin mot d'a. fr 37
conquistador esp 186
consensus lat
conservatoire (mus.) ital
conserve (de) prov ou ital
consort angl
consortium (entreprise) angl
constat lat
consulte *n.f.* (assemblée) ital
contact (lentilles de) *calque* < angl
contact-man angl
contacter angl

container ou **conteneur** (récipient) angl
continuo (mus.) ital
contorniate (numismat.) ital
contour ital
contourner ital
contraceptif angl
contraception angl
contralto ital
contrapontique, -puntique (mus.) ital
contraste ital 177
contrebande vénitien
contrebasse ital
contredanse (danse) angl 226
contrôle « maîtrise » angl
contrôler « diriger » angl 234
convention « réunion, congrès » angl < fr 221
conventionnel « traditionnel » angl 234
convertible « transformable » angl
convivial angl
convivialité angl
convolvulus (bot.) lat
cool « sympa » angl 31
coolie « porteur » angl < goudjerati
coprah ptg ou angl < malayalam < skr
copte « chrétien d'Égypte » ar (?) < grec
copyright angl
coq « cuisinier sur un navire » néerl ou ital
coq-souris (marine) angl
coquebin *adj.* (niais) turc (?)
coquemar « bouilloire » néerl (?)
coran ar
cordillère esp
cordonnier 97
cordouan (cuir) *Cordoue* (Espagne)
corindon (alumine cristallisée) tamoul < skr
cornac ptg < cinghalais 198
corne 134
corned-beef angl et fr
corner (football) angl < a. fr
corniche ital
cornude « seau en bois » prov
coromandel (laque) tamoul (?)
coron picard-wallon 133, 134
corozo (boutons) esp
corporation angl
corpus (documents) lat
corpus delicti expr. latine 68
corral « parc à bétail » esp
corrida esp
corridor ital
corroyer « apprêter le cuir » germ < lat pop < a. fr
corsaire ital 175
cortège ital
cortex (anat.) lat
cortisone angl
corvette picard < néerl
cosaque russe 14, 210
cosser *v.* (se heurter) ital
costaud oc (argot) 29
costume ital 180
cosy-corner ou **cosy** angl
côté 65
cotidal (marée) angl
cotignac « pâte de coing » prov
cotinga *n.m.* (oiseau) lgue amérind

coton ital < ar 154
cotonnade 129
cotre (marine) angl
cottage angl < germ ou norm 226
cotte (tunique) germ 223
couci-couça ital
coucoumelle (champignon) prov
coudrier gaul 46
couffin (panier) prov < ar
coug(o)uar « puma » ptg tupi 195
coulomb (mes. phys.) *Coulomb* (France) 94
coumaille (minéral.) oïl (?)
coumarine (subst. odorante) caraïbe
country/contrée 219
country music angl
country-dance mot anglais < fr 226
coupeillon (pêche) prov
coupole ital 180
coupon (empr. par le néerlandais) 11
couponage angl
couponing (publicité) angl
couque « pain d'épice » néerl
courbache (fouet) turc
courbaril (bot.) caraïbe
courbaton (marine) esp
courée (petite cour) oïl du Nord
courge oïl de l'Ouest
couroucou (oiseau) tupi
courrier (messager) ital
cours (avenue) ital
course ital
coursing (course de lévriers) angl
coursive ital 175
court (de tennis) angl < a. fr
courtisan prov (?) < ital
courtiser ital 179
couscous ar ou berbère
cousette « apprentie couturière » norm
coussin/cossin 175
coutelas ital
couton (volaille) prov
couvrir (un événement) angl
covenant (convention) angl < a. fr
cover-girl angl
cow-boy angl
cow-pox angl
coxa- lat 81
coxalgie 81
coyote (chacal) esp < nahuatl 190, 196, 200
crabe néerl ou scand 65, 122, 123
crabot, clabot (mécanique) all
crachin oïl de l'Ouest
crack (drogue) angl
crack « champion » angl
cracker *n.m.* (biscuit) angl
cracking (pétrole) angl
crag (géol.) celt
craindre gaul
craminer *v.* (peausserie) néerl
cramique *n.m.* (gâteau) néerl < a. fr
cramoisi ital < grec byz < persan < skr 160
crampe francique
crampon francique
cran (entaille) a. fr < gaul

crapaud germ
craquelin (pâtisserie) néerl
crash, -er angl
cravache slave et all < turc 163
cravant (oie sauvage) oïl de l'Ouest < gaul
cravate (bande d'étoffe) *Croate* (Croatie)
crawl (natation) angl
crèche francique
crédence (buffet) ital
credere mot latin 63
crédible angl 66
credo (liturgie) lat
crème gaul 46
crème de la crème expr. angl 146
crème glacée angl < fr
créole esp < ptg
crèque (fruit) néerl
crère *v.* mot français du XVIIe s. 135
crescendo ital
cresson germ 112
crésus « homme riche » *Crésus* (Grèce)
crétin savoyard ou valaisan
creton (lard) oïl de l'Est
crêtre *v.* mot français du XVIIe s. 135
crevette norm-picard 134
crib angl
cric moyen ht-all
cricket angl < fr (?)
crie « viande » argot 26
crier sur les toits *calque* < hébreu 145
crinoline ital
crique norm < vx scand 114
criquet (insecte) norm-picard (?)
crispin (théâtre) *Crispino* (Italie)
criss (poignard) malais
crisser francique
cristal 86
croc francique
croire 63, 135
croisade ital ou esp
croissant (pâtisserie) *calque* < all 208
croître 135
crolle (en Belgique) (cheveux) flamand
cromlech (archéol.) gallois ou breton
cromorne (instr. mus.) all
crombire, crompire (pomme de terre) all
crône (lieu de pêche)
crooner « chanteur de charme » angl d'Am
croquet (jeu) angl < a. fr
cross servicing angl
cross(-country) angl
crosse francique
crossing angl
crossing-over angl
crossman angl
crosswoman angl
crotte francique
croup « diphtérie » angl < écossais
croupe francique
crousille « tirelire » (en Suisse)
croustade prov 128
croustille (petit repas) prov
croustiller prov

crown-glass (optique) angl
croyable 66
cruche francique
cruiser (marine) angl
cruzado (monnaie d'or) ptg du Brésil
cruzeiro (monnaie actuelle) ptg du Brésil
crystallus « cristal » mot latin 86
cuadro esp
cubèbe (bot.) lat médiév < ar
cubilot (métall.) angl
cubitus (anat.) lat
cucca mot sicilien 40
cuchon « tas » lyonnais 40
cuesta (géogr.) esp
cueva (cabaret) esp
cuine (cornue) ar
cuirasse aragonais
cuivre 97, 162
cul-de-sac (empr. par l'anglais) 11
cultisme (littér.) esp
culturalisme angl
culturel all 207
cumulare mot latin 64
cumuler/combler 64
cumulus (météo.) lat
cunette (fortif.) ital
cuniculus mot latin 37
cunnilingus lat
cuntree mot d'a. fr 219
cuq « mont » pré-indo-européen 40
curaçao (liqueur) *Curaçao* (Antilles)
curare (poison) arawak 192, 196
curcuma (épice) esp < ar
curium (chimie) *Curie* (France) 70, 72, 95
curle (rouet) ital
curling (jeu sur la glace) angl
curriculum vitae (C.V.) expr. latine 68
curry (épice) angl < tamoul 229
cursus (études univ.) lat
curtain/cortine 219
cuscute (bot.) ar
custard (entremets) angl < fr
custom (véhicule personnalisé) angl
customiser (personnaliser un véhicule) angl
cut-back (bitume routier) angl
cutto(u)r (instr. coupant) angl 234, 235
cyanophile 87
cyanure grec 87
cycle « véhicule à deux roues » angl
cyclo-cross angl
cyclo-crossman angl
cyclone angl < grec
cyclothymie (médecine) all
cymbalum hongrois < lat
cyprium (æs) mot latin 97
cyst- « vessie » grec 80
czar (tsar) polonais < lat 213
c(z)ardas (danse) hongrois

D

da capo ital
dab(e) « père » ital (argot) 30
dada *calque* < angl
dæla « rigole » vx scand 116

dague esp, prov ou ital
dahabieh (barque) ar
dahir (décret) ar
dahlia (bot.) *Dahl* (Suède) 13, 93
daille prov
daïmio (seigneur) jap
daïquiri angl
daïra (division administr.) ar
dalaï-lama mongol et tibétain 247
daleau, dalot (marine) norm < scand
dalle norman-picard < néerl < vx scand 114, 116
dalle « gosier » norm (argot) 29
dalmatien (race canine) *Dalmatie*
dalot, daleau (marine) norm < scand
dalton (mes. phys.) *Dalton* (G.-B.)
daltonisme (méd.) *Dalton* (G.-B.)
daman (zool.) ar
damas (tissu) *Damas* (Syrie)
damasquiner (décoration) *Damas* (Syrie)
dame (marine) néerl
dame-jeanne prov
damelopre (embarcation) néerl
dam(m)ar (résine) malais
damper *n.m.* (amortisseur) angl
dan (judo) jap 248
dancing *pseudo-anglicisme*
dandy angl 237
Danegeld « rançon » mot danois
danser oïl du Nord < francique
darbouka (tambour) ar
dard francique
dariole (pâtisserie) picard
darling angl 237
darne (tranche) breton
daron (père, patron) oïl
darse, darce (marine) génois < ar
darshan (relig.) skr
dartre gaul
darwinisme, -iste *Darwin* (G.-B.)
dasein (philos.) all
dash-pot (amortisseur) angl
data « données » angl < lat
datcha « maison » russe
date « rendez-vous » angl
datte prov < lat < grec
datura (bot.) hindi < skr
daube (cuisine) ital < germ
dauphin prov < lat < grec
daurade, dorade prov < lat 128
dazibao (journal mural) chinois
de cujus (succession) lat
de facto « de fait » lat
de jure « de droit » lat
de profundis (liturgie) lat
de visu lat 68-69
dead-heat angl
dealer (drogue) angl 234, 235
dear « cher, chère » angl
deb « débutante » angl
débandade ital 128
débarrasser ital
débatteur angl < fr
débiter vx scand 114, 116
débouquer prov

débraillé gaul
debye *n.m.* (mes. phys.) *Debye* (Pays-Bas)
décaniller (s'enfuir) lyonnais (argot) 29, 132
decca angl
dèche prov 30
déchirer francique 110
décoder angl < fr
décombres gaul
décorum lat
décrément angl
decrescendo ital
décruser prov
dédicace 134
défaillir 178
défalquer ital < lat médiév
déficit lat
définitoire ital
déflation angl < lat
défoliant angl < lat
dégingandé oïl du Nord < néerl 65
dégobiller lyonnais (ou poitevin) 132
dégot(t)er angevin < gaul 27
dégouliner oïl de l'Ouest 134
dégrader, -ation (peinture) ital
dégrat (en) (marine) prov
dégringoler norm-picard < néerl 122
déguerpir a. fr < francique
déjà vu mot angl < fr 11
délabrer prov
delco *acronyme* < angl
délicatesse ital (?)
delirium tremens angl < lat
déluré berrichon < francique
demarcación mot espagnol 194
démarcation esp 194, 195
démarrer néerl
demi- *préfixe* 81
demi-cercle 81
demiard (unité de mes.) Canada
dénerver (boucherie) ital
dengue esp
denim angl (tissu) *Nîmes* (France)
dentine angl
deo gratias (liturgie) lat
déodorant angl < lat
département angl < fr
dépiauter oïl du Nord
dépiquer prov
déplacée (personne) angl < a. fr
deport mot d'a. fr 223
dépourvu (au) 178
der des der *calque* < hébreu 146
déraper prov < gotique
derby (chaussure et hipp.) *Derby* (G.-B.)
dériver angl < fr < lat 225
derm- « peau » grec 80
dérober francique
derrick angl (pétrole) *Derrick* (G.-B.)
derviche persan
désappointé angl < a. fr 255
désastre ital
descamisados esp
desiderata lat
design *n.m.* angl
designer *n.m.* angl 232
désinvolte esp

désinvolture ital < esp
desk angl 233, 235
desman (zool.) suédois
desperado angl < esp
dessein ital 174
dessert mot allemand < fr 10
dessin ital 180
dessinateur ital
dessiner ital
destrier prov
destroyer angl
détecter *v.* angl
détection angl
détective angl
déterminisme all < lat 207
deterrent (moyen de dissuasion) angl
détritus lat
détroquer (huîtres) saintongeais
deux 81
dévaluation angl
dévaluer angl
devanagari hindi < skr
développement angl
devon (hameçon) *Devon* shire (G.-B.)
dévonien (géol.) *Devon* (G.-B.)
dey turc
dharma (relig.) skr
di- *préfixe* 81
diachylum (emplâtre) lat
dialyse angl
diane (réveil militaire) esp
diarrhée grec 80
dicastère *n.m.* (administration) grec
dicton lat 63
dictum « ce qui est dit » mot latin 63
dies irae (liturgie) lat
diesel (moteur) *Diesel* (Allemagne)
dieu des dieux *calque* < hébreu 146
diève (géol.) all (ou angl)
diffa (réception) ar
différent « mieux » angl
digest *n.m.* angl
digit (informatique) angl
digital (informatique) angl 66
digue moyen néerl
diktat all 207
dilapider lat 84
dilettante ital
diluvium *n.m.* (géol.) angl
diminuendo (mus.) ital
dinghy angl < hindi
dingo angl < lgue d'Australie 246
dinguer gallo-roman
dining-car « wagon-restaurant » angl
dinosaurien angl < grec
dinothérium (paléontol.) lat
direct/droit 64
directus mot latin 64
dirt-tracker (moto) angl
disc-jockey angl
discale *n.f.* (déchet de pesée) ital
disco angl
discompte ital
discoste « éloigné » fr du XVIe s. < ital 179
discount angl < fr
discourtois, -toisie ital
discrédit ital
disgrâce ital
disgracié ital

disgracieux ital
dishley (race ovine) angl
dispache (assur. marit.) ital
disparate esp
dispatcher *v.* angl < a. fr
dispatching angl < a. fr
dispensaire angl < lat
dispersal (base aérienne) angl
dispos ital
disqualifier *v.* angl < fr 221
distal *adj.* (éloigné) angl
distancer angl < a. fr
distant angl
distribution 231
distributionnalisme, -iste angl
distributionnel angl
dito ital
diva ital 217
divan ital < persan 22, 158
divertimento ital
divot (golf) angl
dixie(land) (jazz) *Dixie* (U.S.A.)
djaïn, jaïn(a) (relig.) skr
djebel mot arabe 41
djellaba ar
djemaa, djamma (assemblée) ar
djihad « guerre sainte » ar
djinn ar
djubba « jupe » mot arabe 154
do (mus.) ital
doberman (race canine) all
doc angl
dock angl < néerl 65
docker *n.m.* angl 226
dodo (oiseau) angl < néerl
dog-cart angl
dogaresse vénitien
doge vénitien < lat
dogger *n.m.* (géol.) angl
dogleg (golf) angl
dogre (navire) néerl
dogue angl 225
doguer (se heurter de front) néerl
doguin 225
doigt 66
dojo jap
dolce (mus.) ital
dolce vita ital
dolcissimo (mus.) ital
doldrums (météo.) angl
dollar bas-all
dolman (vêtement) turc
dolmen (table de pierre) breton 48
dôme (archit.) prov < grec 9
dôme « cathédrale » ital
dominer 236
dominion angl < a. fr < lat
domus mot latin 9
don esp
don des langues *calque* < hébreu 145
don juan « séducteur » *Don Juan* (Espagne)
don quichotte (chimère) *Don Quichotte* (Espagne)
doûa esp
donner le feu vert *calque* < angl 233
donzelle prov 30, 129
dopage, 235
dope (drogue) angl
doper *v.* angl < néerl
doping angl < néerl 235
doquet (mus.) oïl

dorade, daurade prov < lat 128
doradille (fougère) esp
doris (marine) angl
doro « porte » mot gaulois 46
douane a. ital < ar < persan 158, 169
douar (division administr.) ar
double-aveugle (en) (essai) angl
doublon (monnaie) esp
douche ital 177, 179, 180
doudou créole
douille francique
douillon (laine) oïl
doum (palmier) ar
douro (monnaie) esp
down-town (centre ville) angl
drag (voiture à quatre chevaux) angl
dragée grec 67
drageon (bot.) germ
dragline (trav. publ.) angl
dragster *n.m.* (véhicule) angl
drague angl
draille *n.f.* (chemin) franco-prov < dauphinois
drain angl
draisienne (véhicule) *Drais* (Allemagne)
drakkar vx scand 114
drakon « serpent » mot grec 147
drakontion « serpentaire » mot grec 147
drame grec 67
dran (marine) scand
dranet (filet de pêche) angl
drastique *adj.* angl < grec
drave (bot.) esp
drave (flottage du bois) (au Canada) < angl
draver (flottage du bois) (au Canada) < angl
draveur (flottage du bois) (au Canada) < angl
dravidien (peuple) angl < skr
drawback (douane) angl
drawing-room (salon) angl
dreadlocks (nattes) angl
dreadnought (marine) angl
drêche *n.f.* (résidu d'orge) celt
drège, dreige (filet de pêche) néerl
drège (peignage du lin) all
dressing(-room) angl
dribble *n.m.* (football) angl
dribbler *v.* (football) angl
dribbling (football) angl
drift (géol.) angl
drifter *n.m.* (marine) angl
drill (armée) angl (ou all)
drill (singe) angl < lgue africaine
drille *n.f.* (outil) all
drille *n.f.* « chiffon » en ancien fr < gaul 18
drille *n.m.* (luron) germ
dringuelle (en Belgique) (pourboire) all
drink angl 237
drip-painting (peint. moderne) angl
dripping (peint. moderne) angl
drisse (cordage) ital 175
drive *n.m.* (sport) angl
drive(u)r *n.m.* (sport) angl
drive-in angl
driver *v.* (sport) angl
driving (hipp.) angl

drogman (interprète) ital < grec < ar
drogue néerl ou ital
droit 135
drôle (coquin, gamin) moyen néerl 65
drome *n.f.* (marine) néerl
drongo (oiseau) malgache
dronte *n.m.* (oiseau) néerl < lgue africaine
drop zone (parachutage) angl
drop(p)er *v.* (larguer) angl
drop-goal (football) angl
drop-out (jeunesse abandonnée) angl
droppage (parachutage) angl
droschki (voiture à chevaux) russe
drosophile (mouche) lat < grec
drosse (marine) ital
drosser *v.* (marine) néerl
droue (fourrage) celt
drouine (sac à outils) breton
dru gaul
drugstore angl < a. fr et germ
druide gaul 48
drumlin (géogr.) gaélique
drummer *n.m.* (batteur) angl
druse (minéral.) all
dry angl
dry farming (expl. agric.) angl
duc 108
ducasse oïl du Nord < a. fr 133-134
ducat ital 170
duce ital
duègne esp < lat
duelliste ital
duetto (mus.) ital
duffle-coat angl
dugong (zool.) malais
dum-dum *adj.* (arme) ville de l'Inde
dumper *n.m.* (engin de trav. publ.) angl
dumping (commerce) angl
dundee angl (marine) *Dundee* (Écosse)
dune néerl < gaul
duo lat
duo (mus.) ital
duodenum lat
dupe oïl de l'Ouest
duplex angl < lat
duplicata lat
duplicate mot anglais
durham angl (bovin) *Durham* (G.-B.)
durian, durion (bot.) esp < malais
duvet vx scand 114
dyke (géol.) angl
dys(h)idrose (médecine) angl < grec
dysprosium (chimie) grec 72

E

eau 9
ébène lat < grec < égyptien
éblouir lat pop < francique
ébonite angl
ébouriffé prov
eburo « if » mot gaulois 50
écaffer (vannerie) all
écaille norm-picard < gotique
écale (écorce de noix) norm-picard < gotique

écanguer (broyer le lin) germ
écarlate lat < persan < ar 160
écarver (marine) scand
échalote (bot.) *Askalon* (Palestine) 69, 162
échandiller lyonnais 133
échandole (toit en bois) oïl
échanson lat médiév < francique 112
échantillon lyonnais 14, 133
écharde francique
écharpe francique < lat
échasse francique
échauguette (guérite en pierre) francique
échecs a. fr < ar < persan
échelle 169, 254, 255
écher, escher (munir d'un appât)
échevin francique
échine francique
échiquier angl < a. fr
échoppe néerl 65, 123, 159
éclair normand
éclanche (épaule de mouton) germ
éclater francique
éclipse lat < grec
écliptique lat < grec 38
éclisse « éclat de bois » picard < francique
écobuer (fertiliser) poitevin
école lat < grec 63, 67
écologie all < grec 207
écope (marine) francique
écot (tronc d'arbre) francique
écot (quote-part) francique
écoufle (milan) celt
écoute *n.f.* (marine) vx scand
écoutille (marine) esp < gotique
écran néerl
écraser vieil angl < vx scand
écrevisse francique
écrou (procès-verbal) néerl 124
écroué néerl 124
écrouir (métall.) wallon
écu (monnaie europ.) *acronyme* < angl
écubier *v.* (marine) esp
écume lat pop < francique
édam (fromage) *Edam* (Pays-Bas)
edelweiss all
éden hébreu 144
ederdon « édredon » a. fr 210
éditorial angl < lat
édredon all < islandais (?) 210
ef(f)endi (dignitaire) turc
effecteur (physiol.) angl
efficience « efficacité » angl
effluve *n.m.* angl < lat
effraie *n.f.* (oiseau) oïl de l'Ouest ou du Centre
effrayer francique
égailler (s') oïl de l'Ouest
égal 81
égarer francique
églefin (poisson) néerl
église lat < grec 68
ego all < lat
égotisme angl < lat
égotiste angl < lat
égrillard norm < vx scand 114
égriser *v.* (polir) néerl
égrugeoir (mortier) dial
eider (canard) islandais < vx scand 114

eidétique (philos.) all < grec
einsteinium (chimie) *Einstein* (Autriche) 72
élaguer norm < francique
élan (cervidé) haut-all < balte
elbot (poisson) néerl
eldorado esp
électrocuter *v.* angl
électrode *n.f.* angl
électrolyse, -lyser angl
électrolyte *n.m.* angl
électron angl 85
électrum (alliage) lat
elektron « ambre » mot grec 85
élémi (résine) ptg < ar
éléphant < grec 68, 86
elêphas « ivoire » mot grec 86
élévateur angl
élève ital
élevon (aviation) angl
elfe angl < vx scand
élingue (cordage) francique
élisabéthain (histoire) *Élisabeth* (G.-B.)
élixir ar < grec 22, 147, 149
ellébore, hell- *n.m.* (bot.) lat < ar < persan
elme (aigrette lumineuse) ital
élusif angl
elzévir (imprimerie) *Elzevier* (Pays-Bas)
émail francique
embarcadère esp
embarcation esp 186
embardée prov
embarder (faire une embardée) prov
embargo esp
embarrasser esp < ptg
embarrer ital
emberlificoter champenois
embouquer prov
embraquer (raidir) ital
embrun prov
embuscade ital 128, 174, 177
embusquer ital
embut « entonnoir » prov < ital
émeri (roche) ital < grec
émerillon (faucon) francique
émeu (autruche) lgue des Moluques 245
émeu(t) (fauconnerie) germ
émir ar 155
emir al bahr « prince de la mer » mot arabe 152
émission (phys. nucl.) angl
émission de plateau 236
émissole *n.f.* « chien de mer » < sarde < lat
émoi francique
émou cf. **émeu**
empan (mes. de long.) germ
emparer (s') prov
empiffrer (s') ital < moyen ht-all
employeur angl < fr
émuler (informatique) angl
en charge (de) *calque* < angl 233
en public 231
encabaner prov
encarter ital
encasteler (s') ital
encastelure (hipp.) ital
encastrer ital
encéphal- « cerveau » grec 79
encercler, -ement all
enclosure *n.f.* (clôture des terres) angl

endogamie angl < grec
enduro (compétition de moto) angl
énergétique angl < grec
énergie grec 79
enfants 237
engagé (fiancé) angl
engineering angl
engouer (s') oïl de l'Ouest
engoulevent (passereau) oïl de l'Ouest
enliser (s') norm
entéro- « intestin » grec 80
enthousiasme grec 79
entraîner *v.* angl < fr
entraîneur angl 237
entraver oïl du Nord-Est
entrechat ital
entrée (d'un dictionnaire) angl < fr
entresol esp
entrevue/interview 222
entropie all < grec 207
environnement angl
éocène (géol.) angl < grec
épagneul (race canine) esp
épanouir francique
épar(t) « barre fermant une porte » germ
éparer (s') (ruer) ital
épargner germ
éparvin, épervin (hipp.) germ
épaufrer « écorner » germ
épeautre (blé) germ
épeiche *n.f.* (oiseau) all
épeler francique
éperlan (poisson) norm < néerl 65, 123
éperon francique
épervier francique
épervin germ
éphod (relig.) hébreu
épiderme grec 82
épier lorrain < francique
épieu francique
épilogue grec 67
épinard lat médiév < ar < persan 158
épiner (agricult.) gallo-roman
épinette (instr. mus.) ital
épisser, épissure (marine) néerl
épistaxis (saignement) lat
épistémologie angl < grec
épite *n.f.* (marine) néerl
épithélium (anat.) lat
époi (vénerie) germ
épontille (marine) ital
éponymes 91
époule, espo(u)le (tissage) gallo-roman
équi- *préfixe* lat 81
équille (poisson) norm
équiper norm-picard < germ
équitation lat 65
érable gaul
erbium (chimie) Ytt*erby* (Suède) 73
erdaldun mot basque 102
erg « dune de sable » ar
ergonomie angl < grec
ermes (terrains vagues) prov
ermite grec 38
erratum, errata lat
ers (légumineuse) prov
ersatz all 10, 207
esbigner (s') (s'enfuir) prov ou ital
esbroufe, esbroufer prov
escabèche catalan ou esp < ar

escadre esp ou ital
escadrille esp
escadron ital
escalade (au sens figuré) angl
escalade (au sens propre) ital 128
escalator angl
escale ital
escalier prov
escalin (monnaie) néerl
escalope oïl du Nord-Est < francique 112
escamoter esp 22
escamper (s'enfuir) ital
escampette ital
escapade ital 128
escarbille wallon < néerl
escarcelle prov ou ital
escargot prov
escarlate mot d'a. fr 160
escarmouche ital < francique 177
escarole, scarole ital 180
escarpe *n.f.* (fortification) ital < germ
escarpe *n.f.* (chaussure) fr du XVIe s. < ital 179
escarpe *n.m.* (bandit) oc < germ
escarpé ital < gotique
escarpin ital 180
escarpolette germ (?)
eschoperie mot d'a. fr < néerl 123
esclaffer (s') prov
esclame (vénerie) all
esclandre lat < hébreu 145
escofier (tuer) prov
escogriffe orléanais
escompte ital
escompter ital
escompteur ital
escopes « échoppe » a. fr 123
escopette (arme à feu) ital 173
escorte ital
escoude (marteau) prov
e(s)courgeon (orge) dial
escrime ital ou prov < francique
escroc ital
escroquer ital
escudo (monnaie) ptg
ésérine (médecine) lgue africaine
esgourde (argot) « oreille » prov
espada esp
espade (chanvre) prov
espadon (poisson) ital
espadrille oc pyrénéen
espale (marine) ital
espalier ital
espalmer (marine) ital
esparcet(te) « sainfoin » prov
espiègle néerl 65, 122
espinasse (sapinière) prov
espingole (arme à feu) francique
espion ital < germ
esplanade ital 128
espolette (mèche de bombe) ital
esponton (pique) ital
espressione (con) (mus.) ital
espressivo (mus.) ital
espringale (machine de guerre) germ
esquicher *v.* (serrer) prov
esquif ital < longobard
esquinter *v.* prov < lat pop 29

esquire angl
esquisse ital 180
esquisser ital
esquiver ital < francique
essayiste angl
esse (clavette) germ
essieu picard
Essig « vinaigre » mot allemand 208
est angl
est-allemand *calque* < angl
establishment angl
estacade (fortif.) ital < longobard
estafette ital < longobard 173
estafier (laquais) ital
estafilade ital < longobard 128
estagnon (récipient) prov
estaminet picard < wallon < germ
estampe ital < francique
estamper ital < francique
estampille esp < francique
estancia esp
ester *n.m.* (chimie) all 208
estère (natte) esp
esterlin (monnaie) angl
esthète angl < grec 22
estiquet 219
estivallet « bottine » fr du XVIe s. < ital 179
estive (marine et pâturage d'été) prov ou ital
estiver « passer l'été » prov
estoc « pointe d'épée » francique
estocade ital < francique
estompe néerl
estoppel (droit internat.) angl
estoquer (frapper d'estoc) francique
estoublage (chaume) prov
e(s)touffade (cuisine) prov ou ital
estourbi (assommé) all (argot) 30
estourbir germ (ou alsacien)
estrabot, estribot (poème) esp
estrade esp ou ital 128
estrade (battre l') ital 128
estradiot, stradiot (armée) ital < grec
estragon lat bot < ar < grec 147
estramaçon (épée) ital
estran (géogr.) néerl
estrapade (supplice) ital 128, 129
estrapasser (hipp.) ital
estret *adj.* mot fr du XVIIe s. 135
estrope *n.f.* (marine) angl
estropier ital 174
estudiantin esp
esturgeon gascon < francique
et cætera (etc.) lat
étai (cordage) angl
étai (poutre) néerl
étaie (héraldique) néerl
étain lat < gaul
étal francique
étalinguer (marine) néerl
étalon (mesure) francique
étambot (marine) vx scand 114
étambrai (marine) angl ou scand
étangue (trav. de la monnaie) ital < germ

étape néerl
étarquer (raidir une voile) néerl
état lat 209
étau francique
étendard francique
éteuf *n.m.* (jeu de paume) francique
éteule gallo-roman
ethnonyme grec 39
étiage gallo-roman
étier gallo-roman
étioler charentais
étoffe, étoffer haut-all
étouteau (horlogerie) oïl
étranguillon (terme de vétérin.) ital
étraque (marine) all
étruve (marine) scand 114, 116
étricher (frotter) néerl
étrier francique
étrille (crabe) norm
étriquer norm-picard < néerl
étroit 135
étron francique
étrope (marine) angl
étudiole (petit meuble) ital
eucalyptus (bot.) lat
eugénique, -isme angl
-euil *suffixe* < gaul 49
euphémisme grec 67
euphorbe *n.f.* (bot.) *Euphorbe* (Numidie)
euphuisme angl
eurodollar angl
europium (chimie) lat 72, 73
eustatique *adj.* (géol.) all < grec
évangile lat < grec 68
event (événement important) angl
évêque lat < grec 68
everlasting (tissu) angl
ex aequo lat 69
ex cathedra lat 69
ex nihilo « en partant de rien » lat
ex-libris (inscription sur un livre) lat
ex-voto (dans une église) lat
excavateur angl
excellentissime ital
excentrique (original) angl
excise (impôt) angl
exciting *faux anglicisme* (?)
exécutive « cadre sup. » angl
exerciseur (gymn.) angl
exhaustif angl
exhibition (exposition) angl
exit (théâtre) lat
exogamie angl < grec
exportation angl
exporter angl
express angl
extra lat
extra-muros 69
extra-dry angl
eye-liner (cosmétique) angl
eyra (puma) lgue du Brésil

F

F.M. (radio) *sigle* < angl
fabliau picard
fabrica mot latin 62
fabuliste esp
fac-similé lat 235
façade ital 128

fâcher oïl de l'Ouest
faciende (intrigue) Italie
faciliter *v.* ital
factoring angl
factotum lat
factuel *adj.* angl
factum (libelle) lat
fada prov
fadaise prov
fader (partager) prov (argot)
fading (radio) angl
fado (chant) ptg
faena (tauromachie) esp
fagara (bot.) ar
fagne (marécage) (en Belgique) wallon < gotique
fagot prov 130
faguenas (odeur rebutante) prov (ou all)
fagus mot latin 106
Fahrenheit (degré) *Fahrenheit* (Allemagne)
faïence (poterie) *Faenza* (Italie) 97
faille (fissure) wallon
failli ital
faillite ital
faim-calle (ou -valle) (fringale du cheval) breton
fair-play angl
fairway angl
faisabilité angl
faisan prov < grec *Phase* (Asie)
faisselle « égouttoir à fromage » oïl de l'Ouest
fait accompli expression angl < fr 11
faîte francique
fakir ar
falaise norm-picard < francique
falbala prov
faldestoel « fauteuil » mot d'a. fr 107
falerne *n.m.* (vin) *Falerne* (Italie)
fali « tube » mot scandinave 116
fall-out (retombée atomique) angl
falle « jabot » scand
falot/fellow 225
falot *n.m.* (lanterne) ital < grec
falque (bot.) esp
falquer *v.* (hipp.) ital
falquet (fauconnerie) ital
falsifiabilité angl
falsifiable angl
falsifier angl
faluche oïl du Nord (ou flamand)
falue fr. rég. de Normandie 116
falun (géol.) prov
falzar grec mod (?) (argot)
fan angl
fan-club angl
fanal ital < ar < grec
fandango esp ou ptg
fanfaron esp < ar
fange gotique
fanon francique
fantasia ar
fantasque ital 180
fantassin ital
fantoche ital
fanzine mot-valise angl
faquin ital < ar (ou néerl) 96, 174

far-west angl
farad (unité phys.) abrév. *Faraday* (G.-B.) 94
faraday (mes. phys.) *Faraday* (G.-B.)
faradique (physique) *Faraday* (G.-B.)
faradisation (physique) *Faraday* (G.-B.)
faramineux prov (?) < oïl du Centre ou de l'Ouest
farandole prov
faraud prov
farde (balle de café) ar
farde (en Belgique) « dossier » aragonais
fardeau a. fr < ar
farder francique
faré (maison) polynésien
farfadet prov
faribole prov
farigoule « thym » prov
farniente ital
faro (bière) wallon
farouch(e) (trèfle) prov
farrago (céréale) prov
fart (ski) norvégien 210
farthing (quart de penny) angl
fascisme, -iste ital
faseyer (flotter) néerl
fashion (dernière mode) angl
fashionable (à la mode) angl 226, 237
fast (émancipée) angl
fast-food angl
fat prov
fatma ar
fatum (destin) lat
fau « hêtre » prov
faubert (balai) néerl
faucard (faux) picard
faucarder picard
fauchère (harnais du mulet) oïl
fauder *v.* (plier une étoffe) all
fauteuil francique 106, 107
fauve *adj.* (couleur) francique 107
favela (bidonville au Brésil) ptg
favori, -ite ital
fax 235
fayard « hêtre » oc
fayot (argot) (haricot) prov
fazenda (expl. agric.) ptg
fed(d)ayin (combattant) ar
feed-back angl
feeder (technique) angl
feeling (au) angl 232
feitiço « sortilège » mot portugais 199
feld-maréchal all
feldspath (roche) all
feldwebel all
félibre prov
félibrige prov
fellg(h)a (partisan de l'indépend.) ar
fellah (paysan) ar
fellow (étudiant) angl
félon lat médiév < francique
felouque (voilier) esp < ar
fémur lat
fénian (polit. irland.) angl
fennec (renard) angl < ar 150
féra (poisson) parler de Suisse
feria, féria esp
ferler (marine) angl
fermion (phys.) *Fermi* (Italie)
fermium (chimie) *Fermi* (Italie) 73

ferrade (marquage au fer) prov
ferroviaire ital
ferry-boat angl
ferse (marine) ital
fesse-mathieu « avare » gallo-roman
festif angl
festin ital 180
festival angl
feston ital
fêtard 109
fetch (océanogr.) angl
fête 237
fétiche ptg 199
féticheur ptg
feurre germ 171
feutre francique
fez (coiffure) *Fez* (Maroc)
fiasco ital
fiasque ital
fidèle 65
fidélité 65
fidem mot latin 65, 127
fief lat médiév < francique
fiesta esp
fieu (fils) parler d'oïl
fifre parler suisse all
fifrelin (monnaie sans valeur) all (argot) 30
fitfy-fifty angl
figer picard
fignoler oc
figue prov
figurine ital 179
filadière (bateau) dial
filanzane (chaise à porteurs) malgache
filao (bot.) malgache ou créole
filaret (menuiserie) ital
filibeg, philibeg (jupe) gaélique
filibuster *n.m.* angl
filigrane ital
filler *n.m.* (revêtem. routier) angl
fillér *n.m.* (monnaie) hongrois
film angl
filon ital
filoselle (tissu) dial ital (?)
filou oïl de l'Ouest
fin du fin *calque* < hébreu 146
fin-keel (marine) angl
finale (mus.) ital
finaliser angl
finaliste angl
fincelle (filet de pêche) dial
finish/finissent 222
finish (sport) angl < a. fr
fioriture ital
fioul, fuel angl < a. fr
firman (édit, loi) angl < turc < persan
firme ital (ou esp)
firmware (informatique) angl
fish-eye (optique) angl
fission angl
five o'clock (thé) angl
fixing (à la Bourse) angl
fjeld (géogr.) norvégien
fjord, fiord norvégien 210
flacon francique 112
flageolet (haricot) picard < ital
flamand *adj.* francique
flamant (échassier) prov
flambe *n.f.* (épée) gallo-roman
flamenco esp
flamiche (cuisine) oïl Nord
flammèche francique
flammette (bot.) ital

flan (gâteau) francique 112
flanc francique
flancher francique
flanelle angl < gallois
flâner norm < vx scand 114, 116
flapi lyonnais 132
flapper angl
flasque norm-picard < néerl
flash angl 234, 235
flash-back angl
flasher 235
flask (flacon plat) angl
flasque *adj.* picard
flasque *n.f.* (flacon plat) ital
flasque *n.m.* (mécanique) néerl
flat (en Belgique) (studio) angl
flatter *v.* francique
flaveur (saveur) angl
flèche (voile) néerl
flèche (projectile) francique
flemme ital < grec
flet (poisson) néerl
flétan (poisson) néerl
flétrir francique
flette (bateau plat) angl
fleur lat 130
-fleur *suffixe* < scand 115
fleuret ital 177
fleureter mot d'a. fr 219
fleuron ital
flibot (bateau) angl
flibustier angl < néerl 65
flin (pierre à fourbir) néerl
flingot (fusil) all
flingue (arme à feu) all
flinquer *v.* (orfèvrerie) all
flint(-glass) angl
flion (mollusque) scand
flip (boisson) angl
flipper *n.m.* « billard électr. » angl
flipper *v.* « s'angoisser » angl
flirt angl < a. fr
flirter angl < a. fr 219
floc angl
flock-book (généalogie) angl
floc(k)age (applic. de fibres) angl
floe (banquise) angl
floeberg angl
flood (éclairage) angl
flop « échec » angl
flop-house (asile de nuit) angl
flor « fleur » mot latin 130
florès (faire) prov
florin (monnaie) ital 170
flot néerl (ou vx scand)
flottation angl
flotte (escadre) vx scand (?) 114, 116
flotter néerl (ou vx scand) 122
flottille esp 186
flou(s)s(e), flouze « argent » ar (argot) 31, 139
fluorescence angl
fluorescent angl
flush (au poker) angl
flûte (instr mus.) prov 129
flûte (marine) néerl
flutter *n.m.* (aviation) angl
fluxer (diluer) angl
Fly-Tox angl (insecticide) *(nom déposé)*
flysch (géol.) all de Suisse
fob *acronyme* < angl
foc (marine) néerl
fœhn (vent) all de Suisse
fœtus lat
fog « brouillard » angl

foggara (irrigation) ar
Föhre « pin » mot allemand 112
foi 65, 66, 127
foil *n.m.* (marine) angl
fois 178
fold (to) mot anglais 107
folio « feuillet » lat
folk angl
folk-song angl
folklore angl
fondouk (marché) prov < ar
fongus (champignon) lat
fontanili *n.m. pl.* (sources) ital
fontes (hipp.) ital
football angl 10
footballeur angl
footing *pseudo-anglicisme* 237
for ever « pour toujours » angl
forban francique
forçat ital
forcing angl
fordisation (applic. du taylorisme) angl
fordisme (taylorisme) angl
foreman (chef d'atelier) angl
forest mot anglais < fr 218
forestier 176
forêt 218
forfait (abandon) angl < a. fr
forfante ital
forfanterie ital
forge prov 62
forint (monnaie) hongrois
forlane *n.f.* (danse) *Frioul* (Italie)
format ital
formater (informatique) angl 14
forme (cond. physique) angl
Formica (revêt. plast.) *(nom déposé)* angl < lat
forsythia (fleur) *Forsyth* (G.-B.)
forte (mus.) ital
forte-piano (piano, l'instrum.) ital
fortin ital
fortissimo (mus.) ital
fortran (informatique) *acronyme* < angl
forum lat
fosbury flop (sport) *Fosbury* (G.-B.)
forestage (anthropolgie) angl
fou mot d'a. fr 106
fouarre mot d'a. fr 171
foudre *n.m.* (tonneau) all
fouet 106
fougasse ital
fougon (marine) prov
fougue (ardeur) ital 177
foulard prov (?)
fouling (marine) angl
foulque (oiseau) prov
fouquet (hirondelle de mer) germ
fourbe francique
fourbir (nettoyer) francique
fourcat (marine) prov
fourguer (vendre) prov
fourmi/formi 175
fourniment ital
fournir francique
fourquet (pelle) oïl de l'Est
fourrage francique
fourre (taie, couv. de livre) francique (en Suisse)
fourreau francique

fouteau « hêtre » dial
fox-hound (race canine) angl
fox-hunting angl
fox-terrier (race canine) angl
fox-trot (danse) angl
foxé *adj.* (vin améric.) angl
frac (vêtement) angl
fracas ital
fracasser ital 177
fragile lat 14, 17
fragon (bot.) gaul
frairie (fête) oïl de l'Ouest
frais (dépenses) francique
frais, fraîche francique
framboise francique 112
framée (javelot) germ
franc, franche francique
franc-maçon angl
franchising angl
francium (chimie) lat 73
franco ital
francolin (perdrix) ital
frangeant *adj.* (géogr.) angl
frangin lyonnais 132
frangipane (pâtiss.) *Frangipani* (Italie)
franquisme, -iste *Franco* (Espagne)
fransquillon wallon
frapper francique 110
frasque ital
fraternel 66
fraticelle (relig.) ital
frayage (physiol.) all
frayon (moulin) dial
freak angl
fredaine prov < francique
fredonner oc
fredum (loi salique) germ
free press (publications marginales) angl
free style angl
free time angl
free-jazz angl
free-lance *adj.* angl 232
free-martin angl
free-shop angl
free-trade « libre-échange » angl
freezer angl 235
frégate ital 175
frelater néerl 122
frêle 18
frelon francique
freluquet néerl
french cancan angl
froquin (futaille) néerl
frère 66
fresaie (oiseau de nuit) oïl de l'Ouest
freshman (étudiant de 1re année) angl
fresque ital
fret néerl 123
frette (virole) francique
freudien, -isme (psych.) *Freud* (Autriche)
freux *n.m.* (corneille) francique
friche (expl. agric.) néerl
frichti alsacien
frigidarium (archéol.) lat
frigide 66
frigidum mot latin 63
frimas francique 35
frime germ 35
friquet (moineau) francique
frise (archit.) ital

frise (cheval de) (fils barbelés) néerl
frisquet néerl
Fritz (soldat allemand) all
froc francique
froebélien (pédagogie) *Fröbel* (Allemagne)
froid 63, 66
from(e)gi (fromage) dial
from(e)ton (fromage) dial
fromage/froumage 175
fronce francique
frontalier prov
fronton ital
frousse prov
fruits de mer *calque* < ital
fruste ital
frutille esp
Fuchs « renard » mot allemand 207
fuchsia (bot.) *Fuchs* (Allemagne) 93
fuchsine (chimie) *Fuchs* (Allemagne) 94, 207
fucus (algue) lat
fuégien esp
fuel, fioul angl < fr
fuero esp
fugue (fuite) ital
fugue (mus.) ital
Führer all
fular mot roumain < fr 11
full (au poker) angl
fumerolle (volcan) ital
fun angl
fun(board) (planche à voile) angl
funky (mus.) angl
furax lat
furbesco mot italien 26
furia ital
furioso (mus.) ital
furlong (unité de long.) angl
furole (feu follet) angl
fusarole (archit.) ital
fusel (distillation) angl < haut-all
fuste (marine) ital
fustet (bot.) ar
futon (matelas) jap
futur angl < fr 233
futurisme, -iste ital

G

G.I. *sigle* angl
G.M.T. *sigle* angl
gaba prélatin 37
gaba(r)e (embarcation) prov
gabardine esp < a. fr
gabarit prov < gotique
gabbro (roche) ital
gabegie lorrain < vx scand 114
gabelle ital < ar
gaber (plaisanter) scand
gabet (marine et vénerie) scand
gabian (goéland) prov
gabie (marine) prov
gabier (matelot) prov
gabion (panier, abri) ital
gable, gâble (archit.) norm < vx scand 114
gabord (marine) néerl
gaburon (marine) prov
gâche (serrurerie) germ
gâcher (du plâtre) francique
gaddr « épine » mot scandinave 116

gadelles « groseilles » fr rég de Normandie 116
gades « groseilles » fr rég de Normandie 116
gadget angl d'Am < fr
gadjo « nom gitan » tsigane (argot) 31
gadolinium (chimie) *Gadolin* (Finlande) 73
gaffe (marine) prov < gotique
gag angl
gagaku (mus.) jap
gage francique
gagman angl
gagner francique 111
gai francique (ou gotique)
gaïac (bot.) caraïbe de Haïti
gaillard gallo-roman < gaul 48
gailletin (houille) oïl du Nord
gaillette (charbon) oïl du Nord
gain germ 111
gal (mes. phys.) abrév. *Galilée* (Italie) 94
gala esp < a. fr
galandage (cloison) germ
galanga (bot.) ar
galant francique
galanterie mot roumain < fr 11
galantine lat de Dalmatie
galapiat (galopin) prov
galbe ital < gotique
galbord (marine) néerl
galéasse, galéace (marine) ital
galéjade prov 128
galère prov < catalan < grec byz < ar
galerie ital < lat médiév
galerne (vent) oïl de l'Ouest < gaul (?)
galet norm-picard < gaul 14, 47
galetas (grenier) *Galata* (Constantinople) 97, 162
galette norm-picard < gaul 47
galfâtre (bon à rien) oïl de l'Ouest
galgal (tumulus) gaélique
galibot (jeune mineur de fond) picard
galimafrée (cuisine) picard < néerl
galipettte oïl de l'Ouest
gallium (chimie) *Lecoq* de B. (France) 73, 94-95
gallo 102
gallon angl < normand < lat médiév
gallup (sondage) *Gallup* (U.S.A.)
galoche normand ou picard < gaul 47, 48
galoper francique 110
galoubet (flûte) prov < gotique
galvanisme, -ique *Galvani* (Italie)
galvano- préfixe *Galvani* (Italie)
gamache (fauvette) esp
gambade prov 128
gambader prov 30
gambas (crevettes) catalan < lat pop 187
gambe (marine et mus.) ital
gambette picard (argot) (ou ital) 28
gambeyer, gambier *v.* (marine) ital
gambier *n.m.* (bot.) malais
gambiller (danser) picard

gambit (aux échecs) ital
gambusie *n.f.* (poisson) esp
gamelan (orchestre) javanais
gamelle esp (ou ital) < lat
gamin franc-comtois
ganache (zool.) ital < lat < grec
ganaderia (taurom.) esp
gandoura (tunique) ar < berbère
gang angl
ganga (oiseau) catalan
gangster angl d'Am
gangue (minerai) all 206
gano (jeu de cartes) esp
ganse (ruban) prov < grec
gant francique 111
ganta « oie » mot latin < germ 102
ganteline (bot.) dial
gap (décalage, écart) angl
garance (plante et teinture) francique
ganrat < francique
garbure (cuisine) béarnais 131
garcette (coiffure) esp
garcette (marine) germ (ou ital)
garçon francique 111
garden « jardin » mot anglais 108
garden-party angl
gardénia (fleur) *Garden* (Écosse) 93
garder francique 111
gardian prov
gardon francique (?)
garenne francique
garer prov (?) < francique
gargamelle (gorge, gosier) prov
gargousse (charge de poudre) prov
garni francique 112
garou (bot.) prov ou francique
garou (loup-garou) francique
garrigue prov < pré-celtique 37
garron (fauconnerie) prov
garrot (encolure) prov
garrot (supplice) a. fr < francique
gars francique 111
Garten « jardin » mot allemand 108
gas(-)oil, gazole angl d'Am
gaspacho esp 187
gaspiller prov < gaul 47
gastro- « estomac » grec 80
gastronomie grec 82
gâteau francique 112
gâter a. fr < lat < francique
gatte (marine) francique
gattilier (bot.) esp
gauchir francique
gaucho esp < quechua
gaude *n.f.* (réséda) germ
gaufre francique 123
gaule (perche) francique 106
gauleiter « chef de district » all
gaulois francique
gault (géol.) angl
gaulthérie, -ria (bot.) *Gaulter* (Canada)
gaupe « femme de mauvaise vie » all
gaur, gor (bœuf sauvage) hindi

gauss (mes. phys.) *Gauss* (Allemagne)
gausser (se) norm (ou esp)
gavache (voyou) esp
gave (cours d'eau) béarnais < prélatin 37
gaver prov (ou norm-picard) < prélatin 37
gavial (reptile) hindi
gaviteau (marine) prov
gavot (parler de Gap) prov
gavotte (danse) prov < prélatin 37
gay (homosexuel) angl d'Am 31
gay savoir (académie)
gayal (bœuf domestique) hindi
gaz 13, 85
gazelle ar 22, 150
gazette ital 170
gazole, gas(-)oil angl d'Am
gazon francique
gazzetta « petite pie », puis « gazette » mot italien 170, 171
gecko (lézard) malais
géhenne lat eccl < grec < hébreu
geisha jap 248
gélatine ital < lat médiév 180
gemere mot latin 64
gémir/geindre 64, 66
gendarme mot persan < fr 157
gène *n.m.* all < grec 207
gêne *n.f.* francique
génépi (bot.) savoyard
généralissime ital 173
générer (math., linguist.) angl
genestrole prov
genet (petit cheval) esp < ar
génétisme (philos.) angl
genette (zool.) esp < ar
génois *n.m.* (marine) *Gênes* (Italie)
génoise *n.f.* (pâtisserie) *Gênes* (Italie)
gentle mot anglais < fr 218
gentleman angl, *calque* < fr 218
gentleman's agreement angl
gentleman-farmer angl
gentleman-rider angl
gentry (noblesse non titrée) angl
géranium (bot.) lat
gerbe francique
gerbera (fleur) *Gerber* (Allemagne)
gerboise (rongeur) lat des naturalistes < ar 150
gerfaut (rapace) germ ou scand
germania mot espagnol 26
germanium (chimie) *Germania* (Allemagne) 70, 73, 74
germon (thon blanc) poitevin
gerseau (cordage) prov
gerzeau (nielle des blés) dial
gesse (bot.) prov
Gestalt « structure » all
gestaltisme, -iste (philos.) all
Gestapo (police) *acronyme* < all
getter (physique) angl
geyser (source d'eau chaude) *Geyser* (Islande) 10, 210
ghazâla « gazelle » mot arabe 150
ghetto (quartier des Juifs) *Ghetto* (Venise)

giaour « incroyant » (insulte) turc
gibbon (singe) angl < hindi
gibelet (foret, vrille) néerl
gibelin (hist. politique) ital < germ
gibelot (marine) all
giberne (sacoche) ital
gibet francique 106
gibier francique 112
gifle oïl de l'Est < francique
gift (insémination) *acronyme* < angl
gig, guig (embarcation) angl
gigantesque ital
gigot germ 112
gigue (danse) angl (ou all) 225
gilbert (unité phys.) angl
gilet esp < ar < turc 257
gill (mesure de capacité) angl
gimblette (pâtisserie) prov
gimmick (turc) angl
gin angl < néerl < fr
gin-fizz angl
gin-rummy angl
gin-tonic angl
gingembre lat < grec < skr
ginger-ale angl
ginger-beer (boisson gazeuse) angl
gingerbread (pain d'épice) angl
ginkgo (bot.) jap ou chinois
ginseng (bot.) chinois
gipsy (bohémien) mot anglais 188, 189
girafe ital < ar 150
girande (jets d'eau) ital
girandole ital
girasol *n.m.* (opale) ital
giraumont (courge) tupi
girelle (poisson) prov 130
girie (plainte) gallo-roman
girl angl
girl-friend (féminin de *boy-friend*) angl
girl-scout (féminin de *boy-scout*) angl
giron francique
girond(e) *adj.* prov
girouette norm < vx scand 114
gitan esp < lat 22, 188, 189
gitano « gitan » mot espagnol 188
givre prélatin 37
glacolithique (écriture) slavon
glaçure (poterie) all
glaesum « ambre » mot latin < germ 102
glaise gaul
glamour (séduction) angl
glaner gaul
glasnost *n.f.* (politique) russe
glass « verre (d'alcool) » angl < all
glauque lat < grec 38
glène *n.f.* (cordage) prov
glissando (mus.) ital
glisser francique 110
globe-trotter angl
glockenspiel (mus.) all
gloss-, glott- « langue » grec 80
glucinium (chimie) lat
glui (chaume) gallo-roman
gnaf, gniaf(f) (cordonnier) lyonnais
gneiss (roche) all
gnocchi ital
gnôle, gnole, gniole lyonnais

gnou (antilope) hottentot 242, 243
go (jeu) jap
goal *abréviation* angl
goal-average angl
gobelet gaul (?)
gobelin (tapisserie) *Gobelins* (Paris)
gober gaul
goberger (se) gaul
gobin « bossu » ital
God Jul « joyeux Noël » expr. danoise 117
goddam (sobriquet pour « Anglais ») angl
godet (récipient) néerl
godille oc du Nord
godillot (chaussure) *Godillot* (France) 92
godin « homme riche » (argot) esp26
godiveau (cuisine) dial
goéland breton
goémon breton
goinfre gascon et oc du Centre
goitre lyonnais < lat pop
gold point (taux de change) angl
golden (pomme) angl
golem (relig.) hébreu
golf angl
golfe ital < grec
gombo (bot.) angl < angolais
gomène (câble) esp < ar
Goménol (méd.) *Gomen* (Nlle-Calédonie) *nom déposé*
Gomina esp, *nom déposé*
gonelle (fossé) saintongeais
gondole vénitien < grec byz 175, 176
gone (gamin) lyonnais
gonfalon, gonfanon (étendard) francique
gonfler oc du Sud-Ouest
gong malais 201, 229
gongorisme (littér.) *Gongora* (Espagne)
gonze, gonzesse (argot) ital 26, 29
gonzo « lourdaud » mot italien 29
good bye angl
gopak, hopak (danse) russe
gord (techn. de pêche) gaul
gorfou (manchot, pingouin) danois
gorgonzola (fromage) *Gorgonzola* (Italie)
gorille lat des naturalistes < grec
gorod « ville » mot russe 108
gosette (pâtisserie) wallon
gosier lat pop < celt
gospel (chant relig.) angl d'Am
gosse néerl
gothique/gotique *(orthographe)* 143
gouache ital
gouailler oïl de l'Ouest < prélatin 37
goualante oïl de l'Ouest < prélatin
goualer « chanter » (argot)
gouape prov < esp
gouda (fromage) *Gouda* (Pays-Bas)
goudron ital < ar
gouge (dévergondée) prov < hébreu

goujat languedocien < prov < hébreu
goula(s)che (cuisine) hongrois 209, 213
goulag *acronyme* < russe
goule (vampire) ar
goule « gueule » oïl de l'Ouest 134
goulgoleth « crâne » mot hébreu 144-145
goum (troupe) ar
goupil lat + germ 109
goupillon francique
goura (oiseau) malais
gourami (poisson) malais
gourbi berbère < ar 139
gourde (monnaie) esp
gourdin ital
goure (boisson falsifiée) prov < ar 29
gouren (lutte) breton
gourer « tromper » ar (argot) 29
gourgandine oc du Centre et du Sud
gourgouran (étoffe de soie) angl < hindi (?)
gourme (dermatose) < francique
gourmet angl < a. fr
gourou, guru (relig.) skr
goy, goï hébreu
goyave esp < arawak 192, 196
grabeler (séparer) ital
graben (géol.) all
grabuge ital
grâce (titre) angl
gracioso (mus.) ital
grade ital < lat
grader *n.m.* (trav. publ.) angl
gradille (archit.) esp
gradin ital 180
gradué angl
graffigner (érafler) vx scand 114
graffiti ital < longobard < grec
grafting (tricot) angl
graillon (crachat) germ
graillon (rogaton) norm
gram (bactériol.) *Gram* (Danemark)
grammaire grec 67
Gramophone angl < grec *nom déposé*
grandesse esp
grandiose ital
grandissime ital
granit(e) ital
granny smith (pomme) *Granny Smith* (G.-B.)
grapefruit (bot.) angl d'Am < fr
grappa (eau-de-vie) *Grappa* (Italie)
grappe francique
grappin prov < francique
grasping-reflex (neurol.) angl
grat(t)eron (bot.) francique
graticuler (dessin) ital
gratification (valorisation) angl
gratifier « faire plaisir » angl
gratis lat 63, 68
gratte-ciel *calque* < angl d'Am 256
gratter francique
gratuitement 63
grau *n.m.* (chenal) languedocien
graver néerl < francique

gravir francique
gravitation angl < lat
gray (mes. phys.) *Gray* (G.-B.) 94
grèbe *n.m.* (oiseau) savoyard
gredin néerl
green (golf) angl
greenockite (minerai) *Greenock* (G.-B.)
gréer scand 114
grège (soie) ital
grègues (culotte) prov
grêle *n.f.* francique
grelin (cordage) néerl
grelot bourguignon < germ
grenache (cépage) *Vernazza* (Italie)
grenadille esp
grès (roche) francique
grès (cheval) tsigane (argot) 26
grésil francique
grésiller normand < francique
gressin ital < piémontais
grève lat pop < gaul
grève (armure de jambe) francique
greyhound (race canine) angl
gri(s)-gri(s) ewé-fon, lgue d'Afrique 242, 244
gribiche (sauce) norm < néerl
gribouiller picard < néerl (?)
griffer francique 110
griffon (source) prov
grigner *v.* (couture) francique
grigou languedocien < lat 131
grill(-room) angl
grillade 129
grimace francique
grimaud (mauvais écrivain) germ
grime *n.m.* (théâtre) ital < francique
grincheux norm-picard
gringalet (cheval chétif) *Keinkaled*
gringe, grinche (grincheux) francique
gringo esp d'Am. du Sud
griot (poète africain) ptg (?)
griotte (cerise) prov
grip (sport) angl
gripper (accrocher) francique
gris francique 107
grisou a. fr < wallon 133
grivois all
grizzli, grizzly (ours) angl < a. fr
groenendael (race canine) flamand
grog angl < fr
groggy angl
groise (géomorphologie) dial
gro(l)e (chaussure) lyonnais (argot) 28
gro(l)e (oiseau) oïl de l'Ouest
grommeler néerl
groom angl
groschen (monnaie) all
groseille francique 112
groseille à maquereau 123
grossiste all
grosso modo lat
grotesque ital
grotte ital < grec
grouiller néerl
ground (pelouse de sport et musique) angl
group (sac de poste) ital

groupe ital < francique
groupie angl (argot) 31
grouse *n.f.* (gibier) écossais
gruau (céréale) francique
grugeoir (outil) néerl (?)
gruger néerl
gruppetto (mus.) ital
gruyer (féodal.) germ
gruyère (fromage) *Gruyère* (Suisse)
guacharo (oiseau nocturne) esp
guaitier mot d'a. fr 218
guanaco (lama) esp < quechua
guano (engrais) esp < quechua 196
gué lat + germ
guèbre (relig.) persan
guède *n.f.* (teinturerie) germ
guelfe (hist. polit.) germ
guelte (commerce) néerl ou all
guenille oïl de l'Ouest < gaul 47
guenon gaul (?)
guenuche (guenon, femme laide) champenois < gaul (?)
guépard ital
guêpe francique
guerdon (récompense) germ
guère francique 110
guérilla esp
guérillero esp 186
guérir francique < a. fr 110, 111
guérite prov
guerre francique 111
guêtre francique (?)
guetter francique 110, 111
gueulard 109
gueule 135
gueuse (fonderie) all
gueuse, gueuze (bière) néerl
gueux néerl
gui (marine) néerl
gui lat < francique 105
guibo(l)e norm (?)
guiche (coiffure) francique
guichet vx scand 114, 116
guide prov < francique
guider a. fr < francique
guiderope (aérostats) *n.m.* fr + angl
guidon ital
guigne lat médiév < francique
guigner francique 110, 132
guignol (marionnette) *Guignol* (Lyon) 132
guignolet angevin
guilde, ghilde néerl
guille (cannelle de tonneau) néerl
guilledin (qui va l'amble) angl
guilledou francique
guiller (brasserie) néerl
guillocher ital
guimbarde prov
guimpe (vêtement) francique 111, 257
guindeau (cabestan) vx scand 114
guinder vx scand 114
guinée (monnaie) angl
guingois (de) germ
guinguette germ (?)
guiper (gainer) germ
guirlande ital < francique
guise francique 111
guitare esp < ar 22, 147
guitoune (tente) ar
gulden (monnaie) néerl 170
gulf-stream (océanogr.) angl

gulpe, guse (héraldique) all
gumène (câble) esp < ar
gunite *n.f.* (béton) angl
günz (géol.) *Günz* (Allemagne)
guppy (poisson) angl
gurûr mot arabe 29
gusla, guzla *n.f.* (instr. mus.) croate
gutta-percha angl < malais 229
gwin « vin » mot breton 49
gymkhana *n.m.* angl < hindi 229

H

habanera esp
habeas corpus angl < lat
habere « avoir » mot latin 50, 111, 127
habiller gaul
hâbler esp
hâblerie esp
hâbleur esp
hache francique 110
hachis Parmentier 92
hachisch, haschisch ar 154
hacienda (exploitation agr.) esp
hack (cheval) angl
haddock anglo-norm < germ
hadith (relig.) ar
hadj, hadji (pèlerin) ar
hafnium (chimie) København*havn* (Danemark) 73
hagard germ
haggis (cuisine) angl < écossais
hagionyme grec 39
hagiotoponyme grec 39
hahnium (chimie) Hahn (Allemagne) 73
haïdouc, -douk, heiduque hongrois
haie francique 107, 111
haïk (vêtement) ar
haïkaï (poème) jap
haïku (poème) jap
haillon germ 110
haine germ 110
hair « poil » mot anglais 153
haïr francique
haire (étoffe) germ
haitier fr rég de Normandie 116
haje (bot.) ar
halbi (boisson) néerl
halbran (canard) germ
halde (tas de déchets miniers) all
halecret (armure) néerl
haler néerl
hâler francique (ou lat pop)
half-and-half « moitié-moitié » angl
half-track (véhicule) angl
halibut « flétan » angl
hall angl < francique
hallali francique (?)
halle francique 110
hallebarde ital < germ
hallier (buisson) 107, 108
hallope (filet de pêche) angl
Halloween (fête) angl
halte picard < all
halva (confiserie) turc
hamac esp < arawak
hamada (géogr.) ar

hamburger (sandwich) *Hamburg* (Allemagne)
hameau picard < francique 111
hamée (artillerie) all
hammam arabo-turc
hammerless (fusil de chasse) angl
hampe francique
hamster (mammifère) all
hanap germ
hanche francique
handball all 10
handicap angl
hanebane (bot.) angl
hangar francique 14, 110
hanneton francique 110
hansard (couperet) germ
hanse all
hansom(-cab) (cabriolet) angl
hanter angl < vx scand 114, 116
happening angl
happer germ
happy birthday angl
happy end angl
happy few angl
happy new year angl
haquebute (arquebuse) néerl
haquenée (hipp.) *Hackney* (G.-B.) 225
hara(-)kiri jap 248, 249, 250
harangue ital < francique
haras vx scand (?) 114
harasse (emballage) germ
harasser francique
hard angl 109
hard « dur » mot anglais
hard-labour (travaux forcés) angl
hard-top angl
harde (troupeau) francique (?)
hardes *n.f. pl.* gascon < ar
hardi francique
hardware (matériel) angl
harem ar
hareng francique 110, 112
harfang (oiseau rapace) suédois
hargne francique 110
haricot (cuisine) francique
haricot (fève) nahuatl 69
haridelle (mauvais cheval) vx scand (?) 114
harki ar
harle *n.m.* (canard) nivernais
harmale (bot.) ar
harmattan (vent) twi, lgue africaine
harmonica (instr. mus.) all 208
harmonium *latinisation* de *harmonie*
harnais, harnois vx scand 114, 116, 135
haro francique
harouelle (ligne de pêche) dial
harpe (construction) germ
harpe (instr. mus.) germ
harpon anglo-norm < vx scand 114
hart *n.f.* (lien) germ
has ben *n.* angl
hasard esp < ar 152
hasch-party angl
hase *n.f.* (gibier) all
hâte francique
hauban vx scand 114, 116
haubert a. fr < francique

Haus « maison » mot allemand 112
hausse-col (armure) néerl
haut-parleur *calque* < angl
hautboïste all
haute-fidélité *calque* < angl
hauturier prov
havane (cigare) *La Havane* (Cuba)
hâve (maigre) francique
haveneau, havenet (filet) scand
haveron (avoine) all
havet (instr. agric.) francique
havre vx scand (ou néerl)
havresac all (ou néerl)
hazel « noisetier » mot anglais 108
heaume francique
hébéchet (panier) créole
héberge (construction) germ
héberger francique
hégélianisme (philos.) *Hegel* (Allemagne)
hégire (calendrier) ital < ar
heiduque, haïdouk (soldat) hongrois
heimatlos « apatride » all
heitr « brûlant » mot scandinave 116
héler angl < scand 226
héliotrope *n.m.* 81
héliport angl
hélium (chimie) *Hélios* (myth.) 73
hém(at)o- « sang » grec 79
hémi- *préfixe* grec 81
hémicycle grec 81
hémorragie grec 80
henné (plante et colorant) ar 150
hennin (coiffure de M. Â.) néerl
henry (mes. phys.) *Henry* (G.-B.) 94
héraut francique
herbe à l'ambassadeur 192
herbe à la reine 192
herbe à Nicot 192
hercynien *adj.* germ < lat 50
herd-book angl
hère (cerf) néerl
hère (misérable) all < germ
hermandad esp
héroïne (drogue) all
héron francique 110
herpès (dermatose) lat
her(s)cher *v.* (pousser les wagonnets) wallon
hertz (mes. phys.) *Hertz* (Allemagne) 94
hetman (cosaque) polonais
hêtre francique 105, 106
heure *(orthographe)* 110
heurtequin (mécanique) néerl
heurter francique
heuse (jambière) germ
hévéa lat des naturalistes < quechua 192, 196
hi-fi *acronyme* < angl
hiatus lat
hic et nunc lat
hickory (bot.) algonquin
hidalgo esp
hie (outil) néerl
high(-)life angl 237
high-school (école secondaire) angl
high-tech *abréviation* angl

highlander angl
highway (autoroute) angl
hiloire *n.f.* (marine) néerl
hinayana *adj.* (relig.) skr
hinterland « arrière-pays » all
hippie, hippy angl d'Am
hippogriffe *n.m.* (animal fabuleux) ital
hisser bas-all (ou néerl)
histidine (acide aminé) all
histo- « tissu » grec 80
histogramme angl
histoire grec 67
hit (succès) angl
hit-parade angl d'Am
hittite angl < lat < hébreu
hobbisme (philos.) *Hobbes* (G.-B.)
hobby angl
hobereau néerl
hoca (jeu de cartes) ital
hocco (oiseau) caraïbe
hocher *v.* francique
hockey francique
hodjatoleslam (islam.) ar
hold-up angl < angl d'Am 234, 235
holding (société financière) angl
hollywoodien (cinéma) *Hollywood* (U.S.A.)
holmium (chimie) Stock*holm* (Suède) 73
homard vx scand 114, 116
hombre (jeu de cartes) esp
home angl
home-rule (forme de gouvern.) angl
home-trainer angl
homenaje « hommage » mot espagnol < fr 186
homespun (tissu de laine) angl
hommage 186
homme *(orthographe)* 110, 111
homo mot latin 111
homo sapiens lat
honeymoon « lune de miel » mot anglais 256
hongrois turc 163
honing angl
honneur *(orthographe)* 110
honnir francique
honorable angl
honoris causa lat 69
honte francique
hooligan, houligan angl
hopak, gopak (chant) russe
hoqueton (veste) ar
horde tartare < turc
hormone angl < grec
hornblende (minerai) all
Hörnchen « petite corne » mot allemand 208
hors-bord *calque* < angl
hors-la-loi *calque* < angl 225, 233
horse power (cheval-vapeur) angl
horse-guard angl
horse-pox (variole du cheval) angl
horst *n.m.* (géol.) all
hosanna hébreu 144
hospitalem mot latin 62
hospodar russe
hot angl
hot money « capitaux flottants » angl

hot-dog angl
hôtel lat 62
hôtesse (employée à l'accueil) angl < fr
hotte francique 110
hottentot néerl
hotu (poisson) wallon
houache, houaiche (marine) néerl < scand
houari *n.m.* (marine) angl
houblon néerl < francique
houe (outil) francique
houille wallon < francique 110
houle norm < germ
houlette francique
houligan, hooligan (voyou) angl
houppe francique 110
houppelande vieil angl
hourd *n.m.* (estrade) germ
houret (chien courant) angl
houri (relig.) persan
hourque *n.f.* (embarcation) néerl
hourra angl et russe
house-boat angl
houseau (jambière) germ
housekeeping angl
housse francique 110
houx (bot.) francique 105
hovercraft angl
hoverport angl
hublot francique
huche germ 110
hucher germ
huerta (géogr.) esp
huguenot all
huile *(orthographe)* 111
huile de pétrole 84
huile minérale 84
huit *(orthographe)* 111
huître *(orthographe)* 111
hula-hoop (jeu de cerceau) angl
hully-gully (danse) angl
humble *(orthographe)* 110
humbug (mystification) angl
humérus lat
hummock (océanogr.) angl
humoriste angl
humoristique angl
humour angl
humus lat
hune vx scand (ou islandais) 114, 116
hunter (hipp.) angl
hurdler (sport) angl
hurricane (cyclone) angl < caraïbe
husky (race canine) angl
hussard all < hongrois 209, 210
hutte francique
hydravion 82
hydrocracking (pétrole) angl
hydrofoil angl
hydrogène grec 85
hydronyme grec 38, 39
hygiène grec 79
hylozoïsme angl
hyper- *préfixe* grec 82
hypermarché 82
hypertension 82
hypnotisme angl < grec

I

ialo « clairière » mot celtique 41, 49

ibéris (bot.) lat
ibijau (oiseau) caraïbe
ibis (échassier) lat
icaque caraïbe (taïno)
ice-boat angl
ice-cream angl 237
ice-floe (glace flottante) angl
iceberg angl < norvégien 210
icefield (géogr.) angl
icoglan (dignitaire) turc
icône russe < grec byz
iconique angl
ide *n.m.* (poisson) suédois
idem lat
idylle ital
if (bot.) gaul 46, 49
igapo (forêt d'Amazonie) amérind
igloo inuktitut 227
igname (bot.) esp < bantou 197, 242
ignifuge lat 82
igniteur (électrode d'allumage) angl
ignitron (électr.) angl
ignorantin (relig.) ital
iguane (reptile) esp < arawak 192, 196
igue *n.f.* (gouffre) dial du Quercy
ikébana (arrangement floral) jap 248
ilang-ilang, ylang-ylang malais
illustrissime ital
imam (relig.) ar
imbratter « souiller » fr du XVIe s. 178
imbroglio ital
immature *adj.* angl < a. fr
immelmann (aviation) *Immelmann* (Allemagne)
immun *adj.* et *n.m.* (immunisé) angl
impala *n.m.* (antilope) zoulou
impasse 11
impeachment angl
impédance (électr.) angl < lat
impérialisme, -iste angl < a. fr
impétigo (dermatose) lat
implanter ital
impluvium (archéol.) lat
impopulaire angl 221
import-export angl
importation angl < lat
importer angl < lat
imposte *n.f.* ital
imprésario ital
imprimatur lat
impromptu lat
improviser ital
improviste (à l') ital 14, 178
impulser angl
in « à la mode » angl
in articulo mortis lat 68
in extenso lat 68
in extremis lat 68
in petto ital
in vitro lat 68
in vivo lat 69
in-bord (marine) angl
in-folio (imprimerie) lat
inca quechua
incamérer (annexer) ital
incarnadin *adj* (rose chair) ital
incarnat ital
incartade ital 128
incentive (motivation) angl
inch angl
incidence angl < a. fr

incidentiel (caract. de l'incidence) angl
incipit (premiers mots d'un livre) lat
incognito ital
inconsistance angl
inconsistant angl
inconstitutionnel angl 221
incrément (augmentation) angl < lat
indélicat angl
indésirable angl
index lat
indigo esp (ou ptg)
indium (chimie) esp 73
indoor angl
indri (singe) malgache
inductance (électr.) angl
induction (électr.) angl
inexpédient (contre-indiqué) angl
inexpressible (sous-vêtement) angl
infant, infante esp
infanterie ital
infinitésimal angl
inflation angl
inflationniste angl
influence mot angl < fr 218, 254
influencer mot angl < fr 221, 254
influenza *n.f.* ital
informel *adj.* angl
ingambe ital 174, 180
ingénierie angl
ingérence 234
inlandsis *n.m.* (glacier) scand
inlay (dentiste) angl
inlet (bras de mer) angl
inoculation angl
inoculer angl
input (informatique) angl
insane angl < lat
insanité angl < lat
inselberg (géogr.) norvégien
insert (cinéma) angl
insight (psychol.) angl
instrumentalisme angl d'Am
insuline angl < lat
insurgent (insurgé) angl
intaille *n.f.* (pierre gravée en creux) ital
intégriste esp
intelligentsia, -tzia russe
intension (logique) angl
interactif *adj.* angl
interchangeable angl < a. fr
intercourse *n.f.* (droit maritime) angl
interface *n.f.* (physique) angl
interférence (ingérence) angl 234
interférent angl
interférer angl < a. fr
interféron (biochim.) angl
interfluve *n.m.* (géogr.) angl
intérim lat
interlingual angl
interlock (tissu indémaillable) angl
interlope angl < néerl 65, 226
interlude angl < lat médiév
intermède ital 174
intermezzo ital
international angl
intersecting (machine à défeutrer) angl
intertidal (marées) angl
interview angl < a. fr 222, 223

interviewe(u)r *n.m.* angl < a. fr
interviewer *v.* angl
inti *n.m.* (monnaie) quechua
intifada (guerre) ar
intra-muros lat 69
intransigeant esp
intrigant ital
intrigue ital
intriguer ital
introspection (psychol.) angl
introversion (psychol.) all < lat 208
intubation angl
invariant angl
investir (assiéger) ital
investir (finance) angl < ital
investissement angl
iode 85
iodos (couleur violette) mot grec 85
io(u)dler, jodler, yodler *v.* tyrolien
ion angl < grec
ionique angl
ionisation angl
ioniser angl
iourte, yourte *n.f.* (maison) russe
ipéca(cuana) ptg < tupi 196, 197
ippon (arts martiaux) jap
ipso facto lat 69
iridium (chimie) lat 73
iris lat < grec 38
irish-coffee angl
irrédentisme, -iste ital
isabelle (couleur) esp
isard (chamois) ibérique
isba (maison) russe 211
islam (relig.) ar
iso- *préfixe* grec 81
isolationnisme, -iste angl d'Am
isolé ital
isoprène *n.m.* (chimie) angl
isostasie (géol.) angl
isotope angl
itague (cordage) skr
italique (typogr.) ital
item angl < lat 22
itinérant angl < lat
iwan (archit.) persan
ixtle (chanvre) caraïbe

J

jabiru (échassier) tupi-guarani
jable (tonnellerie) gaul
jaborandi (bot.) guarani
jabot limousin ou auvergnat < prélatin 37
jacamar (oiseau) amérind
jacana (oiseau) guarani
jacaranda (bot.) guarani
jacasser lyonnais 132
jachère gaul
jacinthe grec 68
jack (technique) angl
jack-knife (commutateur) angl
jacket, jaquette (dentiste) angl
jackpot angl
jaconas (étoffe) *Jagganath* (Inde)
ja(c)quemart (horlogerie) prov
ja(c)quier « arbre à pain » ptg < malayalam 198

jacqueline (cruche) oïl du Nord
jade *n.m.* esp 22
jaguar ptg < tupi-guarani 195, 196, 200, 253
jaguaronti, -rundi (chat sauvage) amérind
jaillir lat pop < gaul 48
jaïn, jaïna (relig.) skr
jaïnisme skr
jalap (bot.) esp
jaleus mot d'a. fr 129
jalousie (volet) ital
jaloux prov 129-130
jam-session (jazz) angl
jamboree (scoutisme) angl
jambose, jambosier (bot.) ptg < malais
jamerose, jamerosier (bot.) ptg < malais
jangada (cabane de pêche) ptg < tamoul
janissaire ital < turc
jante gaul
jaque *n.m.* (fruit du jaquier) ptg < malayalam
jaquette (vêtement) catalan < ar 22
jaquette, jacket (dentiste) angl
jar, jard (géol.) gallo-roman
jarde, jardon (vétérinaire) ital < ar
jardin francique 107, 108
jardineux *adj.* (diamant avec défauts) francique
jargon (pierre précieuse) ital
jaro(u)sse (bot.) oïl de l'Ouest < gaul
jarovisation (agriculture) russe
jarre (vase) prov < ar
jarre, jars (dans la laine) francique
jarret prov (?) < gaul
jars (mâle de l'oie) francique
jas (marine) prov
jaseran, -ron (cotte de mailles) Al *Djazaïr* (Alger)
jasmin ital < ar < persan 158
jass, yass (jeu de cartes) all de Suisse
jauge francique
jaumière (marine) néerl
java (danse) *Java* (Indonésie)
javart (vétérinaire) gaul
javelle gaul
javelot gaul
javotte (enclume) celt
jazz angl
jazz-band angl
jazzman angl
jean(s) (pantalon) *Gênes* 97
jeep *acronyme* < angl
jéjunum (intestin) lat
jenny *n.f.* angl
jérémiade (plainte) *Jérémie* (Bible)
jerk (danse) angl
jéroboam (bouteille) *Jéroboam* (Bible)
jerrican(e), jerrycan angl
jersey (tissu) *Jersey* (G.-B.)
jésuite (relig.) *Jésus*
jet (aviation) angl
jet-piercing (forage) angl
jet-set, jet set angl
jet-society angl
jet-stream angl
jettatura (mauvais œil) ital
jigger (teinture) angl

jingle (motif sonore) angl
jingoïsme (chauvinisme) angl
jiu-jitsu jap 248
job « travail » angl (argot) 31
jobard « niais » *Job* (Bible)
jocasse (grive) francique
jockey angl 223
jockey-club angl
jocko lgue africaine
jodhpur (pantalon) *Jodhpur* (Inde)
jodler, iodler (vocaliser) tyrolien
jogger *v.* angl
jogge(u)r *n.m.* angl
jogging angl 233, 236
joint angl
joint(-)venture angl
jojoba (bot.) esp du Mexique
joker angl
joli vx scand 114, 117
jolif « beau, amoureux » mot d'a. fr 117
jomon (géol.) jap
jongler francique
jonkheer (noblesse) néerl
jonque néerl (ou ptg) < malais 198
jonquille esp 22, 188
joruri (littérature japonaise) jap
jota esp
joue prélatin 37
jouer 64
joule (mes. phys.) *Joule* (G.-B.) 94
journey/journée 219
jovial ital 180
jubarte *n.f.* (baleine) angl
jubilé lat eccl < hébreu
jucher francique
judas (traître, ouverture) *Judas* (Bible)
judo jap 248
judoka jap 248
juge de paix *calque* < angl 225
juif *Yehudi « Judas »* (Bible)
juke-box angl
julep (sirop) esp < ar < persan
jumart (élevage) prov
jumbo (engin de trav. publ.) angl
jumbo-jet (aviation) angl
jumpe(u)r (hipp.) angl
jumping (hipp.) angl
junco « jonc » mot espagnol 188
jungle angl < hindi < skr 229
junior lat
junker (hobereau) all
junkie, junky (drogue) angl
junte esp
jupe sicilien < ar 14, 154, 257
juré 225
jurfix mot roumain < fr 11
jury angl < anglo-norm 224-225
jusant norm
jute angl < bengali < skr 229

K

K.O. *sigle* angl
kabbale, cabale (relig.) hébreu
kabic, kabig (manteau) breton
kabuki (théâtre) jap
kacha, kache (cuisine) russe
kachapi (cithare) indonésien
kachkaval (fromage) bulgare

kafkaïen *Kafka* (Tchécoslovaquie)
kaïnite (minéral.) all < grec
kaiser all < lat 208, 209, 213
kakatuwa mot malais 197
kakémono (tableau) jap 248
kaki (couleur) angl < hindi < skr 229
kaki (fruit) jap 248
kala-azar (maladie) hindi (?)
kaléidoscope, caléi- angl < grec 87
kali (bot.) ar
kalmia (bot.) Per *Kalm* (Suède)
kalmouk (langue) mongol
kamala (bot.) skr
kama(-)sutra skr
kami (relig.) jap
kamichi (échassier) caraïbe du Brésil
kamik (botte en peau de phoque) inuktitut
kamikaze (avion suicide) jap 248, 249
kammerspiel (théâtre) all
kan, khan (caravansérail) arabo-persan
kan, khan (gouverneur) persan
kana « écriture » jap
kandjar (poignard) ar
kangourou angl < lgue d'Australie 246
kanji (écriture) jap
kantisme (philos.) *Kant* (Allemagne)
kaoliang (sorgho) chinois
kaolin (céramique) chinois 247
kapok angl < malais 124
kara « vide » mot japonais 10
karaïte, car-, gar- hébreu
karakul, caracul (mouton) *Karacol* (Russie)
karaoké (mus.) jap 10, 248
karata(s) (bot.) caraïbe
karaté jap 247, 248
karbau, kérabau (buffle) malais
karité « arbre à beurre » wolof 242, 243
karma (relig.) angl < skr
karman (aviation) *Karmann* (U.S.A.)
kart (véhicule) angl < norm
karting angl
kascher, casher (relig.) hébreu
kata (arts martiaux) jap
katchina *n.m.* (relig.) amérind
kathakali (danse relig.) malayalam
katta « lien » mot tamoul 229
kava (poivrier) polynésien
kayak, kayac inuktitut
kebab (cuisine) turc
keepsake (album) angl
keffieh (coiffure) ar
kéfir, képhir (boisson) caucasien
kelvin (physique) *Kelvin* (G.-B.) 94
kendo (arts martiaux) jap
kentia (bot.) *Kent* (G.-B.)
képi suisse all
képlérien (astron.) *Kepler* (Allemagne)
kérabau, karbau (buffle) malais

kermès (cochenille) esp < ar < persan 160
kermesse flamand 65
kérosène angl < grec
kerria, kerrie (bot.) *Ker* (G.-B.)
ketch (marine) angl
ketchup angl < chinois 229, 230, 247
ketmie (bot.) ar
keynésien, -isme (économie) *Keynes* (U.S.A.)
khâdi (étoffe) hindi (?)
khalifat, califat (relatif au calife) ar
khalife, calife (souverain musulman) ar
khamsin, chamsin (vent) ar
khan, kan (caravansérail) arabo-persan
khan, kan (gouverneur) persan
kharidjisme (relig.) ar
khat, qat (bot.) ar
khédive (souverain) turco-persan
khiros « main » mot grec 87
khlôros « vert » mot grec 85
khmer, khmère (pop. du Cambodge) skr
khôl, kohl, kohol (fard) ar 149
kibboutz hébreu
kiboko (fouet) swahili
kick (démarreur) angl
kid (gamin) angl 237
kidnapper *v.* angl
kidnappeur angl
kidnapping angl
kief (repos, béatitude) turc < ar
kieselgu(h)r (minéral.) all
kiesérite (minéral.) ***Kieser*** (Allemagne)
kif (haschisch) ar
kif-kif ar
kilim (tapis) turc
kilt angl < vx scand
kimono jap 248
kinein « mouvoir » mot grec 87
kinésie 87
kinésithérapie 87
kinesthésie angl
king-charles (race canine) angl
kinkajou (zool.) amérind
kiosque turc < persan 158
kippa (calotte) hébreu
kipper (hareng) angl
kir (apéritif) chanoine *Kir* (Dijon)
kirkja « église » mot scandinave 114, 115
kirsch alsacien
kit (objet à assembler) angl < néerl
kit(s)ch (style) *Kitsch* (Bavière)
kitchenette angl 22, 236
kiwi (oiseau et fruit) angl < maori 246
Klaxon (avertisseur) angl, *nom déposé*
Kleenex (papier jetable) angl, *nom déposé*
klippe (géol.) all.
klystron (physique) angl
knack (sens de l'à-propos) angl
knickerbockers angl
knickers angl
knock-down angl

knock-out angl
knock(-)outer (mettre qqun knock-out) angl
knout (fouet) russe 211
know-how angl
koala (zool.) angl < lgue d'Australie 246
Kobold (lutin) all 206
Kodak angl, *nom déposé*
kofun (tombeau) jap
kohol, khôl, kohl (fard) ar 149
kola, cola lgue du Soudan 233, 242, 243
kolinski (fourrure) russe
kolkhoze *acronyme* < russe
Kommandantur all
komsomol russe
kônôpeion « moustiquaire » mot grec 67
konzern all
kopeck (monnaie) russe 211
korrigan (esprit malfaisant) breton
koto jap
koubba ar
koug(e)lhof, kouglof (pâtisserie) alsacien
koulak (propriétaire) russe < turc
koulibiac (cuisine) russe 212
koumis, koumys (boisson) tartare
kourgane (tumulus) 212
kouros « statue de jeune homme » grec
kraal (village) néerl
krach (à la Bourse) all
kraft (papier) suédois 210
krak (château fort) ar
kraken (monstre légend.) norvégien
krant « journal » mot néerlandais 125
krek « correct » mot néerlandais 125
kreu(t)zer (monnaie) all
kriss, criss (poignard) malais
Krokant mot allemand 10
Kronprinz all
kroumir (chausson) *Kroumir* (Tunisie)
krypton (chimie) angl < grec
ksar, ksour (lieu fortifié) ar < lat
ksêron (pharm.) mot grec 147, 149
kukkuru mot sarde 40
kumi-kata (prise de judo) jap
kummel (liqueur au cumin) all
kumquat (bot.) angl < chinois cantonais 229, 247
kung-fu (art martial) chinois 247
kvas, kwas (boisson) russe
kymrique (langue celtique) gallois

L

L.S.D. *sigle* < all 207
label angl < a. fr
labferment all
labour angl
labrador (chien et minéral.) *Labrador* (Canada)
lac-dye (colorant) angl
laccolit(h)e (géol.) angl < grec
laceron (bot.) norm

lacté lat 63
lactem mot latin 63
lactucarium (pharmacol.) lat
lad angl
ladanum (parfumerie) lat
ladino (langue) esp
ladre lat eccl < hébreu
lady angl
ladylike (digne d'une lady) angl
ladyship angl
lagan (épave) angl
lager (bière blonde) angl
lagon esp ou ital 186
lagre (insecte) all
lagune (vénitien) 174
lai (poème) celtique
laïc lat 102
laîche n.f. (bot.) bas-lat < germ
laid, laide francique
laie (femelle du sanglier) francique
laie (sentier) francique
laie, laye (orgue) néerl
laird (propriétaire en Écosse) angl
lait 63
laiton ar < turc 163
laitue 69, 71
laïus (discours) *Laïus* (Grèce) lat
lakiste (littérature) angl
lama (mammifère) esp < quechua 192, 196, 200
lama (religieux) tibétain 247
lamanage, -neur (marine) néerl
lamantin (zool.) esp < caraïbe
lambada (danse) ptg du Brésil
lambeau francique
lambeth walk (danse) angl
lambic(k) (bière) flamand
lambin francique
lambourde (poutre) francique
lambrequin (décor.) francique + néerl
lambswool angl
lamento (chant) ital
laminer 236
lamp mot angl < fr 218
lampant (pétrole) prov < grec
lamparo (méth. de pêche) prov < grec
lampas *n.m.* (étoffe de soie) francique
lampion ital
lampourde (bot.) prov
lance lat < gaul (?)
Land (État fédéré) all
land art angl
landau (véhicule) *Landau* (Allemagne)
lande gaul
landgrave all
landier (chenet) gaul 18
landing (débarcadère) angl
landlord (propriétaire) angl
landrover (voiture tout-terrain) angl
landsgemeinde all de Suisse
landsturm (armée) all
landtag (assemblée) all
landwehr (armée) all
langouste prov 130
langoustine prov
lanière francique
lanoline all < lat 208
lansquenet all
lantanier, lantana (bot.) gaul
laper lat pop < francique 110

lapereau ibéro-roman (?)
lapidaire lat 84
lapider lat 84
lapilli (géol.) ital
lapin ibéro-roman (?) 37-38
lapis « pierre » mot latin 84
lapis-lazuli lat médiév < ar < persan
lapon suédois
lapping (polissage) angl
lapsus lat
laquais catalan < esp < ar 22, 155
laque prov < ar < persan < skr
laque-dye (colorant) angl
larghetto (mus.) ital
largo (mus.) ital
largue *adj.* prov ou ital
larguer prov ou ital
lasagnes ital < lat < grec
lascar ptg < ar < persan
laser *acronyme* < angl
lasso esp
last(e) (unité de masse) néerl
Lastex angl, *nom déposé*
lasting angl
latanier (palmier) caraïbe
latéral lat 65
latitudinarien (relig.) angl
lato sensu expression latine 68
latte lat pop < francique 106
lattice (réseau) angl
laudanum (soporifique) lat
launch (embarcation) angl < esp < malais
launching (lancement) angl
lavabo lat
lavande ital 180
lavaret (poisson) savoyard
lavatory angl
lave napolitain < prélatin
lawn-tennis (tennis sur gazon) angl
lawrencium (chimie) *Lawrence* (U.S.A.) 73
lawyer (juriste) angl
lay (to) « étendre » mot anglais 125
lay-out (étude, projet) angl
laye mot d'a. fr 125
laye, laie (orgue) néerl
layer (tracer un sentier) francique
layette picard < néerl 65, 122, 125
lazagne (argot) ital 26
lazaret vénitien < hébreu
lazzarone napolitain < esp
lazzi ital
leader angl
leadership angl
lease-back (crédit-bail) angl
leasing (location) angl
leavers (tissage du tulle) angl
lécher francique 110
légal/loyal 64
legalis mot latin 64
legato (mus.) ital
lège (marine) néerl
legged (poulain aux jambes trop longues) angl
leggin(g)s (jambières) angl
leghorn (race de poule) angl
législatif angl
législation angl
législature angl 221
légume 66
leishmania (bactériol.) *Leishman* (G.-B.)
leitmotiv all

lem *acronyme* < angl
lemming (rongeur) norvégien
lemon-grass (bot.) angl
lendore (personne nonchalante) germ
léninisme (politique) *Lénine* (Russie)
lentisque *n.m.* (bot.) prov
lento (mus.) ital
lepus mot latin 37
lésiner ital < gotique
lésinerie ital
lessive oïl de l'Ouest 135
lest néerl (ou frison) 123
leste *adj.* ital < longobard
let (tennis) angl
lettrine ital
leu, lei (monnaie) roumain
leucémie all < grec 208
leucocytes grec 87
leucophobe gre 87
leude *n.m.* (féodal.) germ
lëum mot d'a. fr 66
leurre francique
lev, leva (monnaie) bulgare
lévitation angl
lévite habreu
li (mes. de long.) chinois
liais (calcaire) gaul
liane oïl de l'Ouest ou Antilles (?)
lias (géol.) gaul
libeccio (vent) ital
liber (bot.) lat
libéralisation angl
libéraliser angl < fr < lat 221
libero (football) ital
liberté de la presse *calque* < angl 225
Liberty (étoffe) angl, *nom déposé*
liberty-ship angl
libido all < lat 208
library mot angl < fr 218
libre-échange angl
libre pensée *calque* < angl
libre penseur *calque* angl 225, 233, 256
libre-service angl
libretto ital
lice (entrer en) 107
lice, lisse (barrière) francique 107
licenseur (censeur) angl
lido (géogr.) ital
lie gaul 46
lied all
lier 66
liette « tiroir » sarthois 125
lieu (endroit) 65, 66
lieu (poisson) breton
lieue (mes. de long.) gaul
lièvre 38
life-boat (bateau de sauvetage) angl
life-guard (garde à cheval) angl
lift (tennis) angl
lifter *v.* angl
liftier angl
lifting angl 234
liftman (lifter) angl
ligand (chimie) angl < lat
ligature 66
lige (féodal.) lat pop < francique
light-boat « bateau-phare » angl

light-show (spectacle de lumières) angl

ligot (allumette) gascon

ligoter prov

ligue ital

lilas ar < persan < skr

lilliputien *Lilliput* (Swift, G.-B.)

limace « chemise » oc (argot » 29

liman (estuaire) russe

limande gaul 47

lime (citron) prov < ar 26

lime « chemise » (argot)

limerick (poème) *Limerick* (Irlande)

limestone (calcaire) angl

limestre (tissu) *Lemster* (G.-B.)

limette (citron) ar

liminal angl

limited *adj.* angl

limitman angl

limon (citron) arabo-persan

limon (escalier) celtique

limonade ar < persan < skr

liner *n.m.* « cargo » angl

linga(m) (symb. phallique) skr

lingot prov (ou angl)

lingue *n.f.* (poisson) angl (ou néerl)

linguet (marine) néerl

linkage (génét.) angl

links (golf) angl

linoléique (chimie) angl < lat

linoleum (chimie) angl < lat

linotype angl

linsang (zool.) javanais

linter (coton) angl

lion « à la mode » angl

lioube (marine) dial

lippe néerl

liquidambar (bot.) esp

liquide (argent) ital

lire ital

lisp (informatique) *acronyme* < angl

lisse (marine) francique (?)

liste (hipp.) germ

liste (bordure) germ 107, 108

liste ital < germ

liste civile ital

liste noire angl

listel, listeau ital

listing angl

litchi, letchi (bot.) chinois 247

litham, litsam (voile) ar

lithium (chimie) grec 73

litorne (grive) picard < néerl

live (enregistr. public) angl 11, 231

living(-room) angl

livre de poche *calque* < angl

llanos (géogr.) esp

lloyd (assurance) angl

lo(u)koum ar

load (unité de charge) angl

loader *n.m.* (engin de trav. publ.) angl

loafer (chaussure de marche) angl

loam (terre fertile) angl

lob (tennis) angl

lobby (groupe de pression) angl

lobbying angl

lobélie (bot.) *Lobel* (France)

local lat 65, 66

locanda (auberge) ital

location lat 65

loch (instr. de mes.) néerl
loch (lac) angl < gaélique
loche gaul 48
locher (faire tomber les fruits) germ
lock-out angl
locman (sondage) néerl
locomotive angl
loden (tissu imperméable) all 257
loess (géol.) all
lof (marine) néerl
loft angl
log-house (hutte en troncs d'arbres) angl
logarithme angl < lat
loge angl < lat médiév < francique
loggerhead angl
loggia ital
lok, looch (sirop) ptg < ar
lollard (religion) angl
londrès (cigare) *Londres* (G.-B.)
londrin (drap de laine) *Londres* (G.-B.)
long acting (à action prolongée) angl
long drink angl
long playing (disque microsillon) angl
longane *n.m.* (bot.) ptg < chinois
longrine (charpente) ital
longuerie mot français du XVIe s. 177
looch, lok (sirop) ptg < ar
look angl 237
looping angl
loque néerl
loquet anglo-norm < vieil angl
loran (marine) *acronyme* < angl
lord angl
lord-maire *calque* < angl
lordship (dignité de lord) angl
lorgner a. fr < francique 110
lori (perroquet) néerl < malais
loriot prov
loris (primate) néerl
lorry (wagonnet) angl
losange persan ou gaul (?)
loser *n.m.* « perdant » angl (argot) 31
lot francique
lot(t)e *n.f.* (poisson) lat médiév < gaul 47
loterie néerl
loto francique
lotus (bot.) lat
louban djaoui « encens de Java » mot arabe 152
louche (cuiller) picard < francique
louer 65
loufa, luffa (bot.) ar
lougre *n.m.* (marine) angl
loup-garou francique
loupe francique
loure (danse) scand
loustic « mauvais plaisant » (argot) 29, 206
love (pain de savon) angl
lovelace (séducteur) *Lovelace* (Richardson, G.-B.)
lover *v.* (un cordage) frison
lovetel (hôtel de passe) angl
loyalisme, -iste angl
lucarne francique
luciole ital

luddisme, -iste angl
ludique 64
ludus « jeu » mot latin 64
luffa, loofa (bot.) ar
lug-sail (marine) angl
luge savoyard < gaul 47, 48
lumachelle (minéral.) ital
lumbago lat
lump (poisson) angl < danois
lumpenprolétariat all
lunch angl
lune de miel *calque* < angl 225, 233, 256
lunel (vin muscat) esp
lupus (médecine) lat
luque « faux certificat » esp (argot) 26
luron oïl du Centre
lusin, luzin (cordage) néerl
lustig « joyeux » mot allemand 29, 206
lustre (éclat) ital
lustrer ital
lustrine ital
lutécium (chimie) *Lutèce* (France) 73
luth prov < ar 152
luthérien (relig.) *Luther* (Allemagne)
lutte pour la vie *calque* < angl
luzerne prov
luzule (bot.) ital
lycée grec 67
lychnis (bot.) lat
Lycra (textile) angl, *nom déposé*
lyddite (explosif) *Lydd* (Kent, G.-B.)
lyncher *v.* angl
lyric *n.m.* (chant) angl
lysergique (biochimie) all
lysozyme (biochimie) angl < grec

M

maboul « fou » ar (argot) 31, 139
macabre *Macchabées* (Bible)
macache (non, pas du tout) ar
macadam (revêt. routier) *Mac Adam* (G.-B.)
macaque ptg < bantou 197, 242, 243
macaron ital
macaroni ital
macaronique ital
macassar (parfum, bois) *Macassar* (îles Célèbes)
maccartisme, -thysme (polit.) *McCarthy* (U.S.A.)
macchabée n.m. (cadavre) *Macchabée* (Bible)
macchiaioli ital
maceron (bot.) ital
macfarlane (manteau) *Mac Farlane* (Écosse)
mach (vitesse) *Mach* (Autriche)
machette esp
machiavélisme (philos.) *Machiavel* (Italie)
mâchicoulis turc < arménien
machine à vapeur *calque* < angl 225, 256
machisme esp
macho esp 186
mâchurer (meurtrir) pré-indoeur

mackerel « maquereau » mot néerlandais 123
mackintosh (vêtement) *Mac Intosh* (G.-B.)
macle *n.f.* (cristall. et hérald.) germ
maçon lat pop < francique
macramé (dentelle) turc (?) < ar
macre (bot.) oïl de l'Ouest < germ
macreuse (canard) norm < néerl
macula (anat. de l'œil) lat
macumba (relig.) ptg
made in angl
madone ital
madrague (pêche du thon) prov < ar
madrapolam (tissu) *Madrapolam* (Inde)
madras (étoffe) *Madras* (Inde)
madrasa, médersa (école musulm.) ar
madré *adj.* francique
madrépore (corail) ital
madrier prov
madrigal ital
maërl, merl (géol.) breton
maestoso (mus.) ital
maestria ital
maestro ital 217
maf(f)ia sicilien < ar
maf(f)ioso sicilien < ar
mafflu oïl du Nord < néerl 65
magasin prov (ou ital) < ar 150, 153, 159
magazine angl < ar 150, 153
mage lat < grec < persan
maghzen, makhzen (gouvernement) ar
magique grec 38
magnan (ver à soie) prov
magnanerie (ver à soie) prov
magnat (capitaliste) angl < lat
magnat (noble polon.) polonais < lat
magnésium (chimie) *Magnésie* (Asie Mineure) 73
magnificat (liturgie) lat
magnum (bouteille) lat
magot (singe) hébreu
magret (filet de canard) oc du Sud-Ouest
mah-jong (jeu) chinois 247
mahaleb (bot.) ar
mahara(d)jah hindi < skr
maharani, -ané hindi < skr
mahatma (chef spirituel) hindi < skr
mahayana (religion) < skr
mahdi (religion) ar
mahogany (acajou) angl
mahonia (bot.) Port-*Mahon* (Baléares)
mahonne (embarcation) esp < ar < turc
mahous(se) (énorme) angevin (argot) 28
maid (servante) angl
maiden (hipp.) angl
mail-coach (malle-poste) angl
mailing angl 231, 233, 236
mainate (passereau) ptg < malayalam (ou malais) 198
maint, -te gaul (ou germ)
maintenance angl < a. fr
maire 66

maïs esp < arawak 190, 192, 196
maison 186
Maïzena (fécule) angl, *nom déposé*
majeur 66
majolique (faïence) *Majorque* (Baléares)
majoral (félibrige) prov
majorat (noblesse) esp
majordome ital (ou esp)
majorette angl < fr
majorité (les plus nombreux) angl 221, 224
make-up (maquillage) angl
makémono, makimono (peinture) jap
maki, maque (mammifère) malgache 242, 244
makila (canne-épée) basque
mal'hak « messager » mot hébreu
malabar (homme robuste) *Malabar* (Inde)
malaga (vin) *Malaga* (Espagne)
malandrin ital
malaria ital
malformation angl
malfrat languedocien 131
malines (dentelle) *Malines* (Belgique)
malle (bagage) francique
malle (des Indes) (courrier) angl
malnutrition angl
malocclusion angl
malpighie (bot.) *Malpighi* (Italie)
malposition angl
malstrom, mael- (tourbillon) néerl
malt angl
malthusianisme (natalité) *Malthus* (G.-B.)
malus lat
malvoisie *n.m.* (vin grec) *Malvasia* (Grèce)
maman mot persan < fr 157
mambo (danse) esp d'Am. du Sud
mamel(o)uk ar
mamie, mammy angl
mammée (bot.) caraïbe
mammouth russe < toungouze 212
man *n.m.* (ver blanc) francique
mana *n.m.* (relig.) polynésien
manade (troupeau) prov
management angl
manager *v.* angl < ital
manage(u)r *n.m.* angl < ital
mancenille (bot.) esp
mandala (relig.) skr
mandale (gifle) argot < ital
mandarin port < malais < skr 198
mandarine esp < port < malais < skr
mandoline ital < grec
mandorle *n.f.* (peinture) ital
mandrill angl < lgue de Guinée 242, 243
mandrin (mécanique) prov < gotique
manège ital
manganèse ital
mangle *n.f.* (bot.) esp < malais
manglier (bot.) esp < malais

mangoustan (bot.) ptg < malais 198
mangouste (mammifère) marathe 198
mangrove *n.f.* (bot.) esp < arawak
mangue ptg < malayalam < tamoul 69, 198
manichéisme (philos.) *Manès* (Perse)
-manie « folie » grec 80
maniérisme ital
manifeste *n.m.* ital
manifold (carnet et tuyauterie) angl
manigance prov (?)
maniguette (bot.) *Manighette* (Guinée)
manille (anneau) ital
manille (cigare) *Manille* (Philippines)
manille (jeu de cartes) esp
manioc ptg < tupi-guarani 197
manitou algonquin 228
manne (corbeille) néerl
manne lat eccl < hébreu
mannequin néerl
manoque *n.f.* (tabac) flamand
manouche tsigane (argot) 26
manque (à la) « mal fait » ital (argot) 30
manquer ital 178
mansarde (archit.) *Mansart* (France) 92
mante prov
manta « couverture » mot espagnol 188
manteau mot persan < fr 157
mantille lat médiév < esp 188, 257
mantra (religion) skr
manu militari lat
manuélin (archit.) *Manuel* (Portugal)
manyatta (camp retranché) swahili
manzanilla (vin) esp
maoïsme, -iste (politique) *Mao* (Chine)
maous(se) (énorme) angevin (argot) 28
maqué (être) (concubinage) argot
maquereau (poisson) champenois < néerl 65, 122, 123
maquereau « proxénète » néerl (?) (argot) 28, 123
maquette ital
maquignon néerl
maquiller picard < néerl 122
maquis corse 131
maquisard 109
marabout (ermite ou oiseau) ptg < ar
maracas *n.f. pl.* (instr. de mus.) esp d'Argentine
maracu(d)ja amérind
marais francique
maram « bois » mot tamoul 229
marasque (cerise) ital
marasquin ital
marathon (course) *Marathon* (Grèce)
maraud oïl du Centre ou de l'Ouest
maravédis (monnaie) esp < ar (ou tsigane) 26, 28
marc (mes. de poids) germ
marcaire (vacher) alsacien

marcassin picard
marcassite (minerai) lat médiév < ar < persan
marche francique 108
marché 159
marcher francique 110
marconi (marine) *Marconi* (Italie)
mare norm < francique (ou scand) 108
mare « jument » mot anglais
marécage norm-picard < francique
maréchal francique 108, 152
marelle prélatin (?) 37
maremme (marécage) ital
marengo (étoffe et cuisine) *Marengo* (Italie)
marennine (huître) angl
marfil, morfil (ivoire) esp < ar
margaille *n.f.* (désordre) néerl (?)
margay (chat sauvage) tupi
margouillis francique
margoulin oïl du Maine
margrave germ
marie-jeanne *adaptation* de *marijuana*
marigot caraïbe
marijuana, -huana angl d'Am < esp
marimba *n.m.* (instr. de mus.) bantou
marina angl < ital
marine *n.m.* (soldat) angl < fr
maringouin (moustique) tupi-guarani
maritorne *n.f. Maritorne* (Cervantès, Espagne)
mark all < francique
Mark « borne » mot allemand 112
marlou oïl du Nord
marmalade mot anglais < fr < ptg 219
marmelade ptg < lat < grec 128, 129, 199
marmelo « coing » mot portugais 199
marne (roche) gaul
maronner norm
maroquin (cuir) *Maroc*
marouette (oiseau) prov
maroufle (peinture) dial
maprime (marine) néerl
marque « fille » (argot) 26
marque (ancien droit) prov
marquer norm-picard < vx scand 114
marquette (pain de cire) esp
marquis francique 108
marrane (converti) esp < ar
marre (en avoir) esp (?)
marron (esclave fugitif) esp < arawak 201
marron (fruit) lyonnais < ligure 37
marsala (vin) *Marsala* (Sicile)
marshal (officier fédéral) angl
marshmallow angl
marsouin (mammifère marin) vx scand 114, 116
martagon (bot.) esp
marte, martre (mammifère) francique
martel (avoir) « être jaloux » fr du XVIe s. < ital 179
martel (avoir) en tête
martingale esp (ou prov) < ar
Martini ital *nom déposé*

martre, marte (mammifère) francique
martyrium (tombeau de martyr) lat
marxisme, -iste *Marx* (G.-B.)
maryland (tabac) *Maryland* (U.S.A.)
mas prov
mascara (fard) ital
mascarade ital 128, 179
mascaret (grande vague) gascon 131
mascaron (archit.) ital
mascotte prov
maser *acronyme* < angl
maskinongé (poisson) algonquin
masochisme, -iste (philos.) Sacher *Masoch* (Autriche)
masque ital
mass médias angl
massepain vénitien < ar
masser ar
massicot (chimie) ital < ar
massorah, massore (relig.) hébreu
mastaba *n.m.* (tombeau) ar
mastère (diplôme) angl
mastiff (race canine) angl
mastigadour (vétérinaire) esp
mastoc all
mastodonte grec 85
mastos « mamelle » mot grec 85
mastroquet picard ou flamand
mat (aux échecs) ar < persan
mât francique 106
matador esp 186
mataf (matelot) ital (?)
matamata (tortue) esp < caraïbe
matamore (théâtre) *Matamore* (Espagne)
matasse (soie) ital
matassin (bouffon) esp < ar
match/mèche 219
match (compétition) angl
match-play (golf) angl
matchiche *n.f.* (danse) ptg
matchmaker (boxe) angl
maté esp < quechua 192, 196
matelas ital < sicilien < ar
matelot néerl 65, 122
mater « mère » mot latin 64, 65
mater *v.* (épier) esp
matérialisme angl
maternel 64, 65
materner angl
matraque ar
matras (arme) lat < gaul
matras (récipient) ar
matrilinéaire angl
matrilocal angl
matriochka (poupée) russe
matthiole *n.f.* (bot.) *Matthiole* (Italie)
maturité 66
maturum « mûr » mot latin 63
maul (rugby) angl
maurandie *n.f.* (bot.) *Maurandy* (Espagne)
mauresque, moresque esp
mauser *n.m.* (arme) *Mauser* (Allemagne)
mauviette norm < angl < francique
mauvis (grive) anglo-saxon
maxi- *préfixe* lat 81

maxi-manteau 81
maximalisation angl
maximisation angl
maximum lat
maxwell (mes. phys.) *Maxwell* (G.-B.)
maya (langue) *Maya* (Am. centrale)
maya (relig.) skr
mayonnaise (cuisine) Port-*Mahon* (Baléares) 97
mazagran (verre à café) *Mazagran* (Algérie)
mazdéisme (relig.) *Mazda* (Perse)
mazette norm (?)
mazout russe < ar
mazurka polonais 14, 212
mea culpa (liturgie) lat
méandre 96, 162
méat prov
Meccano (jeu) angl *nom déposé*
mèche (de) ital
méchoui ar
mechta (hameau) ar
méconium (fœtus) lat
médaille lat pop < ital
médaillon ital
medal-play (golf) angl
medecine-ball angl
medecine-man (guérisseur) angl
médersa, madrasa (école musulm.) ar
média *abréviation* < angl
médianoche (souper) esp
médiathèque 92
médicastre (charlatan) ital
médicée *Médicis* 193
médicine-ball angl
medicine-man (guérisseur) angl
médina (ville arabe) ar
médium (chant) lat
médium (spirite) angl
médius lat
meeting angl 226
méga- *préfixe* grec 81
mégalithe angl < grec
megalopole angl
mégalopolitain (d'une mégalopole) angl
mégaphone angl < grec
mégapole 81
mégot tourangeau < gaul 18
mégoter oïl de l'Ouest (argot) 27
mègue *n.f.* « petit-lait » mot d'a. fr < gaul 18
méhari (dromadaire) *Mahra* (Algérie)
meiche mot d'a. fr
meiji (histoire) jap
meistre, mestre (mât) prov
meistre, mestre (officier) ital
méjanage (latine) prov
mélanine grec 87
mélanotrope grec 87
mélasse esp
melchite, melkite (chrétien) syriaque
mélèze francoprov < prélatin 37
melimelum mot latin 199
melting-pot angl
mémento lat
mémorandum angl < lat
men's lib *abréviation* < angl

menchevik (opposition polit.) russe
mendélévium (chimie) *Mendeleiev* (Russie) 74
mendélisme (génét.) *Mendel* (Moravie)
mendi « montagne » mot basque 41
mendigot esp (?)
mendole *n.f.* (poisson) prov
ménestre (potage) ital
menhir « pierre longue » breton 48
méniane (archit.) ital
menin, menine esp
menonnite (relig.) *Mennon* Simonis (Pays-Bas)
menon (chèvre) prov
mensaje mot espagnol < fr 186
mensole (archit.) ital
mentalisme angl
mentalité angl < fr
mentor (guide) *Mentor* (Odyssée)
mercanti sabir algérien < ital
mercantile ital
mercaptan (chimie) all < lat
merceriser (traiter le coton) *Mercer* (G.-B.)
merchandising angl
merci mot persan < fr 157
mère 64, 65
mérengué (danse) caraïbe
merguez *n.f.* ar
meringue polonais (?) 213
mérinos esp < ar
merl, maërl (géol.) breton
merlin (cordage) néerl
merlin (masse) oïl de l'Est
merlon (archit.) ital
merlu(che) (poisson) prov (ou ital)
mérou (poisson) esp
merzlota *n.f.* (géogr.) russe
mesa (géogr.) esp
mésair, mézair (hipp.) ital
mésange francique
mescal, mezcal (alcool d'agave) nahuatl
mescaline nahuatl 191
mesclun (salade) prov
mesmérisme (médecine) *Mesmer* (Allemagne)
mesón « auberge » mot espagnol < fr 186
mesquin prov < ital <ar 154
mess/mets angl < a. fr 222
message 186
messer ital
messie lat < grec < araméen
mestre, meistre ital ou prov
métaphore grec 67
méthodisme, -iste angl
métropolitain angl
meurtrir francique
mezza voce ital
mezzana « située au milieu » mot italien 175
mezzanine ital
mezzo-soprano ital
mezzotinto (gravure) ital
micmac (embrouille) néerl < a. fr
micocoulier (bot.) prov < grec
micro- *préfixe* 81
micro-onde 81
micro-ordinateur 81
microbe 86
microbe mot persan < fr 157
microbie 86

microclimat 81
microfiche 82
microprocesseur angl
micros « petit » mot grec 86
middle-class (classe moyenne) angl
middle-jazz (mus.) angl
middle-west (géogr.) angl
midship (enseigne de vaisseau) angl
midshipman (enseigne de vaisseau) angl
mièvre normand (?) < scand 114
mihrab *n.m.* (mosquée) ar
mijaurée oïl angevin
mijoté norm < germ 112
mikado jap 248
mil (céréale) persan
milady (titre) angl
milan (oiseau de proie) prov < lat pop
mildiou angl
mile angl
milk-bar angl 237
milk-shake angl
millage (mes. en milles) angl (au Québec)
millefiori ital
million ital
milord angl
minahouet (cordage) breton
minaret turc < ar 156
minbar (chaire de mosquée) ar
mince-pie angl
mindel (géol.) *Mindel* (Allemagne)
mine (aspect) breton (?)
mine (gisement) gallo-roman < celtique
minéralogie 82
minestrone ital
mini- préfixe 81
minibus 81
minijupe angl 81
miniature ital
minimal art angl
minimum lat
minium (chimie) lat
Minnesang all
Minnesängler, -singer all
minois breton (?)
minorité (moindre nombre) angl 221
minot (marine) breton
mint-julep (boisson) angl
minus habens lat
Miocène (géol.) angl
mir (propriété rurale) russe
mirabelle ital < grec
mirador esp
mirlicoton esp
misaine (marine) ital (ou catalan) 175
miserere (liturgie) lat
mispickel (minerai) all
miss angl
missing link (évolution) angl
mistelle (liqueur) esp
mister angl
miston prov (?)
mistral prov
mita (esclavage) esp < inca
mitan franc-comtois (argot) 28
mite néerl
mitonner oïl de l'Ouest (?)
mitraille moyen néerl
mixage angl < anglo-norm
mixe(u)r *n.m.* angl 236

mixer *v.* angl
mo(u)ffette (zool.) ital
mobile *n.m.* (art mod.) angl
mobile(-)home angl
mocassin angl < algonquin 14, 200, 228
modèle ital
modénature (archit.) ital
moderato (mus.) ital
modern style (art moderne) angl
modillon (archit.) ital
modulation (mus.) ital
module angl
moduler *v.* ital
modus vivendi lat 69
moëre, moere (géogr.) néerl
mohair angl < ar 153, 225
moignon prov < esp
moine 186
moire (étoffe) angl < ar 153, 154, 225
moïse (berceau) *Moïse* (Bible)
moka ar
moksen (mocassin) mot algonquin
môle ital
moleskine angl
molinisme, -iste (relig.) *Molina* (Espagne)
mollah, mullah (relig.) ar
mollé (bot.) quechua
molto ital
momie lat méd < ar < persan
monadnock (géomorphol.) angl
monazite (minerai) all
mondrain (monticule de sable) créole
monégasque *Monaco*
monel (alliage) *Monell* (G.-B.)
monisme (philos.) all
monitor (marine) angl
monitorage (contrôle) angl
monitoring angl
monje « moine » mot espagnol < fr 186
mono- *préfixe* grec 81
monochrome 81
monocle 82
monoï (huile parfumée) polynésien
monsignor, -ore (prélat) ital
mont-de-piété ital 179
mont-joie (marque en pierre) germ
montagnard 109
montem mot latin 40
montgolfière (ballon) *Montgolfier* (Annonay) 92
montre (contre la) *calque* < angl
moon boots (cosmonaute) angl
moque *n.f.* (marine) néerl
moque *n.f.* (récipient, tasse) néerl
moquette (vénerie) néerl
morailles (tenailles) prov
moraine savoyard 132
morasse (imprimerie) ital
morbidesse ital
mordicus (obstinément) lat
moret, mouret (airelle) norm
morfal « glouton » rouchi (argot) 28
morfil, marfil (ivoire) ar
morganatique francique
morgeline (bot.) ital
morille all (ou lat) 112
morion (casque) ital

morisque (converti) esp
mormon angl
morne *adj.* francique
morne *n.m.* (colline) créole < esp
morphème angl < grec
morse (mammifère marin) russe < lapon 213
morse (télégraphe) *Morse* (U.S.A.)
mortadelle ital
mortaise ar
morula (embryol.) all
morve francique
mosaïque ital < lat < grec
mosca « mouche » mot espagnol 187, 254
mosette, mozette (capeline) ital
mosquée ital < esp < ar
mosquito « moustique » mot espagnol 187, 253, 254
mosso (mus.) ital
motel angl
motion angl 224
moto(-)cross angl
motoball (football à moto) angl
motor-home angl
motorship angl
motte prov < prélatin 37
motu proprio lat
motus lat
moucharabieh, -abié (archit.) ar
mouchoir (dans un) (sport) *calque* < angl
moudjahiddin (combattant) ar
moue francique
mouette norm < angl < francique
moufle (gros gant) lat médiév < germ
mouflon (mammifère) lat médiév < ital
mouise franc-comtois < all (argot) 28, 206
moujik russe 211
moujingue ar < esp
moukère, mouquère ar
mouloud (fête relig.) ar
mound (archéol.) angl
mouquère, moukère ar
mouron néerl (?) < germ
mourre (jeu) ital
mousmé jap 14, 248
mousquet ital 173
moussaka (cuisine) turc
mousse (bot.) francique 186
mousse (matelot) esp
mousse *adj.* (émoussé) gallo-roman
mousseline (étoffe) *Mossoul* (Asie) 13
mousson ptg < ar 154
moustache ital < grec
moustiller (moustiquaire) prov
moustique esp 22, 187, 253, 254
moutard (enfant) lyonnais, 28, 30, 132
mouton gaul 48
Moviola (app. de projection) angl nom déposé
moxa n.m. (médecine) jap
mozarabe ar
mozartien *Mozart* (Autriche)
mozette, mosette (pèlerine) ital
mozo « jeune garçon » mot espagnol 186

mozzarella (fromage) *Mozzarella* (Italie)
mucher, musser « cacher » gallo-roman
mucor (moisissure) lat
mucre vx scand 116
mucus (physiol.) lat
mudéjar (musulman d'Espagne) esp < ar
muder *v.* (marine) prov
mudra (religion) skr
muesli, musli, muësli (céréales) all de Suisse
muezzin turc < ar
muffin (pâtisserie) angl
mufle francique
mufti, muphti (juge) turc < ar
muge *n.m.* (poisson) prov
muguet lat pop < grec < ar < persan < skr 159
Mühle « moulin » mot allemand 112
muire (eau salée) gallo-roman
muklok (mocassin) amérind
mulâtre esp
mule-jenny (filature) angl
muleta (tauromachie) esp
mullah, mollah (relig.) ar
mulot (mammifère) lat médiév < francique
multi- *préfixe* lat 81
multiforme 82
muntjac (cervidé) angl < javanais
muphti, mufti (juge) turc < ar
mûr 63, 66
murmel (marmotte) all
musa paradisiaca 243
musacée (bot.) ar
musc grec < ar < persan < skr 159
muscade prov < skr 128, 130
muscadelle (cépage) oc de l'Ouest
muscadet prov < skr
muscadin ital
muscardin (rongeur) ital
muscardine (maladie) ital
muscat prov < skr
muserol(l)e (hipp.) ital
muséum lat
mushroom/mousseron 219, 222
music-hall angl
musical (film mus.) angl
musli, muësli (céréales) all de Suisse
musser, mucher « cacher » gallo-roman
must *n.m.* angl
mustang (cheval sauvage) angl < esp
musulman ar
mutant all (ou angl) 208
mutatis mutandis expression latine
mycélium (bot.) lat
mygla « moisissure » mot scandinave 116
mykr « fumier » mot scandinave 116
myope grec 38
myosotis (bot.) lat < grec

N

N.A.S.A. *acronyme* < angl
nabab angl < ptg < hindi < ar

nabi (prophète) hébreu

nabisme (peinture) hébreu

nable (trou de vidange) néerl

nacaire (instr. music. milit.) ar

nacarat (couleur) esp

nacre ital < ar 169

nadir ar

naevus (médecine) lat

nafé (bot.) ar

nafle (eau de fleur d'oranger) ar

nagaïka, nahaïka (fouet) russe

naguère 110

naja (cobra) cinghalais

nandou (autruche) esp < tupi-guarani

nankin (étoffe jaune) *Nankin* (Chine)

nansouk, nanzouk (toile) hindi

nantir norm < a. fr < vx scand 114, 116

nanto « vallée » mot gaulois 45, 46

napalm (bombe incend.) angl < lat

naphte lat < grec < persan

narco-analyse (médecine) angl

narcodollar angl

narghilé, narguilé persan < skr

narguer lat pop < prov

narval danois (?) < islandais 210

national-socialisme, -iste all

natron, natrum (carbonate de sodium) esp < ar

natte lat pop < phénicien (?)

naulage (marine) gallo-roman

nautonier prov

navaja esp

navel (orange) angl

navicert *acronyme* < angl

naville (canal d'irrigation) ital

navrer francique (ou vx scand)

nazi *acronyme* < all 207

néandertalien (paléont.) *Neandertal* (Allemagne)

nebk(h)a (géogr.) ar

nec plus ultra lat

neck (géol.) angl

négation lat 65

négociant ital (?)

négocier (un virage) *calque* < angl

négondo, négundo (bot.) ptg < malais

nègre esp (ou ptg) < lat

negro-spiritual angl

néguentropie (phys.) angl

négus (titre éthiopien) amharique

nélombo, nélumbo (bot.) cinghalais

nem (cuisine) vietnamien

némale, némalion *n.m.* (algue) angl < grec

nénuphar, nénufar ar < persan < skr 86, 158

néoblaste (biol.) angl

néolithique (paléontol.) angl < grec

Néoprène (chimie) angl *nom déposé*

néoténie (biol.) all < grec

népérien (logarithme) *Neper* (Écosse)

néphro- « rein » grec 80
népotisme ital
neptunium (chimie) *Neptune* (mythol.) 74
néré (bot.) mandingue
néroli (parfum) ital
nervi *n.m.* (homme de main) prov < ital
nescius mot latin 220
net *adj.* (tennis) angl
netsuke (costume) jap
neur- « nerf » grec 79
neutrino (phys. nucl.) ital
neutron (phys. nucl.) angl
névé angl (?) < valaisan 132
névr- « nerf » grec 79
névrose angl < grec 223
new-look angl
newdeal (économie) angl
newsmagazine angl
newton (mes. phys.) *Newton* (G.-B.) 93, 94
nhaqué (paysan) vietnamien
niais/nice 220
niaouli (bot.) lgue de Nlle-Calédonie
nice mot anglais < fr < lat 220
nickel suédois < all 206
nicol (optique) *Nicol* (G.-B.)
nicotine (tabac) Jean *Nicot* (France) 91
nier 65
niet (non !) (argot) russe 30
nietzschéen (philos.) *Nietzsche* (Allemagne)
night cap (grog) angl
night-club angl
nilgaut (antilope) < hindi < persan
nimbus (météo.) lat
ninas (cigare) esp
niobium (chimie) *Niobé* (mythol.) 74
nippe oïl de l'Ouest
nippon jap 248
nirvâna (sérénité) skr
nitrate de potassium 83
nivereau, niverolle (pinson) gallo-roman
nix (non !) all (argot) 30
nixe (divinité) all
nizeré (parfum) persan
no man's land angl
nô jap 248
nobélium (chimie) *Nobel* (Suède) 74
nocher (pilote) ital
noctambule lat 82
noème *n.f.* (ce qui est pensé) all < lat
noèse *n.f.* (acte de pensée) all < lat
noir lat 107
noise mot anglais < fr 219
noisette 69
noix de pécan 228
nolisé (vol) 181
nombreux 81
nombril du monde calque < hébreu 145
nomenklatura russe
nominer angl < lat 236
nommer 236
non conformiste angl
non conventionnel 234
non directif angl
non-retour (point de) *calque* < angl
non-sens angl 233
non stop angl 231

non-violence angl < skr
nonce *n.m.* ital
nonciature ital
nono (bot.) tahitien
nop(p)e (tissage du drap) néerl
nopal (cactus) esp < nahuatl
nord angl
nord-américain angl
nore gallo-roman
norfolk (race chevaline) angl
noria esp < ar
normand francique
norois, noroît oïl de l'Ouest
nota bene lat
nouba ar
nougat prov
nouille all 14
noumène *n.m.* all < grec 208
nourish/nourrissent 222
nourrice 222
nouvelle ital
nouvelliste ital
nova (astron.) lat
nuisance angl.
numéro ital
numerus clausus lat
nunatak (géogr.) inuktitut
nunchaku (arme) jap
nuoc-mâm (sauce) vietnamien
nuque lat médiév < ar
nuraghe *n.m.* (archéol.) sarde < hébreu
nurse angl < a. fr 222
nursery (enfants) angl
nursing (infirmière) angl
nyctalope grec 82
Nylon angl *nom déposé*

O

O.K. *sigle* < angl
oasis grec < ar d'Égypte
objecteur (de conscience) *calque* < angl
obsolescent angl 236
obsolète 236
obstruction angl
obus all < tchèque 213
ocarina *n.m.* (instr. de mus.) ital
occiput lat
occlusion angl
occurrence angl
ocelot esp < nahuatl 190, 196
octavin (instr. de mus.) ital
octavon (métissage) esp
octet (informatique) angl
octette « octuor » angl
oculaire 66
odalisque turc
odeur lat 65
odous, odontos « dent » mot grec 85
odonyme 39
œdème grec 79
œil 66
off angl 236
off (the) record angl 236
off-line (informatique) angl
off(-)shore (pétrole) angl
officiel angl 221
officina mot latin 133
offset (impression) angl
oflag (camp d'officiers) *acronyme* < all
ogham (écriture) angl
oghamique (écriture) angl
ogive esp < ar

ognette (burin) ital (?)
ogur « flèche » mot turc 163
ohm (physique) *Ohm* (Allemagne) 94
oïdium (bot.) lat
oie champenois
oille (cuisine) esp
okapi angl < bantou 242, 243, 245
oké « orchestration » mot japonais 10
okoumé (bot.) bantou 14, 242, 243, 245
ol(l)a podrida (cuisine) esp
olé, ollé esp
oléfine (chimie) angl
oléum (chimie) lat
olibrius (fanfaron) *Olybrius* (Gaule)
olifant, oliphant « cor d'ivoire » 86
olive prov 69
omble *n.m.* (poisson) en Suisse romande 132
ombrelle ital 177, 180
ombrer ital
ombudsman (administration) suédois
omelette oc
omerta « loi du silence » dial ital
omni- *préfixe* 81
omnibus lat
omnicolore 81
omnium (finance et bicyclette) angl < lat
on lat 111
on the rocks angl 237
on-line (informatique) angl
ondatra *n.m.* (rongeur) huron
one-man-show angl
one-step (danse) angl
onglette (burin) ital
-onne *suffixe* gaul 39
onno « cours d'eau » mot gaulois 45, 46
op art angl.
open (sport) angl
open door « porte ouverte » angl
open market angl
openfield (géogr.) angl
opéra ital
opérande (math.) angl
opérationnel angl
opérette all < ital
ophrys (bot.) lat
ophtalmo- « œil » grec 79
opium lat
opossum angl < algonquin 228
opportunité (occasion favorable) angl
opposition (politique) angl 224
optimiser angl
optionnel angl (?)
opus mot latin 133
opus incertum (construction) lat
orang-outan(g) malais 245
orange ital < ar < persan < skr 156, 159
orangeade 128
orangiste (hist. polit.) angl
oratorio (mus.) ital
orcanette, -nète (bot.) ar
orchestrion (orgue portatif) all
orchidée grec 68
orchis (bot.) lat

ordalie (jugement) angl
ordinateur 222
ordre du jour *calque* < angl 225
oreille 66
orémus (liturgie) lat
organsin (soie) *Ourgentch* (Ouzbékistan)
orgeat prov
orgueil *n.m.* francique
oriel (fenêtre en saillie) angl
origami (papier plié) jap
orignal (cervidé du Canada) basque 36
orin (cordage) néerl
Orlon (fibre synth.) angl *nom déposé*
oronge (champignon) prov
oronyme grec 38, 39
orphie (poisson) néerl
orseille (lichen) catalan < ar (?)
orteil gaul
ortolan (oiseau) prov 130
orviétan (drogue) *Orvieto* (Italie)
oscar (récompense) *Oscar* (U.S.A.) 217
oseille 69, 71
osier francique 105
osmium (chimie) grec 74
ossianisme (littér.) *Ossian* (G.-B.)
osso buco (cuisine) ital
ostinato (mus.) ital
oto- « oreille » grec 79
ottoman (étoffe) ar
ottomane (canapé) ar
ouabaïne (biochim.) somali
ouaiche angl
ouananiche *n.f.* (saumon) algonquin
ouaouaron (grenouille) iroquois
ouassou créole 200
ouate ital < ar
oued ar
ouest angl
ouest-allemand angl
ouïe 65
ouistiti (singe) tupi-guarani
oukase, ukase (édit) russe 211
ouléma, uléma (docteur de la loi) ar
oumiak (embarcation) inuktitut
ouragan esp < arawak (taïno) 192, 196, 200
out angl
outlaw « hors-la-loi » angl
output (informatique) angl
outrigger (embarcation) angl
outsider angl
ouvrable lat 63
ouvrir lat 63
over arm stroke (natation) angl
overdose angl 234
overdrive angl
overkill (stratégie militaire) angl
oxford (tissu) *Oxford* (G.-B.)
oxygène 85
oxygine 85
Ozalid angl *nom déposé*

P

paca amérindien
pacane (noix) algonquin 228

pacant (rustre) gallo-roman
pacemaker (stimulateur) angl
pacha persan
pachalik *n.m.* (territoire) turc
pachyderme grec 87
pack (rugby et emballage) angl 231
pack(-ice) angl
package angl 232
package deal (accord global) angl
packaging angl 232
packet-ship (paquebot) angl
pac(k)fung (alliage) angl < chinois
pacotille esp 22
pacquer (mettre en baril) néerl
padding (rembourrage) angl
paddock (hipp.) angl
paddock « lit » angl (argot) 31
paddy (riz) angl < malais
padi(s)chah (souverain) persan
paele mot d'a. fr 187
paella esp 187
pagaie (rame) malais 245
pagaille, pagaïe, pagaye prov (argot) 28
pagne esp
pagnoter (se) « se mettre au lit » prov
pagode ptg < tamoul < skr 198
paillasse (théâtre) *Paillasse* (Italie) 217
paille et la poutre (la) *calque* < hébreu 145
paillote ptg 199
pair angl
pairesse angl
palabre *n.m.* ou *f.* esp
palace (hôtellerie) angl < a. fr
paladin ital
palafitte *n.m.* (archéol.) ital
palais *Palatin*, Rome (Italie) 97
palan ital
palangre *n.f.* (ligne de pêche) prov < grec
palangrotte (ligne de pêche) prov
palanque (mur de pieux) ital
palanquin ptg < hindi < skr 198
pale *n.f.* (hélice) prov
pale-ale (bière) angl
palefrenier prov
palefroi grec < gaul
paléolithique angl < grec
paletot angl
palétuvier (bot.) tupi 14
palification (action de palifier) ital
palifier (consolider le sol avec des pieux) ital
palissandre néerl < arawak 245
palladium (bouclier) lat
palladium (chimie) *Pallas* (mythol.) 74
pallium (manteau) lat
palmarès lat
palmas (battement de mains) esp
palmiste (bot.) ptg (ou esp)
palombe languedocien 131
palombin (marbre blanc) ital
palonneau (palonnier) germ
palonnier germ
palourde (mollusque) oïl de l'Ouest

paludier (marais salants) dial
palynologie (pollen) angl < grec
pampa esp < quechua
pampero (vent) esp
pamphlet (litt.) *Pamphilet* (G.-B.)
pamphlétaire angl
pamplemousse néerl
pan- *préfixe* grec 81
pan-bagnat prov
panache ital
panade prov (ou ital) 30, 128
panama (chapeau) *Panama*
panaméricain angl
panard prov
panatel(l)a (cigare) esp
panca, panka *n.m.* (ventilateur) hindi
panch « cinq » mot hindi 230
panchromatique 81
pancosmisme angl
panda (mammifère) népalais
pandanus (bot.) malais
pandémonium (enfer) angl
pandit (titre honorifique) skr
panel angl 236
panetier mot d'a. fr 123
pangolin (mammifère) malais 245
panicaut (bot.) prov
panini (sandwich) ital 10
panlogisme (philos.) all
panmixie (reproduction) all (?)
panne (en) (marine) prov (ou ital)
pannequet (crêpe) angl
panorama angl < grec
pantalon *Pantalon* (Italie) 96, 174, 180, 257
pantenne, -tène *n.f.* (marine) prov
panthéisme, -iste angl
panthère grec 68
pantoufle ital < grec 180
pantoum (poème) malais
panty (gaine-culotte) angl
panzer « char, blindé » all
paon 66
paour (lourdaud) all
pápa « pomme de terre » mot d'esp d'Am 193
papable ital
papalin (partisan du pape) ital
paparazzi (photographes indiscrets) ital
papaye (bot.) arawak 192, 196
papegai (perroquet) prov < ar
paperback (livre de poche) angl
paperboard (tableau de feuilles de papier) angl
papouch « qui couvre le pied » mot persan 155
paprika hongrois 213
papyrus (bot.) lat
paquebot *calque* < angl 226
pâques lat eccl < hébreu
paquet néerl
paquet-bot/paquebot 226
par *n.m.* (golf) angl
para « à côté » mot grec 80
parabellum all < lat 207, 208
parabole grec 68
parade (escrime) ital 128
parade (nuptiale) esp 128
paradis lat eccl < grec < persan

parages esp
paragon (parapluie) angl
paraguante (cadeau) esp
parangon (modèle) esp < ital < grec 217
paranoïa *n.f.* all < grec 208
paranzella (bateau de pêche) ital
parapet ital 179
parapsychologie angl < grec
parasite 80
parasol ital 180
paravent ital
parc lat pop < gotique
parc(o)mètre angl
parchemin (écriture) *Pergame* (Mysie) 162
parelle (oseille) dial
paréo tahitien 14, 247
parer (escrime) ital
parer (hipp.) esp
parère *n.m.* (certificat) ital
parfum ital
parfumer ital
paria (Indien hors caste) ptg < tamoul
parka (vêtement) inuktitut
parking *pseudo-anglicisme* 233
parlement angl 226
parlementaire (député) angl
parmesan (fromage) *Parme* (Italie)
paroisse lat < grec 68
paroli (au jeu) ital
parpaillot (protestant) gascon (ou languedocien)
parquer angl
parsi (zoroastrien) persan
partenaire angl 217, 223, 226
partisan (franc-tireur) ital
partita (mus.) ital
partition (mus.) ital
partition (partage) angl
partner/partenaire 223
partnership (association) angl
pascal 94
pas(s)ionaria esp 186, 187
paso doble (danse) esp
pasquin (pamphlet) *Pasquino* (Rome antiq.)
pasquinade (raillerie) *Pasquino* (Rome antiq.)
passacaille (danse) esp
passade (hipp. et liaison amoureuse) ital 128
passe-vite mot portugais < fr 11
passège (hipp.) ital
passim (çà et là) lat
passing-shot (tennis) angl
passivation (chimie) angl
pasta « pâte » mot esp 188
pastel (bot.) prov
pastel (dessin) ital
pastenade (panais) oc
pastenague *n.f.* (poisson) prov
pastèque (bot.) ptg < hindi < ar
pastiche ital
pastille esp 188
pastis prov
pat (aux échecs) ital
patache (bateau ou diligence) esp < ar
pataras (marine) prov
patarasse (calfat) prov
patard (monnaie) prov
patarin (relig.) ital

patate (patate douce) esp < arawak 190, 192, 193, 196, 255
patate (pomme de terre) angl, 159, 255
patch (médecine) angl
patchouli (bot.) angl < tamoul 229
patchwork angl < anglo-norm (?)
pater (liturgie) lat
pater familias lat
paternalisme angl
patient (qui subit un traitement) angl 233
patine ital
patio catalan < esp
patraque prov (argot) 30
patriarche 87
patrilinéaire angl
patrilocal angl
patronesse angl
patronyme grec 39
patte (chiffon) préceltique 37
patte (jambe d'animal) préceltique
pattemouille germ
pattern (modèle) angl
patterning (modélisation) angl
pauchouse, pochouse (cuisine) franc-comtois
paumelle prov
paupériser angl
paupérisme angl
pause ital
pause-café *traduction* < angl
pavane (danse) ital 97
pavaner (se) lat 66
pavesade (protection) ital
pavois ital
payant (qui donne des résultats) angl
peau sur les os (n'avoir que la) *calque* hébreu 145
peautre (grabat) champenois < all
pébrine (maladie du ver à soie) prov
pecado « péché » mot esp 188
pécaïre (exclamation) prov
pécan, pékan (noix) angl < algonquin 228
pécari (cochon sauvage) arawak
peccadille esp 188
pechblende (minerai) all
pêche (fruit) lat < persan
pécore *n.f.* (animal et péronnelle) ital
pecorino (fromage) ital
pecque (femme sotte) prov
pédale ital
pédant ital
pédanterie ital
pédantesque ital
pedestrian (marcheur à pied) angl
pedigree angl < anglo-norm 222
pédiment (géol.) angl
pédiplaine (géol.) angl
pedzouille prov
peeling (chir. esthétique) angl
pégase (poisson) *Pégase* (mythol.)
pego mot provençal 29
pègre (milieu des voleurs) prov 29
peille (chiffon) prov

pékan, pécan (noix) angl < algonquin 228
pékin (soie) *Pékin* (Chine)
pelegrin mot d'a. fr 218
pellet (comprimé) angl
pelotari (sport) basque 36
pelouse prov (ou oïl de l'Ouest)
pelvis (anat.) lat
pembina, pimbina (bot.) algonquin
pemmican (viande séchée) angl < algonquin
pénalisation angl
pénaliser angl
penalty (football) angl
pénéplaine (géogr.) angl
péniche esp (ou angl)
pénicilline angl
pénis lat
penny, pence angl
pensum (punition) lat
pent(h)ode (électronique) angl
penthouse (appartem. de luxe) angl
péon (paysan) esp
péotte (gondole) vénitien
pep (dynamisme) angl
péperin (géol.) ital
pépite esp
péplum (vêtement) lat
peppermint angl
percale turc < hindi < persan 157
percept angl
perceptionnisme angl
perceptuel angl
perchman (cinéma) angl
perdrigon (prune) prov
perestroïka (restructuration) russe
performance angl
performatif angl
pergélisol (géol.) angl
pergola ital
péri *n.f.* (fée) persan
périscope angl < grec
perish/périssent 222
perle ital
permafrost (géogr.) angl
permalloy (alliage) angl
permien (géol.) *Perm* (Russie)
permissif angl
permissivité angl
permittivité (électr.) angl
perron mot néerlandais < fr 11
perroquet ital
perruque ital
pers (bleu) *Perse*
perse (tissu) *Perse*
persienne (volet) *Perse*
persil 70, 71, 83
persona grata lat 69
personnaliser angl
perspectivisme all
pertuisane (arme) ital 173
pesade (hipp.) ital
pesat (tiges de pois séchées) gallo-roman
peseta (monnaie) esp
peso (monnaie) esp
pesse (bot.) gallo-roman
pesticide angl
pestor « boulanger » mot d'a. fr 123
pétanque prov
pétarade prov 128
pétéchie (dermatol.) ital

pétition (requête collective) angl 221, 224
pétition de principe 224
petra « pierre » mot latin 83, 84
pétrel (oiseau palmipède) angl
pétrochimie angl
petrodollar angl
pétrole lat médiév. < grec 83, 84
petroselinon mot grec 83
pétun (tabac) ptg < amérind 192
pétunia *n.m.* ptg < tupi
peuchère, péchère prov
peul(e), peuhl(e) lgue africaine
peulven (menhir) breton
peuplade esp
peyotl (bot.) nahuatl 190
pfennig (monnaie) all
phagein « manger » mot grec 80
phallus lat
pharaon lat < grec < égyptien
phare Pharos (Alexandrie) 96, 162
pharisien lat < grec < hébreu (ou araméen)
phénologie (climat.) angl
philharmonique ital < grec
philibeg (jupon des Écossais) celt
philippine (jeu) all < angl
philistin lat eccl < hébreu
philosophie grec 67, 86
photo-finish angl
photogénique angl
photographie angl < grec 17
-phrénie « maladie mentale » grec 80
phylétique (biol.) all
phylogenèse (biol.) all
phylogénie (biol.) all
phylum (biol.) all
physiogénie (physiogenèse) angl
phytotron (labo. bot.) angl
pian (maladie) tupi
piane-piane (doucement) fr du XVIe s. < ital
pianelle « chaussure » fr du XVIe s. 179
pianissimo (mus.) ital
piano (mus.) ital
piano(-forte) (instr. de mus.) ital
Pianola (piano mécanique) angl *nom déposé*
piassava (bot.) ptg < amérind
piastra « lame de métal » mot italien 170
piastre ital 170
piazza ital
pibale (jeune anguille) poitevin
pic (montagne) prélatin 37
pic (oiseau) prov
pic(c)olo (instr. de mus.) ital
picador (tauromachie) esp 186
picaillons savoyard < préceltique
picaresque esp
pichenette prov
pichet oïl de l'Ouest
picholine (olive) prov
pick-up angl
pickles angl
pickpocket angl 223
picotin dial
pictographie angl < grec

pidgin chinois < angl 229, 230
pie-mère (vinaigre) ar
pièce gaul
pied de grue 222
pied en cap (de) prov
piédestal ital
piédouche (petit piédestal) ital
piémont, pied- (géogr.) angl
pier « boire » grec (argot) 28
pierre lat < grec 83, 84
pietà ital
piétisme, -iste (relig.) all
pieu « lit » picard
pieu « piquet » picard
pieuvre anglo-norm
piger dial
pignade (pinède) oc du Sud-Ouest
pigne « pomme de pin » prov
pignolat (pignon) prov
pignon « graine de pigne » prov
pignouf oïl de l'Ouest
pilaf (cuisine) turc < persan 158
pilastre ital
pilchard (sardine) angl
pilgrim mot anglais < fr 218
pillow-lava (géol.) angl
pilote ital < sicilien < grec
pilotis picard
pimbina (bot.) algonquin
piment prov
pin-up angl
pinard « vin » (argot) 29
pinasse (embarcation) esp 186
pinchard *adj.* (couleur gris fer) norm
pinchina(t) (étoffe de laine) prov
pine « pénis » néerl (argot) 28
pinède prov
ping-pong angl
pingouin angl (ou néerl)
pinque (marine) néerl
pinscher (race canine) all
pintade ptg 14, 128, 129, 199
pinyin (transcription phonétique) chinois
piolet valdôtain < piémontais 132
pioncer « dormir » picard (argot) 27
pionnier angl
pipa *n.m.* (crapaud) caraïbe
pipe (tube) angl
pipeline angl
piper-cub (aviation) *acronyme* < angl
piperade (cuisine) béarnais 131
pipéronal (chimie) all
pipistrelle (chauve-souris) ital
pique néerl
pira « poire » mot latin 151
piranha, piraya (poisson) ptg < tupi 195, 196
pirogue esp < caraïbe 192, 196, 200
pirojki (cuisine) russe
pisé (construct.) lyonnais
pissaladière (cuisine) prov
pistache ital < lat < grec < persan 158
piste ital
pistole all < tchèque
pistolet all (ou ital) < tchèque 213
piston ital
pistou (cuisine) prov

pitance 186
pitanza mot espagnol < fr 186
pitch (golf) angl
pitchpin (bois) angl
pite (bot.) esp du Pérou
pitre franc-comtois
pittoresque ital
piu (mus.) ital
pive *n.f.* (fruit des conifères) parler de Suisse
pixel (informatique) angl
pizza ital
pizzeria ital
pizzicato (mus.) ital
placebo (pharmacol.) lat
placebo angl < lat
placenta lat
placer *n.m.* (mine d'or) esp
plage ital < grec 67
plagios « en pente » mot grec 67
plaid angl < gaélique 226
plaisir 125
plancton all < grec 208
planèze *n.f.* (géol.) dial
planisphère 82
planning angl
planning familial angl
plansischter (tamis) all
plantain (bananier) esp
plantation (expl. agr. tropic.) angl
planteur (expl. agr. tropic.) angl
plaquemine (fruit) algonquin
plaquer néerl
plasma all < grec 207, 208
plastic (explosif) angl
plastron ital
plate-forme angl
plateresque (archit.) esp
platine *n.m.* (métal précieux) esp
play-back angl
play-boy angl
play-girl (féminin de *play-boy*) angl
plé- « paroisse » *préfixe* lat 49
plebs « peuple » mot latin 49
-plégie « paralysie » grec 80
plein-emploi angl
plein temps angl
plenty mot anglais < fr 219
plenum angl < lat
plésiosaure angl < grec
pleu- « paroisse » *préfixe* lat 49
pleurnicher norm
pleutre oïl du Nord-Est < flamand
Plexiglas angl *nom déposé*
plexus lat
plezier « plaisir » mot néerlandais < fr 125
pli (dans le contreplaqué) angl
pliocène (géol.) angl
ploc (duvet) néerl
plot (technique) lat + germ
plou- « paroisse » *préfixe* lat 49
plouc, plouk (paysan) breton 49
plum-cake angl
plum-pudding angl
plutonium (chimie) *Pluton* (mythol.) 74
pneumatique angl < grec
poche (livre de) angl
poche francique

pochouse, pauchouse (cuisine) franc-comtois
poco ital
pod- « pied » grec 80
podestat ital
podium mot latin 40
podzol (géogr.) russe
poêle (chauffage) oïl de l'Est
poète grec 67
pognon lyonnais (argot) 28
pogrom russe
pointer *n.m.* (race canine) angl
pointille (minutie dans un débat) ital
pointilleux ital
poire lat 151
poise (mes. phys.) *Poiseuille* (France) 94
poivre lat < ar < persan < skr
poker angl 226
polacre *n.f.* (voilier) ital
Polaroïd angl *nom déposé*
polatouche *n.m.* (écureuil volant) russe ou polonais
polder (marais asséché) néerl
pole position (course) *calque* < ang 232
polémique grec 86
polémologie grec 86
polemos « guerre » mot grec 86
polenta (cuisine) ital
police (d'assurance) ital
policeman angl
polichinelle (théâtre) *Pulcinella* (Naples) 180
politesse ital 179
politicien angl
politologie all < grec 208
poljé (géogr.) lgue slave
polka (danse) polonais
pollen (bot.) lat
pollution angl
polo (chemise) angl
polo (sport) angl < tibétain 229, 247
polonium (chimie) *Pologne* 74, 94-95
poltron ital
poly- *préfixe* grec 81
polycopie grec 82
polymorphe grec 82
pomélo (bot.) angl
pommade ital 128, 180
pomme de terre *traduction* < néerl 70, 71
pomœrium (archéol.) lat
pompe ital (ou néerl)
ponant (vent) prov
ponce (roche) lat < osque
poncho (vêtement) esp d'Am. du Sud
poney angl
pongé(e) (soie légère) angl < chinois 229, 247
pongo lgue africaine
pool (groupement) angl
pool « mare » mot anglais 111
pop (mus.) angl
pop art, pop'art angl
pop-corn angl
pop-music, pop'music angl
pope russe < grec
popeline (tissu) *Poperingen* (Flandre) 97
populace ital
populaire (qui plaît au peuple) angl 221, 255
popularité angl
population angl

populeum (onguent) lat
poquer (au jeu de boules) néerl
poquet (semis) gallo-roman
porc-épic prov < ital
porcelaine ital
porion (contremaître ds une mine) picard
porphyre (roche) ital
porque (marine) prov ou ital
porridge (cuisine) angl 219
port « col » oc des Pyrénées 129
portable angl
porte ouverte *traduction* < angl
portelone (sabord) ital
porter *n.m.* (bière brune) angl
portland (ciment) angl
portmoneu mot roumain < fr 11
portor (marbre) ital
portulan (carte marine) ital
posada (auberge) esp
positionner angl
post-scriptum lat
postcombustion angl
poste *n.f.* (courrier) ital
poste *n.m.* (situation) ital
poster *n.m.* « affiche » angl
postiche ital
postillon ital
posting (pétrole) angl
postsonorisation angl
posture ital 177
pot lat pop < préceltique 37
potage 219
Potasche « potasse » mot allemand 74
potasse all < néerl
potassium *latinisation* angl *potash* < néerl 74, 83
potato « pomme de terre » mot anglais 193
potentialiser angl
poteur, putter *n.m.* (golf) angl
potin (bavardage) norm 134
potine « chaufferette » 134
potiron ar < syriaque 71
potlatch (relig.) angl < amérind
potorou (rat-kangourou) angl < lgue d'Australie
potron-minet norm
potto (lémurien) angl < lgue de Guinée
pottock (poney) basque
poubelle (bac à ordures) *Poubelle* (France) 91
poudingue *n.m.* (roche) angl
poule (sports) angl
pouliche norm-picard
poulpe *n.m.* prov < grec
poupe prov < lat
pourridié (bot.) prov
poussah chinois
poussière oïl du Centre et de l'Est
poutine (alevin) prov
poutser (nettoyer) all
pouzzolane (roche) *Pouzzoles* (Italie)
practice (golf) angl
praecoquum « précoce » mot latin 151
praesidium, pré- (Soviet) russe < lat
pragmaticisme (philos.) angl
pragmatisme, -iste angl < all < grec 208

praire *n.f.* (mollusque) prov
prâkrit, prâcrit (lgue commune) skr
praline (confiserie) Plessis-*Praslin* (France) 92
prame (embarcation) néerl
prao (voilier à balancier) ptg < malais
pratiquement (en réalité) angl < fr
précédent *n.m.* angl
prédelle (décoration d'église) ital
prédéterminisme (philos.) all
prêle, prèle (bot.) franco-prov
prendre en compte 233
prendre en considération 233, 256
préraphaélite (peinture) angl
presbytérianisme angl
presbytérien angl
présélectionner 236
préside (place forte) esp
press-book angl 231
pressing angl
pression (groupe de) angl
presspahn (isolant) all
pressurisation angl
pressuriser angl
prestant *n.m.* (orgue) ital
preste *adj.* ital
prestesse ital 174
prestissimo (mus.) ital
presto (mus.) ital
prestolet (terme de dénigrement) prov
prêt-à-porter *calque* < angl
pretantaine, -entaine norm
prêtre grec 38, 68
prévalence (médecine) angl
prima donna ital
primage (chaudière) angl
primat all 208
prime angl 22
prime time (télévision) angl 11
printing (imprimante) angl
privat-docent (ens. libre) all, *calque* < ital
private joke angl 232
privatiser angl
pro *abréviation* 67
pro forma lat
procédure angl
process (procédé) angl
processeur angl
processif angl
processus lat
proclitique all < grec 208
procuratie ital
producteur angl
professionnel angl
profil ital
prohibition angl < fr
prohibitionnisme, -iste angl
prométhium (chimie) *Prométhée* (mythol.) 74
promotion angl
promotionnel angl
prompteur (télévision) angl
pronunciamiento esp
propène (chimie) angl
propergol all < grec 207, 208
propfan (aviation) angl
prorata lat
prorogation (report) angl
proroger *v.* (reporter) angl
prosateur ital
prospect angl
prospecter angl

prospecteur angl
prospection angl
prospectus lat
protactinium (chimie) grec 74
protéide (protéine) angl
protiste (biol.) all
proton (phys. nucl.) angl
protoplasme all < grec 208
proue génois
provéditeur (fonctionnaire vénitien) ital
providentiel angl
provo (contestataire) néerl
proxémique angl
proximal angl (?)
pschent (coiffure des pharaons) égyptien
psychédélique angl < grec
psychodrame angl < grec
ptomaïne (biochim.) ital < grec
pub (café-restaurant) angl
pubis lat
public relations angl
pubman angl
puche *n.f.* (filet de pêche) dial
pudding, pouding (cuisine) angl
puddlage (métall.) angl 226
puffin (oiseau de mer) angl
pugiliste angl
pull(-over) angl
pulle(u)r (chasse) angl
pullman (wagon de luxe) *Pullman* (G.-B.)
pulque *n.m.* (boisson) esp du Mexique < lgue amérind
pulsar (astron.) *acronyme* angl
pulser *v.* angl < lat
pulsomètre (vapeur) angl
pultrusion (extrusion) angl
pulu « balle » mot tibétain 247
pulvérin (pyrotech.) ital
puma (fauve carnassier) esp < quechua 192, 195, 196
pumping (pompage) angl
puna *n.f.* (physiol. et géogr.) esp < quechua
punch (boisson) angl < hindi < skr 226, 229, 230
punch (dynamisme) angl
punching-bag (boxe) angl
punching-ball (boxe) angl
punk angl
puntarelle (corail) prov
puntillero (taurom.) esp
pupazzo (marionnette) ital
purau (arbre) tahitien
purchase (to)/ pourchasier 219
pure et simpliciter expression latine 68
purée de pois *traduction* < angl
purin norm
puritain (relig.) angl < lat 226
purot (fosse à purin) dial
push/poussent 222
push-pull (électron.) angl
puszta (plaine) hongrois
putonghua (langue commune offic.) chinois
putsch all 207
putt, putting (golf) angl
putter *n.m.* (golf) angl
putter *v.* (golf) angl
putting-green (golf) angl
putto (angelot) ital
puzzle angl

pyjama angl < hindi < persan 10, 158
pyrét- « fièvre » grec 80
pyromane grec 82
pyrrol(e) (chimie) all < grec
pyxis « buis » mot grec 67

Q

qaraïte, karaïte (relig.) hébreu
qasida *n.f.* (poème) ar
qat, khat *n.m.* (bot.) ar
qitâra (instr. de mus.) mot arabe 147
quadrangulaire 82
quadrette (pétanque) prov
quadri- *préfixe* lat 81
quadrille (danse) esp
quadrivium (univ. au M. Â) lat
quai norm < gaul 47
quaker (relig.) angl
quakerisme (relig.) angl
qualification (sport) angl < fr
qualifier (sport) angl < fr
quamquam mot latin 63
quantification (logique) angl
quantifier (logique) angl
quantum (pl. **quanta**) (physique) all < lat 207, 208
quark (phys. nucl.) angl
quarte (mus. et jeu de cartes) ital
quarter (mesure) angl 226
quarteron (métis) esp
quartet (quatuor) angl
quartette (mus. de jazz) ital
quartier-maître all < fr 208
quartz (roche) all
quasar (astron.) *acronyme* < angl
quasi (pour ainsi dire) mot latin
quasi *adv.* (à peu près) lat
quasimodo lat
quassia, quassier (bot.) *Coissi* (Surinam)
quater (quatrièmement) lat
quaterne *n.m.* (loto) ital
quaternion (math.) angl
quatre 81
quattrocento ital
quatuor (mus.) lat
quebracho (bot.) esp
quenelle (cuisine) alsacien < all
quenotte norm < francique
quercitron (chêne) angl
quercus « chêne » mot latin 50
question préalable *calque* < angl 225
quête *n.f.* (marine) dial (?)
quetsche « prune » alsacien
quetzal (oiseau) nahuatl
quiche (cuisine) alsacien
quichenotte (coiffe) angl
quick (revêtement de cours de tennis) angl
quick lunch « repas rapide » angl
quid lat
quidam lat 63
quidlibet « n'importe quoi » mot latin 63
quille (jeu) all
quille (marine) vx scand 114, 116

quinine (médecine) esp < quechua
quinoa (bot.) esp < quechua
quinquenove (jeu de dés) ital
quinquet (lampe) *Quinquet* (France)
quinquina (médecine) quechua (ou ar)
quintal (mesure de poids) ar < grec
quintet (mus. de jazz) angl
quintette (mus.) ital
quinto (cinquièmement) lat
quip(o)u (comptage) quechua
quiproquo lat
quirat *n.m.* (marine) ar
quiscale (oiseau) caraïbe (?)
quitus lat 69
quiz (devinette) angl
quolibet (raillerie) lat 63
quorum (assemblée) angl < lat 69
quota (répartition) angl < lat

R

raban (amarre) néerl
rabane (tissu en raphia) malgache 242, 244
rabbin araméen
rabibocher oïl du Nord
rabiole (chou-rave) prov
rabiot (supplément) gascon (ou berrichon) 131
rabot (menuisier) oïl du Centre ou néerl
rabouillère (terrier de lapin) berrichon (?)
rabouilleuse berrichon < gaul 47
raca (injure) araméen
racahout (cuisine) ar
racaille norm
race ital
racer *n.m.* (cheval ou bateau de course) angl
rachi- « moelle épinière » grec 79
racing (course à pied) angl
racing-club (assoc. sportive) angl
rack (meuble de rangement) angl
racket angl 31
racketter *v.* angl
racketteur angl
racler prov
rada (assemblée) slave
radar *acronyme* angl
rade (marine) vieil angl
radeau prov
radian (mesure d'angles) angl
radical (partisan de réformes) angl
radiographie 82
radiomètre (app. de mesure) angl
radis ital 180
radium (chimie) lat 74
radius (anat.) lat
radja(h), raja(h) ptg < hindi < skr
radoire prov
radôme *mot-valise* < angl
radoter *v.* germ
raf(f)ut gallo-roman
rafistoler ital
rafle (arrestation massive) all

raft (embarc. insubmersible) angl
rafting (descente de rapides) angl
raglan (manteau) *Raglan* (G.-B.) 96
ragtime (mus.) angl
raguer *v.* (s'user) angl < néerl
rahat-lo(u)koum (confiserie) ar
raï (mus.) ar
raia, raya (non musulman) turc
raid (opération militaire) angl < écossais 226
raide/roide 135
raider *n.m.* (Bourse) angl
raie (ligne droite) gaul
rail (voie ferrée) angl 14, 222
rail(-)route *calque* < angl
railler *v.* prov 30
raillère (versant abrupt) oc des Pyrénées
rain (lisière) néerl
raiponce *n.f.* (bot.) ital
raïs (chef) ar
raki (liqueur à l'anis) turc < ar
ralingue (cordage) néerl
rallye (compétition) angl < fr
rallye-man *pseudo-anglicisme*
rallye-papier (jeu) angl
ram (informatique) *acronyme* angl
ramadan (fête musulmane) ar
ramade (troupeau de moutons) prov
ramapithèque (fossile de primate) *Rama* (Inde)
rambarde (marine) génois
ramberge/rowbarge 225
ramboutan (bot.) malais
ramdam « vacarme » ar
rame (de papier) ar
ramequin (récipient) néerl (ou bas-all) 65, 122
rami (jeu de cartes) angl
ramie (bot.) malais
ramingue (équit.) ital
ramper *v.* francique
rancart norm
rancart (au) norm (argot) 29
ranch *n.m.* (expl. agric.) angl < esp
ranche *n.f.* (échelon) francique
rancher *n.m.* (échelle) angl
ranchero (échelle) angl
ranchman (fermier de ranch) angl
rancho (expl. agric.) esp
rancio (liqueur) esp
randomisation (échantillonnage aléatoire) angl
randomiser (aléatoire) angl
randonnée francique
rang francique
ranger (militaire) angl
rang(i)er (renne) scand
ranging (repérage) angl
rani (épouse d'un rajah) hindi < skr
ranz (chant) alémanique
raout (fête) angl 226
rap (mus.) angl 11
râpe (outil) germ
râpes (résidu des grappes) germ
rapetasser lyonnais ou prov 132
raphia (palmier) malgache 14, 242, 244

raptus (psych.) lat
raquer dial (?)
raquette ar
rarissime ital
ras *n.m.* (chef éthiopien) ar
rascasse (poisson) prov
rash *n.m.* (dermatose) angl
raskol (relig.) russe
raspoutitsa (dégel) russe
rasta(fari) (relig.) ar (?)
rasta(quouère) (étranger) esp
rastel (réunion amicale) prov
ratafia *n.m.* (liqueur) créole (?)
rate (anat.) néerl
ratiboiser *v.* francique
rating (marine) angl
ratio (rapport de deux grandeurs) angl < lat
rave (plante potagère) franco-prov
ravelin (fortification) ital
ravenala *n.m.* (bot.) malgache
ravioli (cuisine) ital
ray-grass (bot.) angl
raya, raia (non musulman) turc
rayon (de miel) francique
rayonne (soie artific.) angl
raz (de marée) breton < norm < vx scand 114
razzia (expéd. punitive) ar algérien
réactance (électricité) angl
ready made angl
réal (monnaie) esp
réale (galère royale) esp
réalgar (chimie) ar
réaliser (se rendre compte) angl
reality show 236
rebec (instr. de mus.) ar < fr
reblocher *v.* (traire)
reblochon (fromage) savoyard 132
rebuffade ital 128, 129, 174
rébus lat
récépissé lat
récession angl
réchappé 133
rêche (âpre, rugueux) picard < francique
rechigner *v.* francique
récif esp < ar
récital (mus.) angl
récitatif (mus.) ital
récolte ital 179
record angl
recording (enregistrement) angl
recordman *pseudo-anglicisme*
recordwoman *pseudo-anglicisme*
recto lat
rectum lat
rede « filet » mot espagnol 188
rédemption/rançon 64
redemptionem mot latin 64
redingote angl 223
rédintégration (psychol.) angl
redoul (bot.) prov
redoute ital
redowa *n.f.* (danse) tchèque
réécrire 236
réécriture 236
référendum lat 36
reflet ital
reflex *adj.* (photographie) angl
réflexibilité angl

réflexible (qui peut être réfléchi) angl
reformage (pétrole) angl
reforming (raffinage) angl
réformiste angl
réfracter angl
réfrangibilité (réfraction) angl
réfrangible angl
refuznik (émigration des Juifs russes) russe
reg *n.m.* (géogr.) ar
régate vénitien
regency (style de mobilier) angl
reggae *n.m.* (danse) créole de la Jamaïque
regretter vx scand 114
reichsmark (monnaie) all
reis (dignité ottomane) turc
Reiter « cavalier » mot allemand 206
reître all 206
relations publiques *traduction* < angl
relax angl < lat
releasing factor (biochim.) angl
relief (sculpture) ital
reloqueter (passer la serpillière) oïl de l'Est
réluctance (électricité) angl
reluquer picard < wallon < néerl
rem (mes. phys.) *acronyme* angl
remake (film) angl 231
remix (nouv. orchestration) angl
rémiz (oiseau) polonais
rémora (poisson) lat
remorquer *v.* ital
rémoulade (sauce) picard
remoulin (robe du cheval) ital
remous prov
remucre fr rég de Normandie 116
remugle vx scand 114, 116
renâcler picard
renard (mammifère) *Renart* prénom germ 109
rendzine *n.f.* (géogr.) polonais
renégat ital
renflouer *v.* norm
renfrogner gaul 48
renne (cervidé) all < scand 210
renne du Canada 228
replication (biol.) angl
repolon (hipp.) ital
reporter *n.m.* angl 226
reporting (reportage) angl
représailles ital
reprint (réimpression) angl
reprographie angl
reps (tissu) angl
requeté (soldat recruté) esp
requiem (liturgie) lat
requinquer *v.* picard
rescapé picard 14, 133
réservation (de place) angl < fr
résilience (mes. phys.) angl
résilient (résistant aux chocs) angl
résille esp 188
résistivité (électricité) angl
résorcine, -inol (chimie) angl
respectabilité angl 221, 224
respectif prov

responsable (être) 233
responsabilité angl
resquiller prov < haut-all (argot) 27
resquilleur prov < haut-all
ressac prov < esp
rest-house (gîte d'étape) angl
reste lat 63
retable *n.m.* (tableau) esp
reticulum (anat.) lat
retriever *n.m.* (race canine) angl
reüser mot d'a. fr 223
réussir ital 14, 179, 180
reversi(s) (jeu de cartes) ital
revival (assemb. relig.) angl
revolin (marine) prov
révolter *v.* ital
revolver *n.m.* (arme) angl
revolving (crédit) angl
revue (périodique) angl
rewriter *v.* angl 236
rewriter, -teur *n.m.* angl
rewriting angl 236
rhénium (chimie) *Rhin* 74
rhéologie (mécanique) angl
rhéostat (électricité) angl < grec + lat
rhésus (singe et sang) *Rhesos* (Grèce)
rhingrave (titre et vêtement) all
rhino- « nez » grec 80
rhodium (chimie) grec 74
rhododendron grec 68
rhum angl
rhumb, rumb (marine) angl
ria (géogr.) esp < all
rial (monnaie) persan
riban a. fr 125
ribat (couvent fortifié) ar
ribaud (débauché) all
ribaudequin (engin de guerre) néerl
ribbon « ruban » mot anglais 125
ribésiacée (bot.) ar
riblon (déchet de ferraille) germ
ribord (marine) ptg
ricaner *v.* norm < picard < francique
ricercare (mus.) ital
riche francique
rickshaw *n.m.* (voiture) angl < hindi
rictus lat
ridelle (sur une charrette) all
rider *v.* all
riding (équitation) angl
riel (monnaie) cambodgien
riesling (vin) *Riesling* (Alsace)
rif, riffe (feu, bagarre, zone de combat) ital
riff (jazz) angl
rifle (carabine) angl
rifler *v.* (limer) all
rift (géol.) angl
rigolade129
rigole (canal) néerl
rillettes (cuisine) tourangeau
rimaye *n.f.* (crevasse) savoyard
rimer francique
rinforzando (mus.) ital
ring (boulevard circulaire) all
ring (boxe) angl
ringard *adj.* (démodé) oïl du Nord (argot) 28, 109

ringard *n.m.* (tisonnier) wallon < all
rink (piste de patinage) angl
ripaille néerl 65
riper *v.* (faire glisser) néerl
ripieno (mus.) ital
riposte ital
ripper *n.m.* (trav. publ.) angl
ripple-mark (géogr.) angl
ris (voile) vx scand
risban (fortification) néerl
risberme (fortification) néerl
risée (brise) vx scand 114
riser *n.m.* (forage pétrolier) angl
risotto (cuisine) ital
risque ital 179, 180
risquer 180
rissole (filet à petites mailles) prov
ristourne ital
ritardando (mus.) ital
ritournelle ital
rivelaine (outil de mineur) wallon < néerl
rixdale *n.f.* (monnaie) néerl
riz ital < persan < skr 156, 159
riz pilaf 158
roadster *n.m.* (voiture décapotable) angl
rob (fruit cuit) ar < persan
rob, robre (bridge) angl
robe germ
robot tchèque 14, 213
rocella, rocelle (oseille) catalan
rochet (fuseau et roue dentée) germ
rochet (vêtement) francique
rock (oiseau fabuleux) ar
rock (and roll) (danse) angl
rock-song angl
rocker, rockeur *n.m.* (chanteur de rock) angl
rocket, roquette (fusée) angl
rocking-chair angl
rocou (bot. et colorant) tupi
rodéo (jeu sportif) angl < esp
rôder prov
rœsti, rösti (galette de p. de t.) all de Suisse
rogne oïl du Centre et de l'Est
rognonnade (cuisine) prov
rogue *adj.* « arrogant » vx scand 114
rohart (ivoire du morse) vx scand
roi 108
roi des rois *calque* < hébreu 146
roll on - roll off (manutention) angl
roller *n.m.* (patin à roulettes) angl
roller-catch angl
roller-skate angl
rollier (oiseau) angl < all
rollmops (hareng) all
rom (gitan) tsigane 189
rom (informatique) *acronyme* angl
romaine (balance) prov (ou esp) < ar
romancero (poème épique) esp
romanesque ital (?)
romani langue tsigane
romanichel tsigane 189
romano (romanichel) tsigane

romanticisme (romantisme) ital
romantique angl 221, 233, 254
romsteck, rumsteck angl
ronchonner oïl de l'Est 132
rondache *n.f.* (bouclier) ital
rondo (mus. et poésie) ital
röntgen (mes. phy.) *Röntgen* (Allemagne) 94
roof, rouf (marine) angl
rookerie, roquerie (rass. de manchots) angl
rooter *n.m.* (trav. publ.) angl
roquer *v.* (aux échecs) esp < ar < persan
roquerie, rookerie (manchots) angl
roquet gallo-roman
roquetin (tissage) germ
roquette, rocket (fusée) angl
roquette, rouquette (plante potagère) ital
rorqual (cétacé) norvégien 210
rosa « rose » mot latin 37
rosbif angl < fr 223
rose sémitique (?) 37, 107
rose-croix (confrérie) *calque* < all
roseau gotique 105
roson (rosace) ital
Ross « cheval » mot allemand 206
rosse *n.f.* all 206
rossignol prov 129
rossinante (mauvais cheval)
Rossinante (Cervantes, Espagne)
rossolis *n.m.* (liqueur de roses) < ital
rostir mot d'a. fr 223
rot *n.m.* « pourriture » angl
rôt de bif expression d'a. fr 223
rotang (palmier) malais
rotary (forage et téléphonie) angl
rote (instr. de mus.) germ
rotengle *n.m.* (gardon rouge) all
roténone (bot.) angl < jap
rotin néerl < malais 124
rôtir francique 112, 223
rotonde ital
rotor *contraction* angl < lat
rouan (hipp.) gotique (ou esp)
roubignolles « testicules » prov
rouble (monnaie) russe 211
roudou (bot.) prov
rougail(le) (cuisine) malgache
rouge lat 107
rough (maquette publicitaire) angl 232
rouir (traiter le lin ou le chanvre) francique
roumi (européen pour un musulman) ar
round (boxe) angl < fr
rouple (monnaie) ptg < hindi < skr
roupiller « dormir » picard (argot) 27
rouquette, roquette (plante potagère) ital
rousserolle *n.f.* (oiseau) germ (?)

roustir (rôtir) fr rég de Provence
rouvieux (vétérinaire) picard
rowing (aviron) angl
royalties *n.f. pl.* (redevances) angl
-rragie « écoulement » grec 80
-rrhée « écoulement » grec 80
ruban néerl 65, 122, 125
rubato (mus.) ital
rubican (hipp.) esp
rubidium (chimie) lat 74
ruche gaul 46
rudbeckia (bot.) *Rudbeck* (Suède)
ruf(f)ian (voyou) germ 174
ruffiano « ruffian » mot italien 174
ruffle « feu » (argot) 26
Ruflette (galon de rideaux) *Ruflette, nom déposé*
rugby (sport) *Rugby* (G.-B.)
rugbyman *pseudo-anglicisme*
rumb, rhumb (marine) angl
rumba (danse) esp de Cuba
ruminer 236
runabout (canot automobile) angl
rune (écriture) vx scand
rupin (bien habillé) néerl
rush (ruée) angl
rush (to) mot anglais 223
rushes (cinéma) angl
rustique 66
rustre 66
rutabaga *n.m.* (plante potagère) suédois 14
ruthénium (chimie) *Ruthenia* (Russie) 74
rutherfordium (chimie) *Rutherford* (G.-B.) 74
rye *abréviation* angl

S

sabayon ital
sabbat lat eccl < grec < hébreu
sabbatique (congé) angl
sabéen (relig.) araméen
sabine (bot.) *Sabin* (Italie)
sabir (langue mixte) esp
sable « couleur noire » polonais
sabre all < polonais (?) < hongrois 209, 213
sabretache (sacoche) all
sac (pillage) ital < germ
sac (poche en tissu) grec < lgue sémitique
saccade picard (ou esp) < gotique
saccager ital
sachem (chef) angl < iroquois
sacoche toscan
sacramentum mot latin 62
sacre (faucon) ar
sacrement 17
sacripant (chenapan) *Sacripante* (Italie) 96, 174
sacrum lat
safari angl < swahili < ar
safran (épice) lat méd < persan < ar 158
safran (marine) esp < ar
saga *n.f.* (conte) vx scand 114
sagaie (javelot) esp < ar < berbère
sagard « scieur » all

sagne (tourbière) franc-comtois
sagou (moelle de palmier) ptg < malais
sagouin (singe) ptg < tupi 195, 196, 200
sagri (cuir) mot turc 163
sagum (manteau) gaul
sahel (géogr.) ar
saï (singe) tupi
saie (manteau) gaul
saïga *n.m.* (antilope) russe
saïmiri (singe) ptg < tupi
saint des saints *calque* < hébreu 146
sajou, sapajou (singe) tupi 195
saké (boisson alcoolisée) jap 248
saki (singe) tupi
sakieh (noria) ar
salade (casque) ital
salade (mets assaisonné) prov 128
saladero (cuir de bœuf) esp
salam alayk « paix sur toi » ar 29
salamalecs (politesse) ar (argot) 29, 31
salami ital
salangane *n.m.* (oiseau) malais
salat *n.f.* (prière) ar
salbande *n.f.* (géol.) all
sale *adj.* francique
salep (fécule) ar
salicional *adj.* (orgue) all
salicoque *n.f.* (crevette) norm
salicor(ne) *n.f.* (bot.) ar
saligaud picard (ou wallon) < francique
salle francique
salon ital
saloon angl < fr < ital
salpêtre 83
salpicon (cuisine) esp
salsepareille (bot.) esp < ar
salsifis ital
saltarelle (danse) ital
saltimbanque ital
salto ital
salve (regina) (liturg.) lat
sam-lô (tricycle) cambodgien
samara *n.m.* (sandale) persan
samarium (chimie) *Samarski* (Russie) 74
samba ptg (ou esp) < tupi
samedi lat < grec < hébreu
samizdat *n.m.* (diffusion clandest.) russe
sammy (surnom des soldats améric.) *Sam* (U.S.A.)
sam(o)uraï (guerrier) jap 248
samovar (bouilloire) russe 211
samoyède (langue de Sibérie) russe
sampan(g) (embarcation) malais < chinois 247
sampot (culotte) cambodgien
san mot japonais 249
san-benito (casaque des condamnés) *Saint Benoît*
sanatorium angl < lat
sanderling (oiseau) angl
sandhi (liaison) skr
sandjac (div. administr.) turc
sandow (câble élastique) angl
sandre *n.m.* (poisson) all < néerl

sandwich (alimentation) *Sandwich* (G.-B.)
sanforisage (trait. du coton) angl
sangria (boisson) ptg < angl < hindi < skr
sanhédrin (relig.) araméen
santal (bois odorant) ar < persan < skr
santoline *n.f.* (bot.) dial
santon (ascète) esp
santon (figurine) prov
santonine (pharmacie) saintongeais
sanza (instr. de mus.) lgue africaine
sapajou, sajou (singe) tupi 195
sapèque *n.f.* (monnaie) malais
saper *v.* ital
saphène (anat.) ar < grec (?)
sapin gaul 18
sapiteur (expert) prov
sapo « savon » mot latin < frison 102
sapot(ill)e (fruit) nahuatl
sar (poisson) prov
sarabande (danse) esp < ar < persan
sarbacane esp < ar < persan < malais 197, 246
sarcophage grec 80
sardane (danse) catalan
sardine (poisson) *Sardaigne* (Italie)
sargasse ptg < esp (ou néerl)
sari (vêtement drapé) hindi
sarigue (mammifère) ptg < tupi-guarani 195, 196
sarkos « chair » mot grec 80
sarong (vêtement drapé) malais
saroual, sarouel (pantalon) ar
sarrasin grec < ar
sarrau (blouse) germ
sart (varech) oïl du Nord (?)
sashimi (cuisine) jap
sassafras (bot.) esp < amérind
sasse (marine) prov
satané, -ique *Satan* (Bible)
sâti (veuve) hindi
satin (tissu) *Tsia-Toung* (Chine)
satori (relig.) jap
sauce mot anglais < fr 219
sauce mot persan < fr 157
saucisson ital 180
saule lat < francique 105
sauna finnois 214
saupe (poisson) gallo-roman
saur « fumé » néerl 112
savane (géogr.) esp < arawak (taïno)
savate (chaussure et sport) ital < turc 163
savon frison 102
saxhorn (instr. de mus.) all
saxophone (instr. de mus.) *Sax* (Allemagne)
saynète (théâtre) esp
sayon (casaque) esp
sbire (policier) ital < lat < grec 174
scabellon (socle) ital
scala-santa (relig.) ital
scalaire (math.) angl
scalde (poète) scand
scalp angl < scand
scalper *v.* angl < scand
scampi ital

scandale lat eccl < grec < hébreu 144-145
scandium (chimie) *Scandia* (Scandinavie) 74, 75
scanner *n.m.* (radiographie) angl
scanner *v.* angl
scanning (balayage) angl
scarole, escarole (chicorée) ital 180
scat (jazz) angl
scénario ital
scenic railway angl
schah, shah, chah (souverain) persan
schabraque, chab- (hipp.) all
s(c)hako (coiffure militaire) hongrois
schappe (filature de la soie) all de Suisse
schapska, chapka (coiff. de fourrure) russe
schcider *v.* (trier du minerai) all
scheik, cheik (chef) ar
schelem, chelem (bridge) angl
schéol (relig.) hébreu
scherzando (mus.) ital
scherzo (mus.) ital
schibboleth (test de prononciation) hébreu
schilling, schell- (monnaie) all
schlague all
schlamm (résidu) all
schlass (couteau) angl
schlass *adj.* (ivre) all
schlich (minerai broyé) all
schlinguer, chlin- *v.* (puer) all
schlitte *n.f.* (traîneau pour le bois) alsacien < all
Schnapphahn « maraudeur » mot allemand 206
schnaps (eau-de-vie) all (argot)
schnauzer *n.m.* (race canine) all
schnick (eau-de-vie) all
schnorchel, -orkel (sous-marin) all
schofar (instr. de mus.) hébreu
schola « école » mot latin 63
schooner *n.m.* « goélette » angl
schorre *n.m.* (géol.) flamand
schproum (bruit de dispute) all (?)
schupo (policier) *abréviation* all
schuss (ski) all
Schüssel « plat » mot all 102
science-fiction *calque* < angl
scion (jeune branche) picard < francique 106
sconse, skunks (fourrure) angl < algonquin 228
scoop (nouvelle exclusive) angl
scooter *n.m.* angl
scorbut lat médiév < suédois < scand 114
score angl
scorpène *n.f.* « rascasse » prov
scorsonère *n.m.* (salsifis) ital
scotch (ruban adhésif) *Scotch, nom déposé*
scotch (whisky) *Scotch* (G. B.)
scotch-terrier (race canine) angl
scottish (danse) angl

scottish-terrier (race canine) angl
scoumoune (malchance) ital (argot) 30
scoured *n.m.* (laine) angl
scout angl
scout-car (véhic. milit.) angl
scrabble (jeu) angl
scramasaxe (arme) francique
scraper *n.m.* (engin de trav. publ.) angl
scratch (sport) angl
scratcher *v.* (sport) angl
scriban(ne) (pupitre) néerl
scribler *v.* (traitement de la laine) angl
script angl
script-girl angl
scrotum (anat.) lat
scrub (géogr.) angl
scrubber *n.m.* (chimie) angl
scull (aviron) angl
scutella « écuelle » mot latin 102
scutum (bouclier) lat
sea-line (pétrole) angl
sealskin (étoffe) angl
sébaste *n.m.* (poisson) ar (?)
sébile ar
sebk(h)a (géogr.) ar
sécessionniste angl
secko (palissade) lgue du Tchad
sectoriel angl
sedo « soie » mot prov 128
sedia gestatoria (Vatican) ital
seersucker (tissu de coton) angl
séfarade (juif d'Espagne) hébreu
ségala (terre à seigle) prov
seghia, seguia (irrigation) ar
segrég(u)é *adj.* (ségrégation) angl
séguedille, -illa (danse) esp
séide (fanatique) *Zayd* (Arabie)
seille (seau) dial
sel de la terre *calque* < hébreu 145
sélect *adj.* angl
sélection (darwinisme) angl 221
sélection naturelle *calque* < angl 225
sélénium (chimie) grec 74
self *abréviation* angl
self-inductance (physique) angl
self-induction (physique) angl
self-control angl
self-government angl
self-made man angl
self-service angl
self-trimmer (marine) angl
self-trimming (marine) angl
selve (forêt amazonienne) ptg
sêmantikos mot grec 86
sémantique grec 86
sémasiologie all
semelle picard
semi- *préfixe* lat 81
sémillon (cépage) oc
sémiotique *n.f.* angl
semoule ital
sen (monnaie) jap
senau (voilier) néerl
séné (bot.) ar 150
sénéchal francique 108, 152
senghi (cyprès) jap

senior (sport) angl < lat
senior lat
séniorité (ancienneté) angl
señorita esp
sens (direction) germ
senseur (capteur) angl
sentimental *adj.* angl 221, 233, 254
sentinelle ital 173, 177
sentire « entendre » mot italien 173
sep poukou « hara-kiri » jap 249, 250
sépia (mat. colorante) ital
sépiolite (écume de mer) all < grec
septi- « infection » grec 80
séquenceur angl
sequin (monnaie) ital < ar
séquoia (bot.) *See-Quayah* (Amérique) 200, 228, 245
sérac (bloc de glace) savoyard
sérail ital < turc < persan
séran (peigne) gaul
sérancer *v.* (peigner) gaul
sérapeum (archéol.) lat
séraphin hébreu 144
serdab (archéol.) persan
sérénade ital 128, 180
sérénissime ital
serial *n.m.* (à épisodes) angl
serin (oiseau) prov
seringuero (cult. des hévéas) ptg
sériosité ital
serment 17, 62
serpent de mer *calque* < hébreu 145
sérotonine (biochim.) angl
serpolet (thym) prov
serra (chaîne de mont.) mot prélatin 40
sertïo (géogr.) ptg
sérum lat
serval « chat-tigre » ptg
serventois, sirventès *n.m.* (poème) prov
sesbania, -nie (bot.) ar < persan
session angl 221
set (tennis) angl
seta « soie » mot latin 9, 128
séton (chirurgie) prov
setter (race canine) angl
settlement (colonie) angl
sex-appeal angl
sex-shop angl
sexta hora « sixième heure » mots latins 187
sextine (poème) ital
sexy *adj.* angl
sforzando (mus.) ital
sfumato (peinture) ital
sgraffite (fresque) ital
shake-hand angl 237
shaker *n.m.* (cocktail) angl
shako, schako (coiff. milit.) < hongrois 213
shama *n.m.* (oiseau) hindi
shaman, chaman (relig.) toungouze (?)
shampo(o)ing angl < hindi 229, 230
shampoo (masser) mot hindi 230
shant(o)ung, chant- (soie) *Shantung* (Chine) 247
sharia, charia *n.f.* (loi islamique) ar
shed (toiture) angl

shérif angl
sherpa *n.m.* « guide » tibétain
sherry (vin apéritif) *Jerez* (Espagne)
shetland (laine) *Shetland* (Écosse)
shiatsu (médecine) chinois
shilling (monnaie) angl 230
shilom (pipe à haschisch) persan
shimmy (danse) angl d'Am < fr
shingle (bardeau) angl
shintoïsme (religion) jap
shipchandler *n.m.* (marine) angl
shirting (tissu de coton) angl
shocking *adj.* angl
shog(o)un (dictateur milit.) jap 248
shoot, shot *n.m.* (au football) angl
shooter *v.* (au football) angl
shooter (se) *v.* (drogue) angl
shop(p)ing angl
shopping-center (centre commercial) angl
short (culotte courte) angl 22
short-story « nouvelle » angl
shorthorn angl
show angl 11
show-business angl
showroom « salle d'exposition » angl 232
shrapnel(l) (obus) *Shrapnell* (G.-B.)
shunt (électr.) angl
Schüssel *n.f.* « plat » mot allemand 102
sic lat
side(-car) angl
sidi ar
siècles des siècles *calque* < hébreu 146
siemens (mes. phys.) *Siemens* (Allemagne) 94
sierra (chaîne de mont.) esp
sieste esp 187
sievert (mes. phys.) *Sievert* (G.-B.) 94
ṣifr « vide » mot arabe 148
sigisbée *n.m.* (chevalier servant) ital
signalé *adj.* (remarquable) ital
signaliser *v.* angl < fr
signum mot latin 48
sikh (relig.) skr
silentbloc (amortisseur) angl
silex « caillou » mot latin 74
silhouette *Silhouette* (France) 92
silicium (chimie) angl < lat 74
silicone angl 14
silicose angl
sillet (instr. de mus.) ital
sillon gaul
silo esp < celtique
silt (limon) angl
silurien (géol.) angl
simar(o)uba *n.m.* (bot.) caraïbe guyanais
simarre (robe) ital < ar (?)
simoun (vent de sable) angl < ar
sine die lat 69
sine qua non lat
sinécure angl < lat
single (individuel) angl
singleton (carte unique) angl
Singspiel (théâtre) all

sinistre ital

sinn-feiner (nationaliste irlandais) angl

sinoque *adj.* « fou » savoyard (argot) 28

sinus (géométrie) ar

sinus (nez) lat

sionisme, -iste (relig.) *Sion* (Jérusalem)

sioux (rusé) *Sioux* (Am. du Nord)

sipo (bois) lgue africaine

sir angl

sirdar (titre honorifique) persan

siroc(c)o (vent) ital < ar

sirop ar 14, 139, 153

sirvente (poème) prov

sisal (bot.) *Sisal* (Yucatan)

sister-ship (navire de la même série) angl

sit-in (contestation non violente) angl 231

sitar *n.m.* (instr. de mus.) hindi

sitcom *acronyme* angl

site ital

sitos « nourriture » mot grec 80

sizerin (oiseau) flamand

skandalon mot grec 145

skate(-board) angl

skating angl

skeet (tir au pigeon d'argile) angl

skeleton (toboggan) angl

sketch ital < néerl < angl

ski norvégien 210

ski-bob (bicyclette à skis) angl

skif(f) « bateau à un seul rameur » angl < longobard

skin(head) (groupe de jeunes) angl

skip (élévateur) angl

skipper *n.m.* (barreur) angl < vx scand 233

skunks, sconse angl < algonguin 228

sky-scraper mot anglais 256

skye-terrier *n.m.* (race canine) angl

slacks (pantalon) angl

slalom norvégien 210

slang « argot » angl

sleeping (wagon-lit) *abréviation* angl

slice *n.m.* (tennis) angl

slicer *v.* (couper une balle au tennis) angl

slick (magazine de luxe) *abréviation* angl

slikke (géogr.) flamand

slip (plan incliné) angl

slip (sous-vêtement) *pseudo-anglicisme* 22

slogan angl < gaélique

sloop (voilier) angl < néerl < fr 226

slot-machine (machine à sous) angl

sloughi (lévrier) ar

slow (danse) angl

slum (quartier misérable) angl

smala(h) (famille, tribu) ar 139

smalt (colorant bleu) ital

smart *adj.* (chic) angl 237

smash (tennis) angl

smocks *n.m. pl.* (fronces) angl

smog (brouillard) angl

smoking (vêtement) angl

smolt (petit saumon) angl
smorzando (mus.) ital
smurf (danse) angl
snack(-bar) angl 237
sniffer *v.* (priser de la drogue) angl
sniffing (prise de drogue) angl
snob angl < lat (?)
snobisme angl
snow-boot angl
S.O.S. *sigle* angl
soap-opera (feuilleton) angl
soc gaul 46
sociodrame (psychol.) angl
socle ital
socquette angl 22
soda angl 75
sodium (chimie) angl < lat 70, 75
sodoku (médecine) jap
sodomie (sexualité) *Sodome* (Palestine)
sofa turc < ar
soffite *n.m.* (plafond) ital
soft *adj.* angl
software *n.m.* (logiciel) angl
soie lat 9, 128
soigner *v.* francique 110
soin francique
soja, soya angl < jap (ou all < mandchou) 248
sol (note de mus.) lat
sol (solution colloïdale) angl
solanacée (bot.) 193
solarium lat
soldanelle (bot.) prov < ital (ou germ)
soldat ital 173, 177
soldatesque ital 177
solde *n.f.* (rémunération) ital
solde *n.m.* (terme de banque) ital
solder (clore un compte) ital
sole (poisson) prov
soleá (chant andalou) esp
solécisme (grammaire) *Solès* (Cilicie)
solfatare *n.m. ou f.* (volcanol.) ital
solfège (mus.) ital 180
soliste (mus.) ital
solo (mus.) ital
sombrero (chapeau) esp
somite *n.m.* (embryol.) angl
sommelier prov < lat médiév 130
sommet (conférence au) *calque* < angl < fr
sonar (marine) *acronyme* angl
sonate (mus.) ital
sonatine (mus.) ital
sonde *n.f.* (marine) vx scand (?)
sonnet ital < prov
sophistiqué (artificiel) angl < fr
sophora *n.m.* (bot.) ar
soprano (mus.) ital
sorbet ital < turc < ar 139, 153
sorgho ital
sornette prov
sortir par le nez *calque* < hébreu 145
sostenuto (mus.) ital
sotch (géogr.) oc < prélatin
soubresaut esp (ou prov)
soubrette prov 30
soubreveste (veste sans manches) ital
souche berrichon < gaul 47

souchong (thé noir) angl < chinois
soucoupe ital
soucoupe volante *calque* < angl
soudan « sultan » ar
soudard 173
soude ar
soue (étable à cochon) gaul
soufi (relig.) ar
soufisme (relig.) ar
souhaiter francique
souï-manga, souwi- (oiseau) malgache
souk « magasin » mot arabe 159
souk « désordre » ar (argot) 31
soul (mus.) angl
soulane *n.f.* (versant ensoleillé) béarnais
soupe francique 112
souquenille (blouse) germ < slave
souquer *v.* (tirer, ramer) prov
s(o)urate *n.f.* « verset du Coran » ar
sourdine (instr. de mus.) ital
sournois *adj.* prov
sous-développé *calque* < angl
soutache *n.f.* (galon) hongrois 213
soutane ital 176
soutanelle (redingote) ital
soute (marine) prov
soutra, sutra (textes relig.) skr
soutrage (expl. forest.) gascon
souverain (monnaie) angl
soviet russe 212
sovkhoze *acronyme* russe
soya, soja angl < jap (ou all < mandchou) 248
space opera (science-fiction) angl
spada « épée » mot italien 173
spadassin ital 173
spadelle (métall.) néerl
spadille (petite épée) esp
spaghetti ital
spahi (cavalier) turc < persan
spallation (phys. nucl.) angl
spalmer *v.* (marine) ital
spalt (métall.) all
spalter *n.m.* (peinture) all
spardeck (marine) angl
sparring-partner (boxe) angl
spartéine (chimie) angl
spath (roche) all
speakeasy (cabaret) angl
speaker *n.m.* « présentateur » angl
speakerine « présentatrice » angl + all
spécimen lat
spectre (optique) angl
speculum (médecine) lat
speech angl
speed *adj.* (excité par la drogue) angl
speed-sail (planche à roulettes à voile) angl
speedé *adj.* (excité par la drogue) angl
speiss (métall.) all
spencer (veste) *Spencer* (G.-B.)
sphère grec 79
spi(nnaker) (marine) angl
spider *n.m.* (voiture) angl
spiegel (alliage) all

spin (phys. nucl.) angl
spinelle (chimie) ital
spinning (pêche au lancer) angl
spirite (spiritisme) *abréviation* angl
spiritual (negro-) (mus.) angl < fr
spleen angl 226, 237
spleenétique angl
spoiler *n.m.* (aérofrein) angl
spoom (pâtisserie) angl < lat
sponsor (commanditaire) angl < lat
sponsoring angl
spoon (golf) angl
sport angl < fr 223
sportsman angl
sportswear (équipement sportif) angl
spot (projecteur et publicité) angl
spoutnik (satellite) russe
sprat (hareng) angl
spray *n.m.* (liquide pulvérisé) angl
Sprechgesang (chant) all
springbok (antilope) néerl
springer *n.m.* (race canine) angl
sprint (course) angl
sprinter *n.m.* (coureur) angl
sprue (médecine) angl
spurquesse fr du XVIe s. < ital 178
square (jardin public) angl
squash (sport) angl
squat *n.m.* (occupation illégale d'un logem.) angl
squatter *n.m.* (occupant illégal d'un logem.) angl
squaw (épouse d'un Indien) angl < algonquin 228
squeezer *v.* (prendre l'avantage) angl
squire (titre nobiliaire) angl 226
S.S. *sigle* < all
st(o)upa (reliquaire) skr
staccato (mus.) ital
staff (équipe de dirigeants) angl
staff (plâtre) angl
staffa « étrier » mot italien 173
stage-coach (diligence) angl
stagflation *mot-valise* angl
stainless (inoxydable) angl
stakhanovisme (rendement) *Stakhanov* (Russie)
stakning (ski) norvégien
stalag *acronyme* all 207
stalle lat médiév < francique
stampede « rodéo » (Canada) esp
stance ital
stand (de tir) all de Suisse
stand angl
stand-by (liste d'attente) angl
standard angl < a. fr < anglo-norm < francique
standard (téléphonique) angl < fr
standardisation angl
standardiser *v.* angl
standing angl
star *n.f.* angl
star-system angl
starets, stariets (ermite) russe
starie *n.f.* (marine) néerl
starking (pomme) angl d'Am
starlette angl

staroste (noble polonais) polonais
starter *n.m.* (départ de course et carburateur) angl
starting-block (cale-pieds) angl
starting-gate (hipp.) angl
stathouder (gouverneur) néerl
station-service *traduction* < angl
station-wagon (véhicule) angl
statistique all (ou ital) 208
statu quo lat
stawug (ski) norvégien
stayer *n.m.* (hipp.) angl
steak angl < vx scand
steam engine mot anglais 256
steam reforming (raffin. pétrole) angl
steam-cracking (raffin. pétrole) angl
steamboat (bateau à vapeur) angl
steamer *n.m.* (marine) angl 226
steeple (course d'obstacles) angl
steeple-chase (hipp.) angl
stellage (Bourse) all
stem(m) (ski) norvégien
stencil (reproduction) angl
sténographie angl
steppe russe
stepper, steppeur (hipp.) angl
stéréoscope angl
sterlet (esturgeon) russe
sterling (monnaie) angl
sterne *n.f.* (oiseau) angl
steward angl
stick (canne) angl
stick (parachutisme) angl
stilton (fromage) angl
stock angl 226
stock-car (course de voitures) angl
stock-exchange (Bourse) angl
stock-shot (images d'archives) angl
stocker, stoker *n.m.* (locomotive) angl
stockfish (poisson séché) néerl
stoff (étoffe légère) angl < fr
stokes (mes. phys.) *Stokes* (G.-B.) 94
stol *acronyme* < angl
stomato- « bouche » grec 80
stop angl
stop and go angl
stop-over (escale volontaire) angl
stopper *v.* (réparer) néerl
stopper *v.* « arrêter » angl
stoppeur (football) angl
store (rideau) ital
story-board (cinéma) angl
stot (mincrai) picard
sto(u)pa (tombeau) hindi
stout *n.m. ou f.* (bière) angl
stradivarius (violon) *Stradivari* (Italie)
stramonium (bot.) lat
strapasser *v.* (peinture) ital
strapontin ital
straque « fatigué » fr du XVIe s. < ital 178
stras(s) (verre coloré) *Strass* (Allemagne)
strasse (bourre de soie) ital
Strasse « rue, route » mot allemand 102

strata « route » mot latin 102
stratus (météo) lat
streaker (manif. nudité) angl
streaking (manif. nudité) angl
stress angl
stretch (traitement de tissu) angl
strette (mus.) ital
strette (douleur) mot fr du XVIe s. < ital 177
string (maillot de bain) angl
strip(-)tease angl
strip-line angl
stripage (phys. nucl.) angl
stripper *n.m.* (chirurgie) angl
stripper *v.* (distillation) angl
stripping (chirurgie et distillation) angl
strontium (chimie) *Strontian* (Écosse) 75
stuc (plâtre) ital
stud-book (hipp.) angl
studio angl < ital
Stuhl « chaise » mot allemand 107
stylet (poignard) ital
stylo(graphe) angl
subdiviser lat 82
subliminal *calque* < all
subrécargue (marine) esp
subrécot (surplus) prov
substratum (géol.) lat
sucre ital < grec < ar < persan < skr 159
sud angl
suède (peau) *Suède*
suffète (magistrat) punique < hébreu (?)
suffire 178
suffragette (vote des femmes) angl
suggestif angl
sui generis lat 69
suie gaul
suite (appartement) angl
sukiyaki (cuisine) jap
sulky (hipp.) angl
sultan turc < ar 155
sumac (bot.) ar
summum (apogée) lat 232
sumo (lutte) jap 248
sunlight (projecteur) angl
sunna *n.f.* (islam.) ar
super lat 82
super- *préfixe* lat 82
supercherie ital
supérette (magasin) angl
superman angl
supermarché *calque* < angl 82
superproduction (cinéma) angl
superstar (cinéma) angl
supertanker *n.m.* (pétrolier) angl
superviser *v.* angl
superviseur angl
superwelter *n.m.* (boxe) angl
supplique ital
support (to) « soutenir » mot anglais < fr 234
supporte(u)r *n.m.* (partisan d'un sportif)
supporter *v.* (encourager) angl < fr 234
suprématie angl
sur, sure *adj.* « acide » francique

surah (étoffe de soie) *Surate* (Inde)
surate, sourate « verset du Coran » ar
surbooking (surréservation) *pseudo-anglicisme*
sureau champenois
surestarie (marine) esp
surf(-board) (sport nautique) angl
surfer *v.* (se déplacer rapidement) angl
surfe(u)r *n.m.* angl
surge (laine grasse) prov
suricate, -kate *n.m.* (mangouste) néerl
surimi (succédané de crabe) jap
surin (couteau) tsigane (argot) 31
suroît (vent) normand
surprise-partie, -party angl 237
suspense angl < fr
sutra, soutra (textes sanskrits) skr
svastika, swa- (symbole hindou) skr
svelte *adj.* ital
swap (accord de crédit) angl
sweat-shirt angl
sweater *n.m.* angl
sweating-system (expl. des ouvriers) angl
sweepstake (hipp.) angl
swing (boxe) angl
syllabus (relig.) lat
symposium « colloque » angl < grec
symposium « banquet » lat
symptôme grec 79
synapse *n.f.* (neurol.) angl
synopsis *n.m.* (schéma de scénario) angl < grec
syphilis (médecine) *Syphilus* (Ovide)
système grec 86
systémique *adj. et n.f.* angl

T

T-bone (boucherie) angl
T-shirt, tee-shirt (maillot) angl 257
taart mot néerlandais 11
tabac esp < ar (ou haïtien) 190, 192, 193
tabas(c)hir (sécrétion sucrée) ar
tabès (maladie) all < lat
tabla *n.m.* (instr. de mus.) hindi
tablar(d) (étagère) francoprov
table mot anglais < fr 218
table ronde *traduction* < angl
tabloïd(e) *adj. et n.m.* (format de journal) angl
tabor (soldat marocain) ar
tabou angl < polynésien 247
taboulé (cuisine) ar
tabouret persan
tacaud (poisson) breton
tacca *n.m.* (bot.) malais
tache francique
tacite *adj.* gascon 131
tacle *n.m.* (football) angl
tacon (raccommodage) francique
tacon (saumon) gaul 18

taconeos (martèlement des talons) esp
taedium vitae (pathol.) lat
taël (monnaie) ptg < malais
taffetas (tissu de soie) ital < turc < persan 157, 169
tafia *n.m.* (eau-de-vie) créole
tag (dessin sur les murs) angl
tagger, tagueur (auteur de tags) angl 31
tagal (lgue des Philippines) malais
tagète (bot.) *Tagès* (Étrurie)
tagliatelle ital
taguer *v.* angl
tai-chi(-chuan) (gymnastique) chinois
taïga *n.f.* (géogr.) russe < turc (?)
taillade (coupure) ital 128, 129
taisson (blaireau) dial
take-off (aviation)angl
talc ar 22
talé (meurtri) prov < germ (?)
taleth, tallit (châle rituel) hébreu
talisman ar < grec
talk-show angl 236, 253
talkie-walkie angl < pidgin antillais
tallipot (palmier) angl < malayalam < hindi 229, 230, 245
tallit, taleth (châle rituel) hébreu
talmud (textes relig.) hébreu
taloche (gifle) germ
taloche (outil de plâtrier) gaul
talpack (bonnet d'astrakan) turc
talus gaul
talweg, thalweg (géogr.) all
tam-tam 201
tamandua *n.m.* (petit tamanoir) ptg < tupi
tamanoir (fourmilier) caraïbe < tupi
tamarin (bot.) ar 150
tamarin (singe) tupi-guarani (?)
tambouille (cuisine) angevin
tambour persan < ar
tamis gaul ou préceltique
tamouré (danse) polynésien
tampico (crin végétal) *Tampico* (Mexique)
tampon francique
tan *n.m.* (écorce de chêne) gaul (?)
tanche *n.f.* (poisson) gaul 47
tandem (cyclisme) angl < lat
tandem lat
tandoori, tandouri (cuisine) hindi
tangara *n.m.* (oiseau) tupi
tango (danse) esp
tangon (marine) néerl
tangue (sable vaseux) vx scand
tanguer (marine) frison (?)
tanière (gîte, terrier) gaul
tanin, tannin gaul
tank (réservoir) angl < goudgerati < skr
tanker *n.m.* (pétrolier) angl
tannin, tanin gaul
tanrec, tenrec (mammifère) malgache
tansad *mot-valise* < angl

tantale (chimie) *Tantale* (mythol.)
tantra (relig.) skr
tantrisme (relig.) skr
tao, dao (philos. chinoise) chinois
taoïsme, -iste (phil. chinoise) chinois
tapas (cuisine) esp
tape *n.f.* (bouchon) prov
tapenade (cuisine) prov 128, 130
tapeno « câpre » mot provençal 130
taper *v.* (boucher) prov
taper *v.* (frapper) moyen néerl ou germ
tapioca ptg < tupi 197
tapir (mammifère) tupi
tapir (se) *v.* francique
tapis grec byz
tapon (bouchon) germ
taque (plaque de fonte) gallo-roman
taquet (pièce de bois) francique
taquin *adj.* (malicieux) moyen néerl ou gotique
taquin « tricheur » esp (argot) 26
tarabiscoté prov (?)
tarabuster prov 30
tarama *n.m.* (cuisine) grec < turc
tarantass (voiture à cheval) russe
tarasque (monstre) *Tarascon* (Provence)
tarbouch(e) *n.m.* (bonnet) turc
tare ital < ar
tarentelle (danse) ital
tarentule (araignée) *Tarente* (Italie)
targe *n.f.* (bouclier) francique
targuer (se) ital < prov < francique
tarière (vrille) gaul
tarif ital < ar 169
tarir francique
tarlatane (étoffe apprêtée) ptg < fr (?)
tarmac (aéroport) angl
tarmacadam (revêtement routier) angl
taro (bot.) polynésien
tarot (carte à jouer) ital
tarpan (cheval sauvage) turc < kirghise
tarpon (poisson) angl
Tartan (étoffe de laine) angl < fr
tartan (revêtement routier) angl *nom déposé*
tartane (voilier) prov (?) < ital
tartare *adj. et n.m.* turco-mongol
tartuferie (hypocrisie) *Tartuffe*
tas francique
tasse ar < persan 158
tasse de thé (ce n'est pas ma) *calque* < angl 233
tassette armure) all
tassili (géogr.) berbère
tatami (tapis de sport de combat) jap 248
tatou (mammifère) tupi
tatouer *v.* angl < polynésien 247
taube all
taud(e) (marine) scand

taudis oïl du Nord-Est < francique
taule (chambre) oïl du Nord-Est
travaïolle (linge d'église) ital
taxi diminutif de **taximètre** < all < grec
taxi-boy (danseur) angl
taxi-girl (danseuse) angl
taximètre all < grec 208
taxiway (aéroport) angl
taylorisme (organisation du travail) *Taylor* (U.S.A.)
tchador (grand voile de femme) persan
tcharchaf (voile de femme) turc
tchatche *n.f.* (bagou) esp
Tchéka (police) *acronyme* < russe
tcheng (instr. de mus.) chinois
tchérémisse (ligue finno-ougrienne) russe
tchernoziom (géogr.) russe
tchervonets (monnaie) russe
tchin-tchin « à votre santé » pidgin de Canton 229
tchirou (antilope) tibétain (?)
tchitola (bois africain) lgue africaine
Te Deum (liturgie) lat
team *n.m.* (équipe) angl)
teaser *n.m.* (leurre de pêche) angl
technétium (chimie) grec 75
technicolor angl (?)
technocratie angl
teck, tek (bot.) ptg < malayalam 198
teckel (race canine) all
tectonique (géol.) all
teddy-bear (ours en peluche) *Teddy* Roosevelt 226
tee (golf) angl
tee-shirt, T-shirt (vêtement) 257
teen-age (adolescence) angl
teen(-)ager *n.* angl 237
tefillin, tephillin (relig.) hébreu
Téflon (mat. plastique) *acronyme* < angl *nom déposé*
tegula « tuile » mot latin 102
teinte ital
téju (lézard) tupi (?)
tek, teck (bot.) ptg < malayalam 198
télécopie 235
téléférage, téléph- (téléphérique) angl
téléga, télègue (charrette) russe
télépathie angl
téléphone angl
télescope angl (ou ital)
télescoper *v.* (enfoncer) angl
télétype angl
télévision 82
télex angl 235
tell (tumulus) ar
telson (zool.) angl
tempera (a) (peinture) ital
tempo (mus.) ital
tempura (cuisine) jap
tender (wagon auxiliaire) angl
tenetz 219
tenir compte (de) 233
tennis angl < fr 219
tennis-elbow angl
tennisman *pseudo-anglicisme*

ténor ital
ténorino ital
tenrec, tanrec (mammifère) malgache
tenuto (mus.) ital
teocalli (pyramide aztèque) nahuatl
téorbe, théorbe *n.m.* (instr. de mus.) ital
tephillin, tefillin (relig.) hébreu
tépidarium (archéol.) lat
tequila (alcool) *Tequila* (Mexique)
terbium (chimie) Y*tterby* (Suède) 73, 75
tercet (groupe de trois vers) ital
terminal *n.m.* angl < lat
terminus angl < lat
termite angl
ternir germ (?)
terpène (chimie) all
terpine angl
terral (marine) prov
terramare (habitat préhist.) ital
terrasse prov (?)
terre-plein prov
terril, terri oïl du Nord
terza rima (versification) ital
terzetto (mus.) ital
tesla *n.m.* (mes. phys.) *Tesla* (Slovénie)
tessiture (mus.) ital
test (alchimie) a. fr 223
test angl < fr 223
test-match (sport) angl
testa « tesson de bouteille » mot latin 62, 189
tester (soumettre à des tests) angl
teston (monnaie) ital
tête 62, 63, 188-189
téter germ 110
tétra- grec 81
tétragone 82
tette « bout de mamelle » francique
thaler (monnaie) all
thallium (chimie) grec 75
thalweg, talweg (géogr.) all
thane (titre nobiliaire d'Écosse) angl
thé malais 229, 231, 247
théâtre grec, 79
théisme angl
théologie grec 86
théonyme grec 39
théorbe, téorbe *n.m.* (instr. de mus.) ital
théorétique all
-thérapie « soin » grec 80
thermodynamique angl
thermomètre grec 82
thesauros « trésor » mot grec 82
thon prov
Thora, Torah (Bible) hébreu
thorax lat
thorium (chimie) *Thor* (mythol.) 75
thoron (émanation du thorium) all
thréonine (chimie) angl < all
thrill (émotion) angl
thriller *n.m.* (film) angl
thrombus (caillot) lat
thulium (chimie) *Thulé* (Scandinavie) 75

thymus (glande) lat
tian (écuelle) prov
tiare (coiffure orientale) grec < persan
tiaré (bot.) polynésien
tiavali (pagne) lgue du Sénégal
tibia lat 66
ticket mot anglais < fr 219
tie-break (tennis) angl
tiento (mus.) esp
tif, tiffe *n.m.* dauphinois < germ (argot), 28
tige 66
tigre grec < persan
tilbury (voiture) *Tilbury* (G.-B.)
tilde (signe graphique) catalan < esp
tillac (marine) vx scand 114, 116
tillandsie (bot.) *Tillands* (Suède)
tillite (géol.) angl
tilt (déclic) angl
timbale (instr. de mus.) esp < ar < persan
time-sharing (temps partagé) angl
timing (minutage) angl
tin (marine) prov (?)
tinamou (oiseau) caraïbe
tincal, tinkal (borax) ar
tipi *n.m.* (tente conique) angl < amérind
tique (parasite) angl
tiqueté (tacheté) néerl
tirade ital (?) 128
tire *n.f.* (hérladique) francique
tire-braise (tisonnier) prov
titan (géant) *Titan* (mythol.)
toast angl < fr
toast mot anglais < fr 219
toast (to)/toster
toaster, toasteur *n.m.* (grille-pain) angl < fr
toboggan angl (ou fr) < algonquin 228
tobogganing (sport de glisse) angl
tocard, toquard norm
toccata (mus.) ital
tocsin prov 130
toffee (caramel) angl
tofu (pâte de soja) jap
tohu-bohu (chaos) hébreu
tokai, tokay (vin) hongrois
tokamak (phys. nucl.) russe
tokay, tokai (vin) hongrois
tolar (monnaie) slovène
tôle (feuille de métal) gascon
tolet (aviron) vx scand
tolu (baume) *Tolua* (Colombie)
toluène (chimie) *Tolua* (Colombie)
toluidine (chimie) *Tolua* (Colombie)
tom-pouce (nain) angl
tomahawk (hache) angl < algonquin 228
toman (monnaie) ar < persan
tomate esp < nahualt 10, 70, 71, 189, 190, 196
tomawak (hache) angl < algonquin 228
tombac (laiton) malais (ou siamois)
tomber *v.* francique 110
tomber du ciel *calque* < hébreu 145

tombola ital

tombolo (cordon du littoral) angl

-tomie « action de couper » grec 80

tomme franco prov < prélatin 37

tommy (simple soldat) *Thomas* Atkin (G.-B.)

tonca, tonka *n.m. ou f.* (bot.) guyanais

tondin (archit.) ital

tong *n.f.* (sandale) angl

tonic *abréviation* angl tonic-water

tonka, tonca (bot.) guyanais

tonnage angl

tonne gaul

tonneau gaul 46

tonus (physiol.) angl < grec

top (sommet) angl 232

top du top *calque* < hébreu 146

top model, -dèle angl 233

top niveau angl 232

top secret angl

toper (accepter un enjeu) esp

topette (bouteille) oc

tophus (médecine) lat

topinambour tupi *(Topinambas)* 193

topless « sans soutien-gorge » angl

toponyme grec 39

topping (distillation) angl

toquard, tocard norm

toque (coiffure) ital < longobard

Torah, Thora (Bible) hébreu

torana *n.m.* (portique décoré) skr

toréador (taurom.) esp

toréer *v.* (taurom.) esp

torero (taurom.) esp

torgnole dial du Centre

torii « portique shintoïste » jap

toril (taurom.) esp

tornade (ouragan) angl < esp 128

torpédo (automobile) angl < esp

torpille (engin militaire) angl

torpille (poisson) prov

torr (mes. phys.) *Torricelli* (Italie)

torse ital

tortellini (cuisine) ital

tortilla « omelette » esp d'Espagne

tortilla « crêpe de maïs » esp d'Am

tortorer *v.* (manger) prov

tortue prov 129

tory angl

toster mot d'a. fr 219

-tot *suffixe* scand 115

totem (fétiche) angl < algonquin 228

toto « pou » champenois

touaille (essuie-main) francique

touareg, targui berbère

toubab (européen, blanc) lgue africaine

toubib « médecin » ar algérien (argot) 31, 139

toucan (oiseau) tupi-guarani

touer (remorquer) francique ou vx scand

touffe alémanique < francique
touloupe (veste de peau) russe
toundra (géogr.) russe < lapon
toupet francique
toupie angl < anglo-norm
toupin (fromage) savoyard
touque (fût métallique) prov < prélatin
tour 218
tour opérateur, -ator angl 232
touraco (oiseau) lgue africaine
tourbe (combustible) francique
tourd (poisson) prov (?)
tourdille (hipp.) esp
tourin (cuisine) béarnais
tourisme, -iste angl
tourlourou (crabe) créole
tourmaline (pierre précieuse) cinghalais
tourne-pierre (échassier) angl
tournesol ital 81
touron (confiserie) esp
touselle (épi de blé sans barbes) prov
tout 81
tower « tour » mot anglais < fr 218
township (ghetto en Afr. du Sud) angl
toxine all
tra(n)vestisme (psychiatrie) all
trabac (filet de pêche) ital
traban (militaire) all
traboule (passage entre maisons) lyonnais
trabouler *v.* (utiliser un passage) lyonnais
trabuco(s) (cigare) esp
tracaner (dévider) ital
tract angl < lat
trade-mark (marque de fabrique) angl
trade-union (syndicat) angl
trafic (circulation) angl
trafic (commerce illégal) ital
tragédie grec 67, 79
tragêmata « friandises » mot grec 67
tragus (oreille) lat
traînard lat + germ 109
training (entraînement) angl < fr
trajet ital
tram(way) angl
tramontane ital
tramp (cargo) angl
tramping (transport maritime) angl
trampoline *n.m.* (gymnastique) angl < ital
tranchet 235
tranchoir 235
transalpine lat 48
transe (hypnose) angl < fr
transept (archit.) angl < lat
transfini (math) all
transhumer *v.* esp
transistor (électronique) *acronyme* angl
transit ital
translocation (biol.) angl
trapèze grec 79
trappe francique
trappeur angl
traquenard gascon 131
trattoria (restaurant) ital
traumat- « blessure » grec 80
travade (marine) ptg

travel(l)er's cheque angl
travel(l)ing (cinéma) angl
travertin (roche) ital
travestir ital 177, 179
trébucher *v.* francique 110
trek(king) (randonnée) angl
trélingage (cordage) ital
trémolo ital 217
tremplin ital < moy haut-all
trenail (voie ferrée) angl
trench-coat angl < fr
trend (économ.) angl
trépang, trip- (animal marin) malais
trépigner *v.* francique
très peu pour moi 233
trésor grec 67
trêve francique
trévise (salade) *Trévise* (Italie)
trial (sport motocycliste) angl < fr
trias (géol.) all
tribal *adj.* angl < fr
tribord néerl
tribune ital
tric(k) (au jeu de bridge) angl
triceps lat
trickster *n.m.* angl
tricoises dial
tricoter germ
tricouse (chaussette) néerl
tride (hipp.) esp
trie *n.f.* (action de trier le poisson)
triforium (archit. eccl.) angl
trigaud *n.m.* (finassier) néerl
trille ital
trimaran angl < tamoul 229
trimmer *n.m.* (engin de pêche) angl
tringa (échassier) ital
tringle néerl
trinken « boire » mot allemand 206
trinquart (bateau de pêche) angl
trinquer all 206
trinquet (mât) ital
trinquette (voile) ital
trio (mus.) ital
triolet (mus.) ital (ou prov)
trip (état hallucinatoire) angl
tripang, trép- (holothurie) malais
tripe (boyaux) ital (ou esp) < ar
trique néerl
trirègne (tiare du pape) ital
trisser (courir) all
triumvir (magistrat) lat
trivelin (bouffon) *Trivellino* (Italie)
trivium (univ. M. Â.) lat
troène francique 105
trogne gaul
troïka (attelage à trois chevaux) russe 211
troll *n.m.* (lutin) suédois
trolle *n.m.* (bot.) all
trolley angl
trolleybus *pseudo-anglicisme*
tromba (hystérie) malgache
trombe ital
trombine (visage) ital (?)
tromblon ital 173
trombone ital
trommel (triage du minerai) all
trompe (instr. de mus.) francique

trop *adv.* francique 110
trotskiste (hist. polit.) *Trotski* (Russie)
trotter *v.* francique 110
trotting (hipp.) angl
troubadour prov 127
trouble, truble *n.f.* (filet de pêche) norm
trouille oïl du Nord < néerl
troupe francique 110
troupeau francique110
troussequin (sellier) picard
troussequin, trusquin (menuiserie) flamand
trouvère 127
truand gaul
truble, trouble *n.f.* (filet de pêche) norm
truc prov (?)
truc(k) (wagon à plate-forme) angl 226
truchement « interprète » ar 149, 154
trudgeon (natation) *Trudgeon* (G.-B.)
truelle (outil de maçon) oïl du Nord
truffe prov ou périgourdin 131
truie 97, 162
truisme (évidence) angl
trullo (archit.) ital
trumeau (panneau) francique
trusquin, troussequin (menuiserie) flamand
trust angl
trustee (finance) angl
tsar, tzar russe < lat 211, 213
tsarévitch russe 211
tsarine russe 211
tsé-tsé (mouche) bantou 242, 243
tsigane, tzigane all < hongrois < grec byz 189
tsunami (raz de marée) jap
tub (bassine) angl
tuba (instr. de mus.) all
tubeless « sans chambre à air » angl
tubing (mines de l'Est) angl
tudesque (allemand) ital < francique
tuf (roche) ital
tulipe turc < persan 158
tumbling (gymn. acrobatique) angl
tumulus (tertre) lat
tuner *n.m.* (amplificateur) angl
tungstène (chimie) suédois
tunnel angl < fr < gaul
tupaïa, tupaja (mammifère) malais
tupinambis (grand lézard) tupi
turban ital < turc < persan 157, 257
turbé, turbeh (tombeau) ar
turbiner « travailler » dial du Nord (argot) 27
turbith (bot.) ar
turbot vx scand 114, 116
turc grec byz < ar < persan < mongol
turco (tirailleur algérien) sabir < ital
turf (hipp.) angl 226
turista (diarrhée) esp
turnover angl
turne « chambre » alsacien (ou all)

turnep(s) (chou-rave) angl
turquin (bleu foncé) ital
tussah (soie sauvage) angl < hindi
tussau (soie sauvage) angl < hindi
tussor (soie sauvage) angl < hindi 229
tuthie, tutie (chimie) ar
tutti (mus.) ital
tutti frutti ital
tutti quanti ital
tuyau francique
tweed (étoffe) *Tweed* (Écosse)
tweeter *n.m.* (haut-parleur) angl
twill (tissu) angl
twin-set (vêtement) angl
twist (jeu de cartes) angl
typhon angl (ou ptg) < ar < chinois 247
typhus (médecine) lat
typographie grec 14
tzar, tsar russe < lat 211, 213
tzarévitch, tsarévitch russe 211
tzarine, tsarine russe 211
tzigane, tsigane all < hongrois < grec byz 189

U

ubac (versant nord) prov
uhlan (cavalier) all < polonais
uisgebeatha mot irlandais 48
ukase, oukase (édit) russe 211
ulcère prov
uléma, ouléma (relig.) ar
ulluque *n.m.* (bot.) esp < quechua
ultimatum lat
ultra lat
ultrason lat 82
unau *n.m.* (mammifère) tupi
underground (mouvem. artist.) angl
understatement « litote » angl
underworld (pègre) angl
uni- *préfixe* lat 81
uniate (relig.) russe
unicolore 81
unidimensionnel angl
Union Jack (drapeau du Royaume-Uni) angl
unionisme -iste (politique) angl
unique 81
unitarien (relig.) angl
unitarisme (relig.) angl
up-to-date (récent, à jour) angl
upas *n.m.* (bot.) malais
upérisation (stérilisation) angl < fr
uppercut (boxe) angl
upwelling (océans) angl
urane (chimie) *Uranus* (mythol.)
uranisme (homosexualité masc.) *Ourania*
uranium (chimie) *Uranus* (mythol.) 75
urbi et orbi lat 69
ursuline (religieuse) *Sainte Ursule*
urubu (vautour) tupi
usine picard 133
usnée n.f. (lichen) ar
usquebac (whisky) celt

usus (auroch) lat < germ
utérus lat
utilisation 254
utiliser angl < fr 221, 254
utilitaire angl
utilitarisme, -iste (philos.) angl
utopie angl

V

vacarme néerl
vacive *n.f.* (jeune brebis) prov
vacuum (vide) lat
vacuum cleaner (aspirateur) angl
vade-mecum (aide-mémoire) lat
vadrouille (balai à franges) lyonnais et Canada 132
vague *n.f.* vx scandinave 114, 116
vaguemestre all
vahiné tahitien 246
vaigre *n.f.* (marine) vx scand
vaina « gousse » mot espagnol 188
vaisya *n.m.* (caste hindoue) skr
valable (qui a du mérite) angl
valet gaul 48
valise ital < ar (?) 180
valleuse (géol.) oïl de l'Ouest
vallon ital
valse all
valser *v.* all
vamp *abréviation* angl 217
vampire all < serbe < turc (?) 209
van (fourgon) angl
vanadium (chimie) *Vanadis* (mythol.) 75
vanda *n.f.* (bot.) hindi
vandoise (poisson) gaul
vanille esp 10, 22, 188
vanity-case (valise de toilette) angl
vanne (barrage) celt
vantard 109
vapor-lock (avion) angl
vaquero (bouvier) esp
var(r)on (vétérinaire) prov
vara, vare (unité de long.) esp
varactor angl.
varaigne (marais salants) oïl de l'Ouest (?)
varan (reptile) ar
varangue *n.f.* (marine) vx scand
varangue *n.f.* (vérandah) ptg
varappe (escalade) *La Varappe* (Hte-Savoie)
varech vx scandinave 114, 116
vareuse norm
variation mot anglais < fr 218
varicap (électronique) angl
variorum (édition) lat
varlope *n.f.* (rabot) oïl du Nord-Est < néerl
varve *n.f.* (géol.) suédois
vase « boue » moyen néerl
vaseline (pommade) angl < all + grec 226
vasistas all
vasque (bassin) ital
vassal gaul
vaten « eau » mot scandinave 116

vâtrer (se) fr région de Normandie 116
vaudeville (théâtre) *Vau-de-Vire* (Calvados)
vaudou (culte animiste) ewé-fon, langue africaine 242, 244
vecteur angl
véda (texte relig.) skr
vedette ital
vedika *n.f.* (balustrade) skr
végétarien angl
végétarisme angl
veillaque (injure) ital
veinard 109
veir dit a. fr 225
vélarium (tente) lat
velche, welche (étranger) all de Suisse
veld(t) (géogr.) néerl
velours prov
velte *n.f.* (instr. de mes.) all
velum toile) lat
velvet (velours de coton) angl
vendetta corse 131
venet (filet de pêche) gallo-roman
venette (peur) dial
ventilateur angl
ventolier (fauconnerie) prov
véranda(h) angl < hindi (ou bengali) < ptg
verbiage picard < francique
verdict angl < fr 221, 224, 225
vere dictum expression latine 225
vergne « aulne » gaul 18, 53-56, 106
vergobret (juge) gaul
vergue (marine) norm-picard
vérin (instr. de levage) picard
vérisme (littérature) ital
vermicelle ital 180
vermout ou **vermouth** all
verne « aulne » gaul 46, 54-56
vernis (enduit) *Bérénice* (Cyrénaïque)
verno « aulne » mot gaulois 53, 106
véronique (taurom) esp
verre 66
vers (poésie) 211
versatile 234
verso lat
versus (opposé à) angl < lat
versus mot latin 211
verste (mes. de long.) russe 211
vert lat 107
vertere « tourner » verbe latin 211
vertigo lat
vertugadin *n.m.* (jupon) esp
very mot anglais 220
vesou (jus de canne à sucre) créole
Vespa (motocyclette) ital. *nom déposé*
vessigon (vétérinaire) ital
veste ital 180, 257
vestibule ital
vétille prov
vétiver (plante à parfum) tamoul
veto lat
viaduc angl
viandas « mets » mot espagnol < fr 186
viande 186
viarne 56

vibord (marine) vx scand
vibrato (mus.) ital
vice versa lat
victoria (bot. et voiture) *Victoria* (G.-B.)
vidange flamand
vidéo angl
vidicon (télévision) angl
vidimus (admin.) lat
vidrecome (grand verre à boire) all
vielle (instr. de mus.) prov
viène 56
vigie ptg
vignoble prov
vigogne *n.f.* (mammifère) esp < quechua 192, 196
viguier (magistrat) prov
vihara *n.m.* (monastère) skr
vik « baie » mot scandinave 116
viking vx scand 114
vilayet *n.m.* (province ottomane) ar
vilebrequin flamand < néer
villa ital 114
villa « ferme » mot latin
villanelle (danse, chanson) ital 177
-ville lat 110
villégiature ital
vimana *n.m.* (tour- sanctuaire) skr
vina *n.f.* (instr. de mus.) skr
vinasse prov
vindas *n.m.* (cabestan) vx scand
vintage (vin millésimé) angl
viole (instr. de mus.) prov
violon ital
violoncelle ital
viquet fr rég de Normandie 116
virago lat
virev(e)au (marine) prov
virginie (tabac) *Virginie* (U.S.A.)
virki « fortification » mot scandinave 113
virole *n.f.* (bague de métal) gaul
virtue mot anglais < fr 218
virtuose ital 180
virus lat
vis-à-vis mot anglais < fr 11
visa lat
viscache (rongeur) esp < quechua
visualiser angl
vitamine angl
vitellus (biol.) lat
vitre 66
vivace (mus.) ital
vizir turc < persan 155
vocératrice (pleureuse) corse
vocero (chant funèbre) corse
vocodeur (analyseur vocal) angl
voda « eau » mot russe 211
vodka russe 211
vœu 63
vogue ital
voguer germ
voiler la face (se) *calque* < hébreu 145
voiturin (voiturier) ital
voïvode (gouverneur) slave
volapük (langue artificielle) *acronyme* angl

volcan (géol.) *Vulcain* (mythol.)
volcanologie angl
volley(-ball) angl
volleyeur angl
volt (mes. phys.) *Volta* (Italie) 93, 94
volte « fois » fr du XVIe s. < ital 178
volte-face *n.f. calque* < ital
volter *v.* (hipp.) ital
voltiger ital
volubilis (bot.) lat
volute ital
vomer (soc de charrue) lat
vomito negro « fièvre jaune » esp
vote angl 221, 224
voter *v.* 66
votum « vœu » mot latin 63
voucher *n.m.* (bon de voyage) angl
vouer 66
vouge *n.m.* (arme) gaul
vox populi lat
vrac néerl
vulcanisation angl
vulcaniser angl
vulcanologie angl

W

wading (méth. de pêche) angl
wagage (limon servant d'engrais) néerl
wagon angl < néerl
wait (to) verbe anglais < fr 218
waiter mot anglais 218
walk-over (compétition) angl
walkie-talkie angl < pidgin des Antilles
Walkman (baladeur) *Walkman, nom déposé*
walkyrie (déesse guerrière) vx scand
wallaby (kangourou) ang < lgue d'Australie
wallon francique
wapiti (cervidé) angl < algonquin
war mot angl 111
wargame angl *calque* < all
warning *n.m.* (feux de détresse) angl
warrant *n.m.* (commerce) angl < fr
washingtonia *n.m.* (palmier) *Washington* (U.S.A.)
wassingue (serpillière) flamand < germ
watchman (garde de nuit) angl
water-ballast angl < vx scand
water-closet, waters ou **W.-C.** angl
water-polo angl < tibétain
watergang (canal) néerl
wateringue (drainage) flamand
waterproof angl
watt (mes. phys.) *Watt* (G.-B.) 93, 94
wattman (conducteur de tramway) *pseudo-anglicisme*
weber (mes. phys.) *Weber* (Allemagne) 94
week-end angl 236
welche, velche (étranger) all
wellingtonia *n.m.* (bot.) *Wellington* (G.-B.)

weltanschauung (philos.) all
welter (boxe) angl
wergeld (indemnité) all < saxon
western *n.m.* (film d'aventures) angl
wharf (appontement) angl
whig (du parti libéral) angl
whipcord (tissu serré) angl
whisky gaélique 48, 211
whist *n.m.* (jeu de cartes) angl
white-spirit (produit pétrolier) angl
wigwam (hutte indienne) angl < algonquin
wil(l)aya *n.f.* (div. admin. algérienne) ar
winch (treuil) angl
winchester *n.m.* (carabine) *Winchester* (U.S.A.)
windsurf (planche à voile) angl *nom déposé*
wintergreen (essence de parfum) angl
wishbone (vergue) angl
witloof « endive » flamand (en Belgique)
wolfram (minerai de tungstène) all
wombat (kangourou) angl < lgue d'Australie
wombatidé (zool.) lgue d'Australie
won *n.m.* (monnaie) coréen
wood « forêt » mot anglais 41
woofer *n.m.* (haut-parleur) angl
wormien (anat.) *Worm* (Danemark)
wu (dialecte chinois) chinois
würmien (géol.) *Würm* (Allemagne)
wyandotte *n.f.* (race de poule) *Wyandotte* (U.S.A.)

X

xantholâtre 87
xérès (liqueur) *Jerez* (Andalousie)
ximénie (bot.) *Ximenes* (Espagne)

Y

yacht angl < néerl 65, 226
yacht(s)man angl
yacht-club angl
yachting angl
yack ou **yak** (buffle) angl < tibétain 229, 247
yakimono (poterie) jap
yakitori (brochette de volaille) jap
yakuza (association « mafieuse ») jap
yama mot jap 249
yamamai (ver à soie) jap
yamba (chanvre) wolof (?)
yang (philos.) chinois
yankee néerl ou amérind
yaourt ou **yog(h)ourt** turc (ou bulgare)
yard (mes. de long.) angl
yass (jeu de cartes) all de Suisse
yatagan (sabre) turc
yawl (voilier) angl

yearling (hipp.) angl
yen (monnaie) jap 248
yeoman (garde en costume) angl
yeomanry (garde en costume) angl
yeshiva *n.f.* (école talmudique) hébreu
yéti (humanoïde légendaire) tibétain
yeuse (chêne vert) prov
yéyé ou **yé-yé** angl
yin (philos.) chinois
ylang-ylang, ilang-ilang (bot.), malais
yod *n.m.* (semi-consonne) all < hébreu
yodler, iouler *v.* all
yoga (discipline spirituelle) skr
yogi (ascète pratiquant le yoga) skr
yohimbehe (bot.) bantou
yole (embarcation) danois-norvégien < néerl
yom kipp(o)ur (fête juive) hébreu
yorkshire-terrier (race canine) angl
yourte, iourte (tente de nomade) russe
youyou *n.m.* (canot) chinois 247
ypérite (gaz toxique) *Ypres* (Belgique)
ysopet, isopet (recueil de fables) *Ésope*
ytterbium (chimie) *Ytterby* (Suède) 73, 75
yttrium (chimie) *Ytterby* (Suède) 73, 75
yuan (monnaie) chinois
yucca (bot.) taïno de Haïti
yumi (arc) jap

Z

zain (pelage) esp < ar
zakat (aumône islamique) ar
zakouski *n.m.pl.* (cuisine) russe 10, 212
zambo (métissage) esp
zan(n)i (bouffon) *Zanni* (Venise)
zaouia, zawija (établiss. relig.) ar
zapateado (danse) esp
zapper *v.* angl
zappeur angl
zapping angl
zarâfa « girafe » mot arabe 150
zarzuela (litt. et cuisine) esp
zawija, zaouia (établiss. relig.) ar
zèbre ptg
zébu tibétain (?) 247
zeda « (lettre) z » mot espagnol 188
zèle lat < grec 38
zellige *n.m.* (marqueterie émaillée) ar
zemstvo (assemblée) russe
zen (méditation) skr
zénana (étoffe cloquée) hindi < persan 158
zénith ar 152, 153
zeppelin (dirigeable) *Zeppelin* (Allemagne)
zéro ital < ar 148, 153

zérumbet (bot.) ar < persan
zheng (instr. de mus.) chinois
zibeline (fourrure) ital < russe 212
Ziegel « tuile » mot allemand 102
ziggourat *n.f.* (temple) assyrien
zigouiller *v.* oïl de l'Ouest < prov (?) 27
zimbu lgue africaine
zinc all 208
zingaro (bohémien) ital
zinjanthrope (australopithèque) *Zinj* (Tanzanie)
zinnia (bot.) *Zinn* (Allemagne)
zinzolin *adj.* (couleur violette) ital < ar
Zip (fermeture à glissière) angl *nom déposé*
zipper v. angl
zircon (pierre semi-précieuse) syriaque < grec
zirconium (chimie) lat 75
zizanie « discorde » grec < sémitique 145
zloty (monnaie) polonais
zoé « vie » mot grec 85
zoïle « critique envieux » *Zoïle* (Grèce)
zombi, **zombie** *n.m.* (fantôme) créole 200
zonage angl
zoning (urbanisme) angl
zoom (photographie, cinéma) angl
zoreille (métropolitain) créole
zorille *n.f.* (mammifère) esp
zouave (fantassin français) tribu *Zwava* (Algérie)
zouk mot créole 200
zoulou (ethnie africaine) bantou
zuc(c)hette « courgette » ital
zwanze (plaisanterie) (à Bruxelles)
zwanzer *v.* (plaisanter) (à Bruxelles)

TABLE

PRÉAMBULE 7

Nous sommes tous des polyglottes... **9** – Le lexique ne connaît pas les frontières **9** – Pourquoi se plaindre des emprunts ? **10** – Des trésors venus d'ailleurs **11** – *Quelques points de repère à travers les âges* **14**.

1. DES EMPRUNTS PAR MILLIERS 15

Le poids de la dette **17** – *Des mots gaulois tombés dans l'oubli* **18** – Les « grosses » dettes **19** – RÉPARTITION PAR LANGUES DES 4 200 MOTS D'EMPRUNT (vocabulaire courant) **19** – Les « petites » dettes **21** – *Le bonheur de pasticher* **22**.

2. LE CAS PARTICULIER DE L'ARGOT 23

Le vocabulaire argotique **25** – Les emprunts en argot ancien **26** – Dans le lexique argotique actuel **26** – Les langues régionales en tête **27** – Historique des emprunts dans le domaine de l'argot **28** – *Les Coquillards et leur argot* **28** – La langue des galériens **29** – *À la manière de La Fontaine* **30** – Les autres langues **30** – Lexique argotique et lexique tout court **31**.

3. DES INCERTITUDES INÉVITABLES 33

Des mots sans date de naissance **35** – Avant le gaulois et avant le latin **35** – Le basque, langue vivante **36** – Des mots venus de la nuit des temps **36** – *D'où vient le nom de la rose ?* **37** – Le nom du lapin **37** – *Les chiens* **38** – Le recours aux toponymes **38** – *Les diverses sortes de noms propres* **39** – Cuq et Cucuron **40** – D'autres hauteurs cachées **41**.

4. VESTIGES DU GAULOIS 43

Du gaulois, malgré tout **45** – Les mots venus du gaulois **45** – *Le glossaire d'Endlicher : 18 mots expliqués* **46** – *Merde à César !* **47** – Rabouilleuse : *un mot gaulois sauvé de l'oubli* **47** – À la manière de... **47** – *Les Gaulois et les autres Celtes* **48** – L'intermédiaire breton **48** – *Du pain et du vin* **49** – Le druide sous son chêne **49** – Le chêne gaulois : présent partout **50** – LES NOMS GAULOIS DU CHÊNE DANS LES TOPONYMES **51** – *Liste des 221 toponymes évoquant le chêne* **52** – La vergne avait précédé l'aulne **53** – *Liste des 230 toponymes évoquant l'aulne < gaulois* verno **53** – *Vergne* ou *verne* dans les usages régionaux **54** – DANS LES USAGES RÉGIONAUX ON PRÉFÈRE SOUVENT *VERGNE* OU *VERNE* **55** – Les toponymes du type *Aulnay* **56**.

5. UNE LANGUE DEUX FOIS LATINE 59

Le latin, une langue morte ? **61** – *Les langues issues du latin* **61** – Latin classique et latin vulgaire **62** – *Vrai ou faux ?* **63** – Le latin ressuscité **63** – Un peu d'histoire **64** – *Le matelot mafflu* **65** – Formes populaires et formes savantes **65** – *Savant ou populaire ?* **66** – *Quelle est la forme savante ?* **66** – Latin ou grec ? **67** – Des mots latins empruntés au grec **67** – Le latin tel qu'en lui-même **68** – *Pouvez-vous le dire en latin ?* **68** – Le latin des botanistes **69** – Quand la chimie parle latin **70** – *Le latin : une arme de séduction ?* **71** – *Petite histoire des 64 éléments chimiques en* -ium **72**.

6. PERMANENCE DU GREC CLASSIQUE 77

Le grec classique, source de renouvellement **79** – L'exemple de la médecine **79** – *Quoi de commun entre un parasite et un cercueil ?* **80** – Le latin et le grec en concurrence **80** – Les « monstres » **81** – *Du grec ou du latin ?* **82** – La pierre au cours des siècles **83** – *Du persil, pour ranimer les mourants* **83** – Le sel de pierre **83** – L'huile de pierre **84** – *La pierre gréco-latine* **84** – Les mots qui ont un « état civil » **84** – Un mot inventé par un médecin : *microbe* **86** – L'héritage graphique et ses avatars **86** – Les aléas des prononciations **87** – *Combinaisons colorées* **87**.

7. DU NOM PROPRE AU NOM COMMUN 89

Quoi de commun entre un dahlia et un calepin ? **91** – Des éponymes français **91** – Des noms de fleurs venus de l'étranger **92** – *Du cattleya à « faire catleya »* (sic) **92** – La nomenclature scientifique **93** – Les grands savants **93** – *Éponyme français ou étranger ?* **94** – Des éponymes loin cherchés **94** – Un calepin venu d'Italie **95** – *Du nom propre au nom commun* **96** – Des noms de lieux étrangers dans la langue française **96** – *De Cordoue au cordonnier* **97**.

8. L'HÉRITAGE GERMANIQUE 99

LES LANGUES GERMANIQUES DE LA FRANCE **101** – Une longue cohabitation **102** – *On les appelait des barbares* **102** – Quelles populations germaniques ? **103** – LES LANGUES GERMANIQUES **104** – Les apports ultérieurs **105** – L'importance du bois **105** – Le fouet, un petit « fou » **106** – Le bois sous toutes ses formes **106** – *Le bordel : une cabane en planches* **106** – *Le jeu des noms de couleurs* **107** – Marquer son territoire **107** – *Du jardin à la ville* **108** – *Les titres de noblesse* **109** – Les noms de personnes raccourcissent **108** – *Le nom du renard* **109** – D'un adjectif germanique à un suffixe français **109** – Deux adverbes seulement, mais des centaines de verbes **109** – Une revenante : la consonne *h* **110** – *Pourquoi un* h *dans* huile, huit *et* huître *?* **111** – Une consonne en remplace une autre **111** – Un « germanique menu » **112** – Venus de Scandinavie, d'autres Germains **113** – Ils adoptent la langue de leur nouvelle patrie **113** – *Mots venus du vieux scandinave* **114** – Noms de lieux en Normandie **114** – *Méfions-nous des apparences* **115** – Des mots de la mer **116** – Des mots normands **116** – *Quelques mots entendus en Normandie* **116** – *La Normandie en fleur* **117**.

9. LE TEMPS DES FOIRES 119

Diversité des apports au Moyen Âge **121** – Les foires de Champagne **121** – Des mots venus du néerlandais **122** – *Deux maquereaux ou un seul ?* **123** – *Quelques mots venus des colonies néerlandaises* **124** – Des mots qui racontent une histoire **124** – Des mouvements dans les deux sens **125** – Le « françois », une langue composite **125** – *Les dialectes gallo-romans* **126** – D'abord les troubadours **127** – *Troubadour = trouvère* **127** – Un suffixe très dynamique **127** – La langue des troubadours **129** – *Est-ce vrai ou faux ?* **130** – Amour *est enfant du Midi* **130** – Quelques origines mieux localisées **131** – La montagne **131** – *Le reblochon* **132** – L'héritage de Guignol **132** – Les parlers d'oïl **133** – Les parlers d'oïl du Nord **133** – *La crevette, une petite chèvre ?* **134** – Les parlers d'oïl de l'Ouest **134** – Les parlers d'oïl de l'Est **135** – *Paris imite parfois ce qui vient d'ailleurs* **135**.

10. LES LANGUES DE L'ORIENT ET DE LA MÉDITERRANÉE 137

Une place privilégiée pour l'arabe **139** – *Les souks d'Alep pendant les Croisades* **139** – Les fils de Cham et de Sem **140** – LA FAMILLE CHAMITO-SÉMITIQUE **140** – LA BRANCHE SÉMITIQUE **141** – L'hébreu, langue de la Bible **141** – *Jésus polyglotte* **142** – Les traductions de la Bible et leur impact linguistique **142** – *Gotique ou gothique ?* **143** – L'hébreu visible et invisible **144** – *Un calque n'est qu'une traduction* **144** – Venues de la Bible, des images... **145** – ... et des tournures grammaticales **145** – *Le cantique des cantiques* **146** – L'arabe des savants **146** – *L'arabe, introducteur de mots grecs* **147** – Albucasis, chirurgien précurseur **147** – L'arabe des mathématiciens **148** – *Chiffre = zéro* **148** – L'arabe des alchimistes **149** – L'arabe des naturalistes **149** – L'arabe des botanistes **150** – *Du magasin au magazine* **150** – La science arabe **151** – Le /b/ dans *abricot* **151** – Un article qui ne dit pas son nom **152** – Des mots qui se dédoublent **153** – Assassins : fumeurs de haschisch ? **153** – Les surprises de la sémantique **154** – *Des princes arabes* **155** – L'arabe, langue de passage **155** – *L'arabe à la croisée des chemins* **156** – Le persan, langue indo-européenne **156** – Des échanges de bons procédés **156** – LA BRANCHE INDO-IRANIENNE **157** – Divan et douane : même origine **158** – Le retour au bercail **158** – *Lequel est persan ?* **159** – Le persan a aussi été un intermédiaire **159** – *Le sanskrit, langue liturgique* **159** – Un bleu devenu écarlate ? **160** – *Les Mille et Un Jours* **160** – Une autre langue orientale, le turc **161** – *Le turc* **161** – Bien avant les « turqueries » **161** – *La géographie, source lexicale* **162** – Le déguisement des mots turcs **163** – Hongrois *est un mot turc* **163**.

11. LES APPORTS DES SŒURS LATINES 165

L'italien

À tout seigneur, tout honneur **167** – *Stendhal voulait « to make of this sketch a* romanzetto *»* (sic) **168** – En Italie, l'Orient rencontrait l'Occident **168** – *Des échelles et des ports* **169** – La rue des Lombards **169** – *Boccace est peut-être né à Paris* **170** – De la monnaie à la presse écrite **170** – Des liens culturels anciens **171** – Les mots de la guerre **172** – Les armes à la main **173** – *Un brigand ingambe* **174** – Une coloration péjorative **174** – Les mots de la mer **175** – À propos de *coursive* et *corsaire* **175** – *Les italianismes chez Rabelais* **176** – On aime l'italien, passionnément **176** – Les voyages en Italie **176** – *Montaigne et l'italien* **177** – Des moqueries et des mouvements de résistance **177** – *Ronsard et la belle Italienne*

177 – *Du Bellay, ou la nostalgie* **178** – Le français italianisé **178** – Les modes éphémères **179** – Ces mots ne resteront pas toujours des étrangers **179** – *Montaigne découvre la douche* **180**.

12. LES APPORTS DES SŒURS LATINES 183

L'espagnol

« El camino francés » au XIe siècle **185** – Des mots français traversent les Pyrénées **185** – À son tour, le français puise dans l'espagnol **186** – Comment identifier les emprunts à l'espagnol **186** – *Une pasionaria est une fleur* **187** – *La cédille* **187** – Chaque mot a son histoire **188** – LES GENS DU VOYAGE **189** – L'espagnol entre deux mondes **189** – L'espagnol, introducteur de vocabulaire exotique **190** – *Cacahuète* **190** – QUELQUES LANGUES INDIGÈNES DE L'AMÉRIQUE LATINE **191** – *La vitalité de quelques langues amérindiennes* **191** – Le tabac a eu plusieurs noms **192** – La patate et la pomme de terre **193** – Une « démarcation » historique **194**.

Le portugais

Le triple apport du portugais **194** – UNE LIGNE DE DÉMARCATION QUI SE DÉPLACE **195** – MOTS VENUS PAR L'ESPAGNOL ET PAR LE PORTUGAIS **196** – Le malais, langue de passage **197** – Les mots africains et portugais **197** – MOTS VENUS D'ASIE PAR LE PORTUGAIS **198**.

Les créoles

Que sont les créoles ? **199** – *Des mots venus de loin* **200** – L'apport des créoles **200** – *Les créoles dans le monde* **201**.

13. LES AUTRES APPORTS EUROPÉENS 203

L'allemand

Les emprunts les plus récents **205** – Le vocabulaire des mercenaires **205** – Des mots savants et des mots guerriers **206** – *Des lutins dans les mines* **206** – Des mots inventés **207** – Créations particulières **208** – Altérations et interprétations erronées **209** – L'allemand, langue de passage **209** – *À la hussarde* **210**.

Les langues scandinaves modernes

Les langues slaves

Un peu de russe en français **210** – LA BRANCHE BALTO-SLAVE **211** – *La verste et le vers* **211** – Manger et boire à la mode russe **212** – Le polonais : une danse, une pâtisserie, une graphie **212** – *Tsar = Kaiser = Caesar* **213** – Le tchèque **213**.

Les autres langues de l'Europe

14. L'ANGLAIS 215

L'anglais, vieux compagnon de route **217** – *Le clown et le bouffon* **217** – D'abord du français vers l'anglais... **218** – *Quelques mots anglais venus du français* **219** – ... puis de l'anglais vers le français **220** – L'anglais avait puisé dans le latin **220** – *Voyage sentimental* **221** – Les « allers et retours » **221** – *Les « chuintements » de l'anglais* **222** – Des formes nouvelles **223** – Des significations nouvelles **224** – Des calques encore en usage **225** – Les anglicismes et l'Académie française **225** – L'anglais, transporteur de mots **226** – MOTS VENUS D'AMÉRIQUE DU NORD **227** – Des mots amérindiens **227** – *Le séquoia, vieux, géant et savant* **228** – Des mots venus d'Asie **228** – MOTS VENUS D'ASIE PAR L'ANGLAIS **229** – Les anglicismes aujourd'hui **230** – *Pourquoi* thé *et non pas* cha *?* **231** – Emprunts visibles et emprunts dissimulés **232** – *Le Coca-Cola, une boisson afro-américaine centenaire* **233** – Les anglicismes pernicieux **234** – Les grands résistants **234** – Dictionnaire franglais-français **235** – Les anglicismes « ringards » **237**.

15. L'AUTRE BOUT DU MONDE 239

L'exotisme africain **241** – *Le français, langue officielle dans 18 pays d'Afrique* **241** – QUELQUES MOTS VENUS DES LANGUES D'AFRIQUE **242** – Quelques précisions zoologiques **243** – Un peu de botanique **243** – Rites et croyances **244** – *Bois exotiques* **245** – Autour du Pacifique **245** – Des mots d'Australie et de Nouvelle-Zélande **246** – Des mots venus de Polynésie **246** – Des mots chinois **247** – Des mots tibétains **247** – Le japonais, dernière escale **248** – *Mots d'origine japonaise* **248** – Des arts martiaux très élégants **248** – Les difficultés de la prononciation **248** – Se faire *hara-kiri* **249** – Les idéogrammes chinois et la langue japonaise **249** – *Hara-kiri = sep poukou* **250**.

16. ON A SOUVENT BESOIN D'UN ÉTRANGER CHEZ SOI ... 251

Emprunter, c'est s'enrichir **253** – Les emprunts tels quels **253** – Les nouvelles dérivations **254** – Un nouveau sens pour un mot déjà existant **254** – Traductions et calques **255** – Pour terminer en s'amusant... **256** – *Des vêtements venus de partout* **257**.

Notes et références 259

LES INDEX ET LE LEXIQUE

Index des noms propres 277

Index des noms de lieux 281

Index des langues et des peuples cités 294

Index des notions 300

Lexique des mots français venus d'ailleurs et index des formes citées 303

TABLE DES CARTES,

DES TABLEAUX DES LANGUES,

DES RÉCRÉATIONS

CARTES

Les noms gaulois du chêne dans les toponymes 51
Dans les usages régionaux, on préfère souvent *vergne* ou *verne* 55
Les langues germaniques de la France 101
Les gens du voyage 189
Quelques langues indigènes de l'Amérique latine 191
Une ligne de démarcation qui se déplace 195
Mots venus par l'espagnol et par le portugais 196
Mots venus d'Asie par le portugais 198
Mots venus d'Amérique du Nord 227
Mots venus d'Asie par l'anglais 229
Quelques mots venus des langues d'Afrique 242

TABLEAUX DES LANGUES

Les langues germaniques 104
Les dialectes gallo-romans 126
La famille chamito-sémitique 140
La branche sémitique 141
La branche indo-iranienne 157
La branche balto-slave 211

RÉCRÉATIONS

Des mots gaulois tombés dans l'oubli 18
Le bonheur de pasticher 22
À la manière de La Fontaine 30
Les chiens 38
Vrai ou faux ? 63
Le matelot mafflu 65
Savant ou populaire ? 66
Quelle est la forme savante ? 66
Pouvez-vous le dire en latin ? 68
Du grec ou du latin ? 82
Combinaisons colorées 87

Éponyme français ou étranger ? 94
Du nom propre au nom commun 96
De Cordoue au cordonnier 97
On les appelait des barbares 102
Le jeu des noms de couleurs 107
Pourquoi un *h* dans *huile*, *huit* et *huître* ? 111
La Normandie en fleur 117
Est-ce vrai ou faux ? 130
Lequel est persan ? 159
La géographie, source lexicale 162
Des mots venus de loin 200
Le clown et le bouffon 217
Le séquoia, vieux, géant et savant 228
Bois exotiques 245
Des vêtements venus de partout 257

DU MÊME AUTEUR

Dictionnaire de la prononciation française dans son usage réel (en collaboration avec André Martinet), Paris, Champion - Genève, Droz, 1973, 932 p.

La Dynamique des phonèmes dans le lexique français contemporain, Paris, Champion – Genève, Droz, 1976, 481 p. (Préface d'André Martinet.)

La Phonologie du français, Paris, PUF, 1977, 162 p.

Phonologie et société (sous la direction d'Henriette Walter), Montréal, « Studia Phonetica » 13, Didier, 1977, 146 p.

Les Mauges. Présentation de la région et étude de la prononciation (sous la direction d'Henriette Walter), Centre de recherches en littérature et en linguistique sur l'Anjou et le Bocage, Angers, 1980, 238 p.

Enquête phonologique et variétés régionales du français, Paris, PUF, « Le linguiste », 1982, 253 p. (Préface d'André Martinet.)

Diversité du français (sous la direction d'Henriette Walter), Paris, SILF, École pratique des Hautes Études (4e Section), 1982, 75 p.

Phonologie des usages du français, Langue française, n° 60 (sous la direction d'Henriette Walter), Paris, Larousse, déc. 1983, 124 p.

Graphie-phonie (sous la direction d'Henriette Walter), Journée d'étude du Laboratoire de phonologie de l'École pratique des Hautes Études (4e Section), Paris, 1985, 82 p.

Mots nouveaux du français (sous la direction d'Henriette Walter), Journée d'étude du Laboratoire de phonologie de l'École pratique des Hautes Études (4e Section), Paris, 1985, 76 p.

Cours de gallo, Centre national d'enseignement à distance (CNED), ministère de l'Éducation nationale, Rennes, 1er niveau, 1985-1986, 130 p., et 2e niveau, 1986-1987, 150 p.

Le Français dans tous les sens, Paris, Robert Laffont, 1988, 384 p. Préface d'André Martinet (Grand Prix de l'Académie française, 1988).

Traduction anglaise : *French inside out*, par Peter Fawcett, Londres, Routledge, 1994, 279 p.

Traduction tchèque : *Francouzština známá i neznámá*, par Marie Dohalská et Olga Schulzová, Prague, Jan Kanzelsberger, 1994, 323 p.

Bibliographie d'André Martinet et comptes rendus de ses œuvres (en collaboration avec Gérard Walter), Louvain-Paris, Peeters, 1988, 114 p.

Des mots sans-culottes, Paris, Robert Laffont, 1989, 248 p.

Dictionnaire des mots d'origine étrangère (en collaboration avec Gérard Walter), Paris, Larousse, 1991, 413 p. rééd. 1998.

L'Aventure des langues en Occident. Leur origine, leur histoire, leur géographie, Paris, Robert Laffont, 1994, 498 p. Préface d'André Martinet (Prix spécial du Comité de la Société des gens de lettres et Grand Prix des lectrices de *Elle*, 1995).

Traduction portugaise : *A Aventura das línguas do Occidente*, par Manuel Ramos, Lisbonne, Terramar, 1996, 496 p.

Traduction espagnole : *La Aventura de las lenguas en Occidente*, par Maria Antonia Martí, Madrid, Espasa (à paraître en 1997).

Traduction italienne : *L'avventura delle lingue in Occidente*, par Sabina De Mauro, Rome Laterza, 1999, 506 p.

Le français d'ici, de là, de là-bas, Paris, J.C. Lattès, 1998, 416 p.

COMPOSITION RÉALISÉE PAR PARIS PHOTOCOMPOSITION

IMPRIMÉ EN FRANCE PAR BRODARD ET TAUPIN
Usine de la Flèche (Sarthe).
LIBRAIRIE GÉNÉRALE FRANÇAISE - 43, quai de Grenelle - 75015 Paris
ISBN : 2-253-14689-7

31/4689/1